D0108216

**BASTEI
LÜBBE**
TASCHENBUCH

Weitere Titel von Cody Mcfadyen:

Der Todeskünstler
Das Böse in uns
Ausgelöscht

Alle Titel sind auch als Hörbücher bei Lübbe Audio lieferbar.

Über das Buch:

Das Leben der FBI-Agentin Smoky Barrett ist völlig zerstört: Seit
Monaten verbringt sie die meiste Zeit in ihrem Zimmer, starrt die Wän-
de an oder lässt sich von ihrem Psychiater behandeln. Der grausame
Doppelmord an ihrem Mann und ihrer Tochter hat die ehemals beste
und erfolgreichste Agentin derart geprägt, dass an die Fortsetzung ihrer
Polizeikarriere nicht zu denken ist.
Alles ändert sich an dem Tag, als ihre beste Freundin ermordet wird.
Doch dies ist erst der Beginn einer Serie von grausamen Bluttaten, die
eine ganze Nation erschüttern wird. Der Täter bezeichnet sich selbst als
Jack Junior und behauptet, ein Nachfahre des legendären Jack the Rip-
per zu sein. Außerdem betont er immer wieder, dass es nur einen Menschen gibt, der ihm das Handwerk legen könne: Smoky Barrett.
Für Smoky wird die Jagd zur Obsession, glaubt sie doch, damit die
Geister der Vergangenheit bewältigen zu können. Sie ahnt jedoch nicht,
dass die Ermordung ihrer eigenen Familie plötzlich in einem ganz anderen Licht erscheinen könnte.

Über den Autor:

Cody Mcfadyen, geboren 1968, unternahm als junger Mann mehrere
Weltreisen und arbeitete danach in den unterschiedlichsten Branchen.
Der Autor ist verheiratet, Vater einer Tochter und lebt mit seiner Familie in Kalifornien. Mit seinem ersten Roman, DIE BLUTLINIE, feierte
er international ein erfolgreiches Debüt. Cody Mcfadyen schreibt der-
zeit am nächsten Roman mit der Protagonistin Smoky Barrett.

Cody Mcfadyen

Die Blutlinie

Thriller

Aus dem Englischen von Axel Merz

BASTEI
LÜBBE
TASCHENBUCH

BASTEI LÜBBE TASCHENBUCH
Band 15853

1.–4. Auflage: Mai 2008
5. Auflage: Juli 2008
6. Auflage: August 2008
7. Auflage: November 2008
8. Auflage: Juni 2009
9. Auflage: August 2009
10. Auflage: September 2009
11. Auflage: Februar 2010
12. Auflage: Mai 2010
13. Auflage: Juni 2010
14. Auflage: August 2010

Vollständige Taschenbuchausgabe
der im Gustav Lübbe Verlag erschienenen Hardcoverausgabe

Bastei Lübbe Taschenbuch und Gustav Lübbe Verlag
in der Bastei Lübbe GmbH & Co. KG
© 2006 by Cody Mcfadyen
Titel der Originalausgabe: »Shadowman«
Für die deutschsprachige Ausgabe:
© 2006 by Bastei Lübbe GmbH & Co. KG, Köln
Textredaktion: Dr. Anita Krätzer
Umschlagmotiv: © shutterstock/Richard Griffin
Umschlaggestaltung: Manuela Städele, Christin Wilhelm
Satz: Druck & Grafik Siebel, Lindlar
Druck und Verarbeitung: CPI – Ebner & Spiegel, Ulm
Printed in Germany
ISBN 978-3-404-15853-9

Sie finden uns im Internet unter
www.luebbe.de
Bitte beachten Sie auch: www.lesejury.de

Der Preis dieses Bandes versteht sich einschließlich
der gesetzlichen Mehrwertsteuer.

Für meine Eltern, die mich ermutigten, in unbekannte Gefilde aufzubrechen. Für meine Tochter, die mir das Geschenk der Vaterschaft bereitete. Für meine Frau, der ich für ihren unerschütterlichen Glauben, ihre fortwährende Inspiration und ihre nie endende Liebe danke.

Danksagung

Diane O'Connell sei herzlich für ihre redaktionelle Hilfe und
ihre ständige Ermutigung gedankt; ferner Frederica Friedman
für ihre unschätzbaren redaktionellen Ratschläge; Liza und
Havis Dawson für ihren nimmermüden Einsatz für mich, zu
dem einige großartige redaktionelle Hilfestellungen sowie tausend andere Dinge gehörten; Bill Massey, meinem Lektor bei
Bantam Books; Nick Sayers, meinem Lektor bei Hodder; meiner
Frau, meiner Familie und meinen Freunden, die mich in meinem
Wunsch unterstützt haben, etwas zu schreiben. Und schließlich
bedanke ich mich bei Stephen King für sein Buch *Das Leben und
das Schreiben*. Es war sehr wichtig für mich und hat mir entscheidend dabei geholfen, meinen Schreibplan in die Tat umzusetzen.

Teil 1

Träume
und Schatten

KAPITEL 1   Ich habe einen meiner Träume. Insgesamt sind es nur drei; zwei sind wunderschön, der dritte ist voller Gewalt. Alle drei lassen mich zitternd und allein zurück.

Der Traum heute Nacht handelt von meinem Mann. Er geht ungefähr so:

Ich könnte sagen, er küsst meinen Hals, und es dabei belassen, der Einfachheit halber. Doch das wäre eine Lüge, im grundlegendsten Sinn des Wortes.

Es wäre ehrlicher zu sagen, dass ich mich mit jeder Faser meines Wesens, mit jedem letzten, brennenden Zentimeter meines Selbst danach sehne, von ihm auf den Hals geküsst zu werden, und als er es tut, sind seine Lippen die eines Engels, gesandt vom Himmel, um meine fiebrigen Gebete zu erhören.

Ich war damals siebzehn, genau wie er. Es war eine Zeit, in der es noch keine Verbindlichkeit und keine Dunkelheit gab. Nur Leidenschaft, scharfe Kanten und ein Licht, das so hell brannte, dass es die Seele schmerzte.

Er beugte sich vor im Dämmerlicht des Kinos, und (*o Gott*) er zögerte für einen kurzen Moment, und (*o Gott*) ich erschauerte wie am Rand eines Abgrunds, obwohl ich tat, als wäre ich ruhig, und *o Gott o Gott o Gott* er küsste meinen Hals, und es war der Himmel, und ich wusste gleich dort und damals, dass ich für immer mit ihm zusammen sein wollte.

Er war der Eine für mich. Die meisten Leute, ich weiß, finden den Ihren nie. Sie lesen darüber, träumen davon oder spotten über die Vorstellung. Doch ich hatte den Meinen gefunden. Ich hatte ihn gefunden, als ich siebzehn war, und ich ließ ihn nie wieder gehen, nicht einmal an dem Tag, an dem er sterbend in meinen Armen lag, nicht einmal, als der Tod ihn mir entriss, während ich schrie und weinte, nicht einmal heute.

Gottes Name in diesen Tagen bedeutet Leiden. *O Gott o Gott o Gott* – ich vermisse ihn so.

Ich erwache mit der Präsenz jenes Kusses auf meiner siebzehn Jahre alten Haut und begreife, dass ich nicht siebzehn bin und dass er überhaupt nicht mehr altert. Der Tod hat ihn im Alter von fünfunddreißig Jahren konserviert, auf ewig. Für mich aber ist er immer siebzehn, beugt sich immer vor, berührt immer meinen Hals in jenem einen, vollkommenen Augenblick.

Ich strecke die Hand nach der Stelle aus, wo er eigentlich schlafen sollte, und ein Schmerz durchbohrt mich so plötzlich und schneidend, dass ich bete, während ich erzittere, um den Tod bete, um ein Ende der Schmerzen. Natürlich atme ich weiter, und bald lässt der Schmerz wieder nach.

Ich vermisse einfach alles von ihm in meinem Leben. Nicht nur die guten Dinge. Ich vermisse seine Fehler genauso schmerzhaft wie seine wunderbaren Seiten. Ich vermisse seine Ungeduld, seinen Ärger. Ich vermisse den herablassenden Blick, mit dem er mich manchmal angesehen hat, wenn ich wütend war auf ihn. Ich vermisse es, mich darüber zu ärgern, dass er ständig vergessen hat zu tanken und dass das Benzin immer fast aufgebraucht war, wenn ich irgendwohin wollte.

Das ist es, denke ich häufig, was einem nie in den Sinn kommt, wenn man darüber nachdenkt, wie es wäre, jemanden zu verlieren, den man liebt. Dass man nicht nur die Blumen und die Küsse vermisst, sondern die Gesamtheit der Erfahrungen. Man vermisst die Fehlschläge und die kleinen Missgeschicke mit genau der gleichen Verzweiflung, wie man es vermisst, mitten in der Nacht in den Armen gehalten zu werden. Ich wünschte, er wäre jetzt hier und ich könnte ihn küssen. Ich wünschte, er wäre jetzt hier und ich könnte ihn betrügen. Alles wäre mir recht, sehr recht, wenn er nur da wäre.

Manchmal, wenn sie den Mut aufbringen, fragen die Leute, wie es ist, jemanden zu verlieren, den man liebt. Ich antworte ihnen, dass es schwer ist, und belasse es dabei.

Ich könnte zu ihnen sagen, dass es wie eine innerliche Kreuzigung ist. Ich könnte ihnen erzählen, dass ich in den Tagen danach fast ohne Unterbrechung geweint habe, selbst während ich in der Stadt unterwegs war – auch wenn ich den Mund geschlossen hielt und kein Geräusch von mir gab. Ich könnte ihnen berichten, dass ich diesen Traum habe, jede Nacht, und dass ich ihn erneut verliere, jeden Morgen.

Aber warum sollte ich ihnen den Tag verderben? Also sage ich ihnen nur, dass es schwer ist. Das scheint sie in der Regel zufrieden zu stellen.

Es ist bloß einer von diesen Träumen, und er treibt mich aus dem Bett. Zitternd.

Ich starre in das leere Zimmer. Dann wende ich mich dem Spiegel zu. Ich habe begonnen, ihn zu hassen. Manche würden sagen, das ist normal. Dass wir uns alle unter das Mikroskop unserer Selbstbetrachtung legen und uns auf die Fehler konzentrieren. Wunderschöne Frauen schaffen sich Ärger- und Sorgenfalten, weil sie genau danach suchen. Teenager mit wunderschönen Augen und Figuren, für die manch einer sterben würde, weinen, weil ihr Haar die falsche Farbe hat oder weil sie glauben, ihre Nase sei zu groß. Diesen Preis zahlen wir, weil wir uns durch die Augen anderer richten, einer der Flüche der menschlichen Rasse. Und ich bin damit einverstanden.

Trotzdem sehen die meisten Menschen nicht das, was ich sehe, wenn sie in den Spiegel blicken. Wenn ich mich selbst betrachte, dann sehe ich das:

Ich habe eine zerklüftete Narbe, ungefähr einen Zentimeter breit, die mitten auf der Stirn an meinem Haaransatz beginnt. Sie verläuft senkrecht nach unten, dann biegt sie in einem nahezu perfekten 45°-Winkel nach links ab. Ich habe keine linke Augenbraue; die Narbe hat ihren Platz eingenommen. Sie überquert meine Schläfe, von wo aus sie in einer trägen Schleife hinunter zu meiner Wange verläuft. Von dort zieht sie sich zu meiner Nase, tippt an ihren Rücken und kehrt wieder um, läuft diagonal über meinen linken Nasenflügel, dann an meinem Kiefer vorbei am Hals nach unten und endet auf meinem Schlüsselbein.

Die Wirkung ist beachtlich. Wenn man mich nur von rechts sieht, scheint alles ganz normal. Man muss mich von vorn ansehen, um den Gesamteindruck zu erhalten.

Jeder schaut sich wenigstens einmal am Tag im Spiegel an. Oder er sieht den Eindruck von sich in den Blicken anderer. Und er weiß, womit er zu rechnen hat. Er weiß, was andere sehen werden, was wahrgenommen wird. Ich aber sehe nicht länger das, was ich zu sehen erwarte, sondern das Spiegelbild einer Fremden, die mich hinter einer Maske hervor anstarrt. Einer Maske, die ich nicht abnehmen kann.

Wenn ich nackt vor dem Spiegel stehe, wie jetzt, dann sehe ich auch den Rest. Ich trage eine Art Halsband aus runden, zigarrengroßen Narben, das sich von einem Schlüsselbein zum anderen zieht. Weitere gleichartige Narben bedecken meine Brüste und führen von dort hinunter über mein Brustbein und meinen Bauch bis zum Ansatz meiner Schamhaare.

Die Narben sind zigarrengroß, weil sie von einer Zigarre stammen.

Wenn man all das beiseite lassen würde, sähe es gar nicht so schlecht aus. Ich bin klein, eins fünfzig groß. Ich bin nicht dünn, aber in Form. Mein Mann nannte meine Figur immer »verlockend«. Außer wegen meines Wesens, meines Herzens und meiner Seele, so sagte er immer, habe er mich wegen meiner »mundgroßen Brüste und meines herzförmigen Hinterns« geheiratet. Und ich habe langes, dichtes, dunkles lockiges Haar, das bis unmittelbar über besagten Hintern reicht. Auch mein Haar mochte er.

Es fällt mir schwer, an diesen Narben vorbeizublicken. Ich habe sie hundertmal gesehen, vielleicht tausendmal. Sie sind immer noch alles, was ich sehe, wenn ich in den Spiegel blicke. Sie stammen von dem Mann, der meinen Mann und meine Tochter getötet hat. Den später ich getötet habe.

Ich fühle eine überwältigende Leere in mich hineinströmen, wenn ich daran denke. Sie ist riesig, dunkel und absolut empfindungslos. Es ist, als würde man in ein betäubendes Gelee sinken.

Keine große Sache. Ich bin daran gewöhnt. So ist mein Leben heute eben.

Ich schlafe nicht länger als zehn Minuten, und ich weiß, dass ich heute Nacht nicht wieder einschlafen werde.

Ich erinnere mich, wie ich vor ein paar Monaten tief in der Nacht aufgewacht bin, einfach so. Diese Zeit zwischen halb vier und sechs Uhr morgens, wenn man sich fühlt, als wäre man der einzige Mensch auf der Erde – falls man zufällig auf ist. Ich hatte, wie immer, einen von meinen Träumen geträumt, und wusste, dass ich nicht wieder einschlafen würde.

Ich zog ein T-Shirt an und eine Jogginghose, schlüpfte in meine alten Turnschuhe und ging nach draußen. Ich rannte und rannte durch die Nacht, rannte, bis mein Körper nass war vor Schweiß, bis der Schweiß meine Kleidung durchtränkte und die Turnschuhe füllte, und rannte weiter. Ich schonte meine Kräfte nicht, und mein Atem ging schnell. Meine Lungen fühlten sich an wie vereist durch die Kühle der morgendlichen Luft. Aber ich hielt nicht an. Ich rannte schneller. Arme und Ellbogen pumpten, und ich rannte, so schnell ich konnte, ohne mich um irgendetwas zu kümmern.

Ich landete vor einem jener Bedarfsartikelläden, die das Tal füllen, am Straßenrand, wo ich Magensäure hochwürgte und nach Luft rang. Zwei andere morgendliche Geister starrten zu mir herüber, dann wandten sie die Blicke ab. Ich richtete mich auf, wischte mir über den Mund und stieß die Tür zum Laden auf.

»Eine Packung Zigaretten bitte«, sagte ich zu dem Inhaber, noch immer völlig außer Atem. Er war Mitte fünfzig, vermutlich ein Inder.

»Welche Marke möchten Sie?«

Die Frage verblüffte mich. Ich hatte seit Jahren nicht mehr geraucht. Ich starrte auf die Reihen hinter ihm, und mein Blick blieb an den früher geliebten Marlboros hängen.

»Marlboros. Rote.«

Er legte eine Packung vor mir auf den Tresen und tippte den Preis in seine Registrierkasse. In diesem Augenblick wurde mir bewusst, dass ich in Joggingsachen unterwegs war und kein Geld bei mir hatte. Statt verlegen zu sein, reagierte ich wütend.

»Ich hab meinen Geldbeutel vergessen«, sagte ich mit trotzig vorgerecktem Kinn. Provozierend. Ich forderte ihn heraus, mir die Zigaretten nicht zu geben oder mich auf irgendeine Weise lächerlich zu machen.

Er musterte mich einen Moment lang. Es war wohl das, was Schriftsteller eine »prägnante Pause« nennen. Dann entspannte er sich.

»Sie waren laufen?«, fragte er.

»Ja. Bin davongelaufen vor meinem toten Mann. Vermutlich besser, als mich umzubringen, ha-ha.«

Die Worte klangen merkwürdig in meinen Ohren. Ein wenig laut, ein wenig erstickt. Ich nehme an, ich war ein wenig verrückt. Doch statt zusammenzuzucken oder mir einen unbehaglichen Blick zuzuwerfen, den ich mir so sehr wünschte in jenem Moment, wurden seine Augen weich. Nicht vor Mitleid, sondern vor Verständnis. Er nickte und reichte mir die Packung Zigaretten über den Tresen, damit ich sie nahm.

»Meine Frau in Indien gestorben. Eine Woche, bevor wir nach Amerika gehen. Sie nehmen Zigaretten, bezahlen nächste Mal.«

Ich stand kurz da und starrte ihn an. Dann schnappte ich die Zigaretten, drehte mich um und rannte nach draußen, so schnell ich konnte, bevor die Tränen über meine Wangen liefen. Ich umklammerte die Packung Zigaretten und rannte weinend nach Hause.

Der Laden liegt ein wenig abseits für mich, aber ich gehe nie mehr irgendwo anders hin, wenn ich Zigaretten haben will.

Ich setze mich auf und lächle schwach, als ich die Schachtel Zigaretten auf dem Nachttisch sehe. Ich muss an den Typ im Laden denken, während ich mir eine anstecke. Ich schätze, ein Teil von mir liebt diesen kleinen Mann – auf die Weise, wie man nur einen Fremden lieben kann, der einem eine wunderbare Freundlichkeit erweist in genau dem Augenblick, in dem man sie am dringendsten braucht. Es ist eine tiefe Zuneigung, ein Stich im Herzen, und ich weiß, dass ich mich bis zu meinem Tod an ihn erinnern werde, auch wenn ich seinen Namen niemals erfahre.

Ich inhaliere einen hübschen tiefen Zug und betrachte die Zigarette, die perfekte kirschrote Spitze, die im Dunkel meines Schlafzimmers leuchtet. Das, denke ich, ist das Heimtückische an all den verbotenen Dingen. Nicht die Nikotinsucht, obwohl sie schon schlimm genug ist. Eher die Art und Weise, wie eine Zigarette in bestimmten Momenten einfach passt. Morgendämmerung mit einer dampfenden Tasse Kaffee. Oder einsame Nächte in einem Haus voller Geister. Ich weiß, dass ich wieder aufhören sollte damit, bevor sie ihre Klauen ein weiteres Mal tief in mich versenken. Doch ich weiß auch, dass ich das nicht tun werde. Sie sind alles, was ich im Moment noch habe. Eine Erinnerung an Freundlichkeit und Trost und ein Quell der Kraft, alles in einem kleinen weißen Stängel zusammengerollt.

Ich atme den Rauch aus und beobachte, wie er nach oben steigt, hier und da von winzigen Luftströmungen erfasst, bevor er immer dünner wird und schließlich verschwindet. Wie das Leben, denke ich. Leben ist wie Rauch. Wir machen uns nur etwas vor, wenn wir glauben, dass es anders ist. Es genügt eine kräftige Böe, und wir schweben davon und lösen uns auf, und zurück bleibt nichts außer einem Hauch unserer Existenz in Form von Erinnerungen.

Ich huste unvermittelt und lache angesichts all der Assoziationen. Ich rauche. Das Leben ist Rauch, und mein Name ist Smoky. Smoky Barrett. Das ist tatsächlich mein Name. Meine Mutter hat ihn mir gegeben, weil sie fand, er klinge »cool«. Ich muss kichern in der Dunkelheit, in meinem leeren Haus. Und während ich lache, denke ich (wie schon früher), wie verrückt Lachen klingt, wenn man ganz allein lacht.

Das gibt mir für die nächsten drei oder vier Stunden etwas zum Nachdenken. Die Frage, ob ich verrückt bin, meine ich. Schließlich ist morgen der Tag.

Der Tag, an dem ich entscheide, ob ich wieder zu meiner Arbeit beim FBI zurückkehre oder ob ich nach Hause gehe, mir eine Pistole in den Mund stecke und mir das Gehirn wegblase.

KAPITEL 2 »Haben Sie immer noch die gleichen drei Träume?«

Das ist einer der Gründe, warum ich meinem Seelenklempner vertraue, den man mir verordnet hat. Er macht keine Gedankenspielchen, tanzt nicht um die Dinge herum und versucht nicht, sich an mich heranzuschleichen und mich in die Enge zu treiben. Er geht geradewegs auf den Kern des Problems zu, ein direkter Angriff. So sehr ich mich beschwere und mich gegen seine Heilungsversuche wehre, das respektiere ich.

Er heißt Peter Hillstead und ist vom Aussehen her so ziemlich das genaue Gegenteil vom Freud'schen Stereotyp. Er ist ungefähr eins achtzig groß, hat dunkles Haar, ein attraktives Model-Gesicht und einen Körper, der mich bereits bei unserer ersten Begegnung erstaunt hat. Am beeindruckendsten sind jedoch seine Augen. Sie sind von einem derart leuchtenden Blau, wie ich es vorher noch nie bei jemand Brünettem gesehen habe.

Doch obwohl er wie ein Filmschauspieler aussieht, kann ich mir nicht vorstellen, dass es bei diesem Mann zu einer Übertragung kommt. Wenn man bei ihm ist, denkt man nicht an Sex. Man denkt an sich selbst. Er ist einer von jenen seltenen Menschen, die sich wirklich um diejenigen kümmern, mit denen sie es zu tun haben. Daran gibt es nicht den geringsten Zweifel, wenn man bei ihm ist. Wenn man ihm etwas erzählt, hat man nie das Gefühl, dass er mit den Gedanken woanders ist. Er schenkt einem seine volle Aufmerksamkeit. Er gibt einem das Gefühl, dass man das Einzige ist, was in seiner kleinen Praxis zählt. Das ist es, was es mir unmöglich macht, mich in diesen wunderbaren Therapeuten zu verlieben. Wenn man bei ihm ist, sieht man ihn nicht als Mann, sondern als etwas sehr viel Wertvolleres: als Spiegel der Seele.

»Die gleichen drei«, antworte ich.

»Welchen hatten Sie gestern Nacht?«

Ich rutsche ein wenig unbehaglich auf meinem Stuhl hin und her. Ich weiß, dass er es bemerkt, und ich frage mich, was es seiner Meinung nach über mich verrät. Ich bin ständig am kalkulieren und abwägen. Ich kann nichts dagegen tun.

»Den, in dem Matt mich küsst.«

Er nickt. »Konnten Sie hinterher wieder einschlafen?«, will er wissen.

»Nein.« Ich starre ihn an und sage nichts weiter, während er wartet. Heute ist keiner meiner kooperativen Tage.

Dr. Hillstead sieht mich an, das Kinn in der Hand. Er scheint über irgendetwas nachzudenken, wie ein Mann an einer Weggabelung. Welchen Weg auch immer er von hier aus einschlägt, es gibt keinen Weg zurück. Fast eine Minute vergeht, bevor er sich seufzend zurücklehnt und seinen Nasenrücken massiert.

»Smoky, wussten Sie, dass ich unter meinen Kollegen keinen besonderen Ruf als Therapeut genieße?«

Ich zucke zusammen bei seinen Worten, sowohl wegen der Vorstellung als auch wegen der Tatsache, dass er mir überhaupt davon erzählt.»Äh, nein. Das wusste ich nicht.«

Er lächelt.»Es stimmt. Ich vertrete einige kritische Standpunkte gegenüber meinem Berufsstand. Der wichtigste ist der, dass wir meiner Meinung nach über keine wirklich wissenschaftliche Lösung für die Probleme der menschlichen Seele verfügen.«

Was zur Hölle soll ich darauf erwidern? Mein Seelenklempner erzählt mir, dass der von ihm gewählte Beruf keine wirklichen Lösungen für psychische Probleme bereithält? Das klingt nicht gerade vertrauenerweckend.»Ich kann mir vorstellen, dass solch eine Ansicht auf Widerstand stößt«, sage ich. Es ist die beste Antwort, die mir auf die Schnelle einfällt.

»Verstehen Sie mich nicht falsch. Ich sage nicht, dass ich denke, wir hätten *überhaupt keine* Lösungen für psychische Probleme.«

Und das, glaube ich, ist ein weiterer der Gründe, warum ich meinem Therapeuten vertraue. Er besitzt einen rasiermesserscharfen Verstand, bis hin zu dem Punkt des Hellsehens. Es schüchtert mich nicht ein. Ich verstehe es. Jeder wirklich begabte Verhörspezialist besitzt diese Fähigkeit. Vorauszuahnen, was sein Gegenüber über das denkt, was man zu ihm sagt.

»Nein. Was ich meine, ist Folgendes: Wissenschaft ist Wissenschaft. Sie ist exakt. Gravitation bedeutet, wenn Sie etwas fallen lassen, dann fällt es auch. Immer. Zwei plus zwei ist immer vier. Nicht-Varianz ist das Wesen jeder Wissenschaft.«

Ich denke darüber nach und nicke.

»Und was macht mein Berufsstand angesichts dieser Tatsache?« Er gestikuliert. »Welche Haltung nehmen wir gegenüber der Seele und ihren Problemen ein? Keine wissenschaftliche – zumindest noch nicht. Wir sind noch nicht bei zwei plus zwei angekommen. Wären wir das, würde ich jeden Patienten heilen, der durch diese Tür hereinkommt. Ich würde wissen, dass ich im Fall von Depressionen gemäß A, B und C vorgehen muss, und es würde immer funktionieren. Es würde Gesetzmäßigkeiten geben, die sich niemals ändern, und das wäre Wissenschaft.« Er lächelt nun; es ist ein ironisches Lächeln. Vielleicht ein wenig traurig. »Doch ich heile nicht jeden Patienten. Nicht einmal die Hälfte.« Er verstummt kurz, dann schüttelt er den Kopf. »Was ich tue, meine Arbeit, ist keine Wissenschaft. Es ist eine Ansammlung von Methoden, die man ausprobieren kann und von denen die meisten auch in früheren Fällen schon mehr als einmal funktioniert haben. Und weil das so ist, lohnt es sich, sie erneut anzuwenden. Das ist allerdings auch schon alles. Ich habe begonnen, diese Meinung in der Öffentlichkeit zu vertreten, und daher … genieße ich bei vielen meiner Standeskollegen nicht den besten Ruf.«

Ich denke eine Weile über seine Worte nach, während er wartet. »Ich glaube, ich verstehe den Grund«, sage ich. »In einigen Bereichen des FBI geht es heutzutage mehr um das Image und weniger um die Resultate. Wahrscheinlich ist es bei Ihren Kollegen, die Sie nicht mögen, genauso.«

Er lächelt erneut, diesmal ist es ein müdes Lächeln. »Pragmatisch gleich zum Kern der Sache, wie immer, Smoky. Zumindest bei den Dingen, die Sie nicht selbst betreffen.«

Ich zucke bei diesen Worten innerlich zusammen. Es ist eine von Dr. Hillsteads Lieblingstechniken, eine normale Unterhaltung als Deckmantel für die seelenenthüllenden Bemerkungen zu benutzen, die er so ganz nebenbei gegen einen abfeuert. Wie die kleine Scud-Rakete, die er soeben in meine Richtung geschossen hat. Du hast einen messerscharfen Verstand, Smoky, besagen seine Worte, aber du benutzt ihn nicht, um deine eigenen Probleme zu lösen. Autsch. Die Wahrheit schmerzt.

»Und doch bin ich hier, trotz allem, was andere von mir denken mögen. Einer der vertrauenswürdigsten Therapeuten, wenn es um Fälle geht, die FBI-Agents betreffen. Was glauben Sie, warum das so ist?«

Er sieht mich erneut an, abwartend. Ich weiß, dass er auf irgendetwas hinauswill. Dr. Hillstead sagt nie etwas Unüberlegtes. Also denke ich darüber nach.

»Wenn ich raten müsste«, erwidere ich, »dann würde ich raten, dass es so ist, weil Sie gut sind. Gut sein zählt immer mehr als gut wirken, jedenfalls bei meiner Sorte Arbeit.«

Erneut dieses leichte Lächeln.

»Das ist richtig. Ich bringe Resultate. Das ist nichts, womit ich hausieren gehe, und ich klopfe mir deswegen nicht jeden Abend vor dem Schlafengehen auf die Schulter. Doch es ist die Wahrheit.«

Er sagt das im einfachen, überhaupt nicht arroganten Tonfall eines vollendeten Profis. Ich verstehe ihn sehr gut. Es geht nicht um Bescheidenheit. In einer taktischen Situation, wenn man jemanden fragt, ob er gut umgehen kann mit einer Waffe, will man eine ehrliche Antwort. Wenn dein Partner schlecht schießt, dann willst du es wissen, und dein Partner will, dass du es weißt, weil eine Kugel den Lügner genauso schnell tötet wie den ehrlichen Mann. Wenn es hart auf hart geht, musst du die Wahrheit über die Stärken und Schwächen deiner Partner kennen. Ich nicke, und er fährt fort.

»Das ist es, worauf es in jeder militärischen Organisation ankommt. Ob man Resultate bringt. Halten Sie es für eigenartig, dass ich das FBI als militärische Organisation betrachte?«

»Nein. Wir sind im Krieg.«

»Wissen Sie, was das größte Problem jeder militärischen Organisation ist, immer?«

Ich fange an mich zu langweilen und werde unruhig. »Keine Ahnung.«

Er sieht mich missbilligend an. »Denken Sie nach, bevor Sie antworten, Smoky. Bitte verschwenden Sie nicht unnötig meine Zeit.«

Abgestraft gehorche ich. Ich spreche langsam, als ich endlich etwas sage. »Vermutlich … das Personal?«

Er richtet einen Finger auf mich. »Bingo! Und…warum?«

Die Antwort springt mich an, wie es manchmal passiert, wenn ich an einem Fall arbeite, wenn ich wirklich richtig nachdenke. »Wegen der Dinge, die wir sehen.«

»M-hm. Das gehört dazu. Ich nenne es Sehen-Handeln-Verlieren. Was man sieht, wie man handelt, was man verliert. Es ist ein Triumvirat.« Er zählt es an seinen Fingern ab. »Wenn man für das Gesetz arbeitet, sieht man die schlimmsten Dinge, zu denen menschliche Wesen fähig sind. Man tut Dinge, die kein Mensch tun müssen sollte, angefangen mit dem Anfassen verwesender Leichen bis – in einigen Fällen – hin zum Töten anderer Menschen. Und man verliert Dinge, ob sie unfassbar sind wie die Unschuld oder der Optimismus, oder ob sie real sind wie ein Partner oder…die Familie.«

Er mustert mich mit einem Blick, den ich nicht zu deuten vermag. »Und das ist der Punkt, an dem ich ins Spiel komme. Ich bin genau wegen dieses Problems hier. Und dieses Problem hindert mich auch daran, meine Arbeit so zu tun, wie sie getan werden sollte.«

Jetzt bin ich ebenso verwirrt wie interessiert. Ich sehe ihn an, um ihm zu signalisieren fortzufahren, und er seufzt. Es ist ein Seufzen, das sein eigenes »Sehen-Handeln-Verlieren« zu enthalten scheint, und ich frage mich, was für Leute sonst noch alles ihm gegenüber sitzen, hier auf diesem Stuhl. Welchen anderen Qualen er lauscht und mit zu sich nach Hause nimmt, wenn er geht.

Ich versuche mir das vorzustellen, während ich ihn ansehe. Dr. Hillstead, wie er zu Hause sitzt. Ich kenne die wichtigsten Daten, habe ihn flüchtig überprüft. Nie verheiratet, wohnt in einem zweistöckigen Fünfzimmerhaus in Pasadena. Fährt einen Audi Sport Kombi. – Der Doc mag es ein wenig schnell, ein Hinweis auf einen Teil seiner Persönlichkeit. Doch das sind alles nur leere Fakten. Nichts, das einem wirklich verraten könnte, was passiert, wenn er durch die Vordertür seines Hauses tritt und sie hinter sich schließt. Ist er ein Mikrowellen-Junggeselle? Oder brät er sich Steaks, trinkt Rotwein und sitzt allein an einem makellos gedeckten Tisch, während im Hintergrund Vivaldi spielt? Hey, vielleicht kommt er ja nach Hause, schlüpft in ein paar hochhackige Schuhe und trägt dazu nichts anderes und macht die Hausarbeit, mit haarigen Beinen und allem.

Ich erwärme mich an diesem Gedanken, ein wenig heimlicher Humor. Ich nehme mir meine Lacher, wo ich sie kriegen kann in diesen Tagen. Dann zwinge ich mich wieder zur Konzentration auf das, was er zu mir sagt.

»In einer normalen Welt würde jemand, der das Gleiche durchgemacht hat wie Sie, Smoky, niemals wieder zurückfinden. Wären Sie ein durchschnittlicher Mensch in einem durchschnittlichen Beruf, würden Sie sich in Zukunft von Waffen, Mördern und Leichen fern halten, und zwar für immer. Doch meine Aufgabe besteht darin herauszufinden, ob ich Ihnen dabei helfen kann, bereit zu sein, zu alldem zurückzukehren. Das wird von mir erwartet. Verwundete Seelen aufzufangen und wieder zurück in den Krieg zu schicken. Klingt vielleicht melodramatisch, ist aber wahr.«

Jetzt beugt er sich vor, und ich spüre, dass wir uns dem entscheidenden Punkt nähern, auf den er hinauswill.

»Wissen Sie, warum ich bereit bin, daran zu arbeiten? Obwohl ich weiß, dass ich jemanden in die gleiche Sache zurückschicke, die ihn so schwer verwundet hat?« Er zögert. »Weil es das ist, was neunundneunzig Prozent meiner Patienten wollen.«

Er massiert sich erneut den Nasenrücken und schüttelt den Kopf.

»Die Männer und Frauen, die ich sehe, ausnahmslos psychisch schwer verwundet, wollen von mir geheilt werden, damit sie wieder zurück in die Schlacht können. Und die Wahrheit ist, dass – was auch immer Leute wie Sie die meiste Zeit über antreiben mag – zurückzukehren genau das ist, was Sie brauchen. Wissen Sie, was mit den meisten von denen passiert, die nicht zurückkehren? Manchmal kommen sie ganz gut zurecht. Die meiste Zeit trinken sie. Und immer wieder bringt sich der eine oder andere um.«

Er sieht mich an, während er die letzten Worte spricht, und ich fühle mich plötzlich verfolgt und frage mich, ob er meine Gedanken lesen kann. Ich habe keine Ahnung, wohin das führen soll. Es bringt mich aus dem Gleichgewicht, irritiert mich und vermittelt mir ein ziemlich unbehagliches Gefühl. Und all das ärgert mich. Meine Antwort auf Unbehagen ist ganz und gar irisch, das stammt von meiner Mutter – ich werde sauer und gebe der anderen Person die Schuld dafür.

Er greift über seinen Schreibtisch nach links und nimmt einen dicken Ordner zur Hand, der mir vorher nicht aufgefallen ist. Er legt ihn vor sich hin und schlägt ihn auf. Ich blinzle angestrengt und erkenne überrascht, dass mein Name auf dem Einband steht.

»Das ist Ihre Personalakte, Smoky. Ich habe sie seit einiger Zeit hier liegen, und ich habe sie mehr als einmal gelesen.« Er blättert die Seiten um und fasst laut zusammen. »Smoky Barrett, geboren 1968. Weiblich. Abschluss in Kriminologie. 1990 ins FBI aufgenommen. Abschluss als Jahrgangsbeste in Quantico. 1991 dem Black-Angel-Fall in Virginia zugewiesen, administrative Fähigkeiten.« Er blickt auf und sieht mich an. »Aber Sie sind dort nicht am Spielfeldrand geblieben, nicht wahr?«

Ich denke zurück und schüttele den Kopf. Natürlich hab ich mich nicht zurückgehalten. Ich war zweiundzwanzig Jahre alt, grüner als grün. Aufgeregt darüber, endlich eine Agentin zu sein, und noch aufgeregter angesichts der Tatsache, an einem großen Fall mitzuarbeiten, selbst wenn ich hauptsächlich die Schreibtischarbeit erledigen musste. Während eines der Briefings war mir etwas zum Fall im Gedächtnis haften geblieben, ein Detail in einer Zeugenaussage, das nicht zu stimmen schien. Ich wälzte es immer noch im Kopf herum, als ich schlafen ging, und erwachte um vier Uhr morgens mit einer Erleuchtung –

etwas, das mir im Laufe der Zeit vertraut werden sollte. Meine plötzliche Erkenntnis gab dem Fall eine ganz neue Wendung. Es ging darum, in welche Richtung sich ein bestimmtes Fenster öffnete. Ein winziges, übersehenes Detail war zur Erbse unter meiner Matratze geworden, und es führte dazu, dass ein Mörder hinter Schloss und Riegel kam.

Damals habe ich es als Glück bezeichnet und meinen Beitrag heruntergespielt. Echtes Glück war, dass der Leiter der Task Force, Special Agent Jones, einer von diesen ganz seltenen Chefs war. Einer, der nicht allen Ruhm an sich reißt, sondern ehrt, wem Ehre gebührt. Auch wenn es sich dabei um eine völlig unerfahrene Agentin handelt. Ich war immer noch neu, also bekam ich noch mehr Schreibtischarbeit, doch von diesem Zeitpunkt an war ich auf der Überholspur. Unter dem wachsamen Auge von Special Agent Jones wurde ich für das CASMIRC ausgebildet, für das Child Abduction and Serial Murder Investigative Ressources Center, das sich mit Kindesentführung und Serienmorden befasst.

»Drei Jahre später zum CASMIRC versetzt. Das ist ein ziemlicher Karrieresprung, nicht wahr?«

»Der durchschnittliche Agent beim CASMIRC hat vorher zehn Jahre lang fürs FBI gearbeitet.« Ich prahle nicht. Es stimmt. Er liest weiter.

»Eine Reihe weiterer Fälle gelöst, phantastische Beurteilungen. Und dann, 1996, wurden Sie zur Leiterin der CASMIRC-Zweigstelle in Los Angeles ernannt. Und da fingen Sie erst richtig an zu glänzen.«

Meine Gedanken wandern zurück zu jener Zeit. »Glänzen« ist genau das richtige Wort. 1996 war ein Jahr, wo nichts, aber auch überhaupt nichts schief ging. Ich hatte meine Tochter 1995 bekommen. Dann wurde ich zum L.A.-Büro versetzt, ein gewaltiger Karrieresprung. Und Matt und mir ging es gut, genauso gut wie immer. Es war eines von jenen Jahren, in denen ich jeden Morgen ausgeruht und voller Tatendrang aufwachte.

Das war damals, als ich meine Hand ausstrecken und ihn spüren konnte, dort, wo er sein sollte.

Es war alles so, wie es im Hier und Jetzt nicht ist, und ich merke, dass ich auf Dr. Hillstead zornig werde, weil er mich daran erinnert hat. Und weil er die Gegenwart noch leerer und schwärzer wirken lässt, als sie es ohnehin schon ist.

»Worauf wollen Sie hinaus?«

Er hebt eine Hand. »Einen Moment noch. Die Leistung des Büros in Los Angeles war nicht gut. Man gab Ihnen freie Hand, es personell neu zu besetzen, und Sie haben drei Agenten aus Abteilungen in unterschiedlichen Teilen der Vereinigten Staaten zu sich geholt. Damals fand man Ihre Wahl ungewöhnlich. Doch am Ende hat sie sich als gut erwiesen, stimmt's?«

Das, denke ich, ist eine Untertreibung. Ich nicke nur, immer noch ägerlich.

»Tatsächlich ist Ihr Team eines der besten in der Geschichte des FBI, nicht wahr?«

»Es ist das beste.« Ich kann nicht anders. Ich bin stolz auf mein Team, und ich bin außerstande, mich bescheiden zu geben, wenn das Gespräch auf mein Team kommt. Außerdem ist es die Wahrheit.

»Richtig.« Er blättert ein paar Seiten weiter. »Jede Menge gelöster Fälle. Weitere hervorragende Beurteilungen. Einige Bemerkungen, dass Sie als erster weiblicher Acting Director überhaupt in Betracht gezogen wurden. Eine historische Sensation.«

All das entspricht der Wahrheit. Und es macht mich noch ärgerlicher. Den Grund dafür begreife ich nicht. Ich weiß nur, dass ich sauer bin, innerlich zu kochen beginne, und wenn das so weitergeht, dann werde ich explodieren.

»Noch etwas in Ihrer Akte hat meine Aufmerksamkeit geweckt. Anmerkungen über Ihre Schießkunst.«

Er blickt zu mir hoch, und ich fühle mich, als wäre er mir von hinten in den Rücken gefallen, und ich habe nicht die geringste

Ahnung, warum. Irgendetwas rührt sich in mir, und ich merke, dass es Angst ist. Ich umklammere die Lehnen meines Stuhls, während er fortfährt.

»In Ihrer Akte steht, dass Sie mit der Handfeuerwaffe wahrscheinlich zu den besten Schützen der Welt zählen. Stimmt das, Smoky?«

Ich starre meinen Therapeuten an und spüre, wie in mir alles taub wird. Die Wut verebbt.

Ich und die Pistolen. Alles, was er sagt, ist wahr. Ich kann eine Waffe nehmen und damit schießen, wie andere Leute ein Glas Wasser trinken oder Fahrrad fahren. Es ist instinktiv, und es war schon immer so. Es gibt keine Begründung dafür. Ich hatte keinen Vater, der eigentlich einen Sohn wollte und mir deswegen im Kindesalter beibrachte, wie man schießt. Im Gegenteil, Dad hasste Waffen. Ich konnte einfach schießen. Von Anfang an.

Ich war acht Jahre alt, und mein Dad hatte einen Freund, der als Green Beret in Vietnam gewesen war. *Er* war ein Waffennarr. Er wohnte in einer heruntergekommenen Eigentumswohnung in einer heruntergekommenen Gegend im San Fernando Valley – was zu ihm passte, weil auch er selbst heruntergekommen war. Trotzdem erinnere ich mich bis heute an seine Augen. Scharf und jung. Glitzernd.

Sein Name war Dave. Irgendwie gelang es ihm, meinen Vater zu einem Schießplatz in einer etwas anrüchigen Gegend im San Bernardino County mitzuschleppen, und mein Dad nahm mich mit – vielleicht in der Hoffnung, den Ausflug kurz zu halten. Dave brachte meinen Dad dazu, ein paar Magazine zu verschießen. Ich stand daneben und sah zu, mit Ohrenschützern, die zu groß waren für meinen kleinen Mädchenkopf. Ich beobachtete die beiden, wie sie die Waffen hielten, und war fasziniert. Hingerissen.

»Darf ich auch mal?«, fragte ich.

»Ich glaube nicht, dass das eine gute Idee ist, Süße«, entgegnete mein Dad.

»Ach, komm schon, Rick. Ich gebe ihr eine kleine Kaliber zweiundzwanzig. Lass sie doch ein paar Schuss abfeuern.«

»Bitte, Daddy?« Ich blickte mit meinem flehendsten Blick zu meinem Vater auf, einem Blick, von dem ich sogar mit acht Jahren schon wusste, dass ich ihn damit rumkriegen konnte. Er schaute zu mir herab, und in seinem Gesicht spiegelten sich die widersprüchlichen Gefühle. Dann seufzte er.

»Also gut. Aber nur ein paar Schuss.«

Dave ging die Zweiundzwanzig holen, ein winzig kleines Ding, das in meine Hand passte, und sie organisierten einen Hocker für mich, auf dem ich stehen konnte. Dave lud die Waffe und drückte sie mir in die Hand. Dann trat er hinter mich, während mein Dad mich besorgt beobachtete.

»Siehst du die Zielscheibe da hinten?« Ich nickte. »Als Erstes musst du entscheiden, wo du treffen möchtest. Nimm dir Zeit. Wenn du abdrückst, mach es langsam. Nicht zucken, oder du schießt daneben. Bist du so weit?«

Ich nickte. In Wirklichkeit hatte ich ihm kaum zugehört. Ich hatte die Waffe in der Hand, und irgendetwas in mir klickte. Es fühlte sich gut an. Es passte. Ich blickte die Schießbahn hinunter auf die menschenförmige Zielscheibe, und sie schien überhaupt nicht weit weg zu sein. Sie wirkte sehr nah, erreichbar. Ich richtete die Waffe darauf, atmete einmal durch und drückte ab.

Ich war verblüfft und aufgepeitscht vom Rucken der kleinen Pistole in meinen Kinderhänden.

»Verdammt!«, hörte ich Dave jubeln.

Ich blinzelte erneut in Richtung Zielscheibe und sah, dass mitten im Kopf ein winziges Loch erschienen war, genau da, wo ich es hatte haben wollen.

»Vielleicht bist du ein Naturtalent, junge Lady«, sagte Dave zu mir. »Versuch noch ein paar.«

Die »noch ein paar« wurden zu einer eineinhalbstündigen Schießübung. Ich traf mehr als neunzig Prozent meiner Ziele, und als wir aufhörten, wusste ich, dass ich für den Rest meines Lebens schießen würde. Und dass ich gut darin war.

Mein Dad unterstützte mein Hobby in den folgenden Jahren, trotz seiner Abneigung gegen Waffen. Wahrscheinlich begriff er, dass es ein Teil von mir war; etwas, wovon er mich nicht würde abhalten können.

Die Wahrheit? Ich bin unheimlich gut. Ich behalte es für mich und gebe nicht öffentlich damit an. Doch wenn ich für mich bin? Ich bin eine Annie Oakley. Ich kann Kerzenflammen ausschießen und in die Luft geworfene Münzen durchlöchern. Einmal, auf einem Freiluft-Schießstand, habe ich mir einen Pingpongball auf den Rücken der Schusshand gelegt, die Hand, mit der ich auch die Waffe ziehe. Und dann habe ich gezogen und die Waffe abgefeuert und den Pingpongball getroffen, noch bevor er den Boden berühren konnte. Ein alberner Trick, sicher, aber es war eine sehr befriedigende Erfahrung.

All das geht mir durch den Kopf, während Dr. Hillstead mich beobachtet.

»Es stimmt«, antworte ich.

Er klappt die Akte zu. Verschränkt die Hände und sieht mich an. »Sie sind eine außergewöhnliche Agentin. Ganz sicher eine der besten Agentinnen in der Geschichte des FBI. Sie jagen die Schlimmsten der Schlimmen. Vor sechs Monaten hat sich ein Mann, den Sie gejagt haben, Joseph Sands, gegen Sie und Ihre Familie gewandt. Er hat Ihren Mann vor Ihren Augen erschossen, hat Sie vergewaltigt und gefoltert und Ihre Tochter umgebracht. Durch eine Anstrengung, die man nur als übermenschlich bezeichnen kann, haben Sie die Situation umgedreht und Sands getötet.«

Ich bin inzwischen ganz von Taubheit eingehüllt. Ich weiß nicht, worauf das alles hinauslaufen soll, und es ist mir auch gleichgültig.

»Und hier bin ich nun, mit einem Beruf, in dem zwei plus zwei nicht immer vier ergibt und die Dinge nicht immer zu

Boden fallen, wenn man sie loslässt, und versuche, Ihnen dabei zu helfen, zu alledem zurückzukehren.«

Der Blick, mit dem er mich ansieht, ist so voll von aufrichtigem Mitgefühl, dass ich wegsehen muss; die Emotionen darin drohen mich zu verbrennen.

»Ich mache meine Arbeit schon seit langer Zeit, Smoky. Und Sie kommen nun schon seit einer ganzen Weile zu mir. Ich habe mit den Jahren ein Gefühl für bestimmte Dinge entwickelt. – Sie würden es wahrscheinlich als sechsten Sinn bezeichnen. Und wissen Sie, was mein sechster Sinn mir sagt? Ich glaube, dass Sie zu entscheiden versuchen, ob Sie wieder zurück zu Ihrer Arbeit gehen oder sich das Leben nehmen sollen.«

Ruckartig starre ich ihn an – ein unfreiwilliges Geständnis, das der Schock mir entlockt hat. Während die Taubheit mit einem Schrei von mir abfällt, erkenne ich, dass er mich manipuliert hat, mit großem Geschick manipuliert hat. Er hat um den heißen Brei herumgeredet, ist abgeschweift, hat sich hier und da vorgetastet und mich verunsichert und im Unklaren gelassen über sein eigentliches Ziel, um dann erbarmungslos zuzuschlagen. Direkt auf den Lebensnerv. Ohne zu zögern. Und es hat funktioniert.

»Ich kann Ihnen nicht helfen, Smoky, solange Sie mir gegenüber nicht rückhaltlos offen sind.«

Erneut dieser mitfühlende Blick, zu aufrichtig und ehrlich für mich in diesem Moment. Seine Augen sind wie zwei Hände, die mich an den psychischen Schultern nehmen und kräftig schütteln. Ich spüre, wie mir die Tränen kommen, und erwidere seinen Blick voller Zorn. Er will mich brechen, so wie ich zahllose Kriminelle in zahllosen Verhörzimmern gebrochen habe. Scheiße, verdammt.

Dr. Hillstead scheint meine Gedanken zu erraten und lächelt sanft.

»Okay, Smoky, es ist gut. Nur eine letzte Sache noch.«

Er öffnet eine Schreibtischschublade und nimmt einen

Beweismittelbeutel aus Plastik hervor. Zuerst kann ich nicht erkennen, was er enthält, doch dann sehe ich es, und was ich sehe, lässt mich gleichzeitig zittern und schwitzen.

Es ist meine Pistole. Die Waffe, die ich seit Jahren getragen und mit der ich Joseph Sands erschossen habe.

Ich kann den Blick nicht davon lösen. Ich kenne sie wie mein eigenes Gesicht. Meine Glock. Tödlich. Schwarz. Ich weiß, wie viel sie wiegt und wie sie sich anfühlt – ich kann mich sogar an ihren Geruch erinnern. Dort liegt sie, in diesem Beutel, und ihr Anblick erfüllt mich mit einem überwältigenden Entsetzen.

Dr. Hillstead öffnet den Beutel und holt die Pistole hervor. Er legt sie zwischen uns auf den Schreibtisch. Dann sieht er mich wieder an, nur ist es diesmal ein harter Blick, keine Spur von Mitgefühl. Er hat mich an der Nase herumgeführt. Mir wird klar, dass das, was ich für einen Frontalangriff gehalten habe, nichts als ein Ablenkungsmanöver, eine Finte war. Aus Gründen, die ich nicht begreife und die er offensichtlich sehr gut versteht, ist es diese Waffe, die mich weit öffnen wird. Meine eigene Waffe wird mich brechen.

»Wie oft haben Sie diese Pistole in der Hand gehalten, Smoky?«, fragt er. »Tausend Mal? Zehntausend Mal?«

Ich lecke mir die Lippen, die trocken sind wie Staub. Ich antworte nicht. Ich kann nicht aufhören, diese Glock anzustarren.

»Nehmen Sie sie. Jetzt sofort, und ich schreibe Sie tauglich für den aktiven Dienst, wenn es das ist, was Sie wollen.«

Ich kann nicht antworten, und ich kann den Blick nicht von der Waffe lösen. Ein Teil von mir weiß, dass ich in Dr. Hillsteads Praxis sitze und er mir gegenüber, doch die Welt scheint auf zwei Dinge zusammengeschrumpft zu sein. Auf mich und die Pistole. Alle Geräusche sind gedämpft, und in meinem Kopf herrscht eine eigenartige, fremde Stille, nur durchbrochen durch das Hämmern meines Herzens. Ich kann hören, wie es hart und schnell schlägt.

Ich fahre mir erneut mit der Zunge über die trockenen Lippen. Greif zu und nimm sie, sage ich zu mir. Es ist, wie er gesagt hat – du hast es zehntausend Mal getan. Diese Pistole ist eine Verlängerung deiner Hand. Sie zu ergreifen ist etwas Instinktives, wie Atmen oder Blinzeln.

Sie liegt einfach dort, und meine Hände umklammern unverwandt und steif die Armlehnen meines Stuhls.

»Na los. Nehmen Sie sie.« Seine Stimme ist hart geworden. Nicht brutal, sondern unnachgiebig.

Es gelingt mir, eine Hand von der Armlehne zu lösen, und ich strecke sie unter Aufwendung all meiner Willenskraft aus. Sie weigert sich zu gehorchen, und ein Teil von mir, der ganz kleine Teil, der analytisch und ruhig bleibt, kann nicht glauben, was hier geschieht. Wie kann solch eine Handlung, die bei mir kaum mehr ist als ein Reflex, plötzlich zur schwersten Aufgabe überhaupt für mich werden?

Ich merke, wie mir der Schweiß über die Stirn rinnt. Ich zittere am ganzen Leib, und mein Sichtfeld hat sich an den Rändern verdunkelt. Ich habe Mühe zu atmen, und ich spüre, wie in mir Panik aufsteigt, ein klaustrophobisches, eingeengtes, erstickendes Gefühl. Mein Arm bebt wie ein Baum in einem Hurrikan. Meine Muskeln verkrampfen und entkrampfen sich unablässig wie ein Sack voll lebender Schlangen. Meine Hand nähert sich der Pistole Zentimeter um Zentimeter, bis sie unmittelbar über der Waffe schwebt, und jetzt ist das Zittern gewaltig, schüttelt meinen gesamten Körper, und der Schweiß bricht mir aus allen Poren.

Ich springe vom Stuhl auf, der nach hinten kippt, und schreie.

Ich schreie und schlage mir mit den Fäusten gegen den Kopf, und dann spüre ich, wie ich anfange zu schluchzen, und ich weiß, dass er es geschafft hat. Er hat mich geöffnet, mich aufgebrochen und mir die Eingeweide herausgerissen. Die Tatsache, dass er es getan hat, um mir zu helfen, ist kein Trost für mich, überhaupt nicht, weil ich im Augenblick nur einen ungeheuren Schmerz spüre. Schmerz, nichts als Schmerz.

Ich weiche von seinem Schreibtisch zurück, zur linken Wand, sinke dort zu Boden. Ich merke, dass ich dabei leise stöhne, eine Art Totenklage. Es ist ein grauenvolles Geräusch. Es schmerzt mich, dieses Geräusch zu hören; es hat mich schon immer geschmerzt. Es ist ein Geräusch, das ich schon viel zu oft gehört habe. Das Aufstöhnen eines Überlebenden, der erkannt hat, dass er als Einziger noch am Leben ist, während alles, was er liebt, nicht mehr existiert. Ich habe es von Müttern und Ehepartnern und Freunden gehört, habe es gehört, wenn sie Leichen identifiziert haben oder wenn ich ihnen die Todesnachricht überbrachte.

Ich wundere mich, dass ich mich nicht schämen kann; es ist einfach kein Platz für Scham in mir. Der Schmerz füllt mich vollständig aus.

Dr. Hillstead ist aufgestanden und zu mir gekommen. Er wird mich nicht halten, nicht einmal berühren – das wäre unklug für einen Therapeuten. Doch ich kann ihn spüren. Er ist ein kauerndes, verschwommenes Etwas vor mir, und mein Hass auf ihn ist in diesem Augenblick vollkommen.

»Reden Sie mit mir, Smoky«, sagt er. »Erzählen Sie mir, was passiert ist.«

Er spricht zu mir mit einer Stimme, die so aufrichtig freundlich ist, dass sie eine neue Woge der Qual in mir heraufbeschwört. Es gelingt mir zu reden, abgehackt, von zitternden Schluchzern unterbrochen.

»Ich kann so nicht leben, nicht so ohne Matt, ohne Alexa, ohne Liebe, ohne Leben, alle tot, alle sind tot, tot und...«

Mein Mund formt ein »O«. Ich kann es spüren. Ich blicke zur Decke hinauf, packe meine Haare, und es gelingt mir, zwei Büschel mit den Wurzeln auszureißen, bevor ich das Bewusstsein verliere.

KAPITEL 3

Es scheint eigenartig, dass ein Dämon mit einer Stimme wie dieser zu reden vermag. Er ist beinahe drei Meter groß, hat Augen wie Glas und einen Kopf voller weinender, zähneknirschender Münder. Die Schuppen, die seinen Leib bedecken, sind so schwarz wie etwas, das verbrannt wurde. Und die Stimme klingt scharf und nasal und erinnert an die Südstaaten, als er zu mir spricht.

»Ich fresse Seelen für mein Leben gern«, sagt er im Konversationston zu mir. »Es geht doch nichts darüber, etwas zu fressen, das eigentlich für den Himmel bestimmt war.«

Ich bin nackt an mein Bett gefesselt, gebunden mit silbernen Ketten, die unglaublich dünn und trotzdem unzerbrechlich sind. Ich fühle mich wie Dornröschen, das durch ein Missgeschick in eine Geschichte von H. P. Lovecraft geraten ist. Das unter der Berührung einer gespaltenen Zunge aufgewacht ist statt unter dem sanften Kuss seines Helden. Ich habe keine Stimme, ich bin mit einem Seidenschal geknebelt.

Der Dämon steht am Fußende meines Bettes und blickt auf mich herab, während er spricht. Er sieht selbstzufrieden und zugleich besitzergreifend aus und starrt mich an mit dem Stolz, mit dem ein Jäger den Rehbock betrachtet, den er auf die Motorhaube geschnallt hat.

Er schwenkt ein gezacktes Kampfmesser in der Hand. Es erscheint winzig in seiner riesigen Klauenhand.

»Aber ich mag meine Seelen am liebsten gut durch und anständig gewürzt! Deiner fehlt irgendwas…vielleicht eine Prise Todesqual und ein Schuss Schmerzen?«

Seine Augen werden leer, und schwarzer Speichel, der aussieht wie Eiter, trieft von seinen Fängen, läuft ihm über das Kinn und tropft auf seine mächtige geschuppte Brust. Der Dämon bemerkt es überhaupt nicht, und das macht mir furchtbare Angst. Dann grinst er lüstern, zeigt seine zahllosen spitzen Zähne und schüttelt neckisch eine Klaue in meine Richtung.

»Ich hab noch jemand hier bei mir, meine Liebe. Meine süße, liebe Smoky.«

Er tritt beiseite und gibt den Blick frei auf meinen Prinzen, auf ihn, dessen Kuss mich hätte erwecken sollen. Meinen Matt. Den Mann, den ich seit meinem siebzehnten Lebensjahr kenne. Den Mann, den ich so gut kenne, wie ein Mensch einen anderen nur kennen kann. Er ist nackt auf einen Stuhl gefesselt. Er ist geschlagen worden, furchtbar geschlagen. Die Sorte von Schlägen, die sehr wehtun, ohne zum Tod zu führen. Die Art von Schlägen, die sich anfühlen, als seien sie endlos. Die jede Hoffnung töten, während der Körper am Leben bleibt.

Ein Auge von Matt ist zugeschwollen, seine Nase ist gebrochen, Zähne sind ausgeschlagen hinter dem zerfetzten Fleisch seiner Lippen. Sein Unterkiefer ist zerschmettert und formlos. Sands hat sein Messer an Matt benutzt. Ich sehe kleine, tiefe Schnitte überall auf dem Gesicht, das ich geliebt und geküsst und zwischen den Händen gehalten habe. Tiefere, längere Schnitte auf der Brust und dem Bauch. Und Blut. So viel Blut überall. Blut, das läuft und tropft und schäumt, während Matt atmet. Der Dämon hat Matts Bauch mit Blut beschmiert und »Vier gewinnt« darauf gespielt. Ich bemerke, dass die O gewonnen haben.

Matts unversehrtes Auge begegnet meinem Blick, und die vollständige Verzweiflung, die ich darin erkenne, füllt meinen Verstand mit einem furchtbaren Aufheulen. Es ist ein Aufheulen aus den Eingeweiden, ein seelenzerschmetterndes Geräusch, nacktes, stimmgewordenes Entsetzen. Ein Hurrikan von einem Schrei, lang genug, um die Welt zu zerstören. Ich bin erfüllt von einer alles verzehrenden Wut, die so intensiv, so überwältigend ist, dass sie jeden klaren Gedanken mit der Wucht einer Bombenexplosion zerfetzt. Es ist die Wut des Wahnsinns, die totale Dunkelheit einer Höhle tief unter der Erde. Sie verfinstert die Seele.

Ich brülle durch meinen Knebel hindurch wie ein Tier, die Art Brüllen, das die Kehle blutig macht und Trommelfelle zerfetzt, und ich stemme mich so wütend gegen meine Fesseln, dass sie in meine Haut schneiden. Meine Augen treten hervor, als wollten sie aus den Höhlen platzen. Wäre ich ein Hund, ich hätte Schaum vor dem Maul. Ich will nur eines: diese Fesseln sprengen und diesen Dämon mit meinen bloßen Händen töten. Ich will nicht, dass er einfach nur stirbt – ich will ihn ausweiden. Ich will ihn zerreißen, bis er nicht mehr wiederzuerkennen ist. Ich will die Atome spalten, die diesen Dämon ausmachen, und sie in Gas verwandeln.

Doch die Ketten sind zu stark. Sie reißen nicht. Sie lockern sich nicht einmal. Und die ganze Zeit über beobachtet mich der Dämon mit nachdenklicher Faszination, eine Hand auf Matts Kopf, die monströse Parodie einer väterlichen Geste.

Der Dämon lacht und schüttelt den ungeheuerlichen Kopf, und seine zahllosen Münder kreischen protestierend. Dann spricht er erneut, mit dieser Stimme, die nicht zu seiner Gestalt passt.

»Also fangen wir an! Wolfeszahn und Kamm des Drachen, Hexenmumie, Gaum und Rachen.« Er zwinkert. »Es geht doch nichts über ein wenig Verzweiflung, um Würze in eine heroische Seele zu bringen …« Eine kurze Pause, dann wird seine Stimme für einen kurzen Moment ernst, erfüllt von einer Art perversem Bedauern: »Mach dir keine Vorwürfe deswegen, Smoky. Selbst eine Heldin kann nicht immer gewinnen.«

Ich sehe erneut Matt an, und der Ausdruck in seinem Auge reicht aus, um mir zu wünschen, ich wäre tot. Es ist kein Ausdruck der Angst oder des Schmerzes oder des Entsetzens. Es ist ein Ausdruck von Liebe. Für einen kurzen Moment ist es ihm gelungen, den Dämon aus der Welt dieses Zimmers zu verdrängen, sodass nur Matt und ich existieren, und wir sehen uns an.

Eines der Geschenke einer langen Ehe ist die Fähigkeit, alles, einfach alles – angefangen von sanfter Missbilligung bis hin zum Sinn des Lebens – mit einem einzigen Blick zu kommunizieren. Es ist eine Fähigkeit, die man im Prozess der Verschmelzung der eigenen Seele mit der seines Partners erlangt – falls man willens ist, seine Seelen zu verschmelzen. Matt schenkt mir einen von jenen Blicken, und er sagt drei Dinge mit seinem einen, unverletzten, wunderschönen Auge: Es tut mir Leid, ich liebe dich und … Lebewohl.

Es ist, als beobachtete ich den Weltuntergang. Sie versinkt nicht in Flammen und Rauch, sondern in kalten, alles durchdringenden Schatten. Dunkelheit, die bis in alle Ewigkeit andauern wird.

Der Dämon scheint es ebenfalls zu spüren. Er lacht erneut und führt einen kleinen Freudentanz auf, wobei er mit dem Schwanz wedelt und Eiter aus seinen Poren tropft.

»Aaa-moreee. Wie süß das ist! Das ist die Kirsche auf meinem Smoky-Eisbecher. Der Tod der Liebe.«

Die Tür zum Zimmer öffnet sich und schließt sich wieder. Ich sehe niemanden eintreten … doch am Rand meines Blickfelds steht plötzlich eine kleine, dunkle Gestalt. Irgendetwas an diesem Anblick erfüllt mich mit Verzweiflung.

Matt schließt sein Auge, und in mir steigt erneut diese Wut auf. Ich stemme mich gegen meine Fesseln.

Das Messer fährt herab, und ich höre das nasse, schneidende Geräusch, und Matt schreit durch seinen Knebel hindurch, wie ich durch meinen schreie, und mein Prinz, mein Märchenprinz stirbt, mein Märchenprinz stirbt …

Schreiend wache ich auf.

Ich liege auf dem Sofa in Dr. Hillsteads Sprechzimmer. Er kniet neben mir, berührt mich mit Worten, nicht mit den Händen.

»Schhhh. Ist ja gut, ist alles gut. Es war nur ein Traum, Smoky. Sie sind hier. Sie sind in Sicherheit.«

Ich zittere am ganzen Leib und bin schweißgebadet. Ich spüre Tränen, die auf meinem Gesicht trocknen.

»Geht es Ihnen wieder besser?«, fragt Dr. Hillstead. »Sind Sie wieder da?«

Ich kann ihn nicht ansehen. Ich richte mich in eine sitzende Haltung auf.

»Warum haben Sie das getan?«, flüstere ich. Ich kann nicht länger so tun, als wäre ich stark, nicht vor meinem Therapeuten. Er hat mich zerschmettert, und jetzt hält er mein schlagendes Herz in den Händen.

Er antwortet nicht sofort, sondern steht auf, nimmt einen Sessel und stellt ihn dicht vor die Couch. Dann setzt er sich, und obwohl ich ihn immer noch nicht ansehen kann, fühle ich, dass er mich ansieht, wie ein Vogel, der mit den Flügeln ans Fenster schlägt. Zaghaft und beharrlich zugleich.

»Ich habe es getan ... weil ich es tun musste.« Er schweigt für eine Sekunde. »Smoky, ich arbeite inzwischen seit zehn Jahren für das FBI und andere Vollzugsbehörden. Sie und Ihre Kollegen, Sie sind aus unglaublich hartem Holz geschnitzt. Ich habe die besten Eigenschaften der menschlichen Spezies in dieser Praxis gesehen. Hingabe. Tapferkeit. Ehre. Pflichterfüllung. Sicher, ich habe auch ein wenig Böses gesehen, einiges an Korrumpiertheit. Allerdings war das die Ausnahme, nicht die Regel. Hauptsächlich habe ich Stärke gesehen. Unglaubliche Stärke. Stärke des Charakters und der Seele.« Er zögert, zuckt die Schultern. »In meinem Beruf sprechen wir normalerweise nicht über die Seele. Wir glauben normalerweise nicht daran. Gut und Böse? Das sind doch nur allgemeine Konzepte, keine fest definierten Dinge.« Er blickt mich grimmig an. »Aber das ist ein Irrtum, nicht wahr? Es sind nicht nur Konzepte, habe ich Recht?«

Ich starre weiter auf meine Hände.

»Sie und Ihre Kollegen, Sie bewachen Ihre Stärke wie einen Talisman. Sie verhalten sich, als wären Ihre Vorräte begrenzt. Wie Samson und sein Haar. Sie scheinen zu denken, wenn Sie hier drin schwach werden und sich öffnen, wirklich öffnen, dann verlieren Sie all Ihre Stärke und bekommen sie niemals zurück.« Er schweigt erneut, diesmal für eine ziemlich lange Weile. Ich fühle mich leer und trostlos. »Ich arbeite nun seit einer Reihe von Jahren in diesem Beruf, Smoky, und Sie sind eine der stärksten Persönlichkeiten, denen ich je begegnet bin. Ich kann mit nahezu absoluter Sicherheit sagen, dass keine der Personen, die ich in der Vergangenheit behandelt habe, imstande gewesen wäre, das zu ertragen, was Sie ertragen mussten und immer noch ertragen. Nicht eine von ihnen.«

Es gelingt mir, den Blick zu heben und ihn anzusehen. Ich frage mich, ob er sich über mich lustig macht. Stark? Ich fühle mich nicht stark. Ich fühle mich schwach. Ich kann nicht einmal mehr meine Pistole halten. Ich sehe ihn an, er sieht zurück. – Es ist ein unerschrockener Blick, und als ich ihn erkenne, durchzuckt mich ein Schock. Ich habe blutbesudelte Verbrechensschauplätze mit diesem Blick betrachtet. Verstümmelte Leichen. Ich bin imstande, derartig Entsetzliches anzusehen, ohne den Blick abzuwenden. Dr. Hillstead betrachtet mich mit dem gleichen Blick, und mir wird bewusst, dass dies seine Begabung ist: Er ist imstande, das Entsetzen der Seele mit einem steten, unerschrockenen Blick zu ertragen. Ich bin sein Verbrechensschauplatz, und er wendet sich nicht angewidert oder distanziert ab.

»Doch ich weiß auch, dass Sie dicht vor der Grenze dessen stehen, was Sie zu ertragen imstande sind, Smoky. Und das bedeutet, ich kann eines von zwei Dingen tun. Ich kann zusehen, wie Sie zerbrechen, oder ich zwinge Sie, sich zu öffnen und meine Hilfe anzunehmen. Ich habe mich für Letzteres entschieden.«

Ich spüre die Aufrichtigkeit in seinen Worten, die Ernsthaftigkeit. Ich habe Hunderte verlogener Krimineller angesehen. Ich bilde mir ein, dass ich eine Lüge selbst im Schlaf durchschauen würde. Er sagt die Wahrheit. Er will mir helfen.

»So. Jetzt ist der Ball auf Ihrer Seite des Spielfelds. Sie können aufstehen und gehen, oder wir können von hier an weitermachen.« Er lächelt mich an, ein müdes Lächeln. »Ich kann Ihnen helfen, Smoky, ich kann es wirklich. Ich kann nicht ungeschehen machen, was passiert ist. Ich kann Ihnen nicht versprechen, dass

Sie nicht für den Rest Ihres Lebens unter dem Schmerz leiden. Doch ich kann Ihnen helfen. Wenn Sie mich lassen.«

Ich starre meinen Therapeuten an, und ich spüre den Widerstreit in mir. Er hat Recht. Ich bin ein weiblicher Samson, und er ist eine männliche Delila, nur dass er mir erzählt, es würde nicht wehtun, wenn ich mir die Haare schneide. Er bittet mich, ihm auf eine Weise zu vertrauen, wie ich niemandem vertraue. Außer mir selbst.

»Und?«, höre ich die leise Stimme in mir selbst fragen. Ich schließe zur Antwort die Augen. Ja. Und Matt.

»Okay, Dr. Hillstead. Sie haben gewonnen. Ich versuche es.«

In dem Moment, in dem ich es sage, weiß ich, dass es richtig ist, denn ich höre auf zu zittern.

Ich frage mich, ob das, was er zu mir gesagt hat, die Wahrheit ist. Was meine Stärke angeht, meine ich. Bin ich stark genug weiterzuleben?

KAPITEL 4   Ich stehe vor der Fassade der FBI-Büros in Wilshire, Los Angeles. Ich blicke an der Fassade hoch und versuche, etwas dabei zu empfinden.

Nichts.

Dies ist kein Ort, wo ich im Moment hingehöre. Stattdessen habe ich das Gefühl, abgeschätzt zu werden. Die Fassade blickt stirnrunzelnd auf mich herab mit ihrem Gesicht aus Beton, Glas und Stahl. Nehmen es Zivilisten so wahr?, frage ich mich. Als etwas Imposantes und vielleicht ein wenig Hungriges?

Ich bemerke mein Spiegelbild im Glas der Eingangstüren und winde mich innerlich. Ich wollte einen Anzug tragen, doch es hätte sich zu sehr nach Verpflichtung zum Erfolg angefühlt. Sportsachen wären zu lässig gewesen. Als Hinweis auf meine Unentschiedenheit hatte ich mich für Jeans und eine Button-down-Bluse entschieden, einfache Halbschuhe und ein leichtes

Make-up. Und jetzt fühlt sich alles unpassend an, und am liebsten würde ich rennen, rennen, rennen.

Emotionen überrollen mich in Wellen, in brechenden, krachenden Wellen. Angst, Aufregung, Zorn, Hoffnung.

Dr. Hillstead hat unsere Sitzung mit einer Aufgabe beendet. *Gehen Sie, und besuchen Sie Ihr Team.*

»Es war nicht nur ein Job für Sie, Smoky. Es war etwas, das Ihr Leben ausgemacht hat. Etwas, das zu dem gehört, was Sie sind. Wer Sie sind. Stimmen Sie mir zu?«

»Ja. Das ist richtig.«

»Und die Leute, mit denen Sie zusammenarbeiten – einige von ihnen sind Freunde?«

Ich zuckte mit den Schultern. »Zwei von ihnen sind meine besten Freunde. Sie haben versucht, mir zu helfen, aber…«

Er hob eine Augenbraue; eine Frage, auf die er die Antwort bereits wusste. »…aber Sie haben sie seit Ihrem Krankenhausaufenthalt nicht mehr gesehen.«

Sie haben mich besucht, als ich wie eine Mumie in Gaze eingewickelt im Krankenhaus lag und mich fragte, warum ich noch am Leben bin. Als ich mir wünschte, tot zu sein. Sie wollten bleiben, doch ich bat sie zu gehen. Jede Menge Telefonanrufe folgten, die ich ausnahmslos auf meinen Anrufbeantworter auflaufen ließ. Ich habe nie zurückgerufen.

»Ich wollte damals niemanden sehen. Und nachdem…« Ich breche stockend ab.

»Nachdem was?«, bohrte er.

Ich seufzte und deutete auf mein Gesicht. »Ich wollte nicht, dass sie mich so sehen. Ich glaube, ich könnte es nicht ertragen, wenn ich Mitleid in ihren Blicken erkenne. Es würde zu sehr wehtun.«

Wir sprachen noch ein wenig darüber, und dann sagte er zu mir, der erste Schritt auf dem Weg, meine Waffe wieder in die Hand nehmen zu können, bestehe darin, meinen Freunden gegenüberzutreten.

Und jetzt bin ich hier.

Ich beiße die Zähne zusammen, rufe mir meine irische Starrköpfigkeit ins Gedächtnis und schiebe mich durch die Türen.

Sie schließen sich in langsamer Lautlosigkeit hinter mir, und für eine Minute bin ich zwischen dem Marmorboden und der hohen Decke über mir gefangen. Ich fühle mich schutzlos, wie ein Kaninchen, das auf dem freien Feld überrascht wird.

Ich durchschreite die Metalldetektoren des Sicherheitsbereichs und zeige meinen Dienstausweis. Der Wachmann ist aufmerksam, mit harten, umherwandernden Augen. Sie zucken ein wenig, als er die Narben bemerkt.

»Ich wollte den Leuten vom CASMIRC und dem stellvertretenden Direktor Guten Tag sagen«, erzähle ich ihm, weil ich aus irgendeinem Grund das Gefühl habe, etwas sagen zu müssen.

Er schenkt mir ein höfliches Lächeln – es interessiert ihn nicht. Ich fühle mich noch schutzloser und lächerlicher und gehe zur Lobby mit den Aufzügen, während ich mich leise verfluche.

Schließlich stehe ich mit jemandem im Fahrstuhl, den ich nicht kenne und der es schafft, mein Unbehagen noch zu erhöhen (als wäre das überhaupt möglich), indem er seine heimlichen Seitenblicke auf mein Gesicht nur schlecht verbirgt. Ich tue mein Bestes, um es zu ignorieren, und als wir auf meiner Etage ankommen, verlasse ich den Aufzug vielleicht ein klein wenig schneller als üblich. Mein Herz hämmert.

»Reiß dich zusammen, Barrett«, grolle ich vor mich hin. »Was erwartest du? Du siehst aus wie der Glöckner von Notre Dame! Reiß dich zusammen.«

Die meiste Zeit über funktioniert es, wenn ich zu mir selbst rede, und das hier ist keine Ausnahme. Ich fühle mich besser. Ich gehe den Korridor hinunter, und dann stehe ich vor der Tür zu der Abteilung, die früher meine gewesen ist. Erneut steigt Angst in mir auf, verdrängt die Nonchalance, die ich aufgebracht habe. Es gibt Parallelen hier, denke ich. Ich bin durch diese Tür gegangen, ohne darüber nachzudenken, häufiger als ich zählen kann. Häufiger, als ich meine Waffe gezogen habe. Doch ich spüre eine ähnliche Angst, allerdings unterschwelliger.

Mir wird bewusst, dass hinter dieser Tür das Leben liegt, das ich zurückgelassen habe. Die Leute, die dieses Leben ausmachen. Werden sie mich akzeptieren? Oder werden sie ein gebrochenes Etwas mit Monstermaske sehen, mich überschwänglich begrüßen und dann nach Hause schicken? Werde ich Augen voller Mitleid spüren, die Löcher in meinen Rücken brennen?

Ich kann mir dieses Szenario mit einer Klarheit vorstellen, die mich erschreckt. Ich spüre Panik. Ich werfe einen nervösen Blick den Gang hinunter. Die Tür zum Aufzug steht noch offen. Ich muss nichts weiter tun als auf dem Absatz kehrtmachen und rennen. Rennen und weiterrennen. Rennen und rennen und rennen und rennen. Bis die Halbschuhe nass sind vom Schweiß, und mir eine Packung Marlboros kaufen und nach Hause gehen und rauchen und in der Dunkelheit vor mich hin kichern. Ohne Grund weinen, meine Narben anstarren und über die Freundlichkeit Fremder nachdenken. Der Gedanke gefällt mir so sehr, dass ich erschauere. Ich möchte eine Zigarette. Ich möchte die Sicherheit meines Schmerzes und meines Alleinseins. Ich will in Ruhe gelassen werden, damit ich weiter den Verstand verlieren kann und …

… und dann höre ich Matt.

Er lacht.

Es ist dieses leise Lachen, das ich immer so geliebt habe, eine kühle Brise aus Klarheit und Güte. »Genauuuu, Baby. Immer schnell wegrennen vor der Gefahr. Das ist *so typisch* für dich.« Das war eine seiner Begabungen. Die Fähigkeit zu spotten, ohne lächerlich zu machen.

»Vielleicht ist es wirklich typisch für mich«, murmele ich.

Es soll trotzig klingen, doch mein bebendes Kinn und meine verschwitzten Hände machen es mir schwer.

Ich kann spüren, wie er lächelt, freundlich und selbstgefällig und nicht wirklich da. Verdammt.

»Ja, ja, ja …«, murmele ich zu seinem Geist, während ich die Hand ausstrecke und den Türknauf drehe. In Gedanken stoße ich ihn weg von mir, dann öffne ich die Tür.

KAPITEL 5   Ich starre für einen Moment hinein, ohne einzutreten. Meine Angst ist sauber und klar und Übelkeit erregend. Mir wird bewusst, das dies der Kern dessen ist, was ich an meinem Leben am meisten hasse, seit das große Unglück passiert ist. Die konstante Unsicherheit. Eine der Eigenschaften, die ich an mir immer gemocht habe, war meine Entschlossenheit. Es war immer ganz einfach. Entscheiden und handeln. Heute heißt es: was, wenn … was, wenn … nein, ja, vielleicht … halt, geh, halt … was, wenn … was, wenn … und hinter alledem: Ich habe Angst …

Mein Gott, habe ich Angst. Ständig. Ich wache auf und habe Angst, ich gehe herum und habe Angst, ich gehe voller Angst schlafen. Ich bin ein Opfer. Ich hasse es, kann ihm nicht entkommen und vermisse dieses Gefühl von Unverwundbarkeit, das ich früher einmal gehabt habe. Ich weiß auch, ganz gleich, wie gesund ich wieder werde, dass diese Sicherheit nie wieder zurückkehren wird. Nie wieder.

»Reiß dich zusammen, Barrett!«, sage ich.

Das ist die andere Sache, die ich heute tue. Herumwandern, ohne je irgendwo anzukommen.

»Dann ändere es!«, murmele ich zu mir selbst.

O ja, sicher – und ich rede die ganze Zeit laut vor mich hin.

»Du bist vielleicht eine seltene Irre, Barrett«, flüstere ich.

Ein tiefer Atemzug, und ich gehe durch die Tür. Es ist kein großes Büro. Nur wir vier, Schreibtische und Computer, ein kleiner Konferenzraum, Telefone. Korktafeln mit Bildern des Todes. Es sieht nicht anders aus als vor sechs Monaten, als ich noch hier war. Doch so, wie ich mich fühle, könnte ich genauso gut auf dem Mond herumlaufen.

Dann sehe ich sie. Callie und Ann, mit dem Rücken zu mir, unterhalten sich leise, während sie auf eine der Korktafeln deuten. James ist auch da, mit seiner üblichen kühlen Konzentration in eine Akte vertieft, die aufgeschlagen vor ihm auf dem Schreibtisch liegt. Es ist Alan, der sich als Erster umdreht und mich sieht. Er sieht mich, und seine Augen werden weit, sein Unterkiefer sinkt herab, und ich wappne mich innerlich gegen einen Ausdruck des Abscheus auf seinem Gesicht.

Er lacht laut auf.

»Smoky!«

Es ist eine Stimme, die erfüllt ist von Freude, und in diesem Augenblick bin ich gerettet.

KAPITEL 6   »Verdammt, Zuckerschnäuzchen, du musst dich nie wieder für Halloween maskieren.« Das ist Callie. Was sie sagt, ist schockierend, krass und gefühllos. Und es erfüllt mich mit Fröhlichkeit. Hätte sie irgendetwas anderes gesagt, wäre ich wahrscheinlich in Tränen ausgebrochen.

Callie ist eine große, dünne, langbeinige Rothaarige. Sie sieht aus wie ein Supermodel. Sie ist einer von jenen schönen Menschen, die einem das Gefühl vermitteln, man blicke in die Sonne, wenn man sie zu lange anzustarrt. Sie ist Ende dreißig, hat einen Abschluss in Forensik mit Kriminologie als Nebenfach, ist brillant und verzichtet auf jedes soziale Getue. Die meisten Leute finden sie einschüchternd. Viele finden nach dem ersten Erröten, dass sie lieblos ist, möglicherweise sogar grausam. Sie könnten sich nicht gründlicher irren. Callie ist loyal bis zum Extrem, und niemand vermag ihre Integrität und ihren Charakter aus ihr herauszufoltern. Sie ist unverblümt, unglaublich ehrlich, brutal in ihren Beobachtungen und weigert sich, politische oder

PR- oder sonstige Spielchen zu spielen. Sie würde jeden, den sie als Freund bezeichnet, mit ihrem eigenen Körper vor einer Kugel decken.

Eine von Callies bewundernswertesten Eigenschaften ist etwas, das man leicht übersieht – ihre Unkompliziertheit. Das Gesicht, das sie der Welt zeigt, ist das einzige, das sie besitzt. Sie hält nichts von Wichtigtuerei und hat keine Geduld mit jenen, die sich aufspielen. Das ist wahrscheinlich die Krux jener, die hart in ihrem Urteil über sie sind: Wenn man es nicht erträgt, dass sie sich über einen lustig macht, verliert sie keinen Schlaf über das Unbehagen des anderen. Entweder macht man mit, oder man wird stehen gelassen. Denn, wie sie gern zu sagen pflegt: »Wenn du nicht über dich lachen kannst, dann kann ich nichts mit dir anfangen.«

Es war Callie, die mich nach meinem Kampf mit Joseph Sands gefunden hat. Ich war nackt und blutig und voll von Erbrochenem und schrie und weinte. Sie war todchic angezogen, wie immer, doch sie zögerte keine Sekunde, sondern nahm mich in die Arme und hielt mich, während sie auf den Notarzt wartete. Eines der letzten Dinge, an die ich mich entsinne, bevor ich das Bewusstsein verlor, war der Anblick ihres wunderschönen, maßgeschneiderten Kostüms, ruiniert von meinem Blut und meinen Tränen.

»Callie...«

Dieser Tadel kommt von Alan. Leise, ernst, auf den Punkt gebracht. So ist Alan. Er ist ein riesiger, furchteinflößender Schwarzer. Er ist nicht einfach nur groß, er ist gigantisch. Ein Berg auf Beinen. Sein finsterer Blick hat mehr als einen Verdächtigen im Verhörraum dazu gebracht, sich in die Hosen zu machen. Die Ironie besteht darin, dass Alan einer der nettesten und freundlichsten Menschen ist, die ich je kennen gelernt habe. Er besitzt eine unglaubliche Geduld, die ich stets bewundert und nachzuahmen versucht habe, und er bringt seine Ruhe in unsere Fälle. Er wird niemals müde, die Beweise noch ein weiteres Mal durchzugehen und selbst das kleinste Detail zu untersuchen. Es gibt nichts, was ihn langweilen könnte, wenn er einem Mörder auf der Spur ist. Und sein Blick für Kleinigkeiten hat uns in mehr als einem Fall den Durchbruch verschafft. Alan ist der älteste von uns, Mitte vierzig, und er verfügte bereits über zehn Jahre Erfahrung als Mordermittler der Polizei von Los Angeles, bevor er zum FBI kam.

Eine neue Stimme. »Was willst du hier?« Wenn Missvergnügen ein Musikinstrument ist, dann wäre dies eine Symphonie.

Die Worte kommen ohne Einleitung oder Entschuldigung, unverblümt wie Callie, doch ohne ihren Humor. Sie stammen von James, und James ist eben so. Wir nennen ihn hinter seinem Rücken Damien, nach der Gestalt in *Das Omen*. Damien, der Sohn Satans. Er ist der jüngste von uns allen, erst achtundzwanzig, und er ist einer der irritierendsten, unangenehmsten Menschen, denen ich je begegnet bin. Er geht einem auf die Nerven, bringt einen zum Zähneknirschen und macht einen wütend. Wenn ich mal jemanden wirklich ärgern will, dann ist James das Benzin, das ich ins Feuer werfe.

James ist aber auch brillant. Jene Art von weißglühender Nova von Brillanz, die jede Tabelle sprengt. Er hat die Highschool mit fünfzehn abgeschlossen, hervorragende Ergebnisse bei den Hochschuleignungsprüfungen erzielt und wurde von jedem College umworben, das in der Nation etwas auf sich hält. Er hat sich das College mit dem besten kriminologischen Lehrplan ausgesucht und es innerhalb von vier Jahren zum Doktor in Kriminalistik gebracht. Anschließend ist er zum FBI gekommen, wo er von Anfang an hinwollte.

Als James zwölf war, hat er seine ältere Schwester durch einen Serienmörder verloren, der einen Hang zu Schweißbrennern und schreienden jungen Mädchen hatte. An dem Tag, an dem seine Schwester begraben wurde, beschloss James, für diese Abteilung zu arbeiten.

James ist ein geschlossenes Buch ohne Titel. Er scheint nur

für eine einzige Sache zu leben – unsere Aufgabe. Er macht niemals Witze, lächelt nie, tut nie etwas Unnötiges außer seiner Arbeit. Er redet nicht über sein Privatleben oder sonst irgendetwas, das einen Hinweis auf seine Neigungen, seine Abneigungen oder seinen Geschmack geben würde. Ich weiß nicht, welche Art von Musik er hört oder welche Filme er mag und ob er sich überhaupt dafür interessiert.

Es wäre zu einfach zu denken, dass er lediglich effizient und von Logik getrieben ist. Nein, James hat eine Feindseligkeit an sich, die immer wieder aus ihm hervorbricht. Seine Missbilligung kann ätzend sein, und seine Gedankenlosigkeit ist legendär. Ich kann nicht sagen, dass er sich am Unbehagen anderer erfreut. Ich glaube vielmehr, dass es ihm weitgehend egal ist. Meiner Meinung nach ist James von einem unendlichen Zorn auf eine Welt erfüllt, in der Individuen wie das, das seine Schwester ermordet hat, existieren können. Trotzdem habe ich schon lange aufgehört, ihm seine Art zu verzeihen. Dazu ist er ein viel zu großes Arschloch.

Doch er ist brillant, und seine Brillanz blendet seine Umgebung wie nicht erlöschen wollende Blitzlichter. Und er teilt eine Fähigkeit mit mir, die uns verbindet, eine Gabe, die eine Nabelschnur erzeugt und ihn zu meinem bösen Zwilling macht. Er kann sich in einen Mörder hineinversetzen. Er ist imstande, in die Winkel und dunklen Ecken zu gleiten, die Schatten zu analysieren, das Böse zu begreifen. Ich kann das ebenfalls. Es ist nicht ungewöhnlich, dass wir in gewissen Stadien eines Falles zusammenarbeiten, auf eine sehr intime Weise. Während solcher Zeiten kommen wir miteinander aus wie Öl und Kugellager, gleitend, fließend, unaufhaltsam. Die restliche Zeit ist seine Gegenwart für mich ungefähr so angenehm, wie mit Sandpapier geschmirgelt zu werden.

»Ich freue mich auch, dich zu sehen«, antworte ich.

»Hey, du Arschloch«, brummt Alan leise in dunklem, drohendem Ton.

James verschränkt die Hände vor der Brust und starrt Alan kalt und direkt an. Noch so eine Fähigkeit von James, die ich widerwillig bewundere. Obwohl er nur einen Meter dreiundsiebzig groß ist und knapp sechzig Kilo wiegt, ist es beinahe unmöglich, ihn einzuschüchtern. Nichts scheint ihm Angst zu machen. »Es war nur eine Frage«, erwidert er.

»Na, was hältst du dann davon, deine verdammte Klappe zu halten?«

Ich lege Alan eine Hand auf die Schulter. »Es ist schon gut.«

Die beiden funkeln sich noch einen Moment länger an. Es ist Alan, der den Blickkontakt mit einem Seufzer beendet. James mustert mich mit einem langen, abschätzenden Blick, dann wendet er sich ab und versenkt sich wieder in die Akte, in der er gelesen hat.

Alan sieht mich kopfschüttelnd an. »Entschuldige.«

Ich lächle. Wie soll ich ihm erklären, dass selbst das, dieses Verhalten Damiens, im Moment *genau das Richtige* ist für mich? Es ist etwas, das noch so ist, wie es einmal war. James geht mir noch immer auf die Nerven, und das tröstet mich.

Ich beschließe, das Thema zu wechseln. »Was gibt's hier Neues?«, frage ich.

Ich trete ein paar Schritte vor, bis ich mitten im Büro stehe, und mustere die Korktafeln und die Schreibtische. Callie hat die Abteilung geleitet, während ich weg war, und sie ist es auch, die das Wort ergreift.

»Es war ruhig bei uns, Zuckerschnäuzchen.« Callie nennt jeden Zuckerschnäuzchen. Es heißt, sie hätte einen schriftlichen Verweis in ihrer Personalakte, weil sie sogar den Direktor Zuckerschnäuzchen genannt hat. Es ist eine Marotte, die sie sich zu ihrem eigenen Amüsement angewöhnt hat. Callie kommt nicht aus dem Süden, ganz und gar nicht. Einige Leute ärgern sich endlos über ihre Art. Für mich ist es einfach nur Callie. »Keine Serienmorde, zwei Entführungen. Wir haben uns ein paar der älteren, kälteren Fälle vorgenommen.« Sie lächelt. »Vermutlich sind all die bösen Buben mit dir zusammen auf Urlaub gegangen.«

»Wie sind die Entführungen ausgegangen?« Kindesentführungen gehören zu unserem Alltagsgeschäft und sind etwas, das alle anständigen Männer und Frauen bei den Vollzugsbehörden fürchten. Es geht nur selten um Geld. Meist geht es um Sex, Schmerzen und Tod.

»Eins haben wir lebend gefunden, eins war tot.«

Ich starre auf die Korktafel, ohne sie wirklich anzusehen. »Wenigstens haben wir beide gefunden«, murmele ich. Viel zu häufig ist das nicht der Fall. Jeder, der glaubt, keine Nachricht sei eine gute Nachricht, hat keine Ahnung davon, wie es ist, Vater oder Mutter eines gekidnappten Kindes zu sein. In diesem Fall ist keine Nachricht nämlich wie ein Krebs, der nicht tötet, sondern stattdessen die Seele aushöhlt. Oft sind Eltern im Verlauf der Jahre wieder und wieder zu mir gekommen in der Hoffnung, eine Nachricht über ihr Kind zu erhalten, eine Nachricht, die ich ihnen nicht geben konnte. Ich habe mit angesehen, wie sie von Mal zu Mal dünner wurden. Bitterer. Ich habe mit angesehen, wie die Hoffnung in ihren Augen starb und ihre Haare grau wurden. In Fällen wie diesen wäre es ein Segen, wenn wir wenigstens die Leiche des Kindes finden würden. Dann könnten sie wenigstens in Gewissheit trauern.

Ich wende mich an Callie. »Und wie gefällt es dir, der Boss zu sein?«

Sie schenkt mir ein typisches, gespielt hochnäsiges Callie-Lächeln. »Du kennst mich doch, Zuckerschnäuzchen. Ich wurde zu Höherem geboren, und jetzt trage ich endlich die Krone.«

Alan schnaubt bei diesen Worten, gefolgt von einem schallenden Lachen.

»Hör nicht auf diesen Bauern, Schatz«, meint Callie.

Ich lache, und es tut mir gut. Es ist ein echtes, unwillkürliches Lachen – so, wie es sein soll. Doch dann dauert es ein wenig länger an, als es sollte, und mit Entsetzen spüre ich, wie mir Tränen in den Augen aufsteigen.

»O Scheiße«, murmele ich und wische mir über das Gesicht.

»Tut mir Leid.« Ich blicke zu ihnen auf und lächle schwach. »Es tut einfach nur so verdammt gut, euch zu sehen, Leute. Mehr, als ihr euch vorstellen könnt.«

Alan, der menschliche Berg, kommt zu mir, und ohne Vorwarnung nimmt er mich in seine baumstammdicken Arme. Ich sträube mich nur für einen winzigen Moment, bevor ich seine Umarmung erwidere und den Kopf an seine Brust lehne.

»Du irrst dich, Smoky«, sagt er. »Das können wir. Das können wir sogar sehr gut.«

Er lässt mich los, und Callie tritt vor und schiebt ihn beiseite.

»Genug der Sentimentalitäten«, schnappt sie und sieht mich an. »Komm, ich lade dich zum Essen ein. Und versuch lieber erst gar nicht, Nein zu sagen.«

Ich spüre erneut Tränen in mir aufsteigen, und alles, was ich zustande bringe, ist ein Nicken. Callie schnappt sich ihre Handtasche, nimmt mich beim Arm und zieht mich mit zur Tür. »Ich bin in einer Stunde zurück«, ruft sie den anderen über die Schulter zu. Sie schiebt mich durch die Tür nach draußen, und sobald sich die Tür hinter uns schließt, beginnen die Tränen ungehemmt zu fließen. Callie legt von der Seite her kurz den Arm um mich.

»Ich wusste, dass du nicht vor Damien losheulen wolltest, Zuckerschnäuzchen.«

Durch die Tränen hindurch lache ich und nicke wortlos. Ich nehme das Taschentuch, das sie mir hinhält, und lasse mich in meinem Moment der Schwäche von ihrer Kraft leiten.

KAPITEL 7   Wir sitzen in einer Imbissbude an der Subway, und ich sehe fasziniert zu, wie Callie ihr offensichtliches Loch im Magen mit einem dreißig Zentimeter langen Frikadellen-Sandwich stopft. Ich habe mich immer gefragt, wie sie das macht. Sie isst wie ein Scheunendrescher, und doch nimmt sie nie auch nur ein Pfund zu. Ich grinse und überlege, dass es vielleicht an ihren täglichen Zehn-Kilometer-Morgenläufen liegt. Sie leckt sich schmatzend und mit solcher Hingabe die Finger, dass zwei ältere Damen am Nachbartisch missbilligende Blicke in unsere Richtung werfen. Als sie fertig ist, seufzt sie zufrieden, lehnt sich zurück und trinkt durch einen Strohhalm ihre Mountain Dew. Mir wird bewusst, dass das hier das Wesen von Callie ist. Sie lässt das Leben nicht einfach vorbeiziehen, sie verschlingt es. Sie schlingt es herunter ohne zu kauen, und sie kriegt nie genug davon. Ich lächle vor mich hin bei dem Gedanken, und sie runzelt die Stirn und schüttelt drohend den Finger in meine Richtung.

»Weißt du, ich hab dich nur zum Essen eingeladen, weil ich dir sagen will, wie sauer ich auf dich bin, Zuckerschnäuzchen. Du hast meine Anrufe nicht beantwortet, nicht einmal meine E-Mails. Das ist nicht akzeptabel, Smoky. Es ist mir völlig egal, wie beschissen es dir geht.«

»Ich weiß, Callie. Und es tut mir Leid. Ich meine das ehrlich. Es tut mir wirklich und aufrichtig Leid.«

Sie starrt mich sekundenlang an, ein intensives Starren. Ich habe gesehen, wie sie den einen oder anderen Kriminellen so angesehen hat, und ich schätze, ich habe es verdient. Der Moment vergeht, und dann schenkt sie mir ein strahlendes Lächeln, während sie abwinkt. »Entschuldigung angenommen. Und jetzt die eigentliche Frage: Wie geht es dir? Ich meine, wie geht es dir wirklich? Und komm nicht auf die Idee, mich anzulügen.«

Ich senke den Blick, betrachte mein Sandwich und sehe sie dann wieder an. »Bis heute? Schlecht. Richtig schlecht. Ich hatte Alpträume, jede Nacht. Ich hatte Depressionen, und es wurde immer nur schlimmer, nicht besser.«

»Du hast daran gedacht, dich umzubringen, stimmt's?«

Ich spüre den gleichen Schock, nur nicht ganz so stark, wie in Dr. Hillsteads Zimmer. Hier ist mehr Scham dabei. Callie und ich waren immer enge Freundinnen, und ob ausgesprochen oder nicht, es schwingt eine Art Liebe mit. Doch es ist eine Liebe, die auf Stärke fußt, nicht darauf, dass wir uns gegenseitig an der Schulter der jeweils anderen ausweinen. Ich habe Angst, dass diese Liebe nachlässt oder ganz schwindet, wenn Callie mich bemitleiden muss. Trotzdem antworte ich ihr.

»Ich hab dran gedacht, ja.«

Sie nickt, und dann schweigt sie. Ihr Blick geht in eine Ferne, die ich nicht sehen kann. Ich habe ein Gefühl von Déjà-vu. Sie sieht aus, wie Dr. Hillstead ausgesehen hat; als würde sie überlegen, welchen Weg sie von hier aus einschlagen soll. »Smoky, daran ist nichts Schwaches. Es wäre Schwäche, wenn du den Abzug wirklich durchziehen würdest. Weinen, Alpträume, Depressionen, Gedanken an Selbstmord, das alles macht dich nicht schwach. Es tut nur weh. Und jeder kann Schmerz empfinden, selbst Superman.«

Ich sehe sie an, sprachlos. Ich bin so verwirrt, dass mir keine Antwort einfällt. Das passt überhaupt nicht zu Callie. So etwas hätte ich nicht von ihr erwartet, und es hat mich überrascht. Sie lächelt mich freundlich an.

»Weißt du, du musst damit fertig werden, Smoky. Nicht allein für dich, auch für mich.« Sie zieht an ihrem Strohhalm. »Du und ich, wir sind uns beide sehr ähnlich. Wir waren immer Siegertypen. Die Dinge liefen immer genauso, wie wir es wollten. Wir sind gut in dem, was wir tun. – Verdammt, wir waren schon immer in allem gut, was wir uns in den Kopf gesetzt hatten, oder?«

Ich nicke. Mir fehlen immer noch die Worte.

»Lass mich dir etwas sagen. Etwas Philosophisches. Merk es dir, weil ich niemand bin, der normalerweise so etwas sagt.« Sie stellt ihren Drink ab. »Eine Menge Leute malen immer wieder das gleiche, alte Bild. Wir kommen unschuldig und blauäugig auf die Welt, und dann werden wir mit der Realität konfrontiert und stumpfen ab. Nichts ist mehr so gut wie früher, bla, bla, bla.

Ich habe immer geglaubt, dass das ein Haufen Mist ist. Nicht alle werden unschuldig geboren wie bei Norman Rockwell, oder? Frag irgendein beliebiges Kind in Watts. Ich war immer der Überzeugung, dass es nicht so sehr darum geht zu lernen, dass das Leben Scheiße ist. Es geht darum zu lernen, dass das Leben wehtun kann. Verstehst du, was ich meine?«

»Ja.« Ich hänge gebannt an ihren Lippen.

»Die meisten Leute lernen den Schmerz früh kennen. Du und ich – wir hatten bisher Glück. Sehr, sehr viel Glück. Wir sehen den Schmerz bei anderen, tun, was wir tun, doch es hat uns nie getroffen. Nicht wirklich. Sieh dich an: Du hast die Liebe deines Lebens gefunden, hattest ein wunderbares Kind, warst eine phantastische FBI-Agentin und gleichzeitig eine Frau mit einem raketengleichen Aufstieg. Und ich? Ich habe mich auch nicht schlecht geschlagen.« Sie schüttelt den Kopf. »Es ist mir gelungen, nicht allzu sehr von mir selbst eingenommen zu sein, aber mir sind die Knaben immer hinterhergelaufen, und ich hatte das Glück, nicht nur gut auszusehen, sondern auch noch was im Kopf zu haben. Und ich bin gut in meiner Arbeit fürs FBI, verdammt gut.«

»Das bist du«, stimme ich ihr zu.

»Das ist es allerdings auch schon, Zuckerschnäuzchen. Du und ich, wir haben nie eine Tragödie erlebt. Wir sind uns gleich in dieser Hinsicht. Und dann, ganz plötzlich, hören die Kugeln auf, an dir abzuprallen.« Sie schüttelt den Kopf. »Von dem Augenblick an, in dem das passiert ist, konnte ich nicht mehr furchtlos sein. Das war vorbei. Ich hatte Angst, richtige Angst, zum ersten Mal in meinem Leben. Zum allerersten Mal. Und seitdem habe ich ständig Angst. Weil du besser bist als ich, Smoky. Das warst du schon immer. Und wenn dir so etwas passieren kann, dann kann es verdammt noch mal auch mir passieren.« Sie lehnt sich zurück und legt die Hände flach auf den Tisch. »Ende der Ansprache.«

Ich kenne Callie schon ziemlich lange. Ich habe immer

gewusst, dass sie über verborgene Tiefen verfügt. Das Geheimnis dieser manchmal kurz aufblitzenden Tiefen hat für mich immer einen Teil ihres Charmes, ihrer Stärke ausgemacht. Jetzt hat sich der Vorhang für einen Augenblick geteilt. Es ist, als würde sich jemand zum ersten Mal nackt vor dir zeigen. Es ist der größtmögliche Vertrauensbeweis, und ich bin auf eine Weise gerührt, dass meine Knie schwach werden. Ich strecke die Hand aus und ergreife ihre.

»Ich werde mein Bestes tun, Callie. Das ist alles, was ich dir versprechen kann. Aber ich verspreche es.«

Sie erwidert meinen Händedruck, dann zieht sie ihre Hand zurück. Der Vorhang hat sich wieder geschlossen.

»Na ja, es wäre nett, wenn du dich beeilen könntest, okay? Ich genieße es, arrogant und unberührbar zu wirken, und du bist schuld daran, dass ich es im Moment nicht kann.«

Ich sehe meine Freundin lächelnd an. Dr. Hillstead hat mir gesagt, dass ich stark bin. Doch für mich war immer Callie meine heimliche Heldin, wenn es um Stärke ging. Meine krass daherredende Schutzheilige der Pietätlosigkeit. Ich schüttele den Kopf. »Ich bin gleich wieder da«, sage ich. »Ich muss mal zur Toilette.«

»Vergiss nicht, den Deckel runterzuklappen«, sagt sie.

Ich sehe es, als ich die Toilette verlasse, und was ich sehe, lässt mich stehen bleiben.

Callie hat mich noch nicht bemerkt. Ihre Aufmerksamkeit ist auf etwas in ihrer Hand gerichtet. Ich mache einen Schritt zur Seite, sodass der Eingang den Blick auf mich ein wenig verdeckt, und spähe in ihre Richtung.

Callie sieht traurig aus. Nicht einfach nur traurig, sondern verloren.

Ich habe Callie hochmütig, sanft, wütend, rachsüchtig, witzig erlebt, was auch immer, aber niemals traurig. Nie so wie jetzt. Und ich weiß irgendwie, dass es nichts mit mir zu tun hat.

Was auch immer sie in der Hand hält, es betrübt meine Heldin, und das schockiert mich. Ich bin sicher, dass es etwas Privates ist. Callie wird nicht wollen, dass ich sie so sehe. Sie mag vielleicht für alle Welt nur ein Gesicht haben, doch sie entscheidet, welchen Teil davon sie zeigt. Und sie hat beschlossen, mir *diesen* Teil nicht zu zeigen, was auch immer es ist. Ich gehe zur Toilette zurück. Zu meiner Überraschung ist eine der älteren Damen da. Sie wäscht sich die Hände und beobachtet mich im Spiegel. Ich erwidere ihren Blick und kaue an meinem Daumennagel, während ich nachdenke. Entscheide dich endlich!

»Ma'am«, sage ich. »Würden Sie mir vielleicht einen Gefallen tun?«

»Welchen denn, meine Liebe?«, fragt sie ohne Zögern.

»Meine Freundin draußen …«

»Sie meinen die Unhöfliche mit den schrecklichen Essmanieren?«

Schluck.

»Ja, Ma'am.«

»Was ist mit ihr?«

Ich zögere. »Sie … ich glaube, sie möchte im Augenblick für sich sein. Weil ich hier bin und sie allein am Tisch … Ich …«

»Sie möchten Ihre Freundin nicht in diesem Moment überraschen, ist es das?«

Ihr sofortiges und vollkommenes Begreifen lässt mich innehalten. Ich starre sie an. Stereotypen, denke ich erneut. So nutzlos. Ich hatte sie für eine kleinkarierte, selbstgerechte alte Frau gehalten. Jetzt begegnen mir freundliche Augen, Weisheit und ein feines Gespür für das Lächerliche. »Ja, Ma'am«, sage ich leise. »Sie … sie ist immer so krass, aber sie hat das größte Herz, das ich kenne.«

Die Augen der Frau werden weich, und sie lächelt ein wunderschönes Lächeln. »Viele große Menschen haben mit den Händen gegessen, meine Liebe. Überlassen Sie alles mir. Warten Sie dreißig Sekunden, und dann kommen Sie zum Tisch.«

»Ich danke Ihnen«, sage ich. Ich meine es aufrichtig, und sie weiß es.

Sie verlässt die Toilette ohne ein weiteres Wort. Ich warte ein wenig länger als dreißig Sekunden, bevor ich ihr folge. Ich spähe um die Ecke und hebe die Augenbrauen. Die Frau steht vor unserem Tisch und redet mit erhobenem Zeigefinger auf Callie ein. Ich gehe zu ihnen.

»Manche Leute essen gern ungestört«, höre ich die fremde Frau sagen. Ihr Ton ist maßregelnd und scharf wie eine Waffe, wie eine olympische Disziplin. Die Sorte Ton, die einen eher beschämt als wütend macht. Meine Mom war Weltklasse in dieser Disziplin.

Callie blickt die Frau finster an. Ich kann die Sturmwolken sehen, die sich in ihr zusammenbrauen, und ich eile zu unserem Tisch. Die Frau erweist mir schließlich einen Gefallen; besser, wenn ich nicht warte, bis es zu einer heftigen Auseinandersetzung kommt.

»Callie…«, sage ich und lege ihr warnend die Hand auf die Schulter. »Wir sollten gehen.«

Sie starrt die Frau noch finsterer an, doch die Frau wirkt ungefähr so eingeschüchtert wie ein auf dem Rücken schlafender Hund an einem sonnigen Fleck.

»Callie«, sage ich erneut, drängender diesmal.

Sie sieht mich an, nickt, steht auf und setzt ihre Sonnenbrille mit einer arroganten Bewegung auf, die mich mit Bewunderung erfüllt. »9 – 9 – 10«, denke ich. Eine nahezu perfekte Wertung. Die Olympiade der Eisköniginnen ist dieses Jahr ein harter Wettkampf, und die Menge tobt…

»Ich kann gar nicht schnell genug weg von hier«, meint sie herablassend. Sie schnappt ihre Handtasche und neigt den Kopf in Richtung der Frau. »Guten Tag«, sagt sie. »Auf die Knie!«, bedeutet ihr Tonfall.

Ich schiebe sie hastig nach draußen und sehe über die Schulter noch einmal zu der fremden Frau hin. Sie zwinkert mir zu.

Wieder einmal fällt mir auf, wie unglaublich freundlich Fremde manchmal sein können.

Die Rückfahrt ist unterhaltsam. Callie giftet leise vor sich hin. Ich nicke und versichere ihr an den richtigen Stellen meine Zustimmung, während sie über »alte Schachteln« und »runzlige, vertrocknete Leute« und »aufgeblasene Mumien« schimpft. Währenddessen sind meine Gedanken erfüllt von jenem traurigen Blick, der so fremd auf dem Gesicht meiner Freundin wirkt.

Wir erreichen den Parkplatz und halten in der Nähe meines Wagens. Ich habe beschlossen, dass es genug ist für heute. Ich besuche den stellvertretenden Direktor ein anderes Mal.

»Danke, Callie. Sag Alan, dass ich irgendwann in nächster Zeit noch mal vorbeikomme. Auch wenn es nur darum geht, ›Hallo‹ zu sagen.«

Sie droht mir mit dem Finger. »Das werde ich ihm ausrichten, Zuckerschnäuzchen. Aber wag es bloß nicht mehr, unsere Anrufe zu ignorieren. Du hast in jener Nacht nicht jeden verloren, der dich liebt. Und du hast Freunde, auch außerhalb der Arbeit. Vergiss das nicht!«

Sie fährt mit quietschenden Reifen los, bevor ich antworten kann, und sichert sich so das letzte Wort. Das ist typisch Callie, und ich bin froh, dass ich ihr Opfer gewesen bin.

Ich steige in meinen Wagen, und mir wird bewusst, dass ich Recht gehabt habe letzte Nacht. Heute war der entscheidende Tag. Und ich fahre nicht nach Hause, um mir das Gehirn aus dem Kopf zu blasen. Wie sollte ich das auch? Ich schaffe es ja nicht mal, meine Pistole in die Hand zu nehmen.

KAPITEL 8   Ich habe eine furchtbare Nacht, eine Art Hitparade schlimmer Träume. Joseph Sands ist da mit seinem Dämonenanzug, während Matt mich mit blutverschmiertem Mund anlächelt. Dann sehe ich Callie im Subway-Imbiss. Sie blickt traurig von ihrem Blatt Papier auf, zieht die Pistole und schießt der fremden Frau in den Kopf. Dann wendet sie sich wieder ihrer Limonade zu und saugt am Strohhalm. Doch ihre Lippen sind zu rot und zu voll. Sie bemerkt meinen Blick und zwinkert mir zu wie eine Leiche, die ein einzelnes Auge schließt.

Ich wache zitternd auf und bemerke, dass mein Telefon läutet. Ich sehe auf die Uhr – es ist fünf Uhr morgens. Wer ruft um diese Stunde an? Ich habe keine Anrufe mehr um diese Zeit bekommen, seit ich nicht mehr arbeite.

Der Traum schwebt noch immer durch meinen Kopf, doch ich schiebe die Bilder von mir. Ich warte noch einen Moment, bis das Zittern verebbt ist, dann nehme ich den Hörer ab.

»Hallo?«

Schweigen am anderen Ende. Dann Callies Stimme. »Hi, Zuckerschnäuzchen. Tut mir Leid, dass ich dich wecke, aber … wir haben hier was, das dich betrifft.«

»Was? Was ist passiert?« Sie schweigt eine ganze Minute, und allmählich werde ich ungeduldig. Immer noch laufen kleine Schauer durch meinen Körper, während ich den Hörer halte. »Verdammt, Callie! Rede mit mir!«

Sie seufzt. »Erinnerst du dich an Annie King?«

»Ob ich mich an sie erinnere?«, frage ich ungläubig. »Ja, ich erinnere mich an sie. Sie ist eine meiner besten Freundinnen. Sie ist vor ungefähr fünf Jahren nach San Francisco umgezogen. Wir telefonieren noch alle sechs Monate oder so. Ich bin die Patentante ihrer Tochter. Ich erinnere mich also sehr gut an Annie. Warum? Was ist mit ihr?«

Callie schweigt erneut. »Verdammt«, höre ich sie flüstern. Es klingt, als hätte sie soeben einen Schlag in den Magen bekommen. »Ich wusste nicht, dass ihr Freundinnen wart. Ich dachte, sie wäre nur eine Bekannte von dir.«

Ich spüre, wie Angst in mir aufsteigt. Angst – und Gewissheit. Ich weiß, was passiert ist; oder wenigstens meine ich, es zu wissen. Doch ich muss es aus Callies Mund hören, bevor ich es glauben kann. »Was ist passiert?«, frage ich.

Ein langer, resignierender Seufzer. Dann: »Sie ist tot, Smoky. Ermordet, in ihrer Wohnung. Ihre Tochter lebt, aber sie ist katatonisch.«

Meine Hand ist durch den Schock gefühllos geworden, und fast lasse ich den Hörer fallen. »Wo bist du jetzt, Callie?« Meine Stimme klingt fremd in meinen Ohren.

»Im Büro. Wir machen uns fertig, um zum Tatort zu fliegen. Wir haben einen Privatjet, der in eineinhalb Stunden startet.«

Ich spüre etwas durch meinen Schock hindurch, eine Schwere auf Callies Seite der Leitung. Ich spüre, dass es noch etwas gibt, das sie mir bisher nicht gesagt hat.

»Was ist, Callie? Was hältst du vor mir zurück?«

Ein weiteres Zögern, ein weiterer Seufzer. »Der Mörder hat eine Nachricht für dich hinterlassen, Zuckerschnäuzchen.«

Ich sitze da und schweige. Lasse die Worte auf mich wirken. »Ich komm zu dir ins Büro«, sage ich schließlich und lege auf, bevor Callie antworten kann.

Ich setze mich auf die Bettkante und verharre dort. Ich lege das Gesicht in die Hände und versuche zu weinen, doch meine Augen bleiben trocken. Irgendwie tut es auf diese Weise mehr weh.

Es ist gerade erst sechs Uhr, als ich im Büro eintreffe. Der frühe Morgen ist die beste Zeit, um durch Los Angeles zu fahren. Die einzige Tageszeit, zu der die Highways nicht verstopft sind. Die meisten Leute, die jetzt unterwegs sind, führen nichts Gutes im Schilde oder sind auf dem Weg zu nichts Gutem. Ich kenne diese frühen Morgenstunden gut. Auf dem Weg zu blutigen Tatorten bin ich zahllose Male durch den Nebel und das graue Licht der anbrechenden Dämmerung gefahren, genau wie jetzt. Auf dem ganzen Weg hierher habe ich an nichts anderes gedacht als an Annie.

Annie und ich haben uns in der Highschool kennen gelernt,

als wir beide fünfzehn waren. Sie war Cheerleader und ich ein unbekümmerter Wildfang, der Haschisch rauchte und die Geschwindigkeit liebte. Nach den Gesetzen der Highschool waren unsere Wege nicht dazu bestimmt, sich zu kreuzen. Das Schicksal griff jedoch ein. Zumindest habe ich immer geglaubt, dass es das Schicksal war.

Meine Periode kam mitten im Mathematikunterricht, und ich musste mich melden. Ich packte meine Tasche und stürzte aus der Tür in Richtung Toilette. Ich war hochrot im Gesicht, während ich durch den Korridor rannte und hoffte, dass mich niemand bemerkte. Ich bekam meine Periode erst seit acht Monaten, und die ganze Angelegenheit war mir noch immer jedes Mal unerträglich peinlich.

Ich spähte in die Toilette und sah erleichtert, dass sie verlassen war. Ich betrat eine der Kabinen und wollte mich gerade um mein Problem kümmern, als mich ein Schniefen erstarren ließ. Die Binde in der Hand, hielt ich den Atem an und lauschte. Das Schniefen wiederholte sich, nur dass es diesmal in ein leises Schluchzen überging. Irgendjemand weinte zwei Kabinen weiter.

Ich habe schon immer eine Schwäche für alles gehabt, was leidet. Als ich jünger war, überlegte ich sogar, Tierärztin zu werden. Wann immer ich einem verletzten Vogel, einem Hund, einer Katze oder irgendetwas Lebendigem begegnete, ob es nun kroch, lief oder flog, so nahm ich es stets mit nach Hause. Die meisten Tiere, die ich mitgebracht hatte, schafften es nicht. Manche aber überlebten und wurden gesund, und diese wenigen Siege reichten aus, um mich zu weiteren Einsammelaktionen zu motivieren. Meine Eltern fanden es zuerst süß. Nach dem zigsten Besuch beim Notfalltierarzt wich ihr Entzücken allerdings dem Ärger. Doch auch wenn sie sich ärgerten, sie haben mich nie von meinen Mutter-Theresa-artigen Bemühungen abgehalten.

Als ich älter wurde, stellte ich fest, dass sich meine Anteilnahme auch auf Menschen erstreckte. Wenn jemand verprügelt wurde, mischte ich mich zwar nicht ein und rettete ihn, doch hinterher konnte ich nicht anders – ich musste hingehen und sehen, wie es ihm ging. Ich hatte immer einen kleinen Erste-Hilfe-Beutel in der Tasche und verteilte im achten und neunten Schuljahr unzählige Pflaster und Verbände. Ich war kein Stück verlegen wegen dieses Bedürfnisses. Es war schon eigenartig: Ich schämte mich zu Tode, weil ich wegen meiner Periode mitten im Unterricht auf die Toilette musste, doch kein Spott der Welt, nicht einmal der Spitzname »Schwester Smoky«, konnte mich davon abhalten, anderen zu helfen. Nicht im Geringsten.

Ich weiß, dass es dieser Charakterzug ist, der mich letztlich zum FBI geführt hat. Die Entscheidung, nach der Ursache für den Schmerz zu suchen und die Kriminellen zu jagen, die es genießen, ihn anderen zuzufügen. Ich weiß auch, dass das, was ich im Lauf der Jahre gesehen habe, diese Einstellung etwas verändert hat. Ich wurde vorsichtiger mit meiner Fürsorglichkeit. Mir blieb gar nichts anderes übrig. Mein Team und ich wurden zu dem, was früher mein Erste-Hilfe-Beutel war, und aus den Verbänden wurden Handschellen und eine Gefängniszelle.

Und weil ich so war, legte ich, als ich jemanden in der Toilette weinen hörte, meine Binde hastig und fast nebenbei ein, sämtliche Peinlichkeit vergessend, zog meine Jeans wieder hoch und stürzte aus meiner Kabine. Vor der Toilettentür, hinter der das Schluchzen zu vernehmen war, blieb ich stehen.

»Äh, hallo? Alles in Ordnung da drin?«

Das Schluchzen verstummte, auch wenn immer noch ein leises Schniefen zu hören war.

»Geh weg. Lass mich allein.«

Ich stand für eine Sekunde vor der Tür und überlegte, was ich tun sollte.

»Hast du dich verletzt?«

»Nein. Lass mich einfach nur allein!«

Da es offenbar keine physische Verletzung war, die dringend behandelt werden musste, beschloss ich, dem Wunsch der Unbekannten hinter der Tür zu entsprechen und zu gehen.

Doch irgendetwas ließ mich innehalten. Das Schicksal. Ich beugte mich vorsichtig vor. »Äh, hör mal … kann ich dir irgendwie helfen?«

Die Stimme klang verzweifelt, als sie endlich antwortete. »Niemand kann mir helfen.« Schweigen, gefolgt von einem weiteren dieser furchtbaren, herzergreifenden Schluchzer. Niemand kann so weinen wie ein fünfzehnjähriges Mädchen. Niemand. Eine Fünfzehnjährige weint aus vollem Herzen, hält nichts zurück, als wäre es das Ende von allem.

»Komm schon. So schlimm kann es gar nicht sein.«

Ich hörte ein schlurfendes Geräusch, dann flog die Tür der Kabine krachend auf. Vor mir stand ein blondes, sehr hübsches Mädchen mit gerötetem Gesicht. Ich erkannte sie sofort und wünschte, ich wäre ihrem Rat gefolgt und gegangen, als sie mich bat zu verschwinden. Annie King, der Cheerleader. Eines von diesen Mädchen. Sie wissen schon, eines von diesen versnobten, perfekten Mädchen, die ihre Schönheit und ihre makellosen Körper einsetzen, um die Highschool wie ihr Königreich zu regieren. Ich konnte nicht anders, genau so dachte ich damals. Ich hatte sie in eine Schublade gestopft und fest eingeordnet, auf die gleiche Weise, wie ich es hasste, von anderen eingeordnet zu werden. Und sie war wütend.

»Was weißt du denn schon darüber?« Ihre Stimme bebte vor Zorn, und sie war gegen mich gerichtet, frontal.

Ich starrte sie an, sprachlos und verdutzt, zu erstaunt, um zurückzugiften. Dann zerbrach ihre Maske, und ihre Wut verpuffte schneller, als sie gekommen war. Tränen rannen ihr über das Gesicht. »Er hat allen mein Höschen gezeigt! Warum hat er das gemacht, nach allem, was er zu mir gesagt hat?«

»Hä? Wer – was ist mit deinem Höschen?«

Manchmal – selbst auf der Highschool – ist es am einfachsten, mit einem Fremden zu reden. Und sie redete mit mir, wir beide ganz allein auf der Mädchentoilette. Der Quarterback des Footballteams, ein gewisser David Rayborn, ging seit fast sechs

Monaten mit ihr. Er war attraktiv, klug und schien sich wirklich etwas aus ihr zu machen. Er hatte sie seit Wochen bedrängt, »es« endlich mit ihm zu tun, und sie hatte seinem Drängen widerstanden. Aber er hatte so aufrichtig gewirkt und so zärtlich, dass sie vor ein paar Tagen doch nachgegeben hatte. Er war sanft gewesen und vorsichtig und liebevoll, und als es vorbei gewesen war, hatte er sie in den Armen gehalten und sie gefragt, ob er ihr Höschen behalten dürfte, als Erinnerung an dieses erste Mal. Er sagte, es würde ein Geheimnis zwischen ihnen beiden sein, etwas, das nur sie ganz allein miteinander teilten. Ein wenig unanständig, aber auch nett. Irgendwie romantisch. Wenn ich jetzt als Erwachsene daran zurückdenke, kommt es mir töricht vor, es so zu sehen. Doch wenn man fünfzehn ist …

»Heute bin ich nach dem Training vom Platz gegangen, und alle waren da. Die Jungs vom Team. David war bei ihnen, und alle zeigen auf mich und johlen und machen gemeine Gesichter. Und dann hat er es getan.« Sie verlor erneut die Fassung, und ich zuckte zusammen, weil mir klar war, wie es weiterging. »Er hat es in die Höhe gehalten. Mein Höschen. Wie eine Trophäe. Und dann hat er mich angegrinst, gezwinkert und gesagt, dass es das beste Stück wäre, das er bis jetzt in seiner Sammlung hätte.«

Und dann fing dieser Cheerleader wieder an zu weinen, nur, dass sie jetzt vollkommen in Tränen aufgelöst schien, im wahrsten Sinne des Wortes. Ihre Knie gaben nach, und sie fiel gegen mich und weinte und weinte, als wäre ihr Herz gebrochen und würde niemals wieder heilen. Ich zögerte einen Moment (nur einen Moment) und schlang die Arme um sie und hielt sie, während sie an meiner Schulter schluchzte. Dort in jener Toilette hielt ich diese Fremde an mich gedrückt und flüsterte ihr beruhigend in das Haar und sagte zu ihr, dass bestimmt alles wieder gut werden würde.

Nach einigen Minuten erstarben ihre Schluchzer nach und nach. Sie löste sich von mir und wischte sich über das Gesicht.

Sie konnte mir nicht in die Augen sehen, und ich erkannte, dass ihr die Sache ein wenig peinlich war.

»Hey, ich hab eine Idee«, sagte ich. Es war eine Entscheidung aus dem Bauch heraus, unerklärlich, doch fraglos richtig. »Komm, wir verschwinden von hier. Wir machen für den Rest des Tages blau.«

Sie sah mich blinzelnd an. »Blaumachen?«

Ich nickte grinsend. »Genau. Nur für heute, nur für einen Tag. Ich schätze, du hast es verdient, oder?«

Vermutlich kam ihre Entscheidung genauso plötzlich und aus dem Bauch heraus wie meine Frage an sie. Schließlich kannte sie damals ja nicht mal meinen Namen. Sie lächelte zurück, ein verzagtes Lächeln.

»Okay.«

Und so lernten wir uns kennen. Sie rauchte an jenem Tag ihren ersten Joint (zu dem ich sie überredete), und etwa eine Woche später hörte sie bei den Cheerleadern auf.

Ich würde ja gern berichten, dass David Rayborn seine gerechte Strafe bekam, doch so war es nicht. Trotz seines Rufes als Arschloch fielen weiterhin Mädchen auf ihn herein, und er sammelte weiter ihre Höschen als Trophäen. Er wurde später Star-Quarterback in seiner College-Mannschaft und spielte sogar einige Saisons als Zweitbesetzung in einem Footballteam der National-mannschaft. Man könnte sagen, das sei der Beweis dafür, dass es keine Gerechtigkeit gibt auf der Welt; man könnte allerdings auch sagen, dass er Annie und mich zusammengebracht hat – eine Freundschaft, die mir so viel gab und so viel bedeutete, dass ich ihm fast verziehen hätte für das, was er getan hat.

Annie und ich wurden zu einer unzertrennlichen Einheit, wie dies nur bei Soldaten im Kampf und bei Teenagern in der Schule der Fall ist. Wir verbrachten unsere gesamte Freizeit zusammen. Sie beschwor mich, mit dem Haschischrauchen aufzuhören, und ich folgte ihrem Ratschlag, weil meine Noten schlechter geworden waren. Ich brachte sie dazu, sich wieder mit

Jungs zu verabreden. Sie war für mich da, als mein Hund Buster, der mich seit meinem fünften Lebensjahr begleitete, eingeschläfert werden musste. Ich war für sie da, als ihre Großmutter starb. Wir lernten gemeinsam Auto fahren, gerieten gemeinsam in die verschiedensten Klemmen und befreiten uns gemeinsam daraus, wuchsen auf und wurden zu Frauen.

Annie und ich verband eine der intimsten Arten von Beziehung, die zwei Menschen haben können. Eine Freundschaft, während man vom Kind zum Erwachsenen reift. Das sind Erfahrungen und Erinnerungen, die einen das ganze Leben hindurch begleiten, bis ans Grab.

Was danach geschah, passiert immer wieder. Wir machten unseren Abschluss an der Highschool. Ich war damals bereits mit Matt zusammen. Annie hatte einen jungen Mann kennen gelernt und beschlossen, mit ihm durch das Land zu ziehen, bevor sie aufs College ging. Ich wartete nicht, sondern ging direkt zur UCLA. Wir taten, was alle in unserer Situation tun: Wir schworen uns, zweimal in der Woche miteinander zu telefonieren und unser Leben lang in Verbindung zu bleiben. Und dann taten wir, was alle tun, und wurden von unseren eigenen Leben so vollständig in Beschlag genommen, dass wir fast ein Jahr lang nicht mehr miteinander sprachen.

Eines Tages kam ich aus der Vorlesung...und da stand sie. Sie sah wild aus und wunderschön, und ich empfand Freude und Schmerz und einen sehnsüchtigen Stich, der mich durchzuckte wie ein Akkord von einer Gibson-Gitarre.

»Wie geht's denn so, College-Girl?«, fragte sie mich mit verschmitztem Lächeln.

Statt ihr zu antworten, fiel ich ihr in die Arme und hielt sie eine Ewigkeit an mich gedrückt.

Wir gingen zusammen essen, und sie erzählte mir von ihren Abenteuern. Sie waren fast ohne Geld durch alle fünfzig Staaten gefahren, hatten eine Menge gesehen und erlebt und so viel Sex an so vielen unterschiedlichen Orten gehabt, dass es für den

Rest des Lebens reichte. Sie lächelte geheimnisvoll, und dann legte sie die Hand auf den Tisch.

»Sieh mal«, sagte sie.

Ich sah hin, bemerkte den Verlobungsring und stieß einen überraschten Ruf aus, wie es von mir erwartet wurde, und dann kicherten wir beide und redeten über die Zukunft und über ihre Hochzeitspläne. Es war fast wie damals an der Highschool.

Ich war ihre Brautjungfer, und sie war meine. Sie zog mit Robert nach San Francisco, und Matt und ich blieben in Los Angeles. Die Dinge veränderten sich. Trotzdem gelang es uns, alle sechs bis acht Monate miteinander zu telefonieren, und immer wenn wir telefonierten, waren wir wieder zurück an jenem ersten Tag, an dem wir frei und jung und glücklich gewesen waren und die Schule geschwänzt hatten.

Robert erwies sich als unzuverlässig und verließ sie irgendwann. Einige Jahre später überprüfte ich ihn in der Hoffnung festzustellen, dass er sich zum Versager entwickelt hatte, dem es schlecht erging. Stattdessen fand ich heraus, dass er bei einem Autounfall ums Leben gekommen war. Ich weiß bis heute nicht, warum Annie mir das nie erzählt hat.

Als ich anfing, für das FBI zu arbeiten, und damit meine ich richtig arbeiten, dehnten sich die Zeitspannen zwischen unseren Telefonaten auf ein Jahr aus. Dann auf anderthalb. Ich war einverstanden, die Patenschaft für Annies Tochter zu übernehmen, doch ich muss zu meiner Schande gestehen, dass ich das Kind nur ein einziges Mal gesehen habe, und Annie hat meins nie kennen gelernt. Was kann ich sagen? Das Leben ging weiter, wie es das immer tut.

Manche mögen mich deswegen verurteilen. Es ist mir gleichgültig. Ich weiß nur, dass, wann immer wir miteinander sprachen, ob nun nach sechs Monaten oder nach zwei Jahren, es stets so war, als wären wir nie getrennt gewesen.

Vor ungefähr drei Jahren starb ihr Vater. Ich fuhr sofort hin und blieb länger als eine Woche, um ihr zu helfen. Oder es wenigstens zu versuchen. Annie war älter geworden und ausgelaugt und voller Schmerz. Ich erinnere mich an die Ironie dieses Anblicks: Ihr Schmerz und ihr Alter hatten sie schöner als je zuvor werden lassen. Am Abend nach der Beerdigung, nachdem sie ihre Tochter zu Bett gebracht hatte, saßen wir in ihrem Schlafzimmer auf dem Fußboden, und sie weinte in meinen Armen, während ich beruhigend in ihr Haar flüsterte.

Als Matt starb, hörte ich nichts von ihr, doch ich wunderte mich nicht deswegen. Annie hatte diesen Tick – sie verabscheute Nachrichten, ob gedruckt oder im Fernsehen, und ich habe nie angerufen, um es ihr zu erzählen. Ich weiß bis heute nicht, warum.

Während meiner Fahrt zum FBI-Büro denke ich an Annie. Ich denke an sie und wundere mich über meine Reaktion auf ihren Tod. Ich bin traurig. Am Boden zerstört sogar. Doch es trifft mich nicht so tief, wie es das eigentlich müsste.

Ich bin vor dem Büro angekommen, und in diesem Augenblick wird mir klar, dass ich jetzt meine gesamte Jugend verloren habe. Die Liebe meiner Jugend und meine Jugendfreundin. Alle sind tot. Vielleicht war der Verlust von Matt und Alexa zu viel für mich. Vielleicht ist das der Grund, warum ich nicht so viel Schmerz empfinde, wie ich meiner Meinung nach wegen Annies Tod empfinden müsste. Vielleicht ist einfach nicht mehr genug Schmerz in mir übrig.

»Was zur Hölle haben Sie hier zu suchen, Smoky?«

Es ist Special Agent Jones, mein alter Mentor. Nur, dass er inzwischen Assistant Director Jones ist, stellvertretender Direktor. Ich bin überrascht, ihn hier anzutreffen. Nicht, dass er nicht engagiert wäre oder zögern würde, sich die Hände schmutzig zu machen. – Es ist einfach die Tatsache, dass er nicht hier sein *muss*. Und er hat sicher genug zu tun. Was ist so dringend an diesem Fall?

»Callie hat mich angerufen, Sir. Sie hat mir von Annie King

erzählt und erwähnt, dass der Täter eine Nachricht für mich hinterlassen hat. Ich fliege mit.«

Er schüttelt den Kopf. »O nein, Smoky, das werden Sie nicht tun. Ganz bestimmt nicht, verdammt noch mal. Abgesehen von der Tatsache, dass sie Ihre Freundin war, was bedeutet, dass Sie diesen Fall sowieso nicht übernehmen können, sind Sie noch nicht wieder als arbeitstauglich eingestuft worden.«

Callie versucht zu lauschen, und Jones bemerkt es. Er winkt mich zu seinem Wagen und steckt sich eine Zigarette an, während wir gehen. Alle sind inzwischen draußen vor dem Büro und machen sich fertig für die Fahrt zum Privatflugplatz Van Nuys. Jones nimmt einen tiefen Zug, und ich sehe ihn sehnsüchtig an. Ich habe vergessen, meine Zigaretten mitzunehmen.

»Könnte ich eine von Ihnen haben, Sir?«

Er hebt überrascht die Augenbrauen. »Ich dachte, Sie hätten aufgehört?«

»Ich hab wieder angefangen.«

Er zuckt die Schultern und reicht mir die Packung. Ich nehme mir eine Zigarette, dann gibt er mir Feuer. Ich nehme ebenfalls einen schönen tiefen Zug. Ah!

»Hören Sie, Smoky. Sie kennen die Regeln. Sie sind lange genug dabei. Ihr Seelenklempner wahrt vollkommene Verschwiegenheit über das, was Sie in den Sitzungen mit ihm besprechen. Aber er schreibt einmal im Monat einen Bericht, in dem er uns einen Überblick darüber gibt, wo Sie seiner Meinung nach im Moment stehen.«

Ich nicke. Ich weiß, dass es stimmt. Ich betrachte das nicht als Vertrauensbruch. Es geht nicht um die Privatsphäre oder um Rechte. Es geht darum, ob man mir wieder zutraut, das FBI zu repräsentieren. Oder eine Waffe in der Hand zu halten.

»Gestern habe ich einen Bericht von Dr. Hillstead erhalten. Er schreibt darin, dass Sie noch ein ganzes Stück Weg vor sich haben und noch nicht arbeitsfähig sind. Punkt. Und jetzt tauchen Sie hier um sechs Uhr morgens auf und wollen mit zum

Tatort einer ermordeten Freundin?« Er schüttelt vehement den Kopf. »Wie bereits gesagt: unter gar keinen Umständen!«

Ich nehme einen Zug von der Zigarette und drehe sie zwischen den Fingern, während ich ihn mustere und überlege, was ich sagen kann. Mir wird bewusst, dass ich den Grund für sein Hiersein kenne. Er ist wegen mir hier. Weil der Mörder an mich geschrieben hat. Weil er sich Sorgen macht.

»Hören Sie, Sir. Annie King war meine Freundin. Ihre Tochter ist noch am Leben. Sie hat keine Familie mehr. Ihr Vater ist tot, und ich bin ihre Patentante. Ich würde sowieso nach San Francisco fliegen. Ich bitte das FBI doch nur um den Gefallen, mich mitzunehmen.«

Bei meinen Worten verschluckt er sich am Rauch und hustet. »Ich bitte Sie! Netter Versuch, aber wen zur Hölle glauben Sie vor sich zu haben, Agent Barrett?« Er richtet den Zeigefinger auf mich. »Ich kenne Sie gut genug, Smoky! Versuchen Sie nicht, mir irgendeinen Mist zu erzählen! Ihre Freundin ist tot – was mir übrigens sehr Leid tut –, und Sie wollen dort hin und den Fall selbst übernehmen. Das ist die Wahrheit. Und ich kann es nicht zulassen. Erstens sind Sie persönlich in den Fall verwickelt, und das verbietet Ihren Einsatz. Ausdrücklich sogar, so steht es in den Vorschriften. Zweitens sind Sie möglicherweise selbstmordgefährdet, und ich kann nicht zulassen, dass Sie in diesem Zustand einen Verbrechensschauplatz betreten.«

Ich starre ihn mit aufgerissenem Mund an. Als ich ihm antworte, sind meine Worte erfüllt von Wut und Scham. »Herrgott im Himmel, Sir! Hängt mir vielleicht ein Warnschild am Hals, auf dem steht, dass ich erwogen habe, mich zu erschießen?«

Sein Blick wird weich. »Nein, kein Schild. Uns allen ist einfach nur bewusst, dass jeder von uns daran denken würde, wenn er auch nur die Hälfte von dem durchgemacht hätte, was Sie durchmachen mussten.« Er wirft seine Zigarette auf das Pflaster und sieht mich nicht an, als er weiterspricht. »Ich habe selbst schon einmal daran gedacht, mir die Kanone in den Mund zu stecken.«

Wie bei Callie heute Mittag, so bin ich auch jetzt sprachlos. Er bemerkt es und nickt. »Es stimmt, Smoky. Ich habe einen Partner verloren, vor etwa fünfundzwanzig Jahren, als ich noch beim Los Angeles Police Department, dem LAPD, war. Ich habe ihn verloren, weil ich eine falsche Entscheidung traf. Ich habe uns ohne Rückendeckung in ein Gebäude geführt, und es ist uns über den Kopf gewachsen. Er hat den Preis bezahlt. Familienmensch, geliebter Ehemann und Vater von drei Kindern. Es war meine Schuld, und ich habe fast acht Monate daran gedacht, diese Ungerechtigkeit zu korrigieren.« Er sieht mich an, und in seinem Blick ist keine Spur von Mitgefühl. »Es ist nicht so, als hätten Sie ein Schild umhängen, Smoky. Es ist so, dass die meisten von uns denken, sie hätten sich an Ihrer Stelle das Gehirn weggeblasen.«

Das ist es, was AD Jones ausmacht. Kein Smalltalk, kein Herumreden um die Dinge. Und das ist gut so. Man weiß immer, woran man bei ihm ist. Immer.

Ich kann ihm nicht in die Augen sehen. Ich werfe meine halb aufgerauchte Zigarette weg und trete sie mit dem Absatz aus, während ich meine nächsten Worte sorgfältig überlege. »Sir, ich weiß Ihre Worte zu schätzen. Und Sie haben in fast allen Punkten Recht – bis auf einen.« Ich blicke zu ihm auf. Ich weiß, dass er meine Augen sehen will bei dem, was ich ihm als Nächstes sagen werde, damit er die Wahrheit meiner Worte abschätzen kann.

»Ich habe darüber nachgedacht, Sir. Verdammt lange. Aber heute? Seit heute weiß ich mit Sicherheit, dass ich es nicht tun werde. Und wissen Sie, was mich dazu gebracht hat, meine Meinung zu ändern?« Ich deute auf mein Team, das wartend auf den Stufen vor dem Gebäude steht. »Ich bin hergekommen und habe diese Leute gesehen, zum ersten Mal, seit es passiert ist. Ich bin hergekommen und habe sie gesehen, und sie waren alle da und haben mich akzeptiert. Na ja, die Jury ist noch unentschlossen, was James angeht. – Aber der springende Punkt ist, dass sie mich weder bedauert noch mir das Gefühl gegeben haben, ein gebrochenes Wrack zu sein. Ich kann Ihnen hier und jetzt und mit voller Überzeugung sagen, dass ich nicht länger selbstmordgefährdet bin. Und der Grund dafür ist, dass ich meinen Fuß wieder ins Büro gesetzt habe.«

Er hört mir zu. Ich weiß nicht, ob ich ihn überzeugen konnte, doch ich habe seine Aufmerksamkeit. »Hören Sie, ich bin noch nicht so weit, dass ich das CASMIRC wieder leiten könnte. Ich bin absolut noch nicht so weit, dass ich mich in irgendeine taktische Situation begeben könnte. Ich bitte nur darum, dass Sie mich den Zeh ins Wasser stecken lassen. Lassen Sie mich mitfliegen, damit ich mich darum kümmern kann, dass Bonnie versorgt ist. Und lassen Sie mich meine Gedanken zu diesem Fall beitragen, nur ein klein wenig. Callie hat weiterhin die Leitung. Ich werde unbewaffnet sein, und ich verspreche, mich sofort zurückzuziehen, wenn es mir zu viel wird.«

Er steckt die Hände in die Manteltaschen und mustert mich mit einem langen, strengen Blick. Er studiert mich angestrengt. Wiegt sämtliche Möglichkeiten ab, jedes Risiko. Als er den Blick abwendet und seufzt, weiß ich, dass ich ihn überzeugt habe.

»Ich werde es bereuen, aber meinetwegen. Unsere Abmachung lautet wie folgt: Sie fliegen hin, holen das Kind und sehen sich um. Sie können dem Team sagen, was Sie von der Sache halten, jedoch werden Sie die Show nicht leiten. Und sobald Sie sich auch nur ein ganz klein wenig unsicher fühlen, ziehen Sie sich verdammt noch mal zurück. Ich meine es ernst, Smoky. Ich brauche Sie wieder in meiner Abteilung, verstehen Sie mich nicht falsch. Aber ich brauche Sie gesund und fit, und das bedeutet, dass ich Sie nicht unbedingt schon wieder jetzt brauche. Haben Sie mich verstanden?«

Ich nicke wie ein Kind oder ein neuer Rekrut, yes Sir, yes Sir, yes Sir. Ich fliege mit, und ich spüre, dass es wichtig ist für mich. Ein Sieg. Er hebt eine Hand, winkt Callie herbei, und als sie bei uns ankommt, sagt er zu ihr, was er zu mir gesagt hat.

»Haben Sie verstanden?«, fragt er sie streng.

»Ja, Sir.«

Er schießt mir einen letzten Blick zu. »Das Flugzeug wartet schon. Machen Sie, dass Sie wegkommen.«

Ich gehe mit Callie davon, bevor er seine Meinung ändern kann.

»Ich würde zu gerne wissen, wie du das angestellt hast, Zuckerschnäuzchen«, murmelt sie. »Und was mich betrifft, ist es deine Show, es sei denn, du sagst mir etwas anderes.«

Ich antworte nicht. Ich bin zu sehr damit beschäftigt, mich zu fragen, ob meine Rückkehr ins Team nicht ein schrecklicher Fehler ist.

KAPITEL 9   »Seit wann haben wir denn einen Privatjet?«, frage ich.

»Erinnerst du dich an die beiden Kindesentführungen, von denen ich dir erzählt habe? Ein Kind lebend gerettet?«, erwidert Callie.

Ich nicke.

»Don Plummer war der Vater des kleinen Mädchens, das wir lebend zurückgebracht haben. Er besitzt eine kleine Flugzeugfirma. Sie verkaufen Flugzeuge, unterhalten eine Flugschule und so weiter. Er hat angeboten, dem FBI einen Jet zu schenken, was wir natürlich ablehnen mussten. Daraufhin hat er – ohne unser Zutun – dem Direktor geschrieben und ihm mitgeteilt, er würde uns gern günstig einen Jet zur Verfügung stellen, wann immer wir einen benötigen.« Sie deutet auf unsere Umgebung. »Und wenn wir jetzt schnell irgendwohin müssen …«

Das Team hat einen zusätzlichen Mann für diesen Flug. Einen jung aussehenden Burschen, der nicht so recht in das FBI-Schema zu passen scheint. Er sieht aus, als sollte er Kaugummi kauen und mit einem Ring im Ohr herumlaufen. Ich blinzele und bemerke tatsächlich ein Loch in seinem linken Ohrläppchen. Meine Güte. Vielleicht trägt er einen Ohrring, wenn er nicht im Dienst ist. Die Abteilung für Computerkriminalität hat ihn ausgeliehen, erfahre ich von Callie. Er sitzt ein wenig abseits von den anderen und sieht zerzaust und verschlafen aus. Ein Außenseiter.

Ich sehe mich um. »Wo ist Alan?«, frage ich.

Die Antwort kommt von vorn, aus dem Halbdunkel. Mehr ein Grollen. »Ich bin hier.« Das ist alles, was er sagt.

Ich hebe die Augenbrauen und sehe Callie an. Sie zuckt nur die Schultern.

»Irgendwas macht ihm Probleme. Er sah ziemlich wütend aus, als wir hier ankamen.« Sie sieht einen Moment zu ihm hin, dann schüttelt sie den Kopf. »Ich würde ihn im Moment einfach in Ruhe lassen, Zuckerschnäuzchen.«

Ich blicke nach vorn zu dem Schatten, in dem Alan sitzt, und will irgendetwas unternehmen. Doch Callie hat Recht. Und ich muss schnellstens auf den aktuellen Stand gebracht werden.

»Klärt mich auf«, sage ich, als mir diese Tatsache bewusst wird. »Was haben wir bis jetzt?«

Ich wende mich an James bei meinen Worten. Er starrt mich an, und ich sehe Feindseligkeit in seinen Augen aufblitzen. Er ist voller Missbilligung.

»Du solltest nicht hier sein«, erwidert er.

Ich verschränke die Arme und sehe ihn an. »Gut, aber ich bin nun mal hier.«

»Es verstößt gegen die Vorschriften. Du bist eine Belastung für uns bei diesem Fall.« Er schüttelt den Kopf. »Du hast wahrscheinlich noch nicht mal die psychologische Freigabe, hab ich Recht?«

Callie schweigt, und ich bin ihr dankbar dafür. Das ist ein entscheidender Moment, etwas, das ich selbst regeln muss.

»AD Jones hat mir die Genehmigung gegeben.« Ich starre ihn an. »Meine Güte, James. Annie King war eine Freundin von mir.«

Er stößt den Zeigefinger in meine Richtung. »Ein Grund mehr, dass du nicht dabei sein solltest! Du bist persönlich betroffen, und du wirst Mist bauen!«

Ein Teil von mir registriert, dass ein Außenseiter, der dieses Gespräch belauscht, entsetzt wäre. Er könnte nicht glauben, dass James die Dinge sagt, die er sagt. Ich bin abgehärtet dagegen – bis zu einem gewissen Grad. Das ist typisch James. So ist er nun mal, und so redet er. Außerdem tut es mir gut. Ich spüre, wie sich etwas in mir regt. Die alte Kälte, die ich immer eingesetzt habe, um ihn zu zügeln. Ich halte mich an ihr fest und lasse sie in meine Augen sickern.

»Ich bin hier, und ich werde nicht gehen. Finde dich damit ab, und gib mir endlich die Informationen, die ich brauche. Und hör auf, mir auf die Nerven zu gehen.«

Er stockt sekundenlang und mustert mich von oben bis unten. Ich sehe, wie er sich entspannt. Er schüttelt noch einmal missbilligend den Kopf, doch ich weiß, dass er nachgegeben hat. »Meinetwegen. Aber ich will einen Vermerk fürs Protokoll. Meiner Meinung nach ist das eine eklatante Verletzung der Dienstvorschriften.«

»Ordnungsgemäß vermerkt.« Meine Stimme ist eine Messerklinge aus Sarkasmus, die an seiner Gleichgültigkeit stumpf wird.

»Gut.« Ich sehe, wie sein Blick ein wenig unscharf wird. Er hat keine Akte vor sich liegen; das Computergehirn in seinem Schädel hat auch so sämtliche Fakten parat. »Ihr Leichnam wurde gestern gefunden. Man nimmt an, dass sie drei Tage vorher umgebracht wurde.«

Ich zucke zusammen. »*Drei Tage* vorher?«

»Ja.«

»Und wie wurde der Leichnam gefunden? Wo?«

»Die Polizei von San Francisco bekam eine E-Mail. Sie enthielt als Attachment ein paar Fotos. Von ihr. Die Beamten fuhren zu ihrer Wohnung, um es zu überprüfen, und sie fanden die Leiche und das Kind.«

Mein Herz hämmert in meiner Brust, und ich spüre ein Sodbrennen. »Soll das heißen, dass die Tochter drei Tage lang bei ihrer toten Mutter war?« Meine Stimme klingt unnatürlich laut. Kein Schreien, doch kurz davor. James sieht mich an. Sein Gesicht wirkt ruhig. Er gibt lediglich Fakten wieder.

»Schlimmer. Der Täter hat sie an die Leiche ihrer Mutter gefesselt. Mit dem Gesicht zu ihrem Gesicht. Sie war die ganze Zeit so festgebunden.«

Blut schießt mir in den Kopf, und ich habe das Gefühl, gleich ohnmächtig zu werden. Die Magensäure kommt hoch, lautlos und widerlich. Ich kann sie in meinem Mund schmecken. Ich fasse mir an die Stirn.

»Wo ist Bonnie jetzt?«

»In einem der Krankenhäuser in der Umgebung, unter Bewachung. Sie ist katatonisch. Sie hat kein einziges Wort gesagt, seit sie gefunden wurde.«

Ich schweige. Callie mischt sich ein.

»Es gibt noch mehr, Zuckerschnäuzchen. Dinge, die du erfahren musst, bevor wir landen. Damit sie dich nicht kalt erwischen.«

Ich fürchte mich vor dem, was jetzt kommt. Ich fürchte mich davor wie vor dem Schlaf in der Nacht. Doch ich reiße mich entschlossen zusammen. Ich hoffe, dass niemand es bemerkt. »Schieß los. Ich will alles hören.«

»Drei Dinge, und ich erzähle sie dir nacheinander, ohne Kommentar. Erstens, sie hat dir ihre Tochter hinterlassen, Smoky. Der Täter hat ihr Testament gefunden und es neben ihrer Leiche liegen lassen, damit wir es finden. Darin wird dein Name als Vormund genannt. Zweitens, deine Freundin hat eine Sex-Seite im Internet unterhalten und ist persönlich darin aufgetreten. Drittens, die E-Mail des Killers an die Polizei von San Francisco enthielt einen an dich adressierten Brief.«

Mein Unterkiefer sinkt herab. Ich fühle mich, als wäre ich verprügelt worden. Als hätte Callie, anstatt zu reden, einen

Golfschläger gepackt und mich damit vermöbelt. In meinem Kopf dreht sich alles. Durch den Schock hindurch registriere ich eine sehr selbstsüchtige Emotion, eine, die mich beschämt und an der ich mich zugleich festhalte wie eine Ertrinkende. Es ist die Angst, vor dem Team die Fassung zu verlieren. Wie wird mich das vor ihnen dastehen lassen, besonders vor James? Selbstsüchtig, ja, doch ich erkenne sie auch als das, was sie ist – ein Werkzeug, das ich benutzen kann, um mich unter Kontrolle zu halten.

Ich nehme all meine Kräfte zusammen und verdränge den Schock und die Sorgen, die um die Oberhand kämpfen. Ich verdränge sie weit genug, um reden zu können. Ich bin überrascht über den Klang meiner Stimme, als sie schließlich ertönt: gleichgültig und gefasst.

»Gehen wir das Punkt für Punkt durch, okay? Punkt eins regele ich allein. Kommen wir zum zweiten…Du sagst, sie sei eine Art…eine Art Internet-Prostituierte gewesen?«

Eine fremde Stimme meldet sich zu Wort. »Nein, Ma'am, das stimmt nicht.«

Es ist der Knabe, der uns vom Bereich Computerkriminalität zugeteilt wurde. Mister Ohrring. Ich sehe ihn an.

»Wie heißen Sie?«

»Leo. Leo Carnes. Ich bin Ihnen wegen dieser E-Mail zugeteilt worden, aber auch wegen dem, womit Ihre Freundin ihren Lebensunterhalt verdient hat.«

Ich mustere ihn demonstrativ von oben bis unten. Er erwidert meinen Blick, ohne zurückzuzucken. Er ist ein gut aussehender Bursche, vier- oder fünfundzwanzig Jahre alt, dunkles Haar, ruhige Augen. »Was war das? Sie meinten, das stimme nicht. Also erklären Sie es uns.«

Er steht auf und kommt ein paar Sitze näher. Eingeladen in den Inneren Kreis, nutzt er die Gelegenheit. Jeder will dazugehören. »Es bedarf einer längeren Erklärung.«

»Wir haben die Zeit. Sprechen Sie.«

Er nickt, und ein Glänzen erscheint in seinen Augen, das ich als Aufregung erkenne. Computer sind seine Welt, seine Leidenschaft. »Um es zu verstehen, müssen Sie wissen, dass Pornografie im Internet eine ganz andere Subkultur ist als Pornografie in der ›realen Welt‹.« Er lehnt sich zurück, entspannt sich, macht sich bereit, einen Vortrag über ein Thema zu halten, über das er alles weiß. Es ist sein Moment im Scheinwerferlicht, und ich lasse ihm diesen Auftritt mit Vergnügen. Er verschafft mir ein wenig Zeit, meine Gedanken zu ordnen, und gibt meinem Magen Gelegenheit, sich zu beruhigen. Ich kann an etwas anderes denken als an die kleine Bonnie, die drei Tage lang ihrer toten Mutter ins Gesicht starren musste.

»Fangen Sie an.«

»Anfangs, etwa um 1978 herum, gab es etwas, das sich BBS nannte. Bulletin Board Systeme, Mailboxen. Der vollständige Name lautete ›Computerisierte Bulletin Board Systeme‹. Es waren die ersten nichtstaatlichen, öffentlich zugänglichen Netzwerke. Man brauchte lediglich ein Modem und einen Computer, um Nachrichten und Dateien auszutauschen und so weiter. Natürlich waren damals fast alle Nutzer Wissenschaftler oder Computerfreaks. Das ist wichtig, weil diese BBS ein Ort wurden, um pornografische Bilder zu tauschen. Man konnte sie tauschen, verkaufen, was auch immer. Und an diesem Punkt reden wir nicht bloß von einem neuen Wilden Westen, sondern von einem ganzen unentdeckten Land. Keine Aufsicht, nichts. Das ist ganz wichtig für die Porno-Konsumenten, weil…«

»Weil es umsonst und anonym war«, wirft James ein.

Leo grinst und nickt eifrig. »Genau! Man musste nicht mehr hinten in einen Pornoladen schleichen und seine Sachen in einer braunen Tüte nach Hause tragen. Man konnte sich in seinem Schlafzimmer einschließen und seine Pornobilder herunterladen, ohne dass man Angst haben musste, entdeckt zu werden. Es war gigantisch! Also, Bulletin Board Systeme waren das einzige öffentliche Netz, sie waren überall, und die Pornografie war bereits überall drauf.

Bulletin Board Systeme starben ziemlich schnell aus, als sich das Internet entwickelte und Webseiten aus dem Boden schossen und Webbrowser und Domainnamen und all das kamen. Die Bulletin Board Systeme waren für das Versenden und Empfangen von Daten erforderlich, wobei man sie erst nach dem Herunterladen sehen konnte. Heute haben wir Webseiten, auf denen man sofort alles sehen kann, sobald sie aufgerufen werden. Und was geschah mit der Pornografie?« Er lächelt. »Zwei Dinge sind passiert. Einerseits gab es ein paar clevere Geschäftsleute – ich rede von Leuten, die bereits Geld hatten –, die anfingen, Webseiten für Erwachsene zu entwickeln. Einige kamen aus der Audiotext-Industrie …«

»Was ist das?«, frage ich.

»Entschuldigung. Telefonsex. Diese Typen, die bereits mit Telefonsex Geld scheffelten, sahen das Web und erkannten sein Potential für die Pornografie. Anonyme, pro Ansicht zu bezahlende, jederzeit verfügbare Wichsvorlagen für Otto Normalverbraucher. Besagte Geschäftsleute nahmen einen Haufen Geld in die Hand und kauften dafür bereits existierende Pornografie. Hunderttausende eingescannter Bilder, die sie auf ihre Webseiten stellten. Um sie anzusehen, musste man zuerst die Kreditkarte zücken. Und an diesem Punkt änderten sich die Dinge in der Porno-Industrie.«

Callie runzelt die Stirn. »Was meinen Sie mit ›änderten sich‹?«

»Das erkläre ich noch. Verstehen Sie, bis zu diesem Punkt war man bei der Pornografie noch in irgendeiner Weise selbst beteiligt. Wenn man Videos beispielsweise verkaufte, dann steckte man bis zum Kragen in dieser Industrie. Also man war an Drehorten, hatte bei den Szenen zugesehen, kannte die Leute, stand vielleicht sogar selbst vor der Kamera. Bis dahin war es immer ein kleiner, geschlossener Kreis gewesen. Doch diese Typen mit den Webseiten waren ganz anders. Es gab eine Zwischenstufe zwischen ihnen und der Entstehung des Materials. Sie hatten Geld, und sie bezahlten die Pornohersteller für ihre Bilder. Die stellten sie ins Netz und kassierten von denen, die sie ansehen wollten. Erkennen Sie den Unterschied? Diese Typen waren keine Pornografen, nicht im klassischen Sinn jedenfalls. Sie waren Geschäftsleute. Mit Marketingplänen, Büros, Angestellten, dem ganzen Drum und Dran. Sie waren nicht mehr der anrüchige Bodensatz der Gesellschaft. Und es zahlte sich aus. Einige der ersten Firmen auf diesem Gebiet machen heute achtzig bis hundert Millionen Dollar im Jahr.«

»Wow!«, rief Callie. Leo nickt.

»Ja, wow. Es mag uns vielleicht nicht als große Sache erscheinen, aber wenn man sich wirklich mit der Geschichte der Pornografie beschäftigt, dann sieht man schnell, dass es ein Paradigmawechsel war. Die meisten Leute, die Anfang der Achtziger Pornos gemacht haben, waren aus den Siebzigern. Das heißt Drogen, promiskuitiver Sex, all die Klischees. Doch diese neuen Internet-Typen? Die meisten von ihnen hatten nichts am Hut mit Partnertausch oder Koksschnupfen, während sie einen geblasen bekamen; nichts dergleichen. Die meisten waren selbst noch nie an einem Pornoset gewesen. Es waren Typen in Geschäftsanzügen, die Millionen mit dem neuesten Dreh verdienten. Sie begannen, die Industrie respektabel zu machen. So respektabel Pornografie eben sein kann.«

»Sie sagten, zwei Dinge seien passiert«, unterbricht ihn Callie. »Was war das zweite?«

»Während diese Geschäftstypen ihre Imperien errichteten, ereignete sich eine weitere Revolution auf diesem Sektor. Es war eine grundlegendere, tiefgreifendere Veränderung.

Als Gegenstücke zu den Webseiten mit Bildersammlungen professioneller Porno-Stars schufen Frauen oder Paare Seiten, die sich um sie selbst und ihre realen sexuellen Eskapaden drehten. Diese Leute versuchten nicht, von Pornografie zu leben.

Diese Leute machten das aus Spaß. Es war der Exhibitionismus, der sie reizte. Das wurde ›Amateur-Pornografie‹ genannt.«

Callie verdreht die Augen. »Sie reden hier nicht mit Hinterwäldlern, Zuckerschnäuzchen. Ich denke, die meisten von uns wissen, was Amateur-Pornografie ist. Das ›Mädchen von nebenan‹, Swinger und was weiß ich.«

»Sicher. Entschuldigung. Ich rede wie ein Lehrer. Wichtig ist, dass die Nachfrage nach dieser Sorte von Pornografie, wie sich herausstellte, genauso groß war wie die Nachfrage nach professioneller Pornografie. So groß, dass die meisten dieser Frauen oder Paare es sich nicht leisten konnten, ihre Webseiten weiter gebührenfrei zu betreiben, als Hobby. Die Kosten für die zahllosen Zugriffe so vieler Betrachter waren atemberaubend. Also fingen auch sie damit an, Gebühren zu verlangen. Einige von ihnen, die früh damit angefangen hatten, verdienten Millionen. Und – das ist der entscheidende Punkt, den Sie verstehen müssen – es waren keine Leute aus der Porno-Industrie. Sie kannten niemanden in der Erwachsenenvideo-Branche. Sie waren nicht in Magazinen zu finden und auch nicht auf Porno-Videos. Es waren Menschen, die nicht vom Geld getrieben wurden, sondern von der Freude an dem, was sie taten.

Was auch immer Sie oder ich davon halten mögen – in der Porno-Industrie entstand auf diese Weise eine völlig neue Demografie. Mütter und Väter, Mitglieder der Eltern-Lehrer-Vereinigung, waren beteiligt. Nach außen hin ganz gewöhnliche Bürger, die ein geheimes Privatleben hatten und Geld scheffelten, indem sie es der Welt präsentierten.« Er wendet sich zu mir hin. »Das habe ich gemeint, als ich sagte, das stimme nicht. Ich habe die Webseite Ihrer Freundin gesehen. Es handelt sich nicht um harte Pornografie. Sie hat Softcore gemacht – keinen Sex mit anderen. Sie hat masturbiert und Spielzeuge benutzt und dergleichen. Sie hat Geld dafür genommen, dass man zusehen durfte, was ich nicht unbedingt gutheiße. – Eine Prostituierte war sie jedoch nicht.« Er sucht für ein paar Sekunden nach

Worten. »Ich meine, ich weiß nicht, ob es Ihnen hilft, wenn Sie es so betrachten, aber ...«

Ich lächle ihn müde an und schließe die Augen. »Ich habe eine Menge zu verdauen, Leo. Ich bin mir nicht sicher, was ich von alledem zu halten habe. Aber ja. Es hilft.«

Meine Gedanken wirbeln umher, wirbeln, wirbeln. Ich denke an Annie, die sich entschieden hat, ihren Lebensunterhalt mit nackten Posen zu verdienen. Ich frage mich, was für Geheimnisse die Menschen haben. Annie war immer wunderschön, und sie war immer ein wenig wild. Sexuelle Geheimnisse hätten mich absolut nicht überrascht – doch das hier? Es bringt mich aus der Fassung. Teilweise auch deshalb, weil ich unsicher bin, ob es mich abstößt oder fasziniert.

Ein Bild steigt in mir auf, plötzlich und ungebeten. Matt und ich waren beide sechsundzwanzig. Der Sex, den wir in jenem Jahr hatten, kann nur als spektakulär bezeichnet werden. Kein Bereich unseres Heims blieb jungfräulich. Es gab keine Stellung, die wir nicht ausprobierten. Ich hatte mir bergeweise neue Unterwäsche gekauft. Und das Beste daran war, dass wir nichts von alledem aufgrund eines bestimmten Konzepts taten. Wir versuchten nicht, die Dinge »aufzupeppen« – sie waren ganz von allein peppig. Wir waren betrunken voneinander und tollten in unbekümmerter Geilheit umher.

Ich war immer die sexuell Abenteuerlustigere von uns beiden gewesen. Matt neigte dazu, sich eher konservativ und zurückhaltend zu geben. Doch wie heißt es so schön? Stille Wasser sind tief. Er folgte meiner Führung in dunkle Reiche ohne jedes Zögern. Er konnte direkt neben mir aus voller Kehle den Mond anheulen. Das war eins der Dinge, die ich so an ihm geliebt habe. Er war ein wundervoller, sanfter Mann. Er konnte allerdings auch die Gangart wechseln, wenn ich es brauchte, konnte rau und hart und ein wenig gefährlich sein. Er war immer mein Held. Und wenn ich ein wenig einen Schurken brauchte, dann war Matt eben auch das.

Wir waren ein modernes Paar. Wir sahen uns hin und wieder gemeinsam unanständige Videos an. Ich war diejenige, die ihn hin und wieder dazu überredete, sich einige der Webseiten für Erwachsene mit mir anzusehen. Wir meldeten uns immer auf seinen Benutzernamen an. Auch wenn ich selbst Big Brother war, so war ich gegenüber Big Brother paranoid. Ich konnte mir nicht erlauben, den Namen des FBI zu besudeln. Also sahen wir uns all die schmutzigen Bilder unter Matts Benutzernamen an. Ich neckte ihn immer deswegen, nannte ihn den Perversen in unserer Ehe.

Wir hatten eine Digitalkamera. Eines Abends in jenem Jahr kam mir, während er im Geschäft war, eine verrückte Idee. Ich streifte meine Sachen ab und schoss ein paar Nacktfotos von mir vom Hals an abwärts. Mit klopfendem Herzen und einem irren Grinsen lud ich die Bilder auf eine Webseite, die solche Dinge sammelte. Als Matt nach Hause kam, hatte ich mich längst wieder angezogen und gab mich ausgesprochen gesittet.

Eine Woche verging, und irgendwie hatte ich die Sache vergessen. Ich war in einen Fall vertieft. Außer Essen und Schlafen und Sex und Matt stand nichts auf meiner Agenda. Ich kam spät nach Hause und stapfte erschöpft ins Schlafzimmer hoch. Dort fand ich Matt auf dem Bett liegend, die Hände hinter dem Kopf verschränkt, und er sah mich ganz merkwürdig an.

»Willst du mir vielleicht etwas sagen?«

Ich blieb verwirrt stehen. Dachte nach. »Nicht, dass ich wüsste. Warum?«

»Komm mit.« Er erhob sich vom Bett und ging an mir vorbei in Richtung unseres Arbeitszimmers. Ich folgte ihm rätselnd. Er setzte sich an den Schreibtisch, wo unser Computer stand, und bewegte die Maus, um den Bildschirmschoner zu beenden.

Was ich sah, ließ mich so sehr erröten, dass ich meinte, mein Gesicht müsste anfangen zu brennen. Es war eine Webseite, und dort, für alle Welt zu sehen, standen die Fotos, die ich von mir aufgenommen hatte. Matt drehte sich im Stuhl zu mir um. Auf seinem Gesicht stand ein leichtes Lächeln.

»Sie haben zurückgemailt. Offensichtlich mochten sie die Bilder *sehr*, die du ihnen geschickt hast.«

Ich stammelte. Errötete noch mehr. Und noch mehr, als mir bewusst wurde, dass es mich anmachte.

»Ich denke, das solltest du nicht wieder tun, Smoky…vom Hals abwärts oder nicht, es ist wahrscheinlich nicht besonders klug. Es ist sogar ausgenommen dumm. Wenn irgendjemand das herausfindet, wirst du schneller gefeuert, als du gucken kannst.«

Ich starrte ihn an, das Gesicht noch immer gerötet, und nickte. »Ja. Ich meine, du hast Recht. Ich mach es nicht wieder. Aber…«

Er hob die Augenbrauen auf eine Weise, die ich immer so sexy wie nur irgendwas fand. »Aber…?«

»Aber – jetzt lass es uns endlich tun!«

Ich riss mir die Sachen vom Leib, und er riss sich seine herunter, und es endete damit, dass wir den Mond anheulten. Das Letzte, was er zu mir sagte, bevor wir beide in jener Nacht einschliefen, klang damals so lustig, so typisch Matt, dass mir die Erinnerung daran einen Stich ins Herz versetzt. Er grinste, die Augen halb geschlossen.

»Was?«, fragte ich.

»Das FBI ist auch nicht mehr das, was es mal war, oder?«

Ich fing an zu kichern, und er lachte los, und wir liebten uns noch einmal, bevor wir aneinander gekuschelt einschliefen.

Ich richte nicht über die harmlosen Exkursionen, die Erwachsene machen, welche Haltung das FBI in dieser Frage auch öffentlich einnehmen mag. Ich sehe das Ende von Leben. Es fällt schwer, sich darüber aufzuregen, dass jemand seine Titten zeigt. Doch das ist ein ganzes Stück weit davon entfernt, eine eigene Webseite zu betreiben und Leute gegen Bezahlung dabei zusehen zu lassen, wie ich mir irgendwelche Dinger zwischen die Beine stecke. Ich frage mich, ob Annie mehr daraus gezogen hat als nur Geld, oder ob es ihr nur ums Geld gegangen ist. Wenn ich meine Freundin richtig einschätze, dann ging es nicht nur ums Geld. Sie war schon immer ein Freigeist, ein weiblicher Ikarus, der stets ein klein wenig zu dicht an der Sonne geflogen ist.

Ich schüttele die Tagträumerei von mir ab. Für einen Moment frage ich mich, ob ich den Bezug zur Realität verloren habe und zu einem von jenen bis ins Mark erschütterten Typen zu werden drohe, die mitten im Satz aufhören zu reden und in die Ferne starren. Ich merke, wie James mich aufmerksam beobachtet. Aus irgendeinem Grund erweckt die Vorstellung, dass er – von allen Leuten ausgerechnet er – die Bilder entdecken könnte, die ich ins Netz gestellt habe, einen irrationalen Schub von Paranoia. Gütiger Gott, dann würde ich mich tatsächlich umbringen müssen.

»Sie klingen, als würden Sie sich auf Ihrem Gebiet auskennen, Leo«, sage ich. »Wir brauchen Sie für die Computersachen, also hoffe ich sehr, dass Sie ein Supergeek sind.«

»Der superste«, versichert er grinsend.

»Dann möchte ich jetzt von dem Brief hören.«

Callie greift nach ihrer Mappe, klappt sie auf und nimmt einen Ausdruck aus einem Hefter. Sie reicht ihn mir.

»Hast du das gelesen?«, frage ich James.

»Ja…« Er zögert. »Es…es ist interessant.«

Ich nicke, begegne seinem Blick und spüre die Verbindung. Öl und Kugellager. Das ist der Punkt, an dem wir uns begegnen, und er will wissen, was ich davon halte, was auch immer er selbst dazu denkt oder fühlt.

Ich konzentriere mich auf die Worte und lese. Ich muss in den Verstand dieses Mörders eintauchen, und dies sind Worte, über die er lange nachgedacht hat. Für uns ist dieses Dokument unbezahlbar. Es kann uns eine Menge über dieses Monster verraten, wenn es uns gelingt, es zu entschlüsseln.

An Special Agent Smoky J. Barrett.

Ich wünschte, dies würden nur Ihre Augen sehen, aber ich weiß, wie wenig Ihr FBI die Privatsphäre respektiert, wenn es jemanden jagt. Jede Tür wird aufgestoßen, die Jalousien hochgezogen und die Schatten verdrängt.

Zuerst möchte ich mich für die lange Zeit entschuldigen, die zwischen dem Töten Ihrer Freundin und dem Alarmieren der Polizei vergangen ist. Es ging nicht anders. Ich musste zuerst gewisse Dinge in Bewegung setzen. Ich will versuchen, ehrlich zu Ihnen zu sein, Agent Barrett, und jetzt bin ich ehrlich zu Ihnen. Zwar war die erforderliche Zeit der zentrale Faktor, doch ich gestehe, dass der Gedanke daran, wie die kleine Bonnie während jener drei Tage direkt vor der Leiche ihrer Mutter lag, in ihre toten Augen starrte und den einsetzenden Gestank roch, einen eigenartigen Nervenkitzel für mich bedeutet.

Meinen Sie, Bonnie wird sich jemals davon erholen? Oder glauben Sie, dass sie von diesem Bild verfolgt werden wird bis zu dem Tag, an dem sie stirbt? Wird dieser Tag früher kommen, vielleicht durch ihre eigene Hand, weil sie versucht, die Geister und die Alpträume durch eine scharfe Rasierklinge oder durch Schlaftabletten zu vertreiben? Nur die Zeit gibt uns die Antwort darauf, doch der Gedanke daran ist interessant.

Ich bin immer noch ehrlich: Ich habe das Kind nicht angerührt. Ich genieße den Schmerz von Menschen, ich passe in dieses Klischee des Serientäters. Und ich habe keine moralischen Bedenken gegen sexuelle Handlungen an Jugendlichen; sie stellen lediglich keine besondere Verlockung für mich dar. Sie ist immer noch unberührt, zumindest physisch. Ihr Bewusstsein zu vergewaltigen war ein weitaus größerer Genuss.

Da Sie einer von jenen Menschen sind, die sich nicht vom Tod abzuwenden vermögen, erzähle ich Ihnen vom Tod Ihrer Freundin Annie King. Sie ist nicht schnell gestorben. Sie hat große Schmerzen erlitten. Sie hat um ihr Leben gefleht. Ich fand das sowohl amüsant als auch erregend. Was, so frage ich mich, werden

Sie daraufhin nun auf Ihrer Checkliste über mich ankreuzen, Agent Barrett?

Lassen Sie sich von mir einen Tipp geben.

Ich wurde als Kind weder sexuell missbraucht noch misshandelt. Ich habe nicht ins Bett gemacht, und ich habe keine kleinen Tiere gequält. Ich bin etwas weitaus Reineres. Ich bin ein Vermächtnis. Ich tue, was ich tue, weil ich einer Blutlinie entstamme; ich stamme vom ERSTEN ab.

Ich wurde wahrhaftig zu dem geboren, was ich tue. Sind Sie bereit für die nächste Eröffnung, Agent Barrett? Sie werden sich möglicherweise lustig über mich machen, doch hier ist sie: Ich bin ein direkter Nachfahre von Jack the Ripper.

Da. Es ist heraus. Ganz ohne Zweifel schütteln Sie den Kopf, während Sie diese Zeilen lesen. Sie stecken mich in eine Schublade mit irgendwelchen Irren, betrachten mich als verlorene Seele, die Stimmen hört und Befehle von Gott empfängt.

Wir werden diesen Irrtum aufklären, und zwar schon bald. Für den Augenblick belassen wir es bei Folgendem: Ihre Freundin Annie King war eine Hure. Eine moderne Hure vom Information Superhighway. Sie hat es verdient, schreiend zu sterben. Huren sind ein Krebsgeschwür auf dem Angesicht dieser Welt, und sie war keine Ausnahme.

Sie war die Erste. Sie wird nicht die Letzte sein.

Ich trete in die Fußstapfen meines Vorfahren. Wie er wird man auch mich niemals fassen, und wie bei ihm wird das, was ich tue, in die Geschichte eingehen. Möchten Sie mein Inspector Abberline sein, Agent Barrett?

Ich hoffe es sehr, wirklich.

Fangen wir auf folgende Weise mit der Jagd an: Seien Sie am zwanzigsten in Ihrem Büro. Man wird ein Paket für Sie abgeben; es wird meine Aussagen belegen. Ich weiß zwar, dass Sie mir nicht zuhören, doch ich gebe Ihnen mein Wort, dass das Paket keinerlei Fallen oder Bomben enthalten wird.

Gehen Sie und besuchen Sie die kleine Bonnie. Vielleicht können

Sie sich nachts gegenseitig wecken, wenn Sie schreiend aus Alpträu-
men hochschrecken, jetzt, da Sie ihre neue Mommy sind.

Und vergessen Sie nicht, Agent – es gibt keine Stimmen, keine
Befehle von Gott. Ich lausche auf nichts weiter als auf mein eigenes
Herz, das mir sagt, wer ich bin.

From Hell[1]

Jack Junior

Nachdem ich den Brief gelesen habe, schweige ich für eine
Weile. »Das ist vielleicht ein Brief«, sage ich schließlich.

»Nur irgendein weiterer Irrer«, meint Callie mit einer Stimme,
die vor Abscheu nur so trieft.

Ich schürze die Lippen. »Das glaube ich nicht. Ich glaube,
der hier ist mehr als ein Irrer.« Ich schüttele den Kopf, um die
Benommenheit zu vertreiben, und sehe James an. »Wir reden
später darüber. Ich muss erst einmal darüber nachdenken.«

Er nickt. »In Ordnung. Ich möchte außerdem erst mal den
Tatort sehen, bevor ich konkrete Schlussfolgerungen ziehe.«

Schon wieder diese Verbindung. Ich habe das Gleiche
gedacht. Wir müssen an dem Ort sein, wo es passiert ist. Dort
stehen, wo der Mord passiert ist. Wir müssen den Täter *riechen.*

»Da wir gerade davon sprechen«, sage ich. »Wer vom SFPD
hat den Fall übernommen?«

»Deine alte Freundin Jennifer Chang«, ruft mir Alan zu meiner Überraschung aus dem vorderen Teil des Fliegers zu. »Ich
hab gestern Abend mit ihr telefoniert. Sie weiß noch nicht, dass
du mit uns kommst.«

»Chang, das ist gut. Sie ist eine der Besten.«

Ich habe Detective Chang bei einem Fall vor beinahe sechs
Jahren kennen gelernt. Sie war ungefähr in meinem Alter,
atemberaubend kompetent und besaß einen ätzenden Sinn für

---

1 »From Hell« (aus der Hölle) lautet die Überschrift eines mit hoher Wahrscheinlichkeit authentischen Briefes von Jack the Ripper (Anm. d. Übers.).

Humor, der mir gefiel. »Wie weit sind sie inzwischen? Haben sie den Tatort bereits auf Spuren untersucht?«

»Ja«, sagt Alan und kommt den Gang herunter, um näher bei uns zu sitzen. »Die Spurensicherung von San Francisco hat alles inspiziert, unter der Fuchtel von Chang. Ich hab gegen Mitternacht noch mal mit ihr telefoniert. Sie hat den Leichnam bereits in die Pathologie bringen lassen, alle Fotos liegen vor, und die Spurensicherung ist mit ihrer Arbeit fertig. Fasern, Abdrücke, alles. Diese Frau ist eine Sklaventreiberin.«

»So hab ich sie in Erinnerung. Was ist mit dem Computer?«

»Außer Fingerabdrücke abzunehmen haben sie ihn nicht angerührt.« Er deutet mit dem Daumen auf Leo. »Unser Superhirn hier hat ihnen gesagt, dass er sich darum kümmern wird.«

Ich sehe Leo an und nicke. »Was wollen Sie tun?«

»Ziemlich einfach. Ich werde mir den Computer zunächst oberflächlich anschauen und auf Fallen überprüfen, die dazu dienen sollen, die Festplatten zu löschen und dergleichen. Alles, was man vorab tun muss. Danach muss ich ihn mit ins Büro mitnehmen, wo die eigentliche Arbeit anfängt.«

»Gut. Sie müssen den Computer gründlich durchforsten, Leo. Ich brauche sämtliche gelöschten Dateien, einschließlich der E-Mails, Bilder, einfach alles – und ich meine alles! –, das uns weiterhelfen kann. Er hat sie über das Internet gefunden. Das macht den Computer zu seiner ersten Waffe.«

Leo reibt sich die Hände. »Überlassen Sie das nur alles mir.«

»Alan, du übernimmst unsere übliche Prozedur. Sammle Kopien von allem ein, was das San Francisco Police Department bis jetzt an Berichten, Untersuchungsergebnissen und so weiter hat, und dann hinterfragst du es.«

»Kein Problem.«

Ich wende mich an Callie. »Du übernimmst die Spurensicherung. Die Jungs in San Francisco sind gut, aber du bist besser. Versuch freundlich zu sein. Wenn du allerdings jemandem auf die Füße treten musst …« Ich zucke die Schultern.

Callie grinst mich an. »Meine Spezialität.«

»James, ich möchte, dass du einstweilen den Pathologen übernimmst. Setz ihn unter Druck, wenn es sein muss. Wir brauchen den Autopsiebefund noch heute. Anschließend werden wir beide gemeinsam zum Tatort fahren und alles in Augenschein nehmen.«

Die Feindseligkeit flackert wieder auf, doch er sagt nichts und nickt.

Ich halte für einen Moment inne und gehe in Gedanken alles noch einmal durch, um sicher zu sein, dass ich an alles Wichtige gedacht habe. Ich glaube, ja.

»Ist das alles?«, fragt Alan.

Ich sehe ihn an, überrascht wegen des Ärgers in seiner Stimme. Ich habe nicht die geringste Ahnung, was der Grund dafür sein könnte. »Ich denke schon, ja.«

Er steht auf. »Gut.« Dann kehrt er uns den Rücken zu, geht den Gang entlang und setzt sich wieder nach vorn ins Flugzeug, während wir anderen ihm verwundert hinterhersehen.

»Was ist dem denn über die Leber gelaufen?«, fragt Callie.

»Ja, muss ein ziemlicher Brocken gewesen sein«, stimmt Leo ein.

Callie und ich drehen ihm die Köpfe zu und starren ihn feindselig an.

Leo blickt nervös von einer zur anderen. »Was ist denn?«, fragt er.

»Es gibt ein hübsches Sprichwort, Junge«, erwidert Callie und stößt ihm den Zeigefinger gegen die Brust. »›Wag es nicht, meinen Freund zu verprügeln. Niemand verprügelt meinen Freund außer mir.‹ Kannst du mir folgen?«

Ich sehe, wie Leos Gesicht verschlossen und reglos wird. »Sicher. Sie meinen, ich bin nicht Ihr Freund, richtig, Rotschopf?«

Callie neigt den Kopf in seine Richtung und sagt etwas versöhnlicher: »Nein, Zuckerschnäuzchen, das habe ich nicht gemeint. Das hier ist keine Clique, und wir sind nicht auf der Highschool. Also spiel nicht den armen Freak, der von allen schikaniert wird.« Sie beugt sich vor. »Was ich meinte, ist, dass ich diesen Mann liebe. Er hat mir mal das Leben gerettet. Und du hast nicht das Recht, auf ihm rumzuhacken, wie ich das tue. Noch nicht. Kapiert, Zuckerpüppchen?«

Leos Abwehrhaltung weicht ein wenig auf; allerdings ist er noch nicht bereit, ganz aufzugeben. »Ja, gut, kapiert. Aber nennen Sie mich nicht ›Junge‹.«

Callie dreht sich zu mir um und grinst. »Vielleicht passt er ja doch zum Team, Smoky.« Sie wendet sich wieder Leo zu. »Noch was. Wenn dir dein Leben lieb ist, dann nenn mich nie wieder ›Rotschopf‹, Ohrring-Jüngelchen.«

»Ich werde mit Alan reden«, sage ich. Ich bin mit den Gedanken woanders und nicht so amüsiert über dieses Wortgefecht, wie ich es normalerweise wäre. Ein kleiner Teil von mir, der früher einmal ihr Anführer war, registriert, dass das, was Callie tut, gut ist für Leo und deshalb auch für das Team. Sie akzeptiert ihn auf ihre Weise. Ich bin froh darüber. Manchmal, wenn Teams für einen langen Zeitraum zusammenarbeiten, werden sie zu insular, beinahe xenophob. Das ist nicht gesund, und ich bemerke erleichtert, dass sich unser Team nicht auf eine Insel zurückgezogen hat. Nun ja, zumindest Callie nicht. James hingegen starrt aus dem Fenster, verschlossen, kalt und teilnahmslos. Im Grunde genommen typisch James. Nichts Neues.

Ich erreiche die Sitzreihe, zu der Alan sich zurückgezogen hat. Er starrt zu Boden, und die Anspannung, die von ihm ausgeht, ist erdrückend. »Was dagegen, wenn ich mich setze?«, frage ich.

Er winkt mit der Hand, ohne mich anzusehen. »Wie du willst.«

Ich setze mich und betrachte ihn eine Weile. Er wendet sich ab und starrt aus dem Fenster. Ich beschließe, es auf direktem Weg zu versuchen. »Was ist los mit dir?«

Er sieht mich an, und ich zucke beinahe zurück, als ich die Wut in seinen Augen erkenne.

»Was soll schon sein? Willst du beweisen, dass du mit dem ›Bruder‹ reden kannst? ›Ey, was is'n los oder wie?‹«

Ich bin sprachlos. Wie benommen. Ich warte in dem Glauben, dass es vorbeigeht, doch Alan starrt mich weiter an, und seine Wut scheint nur noch zuzunehmen.

»Und?«, fragt er.

»Du weißt, dass es nicht das ist, was ich wollte, Alan.« Meine Stimme ist leise. Ganz ruhig sogar. »Es ist für jeden offensichtlich, dass du aufgebracht bist wegen irgendetwas. Ich ... ich frage nur.«

Er funkelt mich noch einige Sekunden länger an, doch dann erlischt das Feuer in seinen Augen langsam. Ein wenig. Er blickt nach unten auf seine Hände. »Elaina ist krank.«

Mein Unterkiefer sinkt herab. Schock und Sorge überfluten mich, augenblicklich und bis in die Eingeweide. Elaina ist Alans Frau, und ich kenne sie genauso lange wie ihn. Sie ist eine wunderschöne Latina, sowohl äußerlich als auch in ihrem Herzen. Sie hat mich im Krankenhaus besucht, der einzige Besuch, den ich nicht sofort wieder fortschickte. Oder vielmehr ließ sie mir überhaupt keine Wahl. Sie platzte in mein Zimmer, scheuchte die Krankenschwestern beiseite, marschierte zu meinem Bett, setzte sich auf die Kante und zwang meine Hände beiseite, um mich in die Arme zu nehmen, alles ohne ein einziges Wort. Ich sank gegen sie und weinte, bis ich nicht mehr konnte. Dieser Augenblick wird für immer meine stärkste Erinnerung an Elaina bleiben. Die Welt – ein verschwommener Nebel hinter einem Vorhang aus Tränen, und Elaina, warm und weich und stark, die mein Haar streichelt und leise beruhigende Worte in einer Mischung aus Englisch und Spanisch spricht. Sie ist eine *Freundin*, eine von der seltenen Sorte, die einem für immer ans Herz wachsen.

»Wie? Was heißt das?«

Vielleicht ist es die aufrichtige Angst, die er aus meiner

Stimme hört; jedenfalls ist seine Wut plötzlich verschwunden. Kein Feuer mehr in diesen Augen. Nur noch Schmerz. »Darmkrebs im zweiten Stadium. Sie haben den Tumor entfernt, doch er war bereits aufgebrochen. Ein Teil der Krebszellen ist schon vor der Operation in ihre Blutbahn gelangt.«

»Und was bedeutet das?«

»Das ist der beschissene Teil. Möglicherweise hat das überhaupt nichts zu bedeuten. Vielleicht sind die Krebszellen, die freigesetzt wurden, als der Tumor aufbrach, nicht weiter gefährlich. Oder aber sie kreisen in ihrem Körper, um sich überall auszubreiten. Die Ärzte können uns keine Prognose geben.« Ich sehe, wie der Schmerz in seinen Augen zunimmt. »Wir haben es gemerkt, weil sie schlimme Schmerzen hatte. Wir dachten, es sei vielleicht eine Blinddarmentzündung. Sie wurde sofort in die Chirurgie gebracht und operiert, und da fanden sie den Tumor und entfernten ihn. Weißt du, was der Arzt hinterher zu mir gesagt hat? Er hat gesagt, dass sie im vierten Stadium ist. Dass sie wahrscheinlich sterben muss.«

Ich sehe auf Alans Hände. Sie zittern.

»Ich konnte es ihr nicht sagen. Sie war auf dem Weg der Besserung, verstehst du? Ich wollte nicht, dass sie sich Sorgen macht. Sie sollte sich ganz darauf konzentrieren, sich von der Operation zu erholen. Eine ganze Woche lang dachte ich, dass sie sterben würde, und jedes Mal, wenn ich sie ansah, dachte ich darüber nach. Sie hatte keine Ahnung.« Er lacht freudlos. »Anschließend waren wir wieder im Krankenhaus, für eine Nachuntersuchung, und der Arzt hatte gute Neuigkeiten für uns. Zweites Stadium, nicht viertes. Die Überlebensquote für die nächsten fünf Jahre liegt bei 70 bis 80 Prozent. Er grinst uns an, und sie fängt an zu weinen. Sie erfuhr, dass ihr Krebs nicht so schlimm war, wie wir dachten, aber sie wusste bis zu diesem Augenblick nicht, dass es eine gute Nachricht war.«

»Oh, Alan ...«

»Und jetzt bekommt sie eine Chemo. Vielleicht auch Bestrahlungen. Wir verfügen noch nicht über alle notwendigen Informationen, um uns zu entscheiden.« Er starrt erneut auf seine großen, kraftvollen Hände. »Ich habe geglaubt, ich würde sie verlieren, Smoky. Selbst jetzt noch, nachdem die Fakten dafür sprechen, dass sie wieder gesund wird, bin ich mir nicht sicher. Ich weiß nur, wie ich mich fühlen würde. Ich hatte eine ganze Woche, um es zu fühlen. Ich kann nicht aufhören, es zu fühlen.« Er sieht mich an, und die Wut ist zurück. »Ich habe die Möglichkeit gefühlt, sie zu verlieren. Und was mache ich? Ich fliege zu unserer nächsten Leiche. Und sie ist allein zu Hause und schläft.« Er starrt aus dem Fenster. »Vielleicht ist sie inzwischen auch schon aufgestanden. Aber ich bin nicht bei ihr.«

Ich sehe ihn betroffen an. »Mein Gott, Alan! Warum nimmst du denn keinen Urlaub? Du solltest bei Elaina sein, nicht hier! Wir schaffen das auch ohne dich.«

Er dreht sich zu mir, und der Schmerz, den ich in seinen Augen sehe, raubt mir den Atem und lässt mir fast das Herz stocken.

»Begreifst du denn nicht? Ich bin nicht wütend, weil ich hier bin! Ich bin wütend, weil ich keinen Grund habe, nicht hier zu sein! Entweder wird alles wieder gut, oder eben nicht! Und es macht verdammt noch mal nicht den geringsten Unterschied, was ich anstelle!« Er nimmt die Hände hoch, spreizt sie. Zwei riesige Catcher-Pranken. »Ich kann mit diesen Händen töten. Ich kann damit schießen. Ich kann meine Frau damit lieben und einen Faden in ein Nadelöhr fädeln. Sie sind stark und obendrein sehr geschickt. Und doch kann ich nicht in sie hineingreifen und ihr diesen Krebs herausnehmen. Ich kann ihr nicht helfen. Und ich ertrage das nicht, verdammt!«

Die Hände fallen in seinen Schoß zurück, und die hilflosen Augen starren erneut darauf. Ich sehe ebenfalls auf seine Hände, während ich nach Worten suche, die meinen Freund trösten könnten. Ich spüre seine Angst und meine. Ich denke an Matt.

»Hilflosigkeit ist etwas, das ich sehr gut verstehe, Alan.«

Er sieht mich an, und in seinen Augen kämpfen die Emotionen miteinander. »Ich weiß, Smoky. Aber – bitte versteh das nicht falsch – alles in allem ist das nicht gerade aufmunternd.« Er schneidet eine Grimasse. »Ach, Scheiße. Entschuldige. Das klingt furchtbar.«

Ich schüttele den Kopf. »Mach dir keine Gedanken deswegen. Es geht hier nicht um das, was mir passiert ist. Es geht um dich und Elaina. Du kannst nicht mit mir über das reden, was du empfindest, und gleichzeitig auf Eierschalen tanzen. Das geht nicht.«

»Schätze, du hast Recht.« Er atmet kräftig aus. »Scheiße, Smoky. Was soll ich nur tun?«

»Ich…« Ich lehne mich für einen Moment zurück, während ich überlege. Was soll er tun? Er sieht mich an. »Du sollst sie lieben und alles tun, was in deiner Macht steht. Du sollst dir von deinen Freunden helfen lassen, wenn du ihre Hilfe brauchst. Und das Wichtigste von allem, Alan: Du sollst nicht vergessen, dass sich vielleicht alles zum Guten wendet. Dass die Karten noch nicht endgültig gegen dich sind.«

Er grinst mich schief an. »Das Glas ist nicht halb leer, sondern halb voll, wie?«

Meine Antwort ist heftig. »Verdammt richtig! Es geht um Elaina. Ein halb volles Glas ist die einzig akzeptable Weise, die Sache zu betrachten!«

Er sieht aus dem Fenster, auf seine Hände, dann wieder zu mir. Die Sanftheit, die ich stets an meinem Freund geliebt habe, ist in seine Augen zurückgekehrt. »Danke, Smoky. Ich bin dir wirklich dankbar.«

»Kein Problem, absolut nicht.«

»Wir behalten es einstweilen für uns, okay?«

»Sicher. Alles in Ordnung?«

Er schürzt die Lippen, schüttelt den Kopf. »Ja. Ja, alles okay.« Dann sieht er mich an, blinzelt. »Was ist mit dir? Bist du okay? Wir haben nicht mehr richtig miteinander geredet, seit…«

»Es ist ja nicht so, als hättest du es nicht versucht. Und ja, für den Augenblick geht es mir gut. Für den Augenblick ist alles okay.«

»Gut.«

Wir sehen uns für einen Moment an, ohne Worte, in stummem Verständnis. Dann stehe ich auf, drücke seine Schulter ein letztes Mal und kehre nach hinten zurück.

Zuerst Callie, jetzt Alan. Probleme und Sorgen und Geheimnisse. Ich spüre Gewissensbisse. Ich war so sehr in meinem eigenen Schmerz gefangen während dieser letzten sechs Monate, dass ich nicht ein einziges Mal daran gedacht habe, dass auch meine Freunde Probleme haben, dass auch sie Ängste und Sorgen haben könnten. Dies wird mir nun bewusst, und ich schäme mich.

»Alles klaro, Zuckerschnäuzchen?«, erkundigt sich Callie, als ich mich setze.

»Alles bestens.«

Sie sieht mich einen Moment lang mit ihrer ganz speziellen Callie-Intensität an. Ich denke nicht, dass sie mir wirklich glaubt, doch sie lässt meine Antwort auf sich beruhen. »Also, Zuckerschnäuzchen, was wirst du tun, während wir alle mit unseren Aufgaben beschäftigt sind?«

Diese Frage bringt mich wieder zum Zweck dieses Fluges zurück, und ich erschauere. »Zuerst werde ich mit Jenny reden. Ich gehe mit ihr einen Kaffee trinken oder so.« Ich sehe zu James rüber. »Sie ist gut, und sie hat den Tatort unberührt gesehen. Ich möchte ihre Eindrücke aus erster Hand erfahren.« James nickt. »Und dann werde ich die denkbar beste Informantin besuchen, die wir meines Erachtens haben.«

Niemand fragt, wen ich meine, und ich weiß, dass alle froh sind, wenn ich mich darum kümmere. Weil ich von Bonnie gesprochen habe.

KAPITEL 10 Wir marschieren in das Gebäude des San Francisco Police Department, des SFPD, fragen nach Jennifer Chang und erhalten eine Wegbeschreibung zu ihrem Büro. Sie sieht uns kommen. Ich bin dankbar, dass ihre Augen aufleuchten, als sie mich erblickt. Sie kommt uns entgegen und hat einen männlichen Partner im Schlepptau, den ich nicht kenne.

»Smoky! Niemand hat mir gesagt, dass du mitkommen würdest!«

»Es war eine Entscheidung in letzter Minute.«

Jennifer bleibt dicht vor mir stehen und mustert mich von oben bis unten. Im Gegensatz zu anderen Leuten macht sie sich nicht die Mühe, ihr Interesse an meinen Narben zu verbergen. Sie betrachtet sie ungeniert.

»Nicht so schlimm, wie ich dachte«, sagt sie dann. »Gut verheilt. Wie sieht es innen aus?«

»Ein wenig wund, aber es heilt ebenfalls.«

»Gut. Also – übernehmt ihr den Fall jetzt, oder was?« Jenny kommt ohne Verzögerung zur Sache. Ich muss behutsam vorgehen. Zwar übernehmen wir den Fall tatsächlich, doch ich möchte nicht, dass Jenny oder andere Mitarbeiter der Polizei von San Francisco deswegen sauer sind auf uns.

»Ja ... Allerdings nur wegen der an mich gerichteten Nachricht. Du kennst die Regeln; die E-Mail ist eine direkte Drohung gegen einen Bundesagenten.« Ich zucke die Schultern. »Damit ist es eine Bundesangelegenheit. Das hat nichts damit zu tun, dass einer von uns denken würde, ihr kämt nicht mit dem Fall zurecht.«

Sie sinniert einen Moment über meine Worte. »Ja, schön, meinetwegen. Ihr Typen habt mir nie irgendwas vorgemacht.«

Wir folgen ihr in ihr Büro, einen kleinen Raum mit zwei Schreibtischen. Nichtsdestotrotz bin ich überrascht. »Dein eigenes Büro, Jenny? Ich bin beeindruckt.«

»Drei Jahre hintereinander die beste Aufklärungsquote. Der Captain hat mich gefragt, was ich mir wünsche, und ich habe gesagt, das hier. Und er hat es mir gegeben.« Sie grinst. »Hat zwei Jungs rausgetreten, die schon seit Ewigkeiten beim SFPD sind, um das zu ermöglichen. Hat mir nicht gerade viele Freunde eingebracht … Als würde mich das interessieren!« Sie deutet auf ihren Partner. »Sorry. Ich hätte euch früher vorstellen sollen. Das ist Charlie De Biasse, mein Partner. Charlie – die Feds.«

Charlie neigt den Kopf. De Biasse ist offenkundig ein italienischer Name, und Charlie sieht auch so aus, wenn auch vielleicht nicht ganz reinblütig. Sein Gesicht ist ruhig und strahlt Gelassenheit aus. Seine Augen passen nicht ganz zu diesem Eindruck – sie wirken scharf. Scharf und aufmerksam. »Erfreut, Sie kennen zu lernen.«

»Gleichfalls.«

»So«, sagt Jenny. »Und wie lautet der Schlachtplan?«

Callie liefert ihr eine kurze Zusammenfassung der verschiedenen Aufgaben, die ich verteilt habe. Als sie fertig ist, nickt Jenny zustimmend. »Klingt gut. Ich beschaffe euch Kopien von allem, was wir bisher zusammengetragen haben. Charlie, kannst du bei der Spurensicherung anrufen und sie informieren?«

»Geht klar.«

»Wer hat die Schlüssel zur Wohnung?«, frage ich.

Jenny nimmt einen Umschlag von der Seite ihres Schreibtischs und reicht ihn Leo. »Sie sind da drin. Ihr könnt euch am Tatort völlig unbefangen bewegen. Die Spurensicherung ist abgeschlossen, und die Beweisstücke sind sichergestellt. Die Adresse steht vorn auf dem Umschlag. Geht zu Sergeant Bixby vorn beim Empfang. Er besorgt euch eine Fahrgelegenheit.«

Leo sieht mich mit erhobenen Augenbrauen an, und ich nicke. Er marschiert los.

Ich bemerke Jennys Blick. »Können wir irgendwo hingehen? Ich würde mich gern mit dir über deine Eindrücke vom Tatort unterhalten.«

»Sicher. Wir können einen Kaffee trinken gehen. Charlie

kann sich um alles Weitere hier kümmern. In Ordnung, Charlie?«

»Klar.«

»Das wäre großartig.«

»Taugt Ihr Pathologe was?«, fragt James. Natürlich kommt es aus seinem Mund nicht als harmlose Frage, sondern als Provokation. Jenny sieht ihn stirnrunzelnd an.

»Nach Quantico zu urteilen, ist sie ziemlich gut. Warum – haben Sie etwas anderes gehört?«

Er winkt sie weg. »Sagen Sie mir einfach nur, wie ich an sie herankomme, Detective, und sparen Sie sich Ihren Sarkasmus.«

Jennys Augenbrauen schießen in die Höhe, und ich sehe, wie sich ihre Augen verschleiern. Sie wirft mir einen Seitenblick zu, und vielleicht ist es der gegen James gerichtete Ausdruck von Verärgerung, den sie auf meinem Gesicht bemerkt, der sie besänftigt. »Wenden Sie sich an Charlie.« Ihre Stimme klingt gepresst und angespannt. Das hat keinerlei Wirkung auf James. Er wendet sich einfach von ihr ab, ohne sie eines weiteren Blickes zu würdigen.

Ich berühre Jennys Ellbogen. »Komm, wir verschwinden von hier.«

Sie schießt James einen letzten düsteren Blick hinterher, bevor sie nickt. Wir gehen zum Ausgang.

»Ist er immer so ein Arschloch?«, fragt sie, als wir die Stufen zur Straße hinuntersteigen.

»O ja. Das Wort wurde extra für ihn erfunden.«

Wir müssen lediglich einen Block weit laufen bis zum Café, von denen es in San Francisco genauso viele zu geben scheint wie in Seattle. Es ist ein bürgerliches Café, ein Familienbetrieb mit einer entspannten, bodenständigen Atmosphäre, kein Franchise-Laden. Ich bestelle mir einen Mokka. Jenny entscheidet sich für Tee. Wir nehmen an einem Tisch beim Fenster Platz und genießen es für einen Moment, nicht zu reden, während wir an unseren Tassen nippen. Der Mokka ist köstlich. Köstlich genug, dass ich ihn trotz all des Todes um mich herum genieße.

Ich sehe nach draußen und betrachte das Leben auf der Straße. San Francisco hat mich schon immer fasziniert. Es ist das New York der Westküste. Kosmopolitisch, mit europäischen Einflüssen und einem ganz eigenen Charme und Charakter. Ich kann normalerweise schon an der Kleidung erkennen, ob jemand aus San Francisco kommt. Es ist einer der wenigen Orte an der Westküste, an dem man wollene Trenchcoats und Hüte sieht, Baskenmützen und Lederhandschuhe. Sehr chic. Draußen ist ein schöner Tag. In San Francisco kann es ziemlich kalt werden, doch heute scheint die Sonne, und die Temperaturen liegen knapp über zwanzig Grad. Sengend heiß nach den Standards dieser Stadt.

Jenny stellt ihre Tasse ab und fährt mit dem Finger über den Rand. Sie wirkt nachdenklich. »Ich war überrascht, dich hier zu sehen«, sagt sie schließlich. »Noch mehr, als ich hörte, dass du dein Team nicht leitest.«

Ich sehe sie über den Rand meiner Tasse hinweg an. »So lautet die Abmachung. Annie King war eine Freundin von mir, Jenny. Ich muss mich bei dieser Sache zurückhalten. Zumindest offiziell. Außerdem bin ich noch nicht wieder so weit, dass ich das CASMIRC leiten könnte. Noch nicht.«

Ihr Blick verrät nichts, doch er urteilt auch nicht über mich. »Nicht so weit, weil du es sagst, oder nicht so weit, weil das FBI es sagt?«

»Ich sage es.«

»Also … Bitte versteh mich nicht falsch, Smoky, aber wenn das so ist – wie hast du dann die Genehmigung bekommen, überhaupt herzukommen? Ich glaube nicht, dass mein Captain sie mir in einer ähnlichen Situation gegeben hätte.«

Ich erkläre ihr, was in mir vorgegangen ist, seit ich mein Team wiedergesehen habe. »Es scheint im Augenblick eine gute Therapie für mich zu sein. Ich schätze, der stellvertretende Direktor sieht es genauso.«

Jenny schweigt einen Moment lang. »Smoky, du und ich, wir sind Freundinnen«, sagt sie schließlich. »Wir schicken uns keine Weihnachtskarten oder besuchen uns zu Thanksgiving, nicht diese Art von Freundinnen. Trotzdem sind wir Freundinnen, stimmt's?«

»Sicher. Natürlich.«

»Dann muss ich dich als Freundin fragen: Bist du wirklich imstande, mit diesem Fall fertig zu werden? Bis zum Ende? Das hier ist eine schlimme Geschichte, Smoky, wirklich schlimm. Du kennst mich, und du weißt, dass ich schon eine ganze Menge gesehen habe. Doch das hier mit ihrer Tochter ...« Sie erschauert unwillkürlich. »Ich werde Alpträume deswegen haben. Außerdem ist das, was er deiner Freundin angetan hat, auch alles andere als nett. Und sie war deine Freundin. Ich kann verstehen, wenn du sagst, dass es dir gut tut, wieder ins Wasser zu springen, aber meinst du wirklich, dass sich dieser Fall dafür eignet?«

Ich antworte ihr aufrichtig. »Ich weiß es nicht. Das ist die Wahrheit. Ich bin am Boden· zerstört, Jenny. Glaub ja nicht, es wäre nicht so. Von außen betrachtet ergibt es nicht viel Sinn, dass ich an dem Fall mitarbeite, aber ...« Ich überlege, bevor ich weiterspreche. »Es ist folgendermaßen: Weißt du, was ich seit Matts und Alexas Ermordung gemacht habe? Nichts. Ich meine damit nicht, dass mir alles nur schwer gefallen wäre. Ich meine buchstäblich nichts. Ich habe den ganzen Tag lang auf einem Stuhl gesessen und die nackte Wand angestarrt. Ich gehe schlafen und habe Alpträume, ich wache auf und starre Wände an, bis ich wieder schlafen gehe. Oh, manchmal sehe ich mich auch stundenlang in Spiegeln an und fahre mit den Fingern über diese Narben.« Tränen wallen in mir auf. Ich bin dankbar, als ich merke, dass es Tränen der Wut und nicht der Schwäche sind. »Ich kann nur eins sagen – so zu leben ist noch schrecklicher als alles, was ich sehen werde, wenn ich mich an den Ermittlungen zu Annies Fall beteilige.

Das glaube ich jedenfalls. Ich weiß, es klingt vielleicht egoistisch, aber es ist die Wahrheit.«

Mir gehen die Worte aus wie einer Uhr, die wieder aufgezogen werden muss. Jenny nimmt einen Schluck von ihrem Tee. Das Leben draußen auf den Bürgersteigen brodelt weiter, als wäre nichts geschehen.

»Das leuchtet mir ein«, nickt Jenny. »Und du möchtest von mir wissen, was ich für einen Eindruck vom Tatort habe.« Das ist alles, was sie sagt. Sie lässt mich nicht abblitzen. Sie erkennt meine Entscheidung auf ihre Weise an. Sagt, dass sie es versteht, und kommt zur Sache. Ich bin ihr dankbar dafür.

»Bitte.«

»Der Anruf kam gestern«, sagt sie.

Ich unterbreche sie. »Ging er an dich persönlich?«

»Ja. Der Anrufer hat explizit meinen Namen genannt. Die Stimme war verstellt. Er sagte, ich solle meine E-Mails durchsehen. Ich hätte es vielleicht ignoriert, aber er hat dich erwähnt.«

»Die Stimme war verstellt? Auf welche Weise?«

»Sie klang gedämpft. Als hätte er ein Stück Stoff über die Sprechmuschel gehalten.«

»Irgendein feststellbarer Akzent? Ein ungewöhnlicher Slang? Irgendetwas Auffälliges?«

Jenny sieht mich an, und auf ihrem Gesicht steht ein verwirrtes Lächeln. »Willst du mich wie eine Zeugin bearbeiten, Smoky?«

»Du bist eine Zeugin, Jenny. Zumindest für mich. Du bist der einzige Mensch, der mit ihm gesprochen hat, und du hast den unberührten Tatort gesehen. Ja, du bist eine Zeugin.«

»Meinetwegen.« Ich sehe, wie sie über meine Frage nachdenkt. »Ich würde sagen Nein. Ganz im Gegenteil. An seiner Sprechweise war überhaupt nichts Auffälliges. Seine Stimme klang extrem ausdruckslos.«

»Kannst du dich noch genau an das erinnern, was er gesagt

hat?« Ich weiß, dass die Antwort auf diese Frage Ja lautet. Jennifer besitzt ein ungewöhnlich gutes Gedächtnis. Es ist auf seine Weise genauso beängstigend wie mein Geschick mit Waffen, und die Verteidiger vor Gericht fürchten sie deswegen.

»Ja. Er hat gesagt: ›Spreche ich mit Detective Chang?‹ Ich bejahte seine Frage. ›Sie haben eine E-Mail erhalten‹, sagte er, doch er hat dabei nicht gelacht. Das war eines der Dinge, die mich sofort aufhorchen ließen. Er machte es auch nicht melodramatisch, sondern sprach ganz nüchtern über die Fakten. Ich fragte ihn, wer er sei, und er antwortete: ›Jemand ist tot. Smoky Barrett kennt sie. Sie haben eine E-Mail erhalten.‹ Und dann hat er aufgelegt.«

»Sonst nichts?«

»Das war's.«

»Hm. Wissen wir, woher der Anruf kam?«

»Von einem Münztelefon in Los Angeles.«

Ich spitze die Ohren. »Los Angeles?« Ich denke darüber nach. »Vielleicht ist das der Grund, weshalb er drei Tage benötigt hat. Also ist er entweder ein Reisender, oder er kommt aus Los Angeles.«

»Oder er will uns auf eine falsche Fährte führen. Wenn er in Los Angeles wohnt, dann würde ich sagen, dass er nur wegen Annie hergekommen ist.« Ihr Gesichtsausdruck ist angespannt und wirkt unbehaglich bei diesen Worten. Ich kann mir den Grund dafür denken.

»Was bedeuten würde, dass ich die Person bin, deren Aufmerksamkeit er wollte«, sage ich. Ich habe diese Möglichkeit bereits akzeptiert. – Nein, ich habe vielmehr mit dieser Möglichkeit gerechnet, obwohl ich mich damit noch nicht emotional auseinander gesetzt habe. Mit der Möglichkeit, dass Annie nicht nur wegen der Dinge gestorben ist, die sie getan hat, sondern weil sie meine Freundin war.

»Richtig. Aber das ist reine Spekulation. Jedenfalls habe ich daraufhin meine E-Mails durchgesehen...«

Ich unterbreche sie. »Von wo aus hat er die E-Mail abge-
schickt?«

Sie sieht mich zögernd an. »Vom Computer deiner Freundin,
Smoky. Es war ihre E-Mail-Adresse.«

Eine plötzliche, unerwartete Woge des Zorns wallt in mir
hoch. Ich weiß, dass er es nicht nur getan hat, um seine Spur
zu verwischen, sondern auch, um zu zeigen, dass er ganz von
Annie Besitz genommen hat. Ich schiebe den Gedanken beiseite. »Erzähl weiter.«

»In der E-Mail wurde der Name von Annie King genannt
und ihre Adresse, weiter nichts. Und es gab vier Dateianhänge.
Drei davon waren Fotos von deiner Freundin. Der vierte war der
Brief an dich. Jetzt nahmen wir den Anruf sehr ernst. Man kann
heutzutage Fotos beinahe nach Belieben fälschen, doch es ist
wie mit einer Bombendrohung. Man evakuiert für den Fall der
Fälle. Also fuhren mein Partner und ich mit ein paar Uni-for-
mierten zu der Adresse.« Sie nippt an ihrem Tee. »Die Tür war
nicht abgeschlossen, und nachdem wir ein paar Mal geklopft
hatten, ohne dass jemand antwortete, zogen wir die Waffen und
drangen in die Wohnung ein. Deine Freundin und ihre Tochter
lagen im Schlafzimmer, auf dem Bett. Annie hatte ihren Computer dort stehen.« Jennifer schüttelt den Kopf bei der Erinnerung. »Es war ein schlimmer Anblick, Smoky. Du hast schon
mehr derartige Dinge gesehen als ich; diese Art von metho-
dischem, vorsätzlichem Morden. Aber ich glaube nicht, dass es
dir weniger unter die Haut gegangen wäre als mir. Er hat sie
aufgeschnitten, ihre Innereien entfernt und in Tüten gepackt. Er
hat ihr die Kehle durchgeschnitten. Doch das Schlimmste von
allem war ihre Tochter.«

»Bonnie.«

»Ja. Sie war an ihre Mutter gefesselt, von Gesicht zu Gesicht.
Nichts besonders Ausgeklügeltes oder so. Er hat sie einfach
Bauch an Bauch gelegt und dann beide mit einem Seil umwickelt,
bis sie sich nicht mehr rühren konnte. Sie lag dort drei Tage so,

Smoky. An ihre eigene tote Mutter gefesselt. Du weißt, was in einem Zeitraum von drei Tagen mit einer Leiche passiert. Die Klimaanlage war nicht eingeschaltet. Und der Mistkerl hat ein Fenster gekippt offen gelassen. Es gab Schmeißfliegen.«

Ich weiß es. Was sie beschreibt, ist unvorstellbar.

»Das Kind ist zehn Jahre alt. Der Gestank ist schon schlimm, und sie liegt da, überall Fliegen. Sie hat den Kopf zur Seite gedreht, sodass ihre Wange auf dem Gesicht ihrer Mutter lag.« Jenny schneidet eine Grimasse, und ich ahne, welches Entsetzen sie bei diesem Anblick empfunden haben muss. Ich bin dankbar, unendlich dankbar, dass mir dieser Anblick erspart geblieben ist. »Sie war still. Sie hat nicht ein Wort gesagt, als wir in den Raum kamen. Nichts, als wir sie losgebunden haben. Sie war einfach nur schlaff und hat uns angestarrt. Sie hat nicht auf unsere Fragen reagiert. Sie war dehydriert. Wir haben sofort einen Notarzt geholt, und ich habe einen Beamten angewiesen, sie zu begleiten, als sie ins Krankenhaus eingeliefert wurde. Körperlich geht es ihr wieder gut. Ich habe einen Posten vor ihre Tür gestellt, zur Sicherheit. Ich habe ihr übrigens ein Privatzimmer geben lassen.«

»Danke. Ich weiß das zu schätzen. Sehr.«

Jenny winkt ab und nimmt einen weiteren Schluck von ihrem Tee. Ich bin überrascht, als ich sehe, wie ihre Hand unmerklich zittert. Die Erinnerung macht ihr tatsächlich sehr zu schaffen, so hart sie sonst auch sein mag. Sie ist erschüttert. »Das Kind hat seither noch kein Wort gesprochen. Meinst du, sie wird darüber hinwegkommen? Kann ein Mensch über so etwas hinwegkommen?«

»Ich weiß es nicht. Ich bin immer wieder überrascht, was Menschen alles verarbeiten können. Aber ich weiß es nicht.«

Sie sieht mich nachdenklich an. »Ich schätze, niemand weiß das.« Sie schweigt kurz, bevor sie fortfährt. »Nachdem wir sie mit einem Krankenwagen weggebracht hatten, ließ ich die Wohnung abriegeln. Ich rief die Spurensicherung und trat ihnen kräftig in den Hintern. Vielleicht ein wenig stärker, als es nötig gewesen wäre, doch ich war so ... so verdammt wütend. Das beschreibt nicht annähernd, was ich empfunden habe.«

»Ich verstehe, was du meinst.«

»Während all das passierte, rief ich bei euch an und sprach mit Alan. Viel mehr habe ich nicht. Wir stehen noch ganz am Anfang, Smoky. Wir haben bisher lediglich den Tatort auf Hinweise abgesucht. Ich hatte bisher nicht mal Zeit, mir alles genauer anzusehen.«

»Treten wir ein paar Schritte zurück. Lass mich dich als Zeugin behandeln.«

»In Ordnung.«

»Wir machen es als KB.«

»Okay.«

Mit »KB« meine ich »kognitive Befragung«. Die Erinnerungen von Zeugen und ihre Berichte gehören zu unseren größten Fehlerquellen. Die Leute sehen entweder zu wenig, oder sie erinnern sich aufgrund eines Traumas oder starker Gefühle nicht genau an das, was sie gesehen haben. Dafür erinnern sie sich an Dinge, die überhaupt nicht so passiert sind. Die kognitive Befragungstechnik wird schon seit geraumer Zeit eingesetzt. Zwar gibt es eine spezifische Methodologie, doch ihre Anwendung ist eine Kunst. Ich bin ziemlich gut darin. Callie ist besser. Alan ist ein Meister.

Das der kognitiven Befragung zugrunde liegende Konzept besteht darin, dass man einen Zeugen nicht einfach vom Anfang bis zum Ende durch die Ereignisse führt, wieder und immer wieder, weil das die Erinnerung in der Regel nicht verbessert. Stattdessen werden drei Techniken eingesetzt. Die erste heißt Kontext. Statt mit dem Anfang der Ereignisse beginnt man schon vorher. Man fragt, wie der Tag gewesen sei, welchen Verlauf er hatte, welche Sorgen, Glückserlebnisse, Banalitäten den Zeugen gerade beschäftigt haben. Man bringt ihn so dazu, sich an den normalen Alltag vor dem ungewöhnlichen Ereignis zu erinnern, an das er sich erinnern soll. Auf diese Weise soll das Geschehen in den richtigen Kontext gesetzt werden. Indem die Zeugen in Erinnerungen an die Zeit davor verankert werden, sind sie leichter imstande, das Ereignis Revue passieren zu lassen und mehr Details aus ihrem Gedächtnis zu Tage zu fördern.

Die zweite Technik besteht darin, die Sequenz der Erinnerungen zu verändern. Statt mit dem Anfang zu beginnen, fängt man hinten an und arbeitet sich rückwärts durch die Abfolge der Ereignisse vor. Oder man fängt mittendrin an. Das bewirkt, dass der Zeuge innehält und reflektiert. Die dritte und letzte Technik einer guten KB besteht darin, die Perspektive zu verändern. »He«, könnte man fragen, »wie mag das alles wohl für einen Betrachter in der Tür ausgesehen haben?« Dies verschiebt die Analyse des Ereignisses und kann weitere Fakten zu Tage fördern.

Bei jemandem wie Jenny, die eine ausgebildete Ermittlerin mit exzellentem Gedächtnis ist, kann die kognitive Befragung äußerst effektiv sein.

»Es ist später Nachmittag«, fange ich an. »Du bist in deinem Büro. Was machst du gerade …?«

Sie blickt zur Decke hinauf, während sie versucht, sich zu erinnern. »Ich unterhalte mich mit Charlie. Wir gehen einen Fall durch, an dem wir gerade arbeiten. Eine sechzehn Jahre alte Prostituierte, die zu Tode geprügelt und in einer Seitengasse in Tenderloin liegen gelassen wurde.«

»M-hm. Was sagt ihr dazu?«

Ihre Augen werden traurig. »Es ist das, was Charlie immer sagt. Dass sich niemand einen Dreck um eine tote Nutte schert, auch wenn sie gerade erst sechzehn Jahre alt war. Charlie ist wütend und deprimiert und flucht herum. Er kommt nicht klar mit toten Kindern.«

»Wie hast du dich gefühlt, während du ihm zugehört hast?«

Sie seufzt. »Genauso. Wütend. Traurig. Ich hab mir nicht Luft gemacht wie er, aber ich hab ihn verstanden. Ich erinnere mich, dass ich auf meinen Schreibtisch gestarrt habe, während er herumgeflucht hat. Mir ist aufgefallen, dass ein Foto seitlich aus ihrer Akte ragte. Es war ein Bild von dem Ort, an dem wir sie gefunden haben. Ich hab einen Teil ihres Beins gesehen, vom Knie an abwärts. Es sah tot aus. Ich fühlte mich müde.«

»Erzähl weiter.«

»Charlie beruhigte sich schließlich wieder. Er hörte auf herumzupoltern und saß einfach nur noch da. Schließlich sah er mich an und grinste auf seine alberne, schiefe Weise und meinte, es tue ihm Leid. Ich sagte, das sei schon in Ordnung.« Sie zuckt die Schultern. »Er hat sich meine Schimpftiraden auch schon anhören müssen, mehr als einmal. So ist das eben bei Partnern.«

»Was hast du in diesem Augenblick ihm gegenüber empfunden?«

»Ich habe mich ihm verbunden gefühlt.« Sie wedelt mit der Hand. »Nicht sexuell oder verliebt oder so was. Das war zwischen uns nie ein Thema. Einfach nur verbunden. Ich wusste, dass er immer für mich da sein würde und umgekehrt. Ich war froh, einen so guten Partner zu haben. Ich wollte ihm das gerade sagen, als der Anruf kam.«

»Von dem Täter?«

»Ja. Ich erinnere mich, dass ich mich irgendwie … desorientiert gefühlt habe, als der Kerl zu reden anfing.«

»Desorientiert? Inwiefern?«

»Na ja, das Leben war irgendwie normal. Ich saß mit Charlie in meinem Büro, und jemand rief: ›Da ist ein Anruf für dich.‹ Ich bedankte mich und nahm den Hörer ab. Dinge und Bewegungen, die ich schon Tausende Male getan habe, ohne mir etwas dabei zu denken. Völlig normal eben. Und plötzlich war es das nicht mehr. Eine Sekunde vorher hatte ich mich noch mit Charlie unterhalten, und dann das …« Sie schnippt mit den Fingern. »Einfach so. Es war schrill.« Ihre Augen wirken beunruhigt, als sie dies sagt.

Das ist der zweite Grund, aus dem ich beschlossen habe, Jenny einer kognitiven Befragung zu unterziehen. Das größte Problem mit der Erinnerung bei Zeugen ist das durch das Ereignis ausgelöste Trauma. Starke Emotionen behindern die Erinnerung. Wer nicht bei einer Vollzugsbehörde arbeitet, kann sich nicht vorstellen, dass auch wir unsere Traumata erleiden. Erwürgte Kinder, zerstückelte Mütter, vergewaltigte Knaben. Mit Mördern telefonieren. Diese Erfahrungen sind schockierend. Sie erzeugen zahlreiche Emotionen, ganz gleich, wie gut wir sie unterdrücken. Sie sind traumatisch.

»Ich verstehe. Ich glaube, dass wir hier einen Kontext haben, Jenny.« Meine Stimme ist sanft und leise. Sie lässt sich von mir in die Situation führen, und ich möchte, dass sie in ihr bleibt. »Gehen wir weiter. Machen wir dort weiter, wo du zur Tür von Annie Kings Wohnung gehst.«

Sie blinzelt ins Leere. »Es ist eine weiße Tür. Ich erinnere mich, dass ich bei ihrem Anblick dachte, dies sei die weißeste Tür, die ich je gesehen habe. Irgendetwas an dieser Tür hat ein hohles Gefühl in mir erweckt. Zynisch.«

»Wieso?«

Sie sieht mich aus scheinbar uralten Augen an. »Weil ich wusste, dass es eine Lüge war. All das Weiß. Eine totale Lüge. Ich habe es in meinem Innersten gespürt. Was auch immer hinter dieser Tür lag, es war nicht weiß, absolut nicht. Es war dunkel und verderbt und böse.«

Ich fühle eine stechende Kälte. Eine Art nachempfundenes Déjà-vu. Ich habe auch schon gespürt, was sie gerade beschreibt.

»Erzähl weiter.«

»Wir klopfen und rufen ihren Namen. Nichts. Alles ist still.« Sie runzelt die Stirn. »Weißt du, was noch merkwürdig war?«

»Was?«

»Niemand auf dem gesamten Korridor hat den Kopf aus der Tür gestreckt, um zu sehen, was da vor sich ging. Ich meine, wir haben laut geklopft, wie die Polizei es eben macht. Laut und anhaltend. Aber niemand hat den Kopf aus der Tür gestreckt. Ich glaube nicht, dass Annie King ihre Nachbarn gekannt hat. Oder vielleicht waren sie sich auch nur fremd.«

Sie seufzt.

»Wie dem auch sei. Charlie sieht mich an, und ich sehe ihn an, und wir sehen die Uniformierten an und ziehen unsere Waffen.« Sie beißt sich auf die Lippe. »Das ungute Gefühl war ziemlich stark. Es war ein Klumpen aus böser Vorahnung, der in meinem Magen umhergetanzt ist. Ich konnte es bei den anderen ebenfalls spüren. Ich konnte es riechen. Schweiß und Adrenalinzittern. Flaches Atmen.«

»Hattest du Angst?«, frage ich.

Sie antwortet zuerst nicht. »Ja«, sagt sie dann. »Ich hatte Angst. Angst vor dem, was wir vorfinden würden.« Sie verzieht ihr Gesicht. »Weißt du, was seltsam ist? Ich habe immer Angst, bevor ich einen Tatort betrete. Ich bin seit mehr als zehn Jahren bei der Mordermittlung und habe alles gesehen, und trotzdem habe ich jedes Mal aufs Neue Angst.«

»Erzähl weiter.«

»Ich habe am Türknauf gedreht, und die Tür ging auf, ohne Probleme. Ich habe alle reihum angesehen und die Tür geöffnet, ganz weit. Wir hatten alle unsere Waffen im Anschlag.«

Ich wechsele die Perspektive. »Was glaubst du, ist Charlie als Erstes aufgefallen?«

»Der Gestank. Es muss der Gestank gewesen sein. Und die Dunkelheit. Alle Lichter waren aus, bis auf das in ihrem Schlafzimmer.« Sie erschauert, ohne sich dessen bewusst zu sein. »Von der Stelle aus, an der wir standen, konnten wir den Eingang zu ihrem Schlafzimmer sehen. Er lag am Ende des Flurs fast genau gegenüber der Eingangstür. In der Wohnung war es beinahe stockdunkel, doch die Schlafzimmertür … hatte einen hellen Umriss.« Sie zeichnet die Linien in der Luft nach. »Es hat mich an das Monster im Schrank erinnert, vor dem ich als

Kind immer Angst hatte. Du weißt schon, irgendetwas kratzt auf der anderen Seite der Tür, irgendwas will raus. Irgendwas Schreckliches.«

»Erzähl mir mehr über den Gestank.«

Sie verzieht das Gesicht. »Parfum und Blut. So hat es gerochen. Der Geruch von Parfum war stärker, aber man konnte das Blut darunter riechen. Schwer und kupferartig. Subtil und trotzdem penetrant. Bestürzend. Wie etwas, das man aus dem Augenwinkel sehen kann.«

»Was geschah dann?«, wechsle ich das Thema.

»Wir machten das Übliche. Riefen nach den Bewohnern, inspizierten die Küche und das Wohnzimmer. Wir benutzten Taschenlampen, weil wir nichts anfassen wollten.«

»Das ist gut«, nicke ich aufmunternd.

»Danach näherten wir uns der Schlafzimmertür.« Sie hält inne und sieht mich an. »Ich hab Charlie gesagt, er soll Handschuhe anziehen, bevor wir reingegangen sind, Smoky.«

Sie erzählt mir, dass sie wusste, spürte, was sie auf der anderen Seite der Tür antreffen würde: Mord. Und dass sie mit Beweisen, nicht mit Überlebenden konfrontiert werden würde. »Ich erinnere mich, wie ich den Türknauf angestarrt habe. Ich wollte nicht an ihm drehen. Ich wollte nicht ins Zimmer sehen. Ich wollte das Monster nicht rauslassen.«

»Erzähl weiter.«

»Charlie drehte am Knauf. Die Tür war nicht abgeschlossen. Wir hatten ein wenig Mühe, sie zu öffnen, weil in den unteren Türspalt ein Handtuch gestopft war.«

»Ein Handtuch?«

»Mit Parfum getränkt. Er hat es dorthin gelegt, damit der Gestank vom Leichnam deiner Freundin nicht nach draußen dringt. Er wollte nicht, dass irgendjemand sie findet, bevor er so weit war.«

Und in diesem Augenblick, aus heiterem Himmel, will irgendetwas in mir aufhören. Will aufstehen, durch die Tür nach draußen gehen, in den Jet steigen und zurück nach Hause fliegen. Es ist ein Gefühl, das mich zu übermannen droht, so stark ist es. Ich kämpfe dagegen an.

»Und dann?«, frage ich Jenny.

Sie starrt schweigend in die Ferne. Sieht zu viel. Als sie wieder spricht, klingt ihre Stimme tonlos und leer. »Es stürzte alles auf einmal auf uns ein. Ich glaube, genau so hat er es gewollt. Das Bett war verrückt worden, stand in einer Linie mit der Tür, sodass wir alles sehen und riechen mussten, sobald wir sie öffneten. In einem einzigen Augenblick.« Sie schüttelt den Kopf. »Ich erinnere mich, dass ich an diese unglaublich weiße Wohnungstür denken musste. Es hat eine verdammte Bitterkeit in mir aufsteigen lassen; war einfach zu viel, um es zu verarbeiten. Ich glaube, wir standen eine ganze Minute reglos da und haben auf das Bett gestarrt. Es war Charlie, der als Erster gemerkt hat, dass … dass Bonnie noch am Leben war.«

Sie stockt, starrt erneut ins Leere, als sie den Augenblick durchlebt. Ich warte geduldig. »Sie hat geblinzelt, ich erinnere mich. Ihre Wange lag auf dem Gesicht ihrer toten Mutter, und sie sah selbst tot aus. Wir dachten es im ersten Moment, als wir ins Zimmer kamen. Und dann hat sie geblinzelt. Charlie fing an zu fluchen, und …« Sie beißt sich auf die Lippe. »… und leise zu weinen. Aber das bleibt unter uns, okay? Unter uns und den Uniformierten, die dabei waren.«

»Keine Sorge.«

»Dann kam der erste und – hoffe ich – einzige Mist, den wir gebaut haben. Charlie ist einfach ins Zimmer gerannt und hat Bonnie von ihren Fesseln losgebunden. Hat auf dem Tatort rumgetrampelt.« Ihre Stimme klingt hohl und verwirrt. »Er hat ununterbrochen geflucht, als wolle er überhaupt nicht mehr aufhören. Er hat auf Italienisch geflucht. Es klingt ziemlich schön. Eigenartig, nicht wahr?«

»Ja«, antworte ich sanft. Jenny ist vollständig in dem Moment gefangen, und ich will sie nicht herausreißen.

»Bonnie war schlaff und zeigte keinerlei Reaktion. Sie wirkte, als hätte sie keine Knochen. Charlie band sie los und rannte mit ihr aus der Wohnung. Einfach nach draußen, bevor ich denken oder irgendwas sagen konnte. Er war verzweifelt. Ich verstand ihn.« Sie verzieht das Gesicht. »Ich habe die Uniformierten angewiesen, den Notarzt und die Spurensicherung und den Gerichtsmediziner anzufordern. Und dann war ich allein mit deiner Freundin. Alles in diesem Zimmer roch nach Parfum und Blut und Tod. Ich war so wütend und traurig, dass ich hätte kotzen können. Ich habe auf Annie runtergesehen.« Sie erschauert erneut. Ballt die Fäuste, öffnet sie wieder. »Ist dir das schon mal an den Toten aufgefallen, Smoky? Wie still und ruhig sie daliegen? Nichts Lebendes könnte je diese Art von Reglosigkeit imitieren. Still und reglos und niemand zu Hause. An diesem Punkt hab ich aufgehört zu fühlen.« Sie sieht mich an. »Du weißt selbst, wie das funktioniert.«

Ich nicke. Ich weiß es. Sobald man den ersten Schock überwunden hat, schließt man seine Gefühle weg, sodass man seine Arbeit machen kann, ohne weinen oder sich erbrechen zu müssen oder auf der Stelle den Verstand zu verlieren. Man muss imstande sein, das Entsetzliche mit klinischem Auge zu betrachten. Es ist unnatürlich.

»Irgendwie ist es merkwürdig, daran zu denken? Fast so, als könnte ich meine eigene Stimme in meinem Kopf hören, roboterartig monoton.« Sie verzieht das Gesicht. »Weibliche Weiße, ungefähr fünfunddreißig Jahre alt, nackt ans Bett gefesselt. Schnittwunden vom Hals bis zu den Knien, wahrscheinlich mit einem Messer zugefügt. Zahlreiche Schnitte sehen lang und oberflächlich aus und weisen auf Folter hin. Der Rumpf ...« Ihre Stimme zittert für eine Sekunde. »Die Bauchhöhle ist geöffnet und scheint keine Organe mehr zu enthalten. Das Gesicht des Opfers ist verzerrt, als sei es schreiend gestorben. Die Knochen der Arme und Beine scheinen gebrochen. Der Mord ist offenbar planmäßig erfolgt. Das Opfer ist langsam gestorben. Die

Position des Leichnams legt sorgfältige Planung nahe. Kein Verbrechen aus Leidenschaft.«

»Erläutere mir das«, fordere ich sie auf. »Welchen Eindruck hast du angesichts der Szene von ihm gehabt, in jenem Augenblick?«

Sie schweigt lange Zeit. Ich warte, beobachte sie, wie sie aus dem Fenster starrt. Schließlich richtet sie ihre Augen auf mich.

»Ihre Todesqualen haben ihn kommen lassen, Smoky. Es war der beste Sex, den er jemals hatte.«

Ihre Worte lassen mich erstarren. Sie klingen dunkel, kalt und grauenhaft.

Doch sie sind auch ein Teil dessen, wonach ich suche. Und sie klingen wahr. Noch während sie mich aushöhlen, eine innere Leere in mir erzeugen, fange ich an, *ihn* zu riechen. Er riecht nach Parfum und Blut, wie eine Tür in der Dunkelheit, umrahmt von Licht. Er riecht nach einem von Schreien durchsetzten Lachen. Er riecht nach als Wahrheit getarnten Lügen, nach aus den Augenwinkeln betrachtetem Zerfall.

Er ist präzise. Und er genießt den Akt.

»Danke, Jenny.« Ich fühle mich leer und beschmutzt und von Finsternis erfüllt. Doch ich spüre auch, wie sich in mir etwas zu regen beginnt. Ein Drache. Etwas, von dem ich fürchtete, es sei gestorben, verloren, amputiert durch Joseph Sands. Es ist noch nicht erwacht – noch nicht. Aber ich kann es wieder spüren, zum ersten Mal seit Monaten kann ich es wieder spüren.

Jenny schüttelt sich ein wenig. »Ziemlich gut«, sagt sie. »Du hast mich tatsächlich zurückversetzt.«

»Dazu war von meiner Seite aus nicht viel nötig. Du bist eine ideale Zeugin.« Meine Antwort klingt apathisch in meinen Ohren. Ich fühle mich unendlich müde.

Wir sitzen noch eine Weile schweigend da, und jede hängt ihren unruhigen Gedanken nach.

Mein Mokka schmeckt nicht länger exquisit, und Jenny scheint das Interesse an ihrem Tee verloren zu haben. Tod und

Schrecken bewirken das. Sie vermögen jedem Augenblick alle Freude zu entziehen. Es ist das, womit man ständig kämpfen muss, wenn man für das Gesetz arbeitet. Die Schuld der Überlebenden. Es erscheint beinahe als Sakrileg, einen Moment im Leben zu genießen, während man darüber spricht, wie ein anderes Leben schreiend endete.

Ich seufze. »Kannst du mich zu Bonnie bringen?«

Wir zahlen und gehen. Auf dem ganzen Weg ins Krankenhaus fürchte ich mich vor den starrenden Augen. Ich rieche Blut und Parfum, Parfum und Blut, und es riecht nach Verzweiflung.

KAPITEL 11 Ich hasse Krankenhäuser. Ich bin froh, dass es sie gibt, wenn man sie braucht, doch ich habe nur eine einzige gute Erinnerung an ein Krankenhaus: die Geburt meiner Tochter. Ansonsten war ich immer nur dort, wenn ich oder jemand Nahestehender verletzt oder jemand gestorben war. Das hier ist keine Ausnahme. Wir sind zum Krankenhaus gefahren, weil ich mit einem kleinen, drei Tage lang an seine tote Mutter gefesselten Mädchen reden muss.

Mein eigener Krankenhausaufenthalt ist eine surreale Erinnerung. Es war eine Zeit intensiver Schmerzen und des nicht enden wollenden Wunsches zu sterben. Eine Zeit des tagelangen Wachliegens, bis ich vor Erschöpfung das Bewusstsein verlor. Eine Zeit des in der Dunkelheit An-die-Decke-Starrens, während neben mir die Monitore summten und die Absätze von Krankenschwestern klapperten wie Kastagnetten in einem Alptraum. Eine Zeit des Lauschens auf meine Seele, die leer rauschte wie eine Muschel, die man sich ans Ohr hält.

Ich rieche den Krankenhausgeruch und erzittere innerlich.

»Wir sind da«, sagt Jenny.

Der Polizist vor der Tür ist wachsam. Er verlangt meinen Ausweis, obwohl ich mit Jenny gekommen bin. Das ist gut.

»Sonst irgendwelche Besucher?«, erkundigt sich Jenny bei ihm.

Er schüttelt den Kopf. »Niemand. Es war ruhig.«

»Lassen Sie niemanden zu ihr, solange wir drin sind, Jim. Es ist mir egal, wer es ist, okay?«

»Wie Sie befehlen, Detective.«

Er setzt sich wieder in seinen Stuhl und schlägt eine Zeitung auf. Wir betreten das Krankenzimmer.

Ich fühle mich benommen, als sich die Tür hinter uns schließt und ich Bonnies reglose Gestalt sehe. Sie schläft nicht. Ihre Augen stehen offen, doch sie bewegen sich nicht einmal als Reaktion auf das Geräusch unseres Eintretens.

Sie ist klein, winzig, und nicht das Krankenhaus, sondern die Umstände, die sie hergeführt haben, scheinen dies noch zu betonen. Ich bin erstaunt, wie sehr sie Annie ähnelt. Das gleiche blonde Haar, die gleiche Stupsnase, die gleichen kobaltblauen Augen. In wenigen Jahren wird sie beinahe ein Zwilling des Cheerleaders sein, den ich auf der Toilette der Highschool in den Armen gehalten habe. Mir wird bewusst, dass ich den Atem angehalten habe. Ich atme aus und gehe zu ihr.

Die Untersuchungen sind weitgehend abgeschlossen. Jenny hat auf der Fahrt hierher erklärt, dass keine Spuren einer Vergewaltigung und keine physischen Verletzungen festgestellt werden konnten. Ein Teil von mir ist dankbar dafür, doch ich weiß auch, dass ihre Wunden sehr viel tiefer gehen. Es sind klaffende, blutige Wunden, die kein Arzt der Welt zu heilen vermag. Wunden der Seele.

»Bonnie?«, frage ich mit leiser, gedämpfter Stimme. Ich erinnere mich, irgendwo gelesen zu haben, dass Menschen im Koma einen hören können, wenn man zu ihnen spricht, und dass es ihnen hilft. Das hier ist nicht viel anders als ein Koma. »Ich bin Smoky. Deine Mutter und ich waren enge Freundinnen, viele Jahre lang. Ich bin deine Patentante.«

Keine Reaktion. Nur diese an die Decke starrenden Augen.

Gerichtet auf irgendeinen Ort, den nur sie zu sehen vermögen. Vielleicht aber sehen sie auch überhaupt nichts. Ich trete an die Seite des Bettes und zögere. Dann nehme ich ihre kleine Hand in die meine. Eine Woge aus Benommenheit bricht über mir zusammen, als ich die Weichheit ihrer Haut spüre. Das ist die Hand eines Kindes, längst nicht erwachsen, ein Symbol dessen, was wir schützen und lieben und hegen. Ich habe die Hand meiner Tochter viele Male auf diese Weise gehalten, und in mir öffnet sich eine Leere, als Bonnies Hand diesen Platz ausfüllt. Ich fange an zu reden, nicht sicher, was ich sagen soll, bis die Worte wie von selbst über meine Lippen kommen. Jenny steht ein wenig abseits, schweigend. Ich bin mir ihrer Anwesenheit kaum bewusst. Meine Worte klingen leise und ernst in meinen Ohren, wie jemand, der betet.

»Schatz, du sollst wissen, dass ich hier bin, um den Mann zu finden, der dir und deiner Mutter das angetan hat. Das ist meine Aufgabe. Du sollst wissen, dass ich weiß, wie schlimm das alles ist. Wie sehr du innerlich verletzt wurdest. Und dass du dir vielleicht wünschst zu sterben.« Eine Träne rollt über meine Wange. »Ich habe meinen Mann und meine Tochter verloren. Ein böser Mann hat sie umgebracht, erst vor sechs Monaten. Er hat mir wehgetan. Und ich wollte für eine lange Zeit genau das, was du jetzt willst. Ich wollte mich einfach nur tief in mich selbst verkriechen und verschwinden.« Ich halte für einen Moment inne, atme zitternd ein, drücke ihre Hand. »Du sollst wissen, dass ich dich verstehe. Und du bleibst hier, so lange es sein muss. Aber wenn du wieder rauskommst, bist du nicht allein. Ich werde hier sein für dich. Ich werde für dich sorgen.« Ich weine jetzt ungehemmt, doch es ist mir egal. »Ich habe deine Mutter geliebt, meine Süße. Ich habe sie sehr geliebt. Ich wünschte, sie und ich hätten mehr Zeit miteinander verbracht. Ich wünschte, ich hätte dich häufiger gesehen.« Ich lächle schief durch meine Tränen hindurch. »Ich wünschte, du und Alexa, ihr hättet euch gekannt. Ich glaube, du hättest sie gemocht.«

Meine Benommenheit nimmt zu, und die Tränen strömen unaufhörlich über mein Gesicht. Manchmal ist Trauer so. Wie Wasser. Sie findet eine Öffnung, zwängt sich hindurch, weitet den Riss, bis sie explosionsartig hervorbricht, unaufhaltsam und unausweichlich. Bilder von Alexa und Annie durchzucken mein Bewusstsein und verwandeln das Innere meines Kopfes in eine irrsinnige, stroboskoperleuchtete Disco. Mir bleibt nur ein kurzer Augenblick, in dem ich begreife, was mit mir geschieht. Ich werde ohnmächtig.

Dann wird alles dunkel.

Dies ist der zweite Traum, und er ist wunderschön.

Ich bin im Krankenhaus, und ich liege in den Wehen. Ich denke ernstlich darüber nach, Matt umzubringen für seinen Anteil an dem, was mich hierher geführt hat. Ich fühle mich in zwei Teile zerrissen, bin schweißgebadet, grunze wie ein Schwein, alles zwischen langen Schmerzensschreien.

In mir bewegt sich ein menschliches Wesen, durch mich hindurch, will nach draußen. Es fühlt sich nicht gerade schön an, sondern so, als würde ich eine Bowlingkugel scheißen. Ich habe vergessen, welche Freude es sein soll, ein Baby zu haben. Ich will dieses Ding herausbaben aus mir. Ich liebe, hasse, liebe es, und all das schwingt in meinen Schreien und Flüchen mit.

Die Stimme des Arztes ist ruhig, und ich wünschte, ich könnte ihm den dämlichen kahlen Schädel einschlagen. »Gut, Smoky, das Baby ist schon zu sehen! Noch ein paar Mal pressen, und es ist draußen. Los doch, nicht schlappmachen jetzt!«

»Leck mich!«, schreie ich und presse. Doktor Chalmers blickt nicht einmal auf bei meinen Worten. Er holt seit vielen, vielen Jahren Babys auf die Welt.

»Du machst das großartig, Honey«, sagt Matt. Ich umklammere seine Hand, und ein Teil von mir ist von der perversen Hoffnung erfüllt, dass ich ihm die Knochen zerquetsche.

»Woher willst du das wissen?«, fauche ich. Mein Kopf

schnappt durch die Wucht der nächsten Wehe zurück, und ich fluche wie noch nie in meinem Leben, blasphemische, ungeheuerliche Worte, die selbst den gröbsten Klotz erröten lassen würden. Im Raum hängt der Geruch von Blut und den Fürzen, die mir beim Pressen entwichen sind. Daran ist überhaupt nichts Schönes, denke ich, und ich würde euch am liebsten alle umbringen! Dann nehmen Schmerz und Druck gleichermaßen zu, etwas, das ich für unmöglich gehalten hätte. Ich habe das Gefühl, als müsste mein Kopf auf dem Hals rotieren, und ich fluche mit hemmungsloser Hingabe.

»Noch einmal, Smoky«, sagt Dr. Chalmers zwischen meinen Beinen, noch immer ruhig und gelassen in diesem Mahlstrom.

Ich höre ein schmatzendes, saugendes Geräusch. Ein erneuter Schmerz, Pressen, und dann – ist sie draußen. Meine Tochter ist auf die Welt gekommen, und die ersten Laute, die sie hört, sind meine gotteslästerlichen Flüche. Dann Stille, ein paar schnippende Geräusche, und dann etwas, das allen Schmerz und alle Wut und alles Blut beiseite drängt. Das die Zeit stillstehen lässt. Ich höre meine Tochter weinen. Sie klingt genauso wütend wie ich noch wenige Augenblicke zuvor, und es ist das Wunderbarste, was ich je gehört habe, die herrlichste Musik, ein unfassbares Wunder. Ich bin überwältigt und habe das Gefühl, als müsste mein Herz aufhören zu schlagen. Ich höre dieses Geräusch, sehe meinen Mann an und fange an zu heulen.

»Ein gesundes Mädchen«, sagt Dr. Chalmers und richtet sich auf, während die Schwestern Alexa säubern und wickeln. Er sieht verschwitzt aus, müde und glücklich. Ich liebe diesen Mann, den ich noch Sekunden zuvor am liebsten totgeschlagen hätte. Er war ein Teil von dem hier, und ich bin ihm dankbar, auch wenn ich nicht aufhören kann zu heulen und keine Worte finde.

Alexa wurde kurz nach Mitternacht unter Blut und Schmerzen und Flüchen geboren, und das ist etwas, was man nur wenige Male im Leben erfährt – einen Augenblick der Vollkommenheit.

Sie ist auch nach Mitternacht gestorben, zurückgekehrt in die umfassende Dunkelheit, aus der sie niemals wieder auftauchen wird.

Ich schrecke hoch, nach Luft ringend, zitternd und weinend. Ich bin immer noch im Krankenhauszimmer. Jenny beugt sich über mich. Sie blickt erschrocken auf mich herab.

»Smoky! Komm zu dir! Ist alles in Ordnung?«

Mein Mund ist klebrig. Meine Wangen spannen sich unter dem Salz meiner getrockneten Tränen. Ich schäme mich und werfe einen Blick zur Zimmertür. Jenny schüttelt den Kopf.

»Niemand war da. Ich hätte einen Arzt gerufen, wenn du nicht bald wieder zu dir gekommen wärst.«

Ich atme in tiefen Zügen. Schnappe nach Luft wie eine Ertrinkende. »Danke«, sage ich, als ich mich ein wenig beruhigt habe. Ich setze mich auf am Boden, lege den Kopf in die Hände. »Es…es tut mir Leid, Jenny. Ich…ich wusste nicht, dass so etwas passieren könnte.«

Sie schweigt zunächst. Ihre harte Schale ist für einen Moment verschwunden, und sie sieht mich traurig, doch ohne Mitleid an. »Mach dir deswegen keine Gedanken«, sagt sie.

Es sind die einzigen Worte, die sie sagt. Ich sitze da und schnappe nach Luft, während sich mein Atem langsam beruhigt. Und dann fällt mir etwas auf. Genau wie in meinem Traum ist der Schmerz plötzlich verschwunden.

Bonnie hat den Kopf gedreht, und sie sieht mich an. Eine einzelne Träne rollt über ihre Wange. Ich stehe auf, gehe zu ihrem Bett und nehme ihre Hand in meine.

»Hallo Schatz«, flüstere ich.

Sie spricht nicht, und ich sage ebenfalls nichts mehr. Wir sehen einander nur an, während Tränen über unsere Wangen rollen. Das ist es schließlich, wozu Tränen da sind. Eine Möglichkeit für die Seele zu bluten.

KAPITEL 12 San Franciscoer fahren ähnlich wie New Yorker. Sie machen keine Gefangenen. Der Verkehr ist im Moment mittelstark bis stark, und Jenny konzentriert sich ganz auf ihre wilden Auseinandersetzungen mit anderen Fahrern auf dem Rückweg zum SFPD. Eine Symphonie aus Hupen und Flüchen erfüllt die Luft. Ich telefoniere mit einem Finger im Ohr, damit ich Callie auf dem anderen hören kann.

»Wie läuft es bei der Spurensicherung?«, frage ich.

»Die Jungs sind gut, Zuckerschnäuzchen. Verdammt gut. Ich gehe alles mit einem Staubkamm durch, aber ich denke, sie haben wirklich jeden Winkel forensisch abgedeckt.«

»Ich nehme an, das soll bedeuten, sie haben nichts gefunden?«

»Er hat aufgepasst.«

»Ja.« Ich spüre eine Depression anklopfen und schiebe sie beiseite. »Hast du schon mit den anderen geredet? Irgendwelche Neuigkeiten von Damien?«

»Ich hatte noch keine Zeit dazu.«

»Wir sind sowieso fast wieder beim SFPD. Mach weiter mit dem, was du gerade getan hast. Ich setze mich mit den anderen in Verbindung.«

Sie schweigt einen Moment, bevor sie fragt: »Wie geht es dem Kind, Smoky?«

Wie geht es dem Kind? Ich wünschte, ich hätte eine Antwort darauf. Doch die habe ich nicht, und ich will im Moment auch nicht darüber reden. »Nicht gut.«

Ich beende das Telefongespräch, bevor sie etwas erwidern kann, und starre durch das Fenster nach draußen, während Jenny uns durch San Francisco steuert. Die Stadt ist ein Labyrinth aus steilen Hügeln und Einbahnstraßen, voller aggressiver Fahrer und Straßenbahnen. Sie besitzt eine gewisse, neblige Schönheit, die ich stets bewundert habe, eine ganz eigene Atmosphäre. Es ist die Mischung aus den Kultivierten und den Dekadenten, die sich in hohem Tempo entweder auf den Tod oder auf den Erfolg zubewegen. In diesem Augenblick erscheint mir San Francisco allerdings gar nicht so einzigartig. Eine ganz normale Stadt, in der sich Morde ereignen. Das ist die Sache mit dem Mord. Er kann sich am Nordpol ebenso abspielen wie am Äquator. Männer wie Frauen können einen Mord begehen, Jugendliche wie Erwachsene. Die Opfer können sowohl Sünder als auch Heilige sein. Mord ist überall, und seine Kinder sind Legion. Ich bin erfüllt von Dunkelheit, während ich darüber nachdenke. Kein Weiß, kein Grau, sondern nur ein massives Kohlrabenschwarz.

Wir kommen vor dem SFPD an, und Jenny lenkt den Wagen aus dem geschäftigen Verkehrsstrom auf den stilleren Parkplatz, der zum SFPD gehört. Parkplätze sind ein kostbares Gut in San Francisco, und gnade Gott denen, die es wagen, sich unberechtigt auf einen dieser reservierten Plätze zu stellen.

Wir betreten das Gebäude durch einen Seiteneingang und gehen einen Korridor entlang. Alan ist zusammen mit Charlie in Jennys Büro. Beide sind in eine Akte vertieft, die ausgebreitet vor ihnen auf dem Schreibtisch liegt.

»Hey«, sagt Alan. Ich bemerke seinen forschenden, abschätzenden Blick. Ich reagiere nicht.

»Schon irgendwelche Neuigkeiten von den anderen?«

»Bei mir hat sich niemand gemeldet.«

»Und du? Hast du irgendwas gefunden?«

Er schüttelt den Kopf. »Bis jetzt nicht. Ich wünschte, ich könnte sagen, dass die Kollegen hier Blindgänger sind, aber dem ist nicht so. Detective Chang hat ihr Boot fest im Griff.« Er schnippt mit den Fingern und grinst in Charlies Richtung. »O ja, sorry. Und ihr loyales Helferlein natürlich auch.«

»Du kannst mich mal«, antwortet Charlie, ohne vom Schreibtisch aufzublicken.

»Mach weiter. Ich werde Leo und James anrufen.«

Er zeigt mir den erhobenen Daumen und konzentriert sich wieder auf die Akte.

Mein Handy klingelt. »Barrett?«

Ich höre James' missmutige Stimme. »Wo zur Hölle ist Detective Chang?«, schnarrt er.

»Was ist passiert, James?«

»Der Pathologe will erst anfangen zu schneiden, wenn deine kleine Freundin hier aufgetaucht ist. Sie soll ihren Hintern hier rüberschaffen, aber plötzlich.«

Er legt auf, bevor ich etwas erwidern kann. Arschloch.

»James braucht dich in der Pathologie«, informiere ich Jenny. »Der Gerichtsmediziner will nicht ohne dich anfangen.«

Sie lächelt schwach. »Ich nehme an, der Spinner ist sauer?«

»Ziemlich.«

Sie grinst. »Sehr gut. Ich mache mich gleich auf den Weg.«

Sie bricht auf. Zeit für mich, Leo anzurufen, unseren Neuling. Während ich wähle, schießt mir zusammenhanglos die Frage durch den Sinn, welchen Schmuck er wohl im Ohr trägt, wenn er nicht im Dienst ist? Das Telefon klingelt fünf- oder sechsmal, bevor er sich meldet, und als er es tut, lässt mich seine Stimme zusammenzucken. Sie klingt hohl und zutiefst erschüttert. Seine Zähne klappern.

»Ca-ca-carnes?«

»Ich bin es, Smoky. Was gibt's, Leo?«

»Ein Vi-vi-vi-video…«

»Langsam, Leo, langsam. Atmen Sie tief durch, und erzählen Sie mir dann, was passiert ist.«

Als er endlich spricht, ist seine Stimme sehr leise. Und was er sagt, füllt meinen Kopf mit weißem Rauschen.

»Eine Vi-vi-vi-videoaufnahme vom Mo-mo-mo-mord. Furchtbar…«

Alan sieht mich an, Besorgnis in den Augen. Er spürt, dass etwas passiert ist.

Endlich finde ich die Sprache wieder. »Bleiben Sie, wo Sie sind, Leo. Gehen Sie nirgendwohin. Wir sind so schnell wie möglich bei Ihnen.«

KAPITEL 13 Ich erinnere mich an diese Gegend von meinem Besuch bei Annie, nachdem ihr Vater gestorben war. Sie hat in einem riesigen Apartmentblock gewohnt, ein weiterer Bezug zu New York, wo die Apartments eher an geräumige Eigentumswohnungen erinnern, ausgestattet mit eingelassenen Badewannen und Esszimmern. Wir parken vor dem Gebäude.

»Hübsche Gegend, gute Adresse«, bemerkt Alan, während er durch die Windschutzscheibe nach oben schielt.

»Ihr Dad war einigermaßen wohlhabend«, antworte ich. »Er hat ihr in seinem Testament alles vermacht.«

Ich sehe mich um in dieser sauberen, sicheren Gegend. Es gibt kein Gebiet in San Francisco, das wirklich als Vorstadt bezeichnet werden könnte, doch es gibt fraglos so etwas wie »nette Viertel«. Hier findet man Zuflucht vor dem Lärm der Stadt, und in den besten Gegenden wohnt man so hoch, dass man über die Bucht hinwegblicken kann. Es gibt alte Viertel mit ihren Häusern im viktorianischen Stil und Neubaugegenden. Wie diese hier.

Erneut geht mir der Gedanke durch den Kopf: Nirgendwo auf der Welt ist man wirklich sicher vor einem Mord. Nirgendwo. Die Tatsache, dass man in einer Gegend wie dieser weniger damit rechnet als in einem Slum, macht einen am Ende nicht weniger tot.

Alan ruft Leo an, als wir aus dem Wagen steigen. »Wir stehen vor dem Haus, mein Junge, also halt durch. Wir sind in einer Sekunde oben.«

Wir gehen durch die Eingangstür und in die Lobby. Der Mann an der Rezeption beobachtet uns, als wir in den Lift steigen, doch er sagt nichts. Wir fahren schweigend in den dritten Stock hinauf.

Alan und ich haben bereits auf dem Weg hierher geschwiegen, und uns ist immer noch nicht nach Reden zumute. Das ist der schlimmste Teil an unserer Arbeit, für jeden. Zuzusehen, wie es passiert. Es ist eine Sache, Beweise in einem Labor zu analysieren oder sich in den Kopf eines Mörders zu versetzen. Aber es ist etwas ganz anderes, eine Leiche zu sehen. Blut in einem Raum zu riechen. Wie Alan einmal sagte: »Der Unterschied besteht darin, ob du an Scheiße denkst oder ob du sie frisst.«

Charlie schweigt und blickt grimmig drein. Vielleicht muss er daran denken, wie er vergangene Nacht in diesem Aufzug gestanden hat, bevor sie Bonnie entdeckt haben.

Wir erreichen unsere Etage und steigen aus dem Lift. Wir gehen den Flur hinunter und um eine Biegung. Leo wartet vor der Wohnung. Er sitzt auf dem Boden, mit dem Rücken an die Wand gelehnt, den Kopf in den Händen.

»Lass mich das machen«, murmelt Alan mir zu.

Ich nicke und beobachte, wie er sich Leo nähert. Er kniet sich vor ihn hin und legt dem jungen Mann seine mächtige Hand auf die Schulter. Ich weiß aus Erfahrung, dass seine Berührung sanft ist, so gewaltig diese Pranke auch aussehen mag.

»Wie geht es dir, Junge?«

Leo blickt zu Alan auf. Sein Gesicht ist blassgrün. Es glänzt von kaltem Schweiß. Er versucht erst gar nicht zu lächeln. »Es tut mir Leid, Alan, ich hab die Beherrschung verloren. Ich hab es gesehen, und dann musste ich kotzen. Ich konnte nicht in der Wohnung bleiben; hab's nicht mehr ausgehalten …« Er verstummt mutlos.

»Hör zu, mein Junge.« Die Stimme des großen Mannes klingt ruhig, doch sie verlangt Aufmerksamkeit. Charlie und ich warten. So sehr wir auch nach drinnen wollen und unsere Arbeit machen – wir haben Mitgefühl mit Leo und dafür, was er im Augenblick durchmachen muss. Es ist ein entscheidender Moment für Leute mit unserem Beruf. Die Initiation. Die Blutweihe. Der Punkt, an dem man zum ersten Mal in den Abgrund sieht, an dem man herausfindet, dass der schwarze Mann wirklich existiert und sich tatsächlich all die Jahre unter dem Bett versteckt hat. Der Punkt, an dem man dem Bösen zum ersten

Mal von Angesicht zu Angesicht gegenübersteht. Wir wissen, dass dies der Punkt ist, an dem Leo sich entweder erholen oder sich eine neue Arbeit suchen wird. »Du glaubst, dass irgendwas nicht mit dir stimmt, weil du das, was du gesehen hast, nicht ertragen konntest?«

Leo nickt und sieht beschämt auf.

»Da irrst du dich aber. Das Problem besteht darin, dass du zu viele Filme gesehen und zu viele Bücher gelesen hast. Sie vermitteln dir eine schwachsinnige Vorstellung davon, was es bedeutet, zäh zu sein. Wie sich ein Polizist zu verhalten hat, wenn er mit Leichen oder Gewalt und dergleichen konfrontiert wird. Du meinst, du müsstest einen smarten Spruch parat haben, ein Schinkensandwich in der Hand halten und vollkommen ungerührt sein und so'n Quatsch, stimmt's?«

»Ich schätze ja.«

»Und wenn nicht, dann musst du wohl ein Weichei sein und dich schämen vor den alten Hasen. Scheiße, vielleicht glaubst du sogar, nur weil du kotzen musstest, wärst du nicht aus dem richtigen Holz gemacht für diesen Job.« Alan dreht sich zu uns um. »Wie viele Tatorte haben Sie gesehen, Charlie, bevor Sie aufgehört haben zu kotzen?«

»Drei. Nein, vier.«

Leos Kopf fährt hoch bei Alans Worten.

»Wie war es bei dir, Smoky?«

»Mehr als einmal, so viel steht fest.«

Alan sieht wieder Leo an. »Bei mir waren es auch vier oder so. Selbst Callie hat gekotzt, obwohl sie es niemals zugeben würde, schließlich ist sie die Eiskönigin.« Er kneift die Augen zusammen. »Mein Junge, nichts im Leben bereitet dich darauf vor, so etwas zum ersten Mal sehen zu müssen. Absolut nichts. Es spielt keine Rolle, wie viele Bilder du dir angesehen oder wie viele Akten du gelesen hast. Der echte Tod ist etwas völlig anderes.«

Leo sieht Alan an, und ich kenne diesen Blick. Es ist der

Ausdruck eines an Verehrung grenzenden Respekts, mit dem ein Student seinen Mentor ansieht. »Danke.«

»Kein Problem.« Beide erheben sich.

»Sind Sie bereit, mich zu informieren, Agent Carnes?«, frage ich streng. Er braucht das jetzt.

»Ja, Ma'am.«

In sein Gesicht ist ein wenig Farbe zurückgekehrt, und er wirkt etwas gefasster als zuvor. Für mich sieht er einfach nur jung aus. Leo Carnes ist noch ein Baby, konfrontiert mit dem Mord und von nun an dazu verurteilt, alt zu werden, bevor seine Zeit gekommen ist. Willkommen im Club, Leo.

»Nun, dann berichten Sie.«

Seine Stimme klingt ruhig, als er zu sprechen anfängt. »Ich bin hergekommen und hab die ersten Checks gemacht und mich überzeugt, dass es keine Fallen und keine Computerviren gibt. Dann tat ich das, was man immer macht – nachsehen, welche Dateien zuletzt bearbeitet wurden. Es war eine Textdatei mit dem Namen Lies_mich_FBI.«

»Tatsächlich?«

»Ja. Ich hab die Datei geöffnet. Sie enthielt einen einzelnen Satz. ›Seht in der Tasche der blauen Jacke nach.‹ Ich konnte nirgendwo eine blaue Jacke sehen, deswegen ging ich zum Schrank. Dort hing eine blaue Frauenjacke, und in der Tasche fand ich eine CD.«

»Also haben Sie beschlossen, einen Blick darauf zu werfen. Das ist okay. Ich hätte das Gleiche getan.«

Ermutigt fährt er fort: »Wenn man eine CD brennt, kann man ihr einen Titel geben. Als ich den Titel dieser CD sah, wurde ich hellwach.« Leo schluckt. »Der Titel lautet: ›Der Tod von Annie‹.«

Charlie schneidet eine Grimasse. »Dieser Hurensohn! Jenny wird stinksauer sein, dass wir die CD übersehen haben.«

»Fahren Sie fort«, fordere ich Leo auf.

»Ich habe nachgesehen, welche Dateien sich auf der CD befinden. Es gab nur eine einzige. Ein hochauflösendes AVI. Es füllt die gesamte CD.« Er schluckt erneut, und die Blässe kehrt in sein Gesicht zurück, wenngleich nicht so stark wie zuvor. »Ich hab auf die Datei geklickt und einen Mediaplayer gestartet, der die Datei abgespielt hat. Es war …« Er schüttelt den Kopf, während er sichtlich um Fassung ringt. »Entschuldigung. Der Täter hat dieses Video aufgenommen und gebrannt. Es geht nicht vom Anfang bis zum Ende der Tat – das hätte wahrscheinlich den Umfang der CD gesprengt … Es ist mehr eine … eine Montage.«

»Eine Montage vom Mord an Annie«, sage ich für ihn. Ich weiß, dass er es nicht selbst aussprechen möchte.

»Ja … Es ist … *unbeschreiblich*! Ich wollte nicht weiter hinsehen, doch ich konnte nicht anders. Dann fing ich an mich zu übergeben, und dann rief ich Agent Washington an. Ich verließ die Wohnung und wartete draußen vor der Tür, bis Sie kamen.«

»Sie haben hoffentlich nicht ins Schlafzimmer gekotzt, oder?«, fragt Charlie.

»Ich hab's bis zur Toilette geschafft.«

Alan schlägt ihm mit seiner Riesenpranke auf die Schulter. Würde Leo ein Gebiss tragen, wäre es ihm von der Wucht wahrscheinlich aus dem Mund geflogen. »Siehst du?«, ruft er. »Du hast das Zeug dazu, Leo. Du hast einen klaren Kopf bewahrt, auch wenn dein Magen rebelliert hat. Das ist gut.«

Leo lächelt ihn verlegen an.

»Sehen wir es uns an«, sage ich. »Leo, Sie müssen nicht mitkommen, wenn Sie nicht wollen. Das meine ich ernst.«

Er sieht mir sehr direkt in die Augen. Sein Blick ist eine überraschende Mischung aus Reife und Nachdenklichkeit. Mir wird mit einem Schlag bewusst, was er denkt. Er denkt, dass Annie meine Freundin war. Dass, wenn ich imstande bin, reinzugehen und mir anzusehen, wie sie gestorben ist, jeder dazu imstande sein müsste. Ich kann seine Gedanken beinahe hören. Seine Augen bestätigen es; sie werden hart, und er schüttelt entschieden den Kopf. »Nein, Ma'am. Der Computer ist mein Job. Ich mache meinen Job.«

Ich erkenne seine Stärke auf die Weise an, wie wir derartige Dinge stets anerkennen – indem ich kein Aufhebens davon mache. »Meinetwegen. Dann führen Sie uns hinein.«

Leo öffnet die Tür zur Wohnung, und wir treten ein. Sie hat sich nicht sehr verändert, seit ich hier war. Es ist eine Vierzimmerwohnung, zwei Bäder, ein großes Wohnzimmer und eine sehr große Küche. Am bemerkenswertesten ist die Tatsache, dass Annie überall ist. Sie lebt durch die Einrichtung, das Wesen dieser Wohnung. Blau war schon immer ihre Lieblingsfarbe, und ich sehe Blau in den Vorhängen, eine blaue Vase, eine Fotografie mit einem strahlend blauen Himmel. Die Wohnung hat Stil. Sie besitzt eine mühelose Eleganz, ohne goldenen Firlefanz oder vergoldeten Zierrat. Alles passt, doch nicht auf jene irritierend zwanghafte Weise, es anderen unbedingt gleichtun zu müssen. Die Wohnung ist ein Beispiel unauffälliger Schönheit. Sie wirkt souverän.

Annie hatte schon immer diese Gabe. Die Fähigkeit zu schmücken, ohne darüber nachdenken zu müssen. Alles, angefangen bei ihrer Kleidung bis hin zur Uhr an ihrem Handgelenk, war immer ohne Ausnahme chic, ohne arrogant oder kopiert zu wirken. Elegant und unaufdringlich. Es war ihr angeboren, und ich habe es stets als Beweis für Annies innere Schönheit betrachtet. Sie hat die Dinge nicht wegen der Wirkung ausgewählt, die sie damit bei anderen erzielen konnte. Sie hat sie ausgewählt, weil sie sich von ihnen angesprochen fühlte. Weil sie zu ihr passten. Die Wohnung spiegelt dies wider. Sie atmet den Geist von Annies Seele.

Doch hier ist noch etwas präsent.

»Riecht ihr das?«, fragt Alan. »Was ist das?«

»Parfum und Blut«, murmele ich.

»Zum Computer geht es hier entlang«, sagt Leo. Er führt uns ins Schlafzimmer.

Hier stirbt die Harmonie. Dies ist der Ort, an dem *er* sein Werk getan hat. Es ist das bewusste Gegenteil zu Annies zwangloser Schönheit. Hier hat jemand absichtlich Dissonanz hervorrufen wollen. Die Erhabenheit zerbrechen. Etwas Exquisites zerstören.

Der Teppich ist blutbefleckt, und der starke Verwesungsgeruch, vermischt mit dem Duft von Annies Parfum, steigt mir in die Nase. Es sind zwei Gegensätze: einerseits der Duft des Lebens, zum anderen der Gestank des Todes. Ein Tisch liegt umgeworfen auf der Seite, eine Lampe ist zerschlagen. Die Wände sind zerkratzt, und das gesamte Zimmer strömt etwas Verzerrtes, Unrechtes aus. Der Mörder hat es durch seine Anwesenheit vergewaltigt.

Leo setzt sich an den Computer. Ich denke an Annie.

»Fangen Sie an«, sage ich zu ihm.

Leo wird blass. Dann bewegt er die Maus und schiebt den Pfeil auf eine Datei, die er mit einem Doppelklick öffnet. Der Schirm füllt sich, und der Film beginnt. Mir bleibt fast das Herz stehen, als ich Annie sehe.

Sie ist von Kopf bis Fuß nackt und mit den Händen ans Bett gefesselt. Übelkeit steigt in mir auf, als ich daran denke, dass ich in der gleichen Lage gewesen bin. Joseph Sands. Ich reiße mich zusammen.

Der Mörder ist ganz in Schwarz gekleidet. Er trägt eine Kapuze, die sein Gesicht verdeckt.

»Ist das etwa ein beschissenes Ninja-Kostüm?«, poltert Alan. Er schüttelt angewidert den Kopf. »Meine Güte! Es ist alles nur ein verdammter Witz für diesen Bastard!«

Mein Talent als Jägerin übernimmt automatisch die Führung. Der Killer scheint etwa eins achtzig groß zu sein. Er ist gut in Form – eine Mischung aus muskulös und drahtig. An der Haut um seine Augen erkenne ich, dass er ein Weißer ist.

Ich warte darauf, dass er spricht. Die Stimmerkennungstechnologie ist heutzutage hochentwickelt, und sie könnte einen entscheidenden Hinweis liefern. Doch dann verschwindet er aus dem Blickwinkel der Kamera. Ich höre leise Geräusche im Hintergrund, wo er mit irgendetwas hantiert. Als er wieder zu sehen ist, blickt er direkt in die Linse, und an den Fältchen um seine Augen hinter der Maske erkenne ich, dass er hinter seiner Maske grinst. Er hebt eine Hand und zählt mit den Fingern, 1, 2, 1 − 2 − 3 − 4 …

Musik erschallt im Zimmer. Sie ist so laut, dass sie jedes andere Geräusch übertönt. Es dauert nur einen Augenblick, bis ich sie einordnen kann. Als es geschieht, wird mir fast übel. Fast.

»Mein Gott!«, flüstert Charlie. »Sind das die Rolling Stones?«

»Genau. ›Gimme Shelter‹«, bestätigt Alan. Seine Stimme klingt gepresst vor Wut. »Das findet dieser kranke Drecksack witzig. Ein wenig *Stimmungsmusik* für sein widerliches Tun.«

Die Lautstärke ist hoch, das Lied laut. Als es schneller wird, fängt der Mörder vor der Kamera zu tanzen an. Er hält ein Messer in der Hand, und er tanzt für Annie und die Kamera. Es ist rasend, wahnsinnig, doch er bewegt sich im Takt. Irresein im Rhythmus.

»… *raaaape and murder* …«

Das ist der Grund, weshalb er dieses Stück ausgewählt hat. Das ist seine Botschaft. Sie passt zu meinen Gedanken, die ich vorhin gehabt habe. Was er tun kann, liegt immer nur einen Schritt weit weg. Ich schließe für einen Moment die Augen, als ich sehe, dass Annie dies ebenfalls erkannt hat. Ich kann es an ihrem Gesicht ablesen, an ihren Augen. Namenloses Entsetzen, gemischt mit Hoffnungslosigkeit.

Der Mörder hat aufgehört zu tanzen, auch wenn er sich noch im Rhythmus der Musik bewegt, beinahe unbewusst, wenigstens sieht es so aus. Wie jemand, der mit dem Fuß den Rhythmus zu einem Lied tappt, ohne es zu merken. Er steht neben dem Bett, die Augen auf Annie gerichtet. Er scheint fasziniert. Annie kämpft gegen ihre Fesseln. Ich kann nichts hören wegen der Musik, doch ich sehe, dass sie durch ihren Knebel hindurch schreit. Er wirft einen weiteren Blick in die Kamera. Dann beugt er sich mit dem Messer vor.

Der Rest ist genauso, wie Leo es gesagt hat. Eine Montage. Ein Schnitt folgt dem anderen: Annies Folter, ihre Vergewaltigung, ihr Entsetzen. Das Messer ist sein Werkzeug, und er benutzt es beinahe bedächtig. Er liebt es, langsam zu schneiden, und er liebt lange Schnitte. Er berührt sie überall mit seiner Klinge. Ich zucke jedes Mal zusammen, wenn neue Bilder über den Schirm blitzen. Es fährt mir durch Mark und Bein, als würde ich einen Stromschlag von einer Autobatterie bekommen. Szene, Schock, Zusammenzucken, Annie wird gefoltert. Szene, Schock, Zusammenzucken, Annie wird vergewaltigt. Szene, Schock, Zusammenzucken, er schneidet, er schneidet, gütiger Gott, er hört überhaupt nicht mehr auf zu schneiden. Ihre Augen füllen sich mit Todesqual, ihre Augen füllen sich mit nacktem Entsetzen, und schließlich werden sie leer, ein starrer Blick ins Nichts. Sie lebt noch, doch sie ist nicht länger bei klarem Bewusstsein. Der Mörder ist außer sich, in Hochstimmung. Er führt einen Regentanz auf, und sein Regen ist Blut, Annies Blut. Ich sehe zu, wie meine Freundin stirbt. Sie stirbt langsam und furchtbar und ohne jede Würde. Als er endlich fertig ist, ist sie längst tot, ein ausgeweideter Fisch. Zuzusehen wie sie stirbt, diese Frau, die ich als Teenager in den Armen gehalten habe, diese Frau, mit der ich zusammen aufgewachsen bin, die ich geliebt habe – das ist, als wäre ich zurück in jenem Bett und müsste zusehen, wie Matt schreit.

Ich habe nicht richtig um Annie geweint, seit sie gestorben ist. Ich merke, dass ich jetzt weine. Dass ich schon die ganze Zeit über geweint habe.

Es sind lautlose Tränen, Ströme, die mir über die Wangen rinnen. Ströme, die den Tod des einzigen Menschen außer Matt betrauern, der mich voll und ganz kannte. Jetzt bin ich allein auf der Welt. Ich habe keine Wurzeln mehr, und es ist unerträglich.

Ich wische meine Tränen nicht ab. Ich schäme mich ihrer nicht. Sie haben ihre Berechtigung.

Die Videoaufzeichnung endet, und rings um mich herum herrscht betroffene Stille.

»Spielen Sie es noch mal ab«, sage ich.

Spielen Sie es noch mal ab, weil in mir ein Drache lauert. Ein Drache, der langsam erwacht.

Ich brauche ihn wach, und ich brauche ihn wütend.

KAPITEL 14 »Also, damit ich das richtig verstehe«, sagt Alan, »er hat dieses Video nicht nur aufgenommen, er hat sich auch noch hingesetzt und es bearbeitet?«

Leo nickt heftig. »So ist es. Allerdings nicht auf diesem Computer. Die Kapazität der Festplatte ist nicht groß genug dazu, und es ist keine Bearbeitungssoftware drauf. Wahrscheinlich hat er ein leistungsstarkes Notebook mitgebracht.«

Alan stößt einen Pfiff aus. »Der Kerl ist eiskalt, Smoky. Er hat sich hingesetzt und den Film bearbeitet, während deine Freundin tot auf ihrem Bett lag und Bonnie zugesehen hat. Oder noch Schlimmeres.«

Niemand hat ein Wort über meine Tränen verloren. Ich fühle mich leer, doch ich bin nicht länger wie betäubt. Ich reagiere.

»Kalt, organisiert, kompetent, technisch beschlagen … und er ist definitiv ein echter.«

»Was bedeutet das?«, fragt Leo.

Ich wende mich ihm zu. »Er hat eine Grenze überschritten, als Person, und er wird nie wieder zurückkehren. Er hat genossen, was er getan hat. Er hat sich richtig lebendig gefühlt. Etwas, das man so sehr genießt, macht man nicht nur ein einziges Mal. Er ist ein echter Serienmörder.«

Erschrocken über meine Worte, sieht er mich an. »Und was machen wir jetzt?«

»Ihr verschwindet jetzt alle von hier, und stattdessen soll James kommen.«

Ich höre meine Stimme, während ich dies sage, bemerke die Kälte darin. So, so, denke ich. Es hat angefangen. Es ist immer noch da. Was sagt man dazu?

Charlie und Leo sehen verwirrt aus, doch Alan hat begriffen. Er lächelt, allerdings kein wirklich glückliches Lächeln. »Smoky und James brauchen Bewegungsfreiheit hier drin, das ist alles. Wir haben sowieso reichlich zu tun bis dahin. Soll ich für James in der Gerichtsmedizin weitermachen?« Die letzte Frage ist an mich gerichtet.

»M-hm.« Meine Antwort kommt geistesabwesend und von weit her. Ich bemerke kaum, wie die drei gehen. Mein Bewusstsein ist ein riesiger, offener Raum. Mein Blick ist in weite Fernen gerichtet.

Weil der schwarze Zug herannaht. Ich höre ihn bereits: tschua-tschua-tschua-tschu. Rauch quillt aus dem Schornstein, dunkle Hitze und Schatten umhüllen ihn.

Ich bin dem schwarzen Zug, wie ich ihn nenne, während meines allerersten Falles begegnet. Er ist schwierig zu beschreiben. Der Zug des Lebens fährt auf den Gleisen von Normalität und Wirklichkeit. Es ist der Zug, auf dem die meisten Menschen von ihrer Geburt bis zu ihrem Tod fahren. Er ist voll mit Lachen und Tränen, mit Not und Entbehrungen und mit Triumphen. Seine Passagiere sind nicht vollkommen, doch sie geben ihr Bestes.

Der schwarze Zug ist anders. Er fährt auf Gleisen, die aus zerbrechlichen, empfindlichen Dingen gemacht sind. Es ist der Zug, auf dem Typen wie Jack Junior fahren. Ein Zug voller Mord und Sex und Schreie. Eine große, schwarze, bluttrinkende Schlange auf Rädern. Wenn man vom Zug des Lebens abspringt und durch die Wälder entlang der Strecke streift, kann man den schwarzen Zug finden. Man kann an den Gleisen entlanglaufen, neben dem Zug herrennen, während er vorbeikommt, und einen Blick auf den weinenden Inhalt in den Abteilen erhaschen. Wenn man auf den schwarzen Zug aufspringt und sich durch die Leichenwagen nach vorn arbeitet, trifft man schließlich auf den Zugführer. Er ist das Monster, das man jagt, und er taucht in vielerlei Gestalt auf. Er kann klein und kahlköpfig und vierzig sein. Oder groß und blond und jung. Manchmal – selten – ist es auch eine Sie. An Bord des schwarzen Zugs sieht man den Zugführer so, wie er wirklich ist, hinter seinem falschen Lächeln und dem dreiteiligen Anzug. Du starrst in die Dunkelheit, und in diesem Moment, wenn du hinsiehst, ohne zu blinzeln, verstehst du.

Die Mörder, die ich jage, sind innerlich nicht ruhig und gelassen, und sie lächeln nicht. Jede Zelle in ihrem Körper ist ein nicht enden wollender, ewiger Schrei. Diese Mörder schnattern und plappern und haben weit aufgerissene Augen und sind böse und blutbesudelt. Es sind Kreaturen, die masturbieren, während sie menschliches Fleisch herunterschlingen, die ekstatisch stöhnen, wenn sie sich mit Fäkalien und Gehirnmasse einschmieren. Ihre Seelen bewegen sich nicht normal. Sie schlittern, zucken, kriechen.

Der schwarze Zug ist schlicht der Ort, an dem ich dem Mörder in meiner Vorstellung die Maske herunterreiße. An dem ich hinsehe, ohne den Blick abzuwenden. Der Ort, an dem ich nicht zurückweiche, keine Entschuldigungen vorbringe und nicht nach Gründen suche, sondern einfach nur akzeptiere. Ja, seine Augen sind voller Maden. Ja, er trinkt die Tränen ermordeter Kinder. Ja, es gibt nur Mord in diesem Zug.

»Interessant«, bemerkte Dr. Hillstead während einer unserer vorangegangenen Sitzungen, nachdem ich ihm den schwarzen Zug erklärt hatte. »Ich schätze, meine Frage – und meine Sorge, Smoky – ist folgende: Wenn Sie auf den schwarzen Zug aufgesprungen sind, was hält Sie davon ab, ihn nie wieder zu verlassen? Was hindert Sie daran, selbst zum Zugführer zu werden?«

Ich musste lächeln. »Wenn Sie ihn sehen – *wirklich* sehen –, dann besteht diese Gefahr nicht. Sie erkennen, dass Sie nicht so sind. Nicht einmal so ähnlich.« Ich drehte den Kopf und starrte ihm in die Augen. »Wenn Sie den Zugführer wirklich demaskieren, dann erkennen Sie, dass er ein Alien ist. Er ist eine Anomalie, ein Angehöriger einer anderen Spezies.«

Er nickte und lächelte. Seine Augen wirkten nicht überzeugt.

Was ich ihm nicht erzählt habe: Das Problem besteht nicht darin, nicht zum Zugführer zu werden. Das Problem besteht darin aufzuhören, ihn zu *sehen*, in seinem unmaskierten, unverstellten Zustand. Das kann manchmal Monate dauern, Monate der Alpträume und des kalten Schweißes in der Morgendämmerung. Was für Matt immer am schwersten zu ertragen war, das war mein Schweigen. Ein verschlossener, abgesperrter Raum, in dem er mich nicht erreichen konnte.

Das ist der Preis, den man dafür zahlt, auf dem schwarzen Zug mitzufahren. Ein Teil von dir wird so einsam, wie es gewöhnliche Menschen niemals sind, und niemand kann zu dir in diese Einsamkeit. Ein kleines Stück von dir wird einsam, unendlich einsam, bis ans Ende deines Lebens.

Jetzt, hier, an dem Ort, wo Annie gestorben ist, kann ich spüren, wie er mir entgegenrast. Wenn er da ist, gleichgültig, ob ich nur zusehe, wie er vorbeisaust, oder ob ich aufspringe und durch die Waggons gehe, kann ich andere nicht um mich herum ertragen. Ich werde abweisend und kalt und … unerträglich. Es gibt nur eine Ausnahme: einen Kameraden, jemand, der den Zug ebenfalls versteht.

James tut das. Welche Fehler er sonst auch haben mag, was für ein Arschloch er auch sein kann, James besitzt die gleiche Gabe. Er kann den Zugführer sehen, kann im Zug mitfahren.

Wenn man sämtliche Metaphern beiseite lässt, dann ist der schwarze Zug ein Zustand geschärfter Wahrnehmung, erzeugt durch eine Art temporärer Empathie mit dem Bösen.

Und unangenehm.

Ich sehe mich im Zimmer um, lasse es auf mich einwirken.

Ich kann ihn spüren, kann ihn riechen. Ich muss imstande sein, ihn zu schmecken und zu hören. Statt ihn von mir zu stoßen, muss ich ihn an mich ziehen. Wie eine Liebende den Geliebten.

Das ist etwas, das ich Dr. Hillstead nie erzählt habe. Ich glaube nicht, dass ich es je tun werde. Dass diese...diese Intimität nicht nur beunruhigend ist, sondern – süchtig macht. Sie ist faszinierend. Aufregend. Er jagt alles. Ich jage nichts außer ihm. Aber ich vermute, dass meine Gier nach Blut genauso stark und ausgeprägt ist wie seine.

Er war hier, also ist dies der Ort, an dem ich sein muss. Ich muss ihn finden, ich muss mich an seinen Schatten schmiegen, an die Maden in seinen Augen und die Schreie.

Am Anfang spüre ich fast immer das Gleiche, und diesmal ist es genauso. Seine Aufregung über das Eindringen in die Privatsphäre von jemand anderem. Menschen schaffen ihre eigenen Räume, grenzen sie von den Bereichen anderer ab. Sie vereinbaren, diese Grenzen gegenseitig zu respektieren. Das ist eine fundamentale, ursprüngliche Verhaltensweise. Dein Heim ist dein Heim. Sobald die Tür hinter dir geschlossen ist, bist du für dich allein und privat. Hier musst du nicht das gleiche Gesicht aufsetzen, das du der Welt da draußen zeigst. Andere menschliche Wesen kommen nur herein, wenn du sie eingeladen hast. Sie respektieren dies, weil sie es für sich selbst ebenfalls so wollen.

Das Erste, was diese Monster tun, das Erste, was sie aufregt, was sie anmacht, ist das Überschreiten dieser Grenze. Sie spähen in deine Fenster. Sie folgen dir den Tag hindurch, beobachten dich. Vielleicht betreten sie deine Wohnräume, während du unterwegs bist, gehen in deine Privatsphäre hinein, reiben sich an deinen privaten Dingen. Sie dringen ein.

Die Zerstörung anderer geilt sie auf. Ich erinnere mich an das Verhör von einem der Ungeheuer, die ich geschnappt habe. Seine Opfer waren kleine Mädchen. Einige waren erst fünf, andere sechs, keines war älter. Ich habe die Fotos von ihnen gesehen, wie sie vorher aussahen. Schleifen in den Haaren und ein strahlendes Lächeln. Und ich sah die Bilder von ihnen danach – vergewaltigt, gefoltert, ermordet. Winzige Leichen, die bis in alle Ewigkeit schreien. Ich stand im Begriff einzupacken, wollte den Verhörraum bereits verlassen, als mir die Frage in den Sinn kam. Ich wandte mich noch einmal zu ihm um.

»Warum sie?«, fragte ich. »Warum ausgerechnet kleine Mädchen?«

Es grinste mich an. Es war ein breites Halloween-Grinsen. Seine Augen waren zwei glitzernde, leere schwarze Abgründe. »Weil es das Böseste ist, was ich mir habe vorstellen können, Süße. Je böser es ist«, sagte er und leckte sich die Lippen, »desto besser ist es.« Er schloss seine leeren Augen und nickte vor sich hin, während er in seinen Erinnerungen schwelgte. »Diese jungen Dinger…mein Gott…das war so verdammt böse, dass es einfach nur *geil* war!«

Es ist eine rasende Wut, die ein solches Bedürfnis weckt und am Leben hält. Kein gewöhnlicher Ärger, sondern eine lodernde, alles verzehrende Wut. Ein dauerndes, brüllendes Feuer, das nie erlischt. Ich spüre es hier in diesem Zimmer. So überlegt er auch vorgehen wollte – am Ende ist er in Raserei verfallen, hat die Kontrolle verloren.

Diese zügellose Wut entspringt in der Regel einem extremen, als Kind erlittenen Sadismus. Prügel, Folter, Vergewaltigung. Die meisten dieser Monster werden von Menschen geschaffen, von Frankensteins Eltern. Deformierte Persönlichkeiten, die Kinder nach ihrem eigenen Bildnis gestalten. Sie prügeln ihre Seelen zu Tode und schicken sie dann in die Welt hinaus, damit sie ihrerseits das Gleiche anderen antun.

Nichts von alledem ändert etwas an der unumkehrbaren Verdorbenheit der Monster. Es spielt schließlich am Ende auch keine Rolle, warum ein Hund gebissen hat. Dass er beißt und dass seine Zähne scharf sind, entscheidet über sein Schicksal.

Ich lebe mit dem Wissen um all das. Diesem Verstehen. Es ist ein ungewollter Begleiter, das niemals von meiner Seite weicht.

Die Monster werden zu meinem Schatten, und manchmal habe ich das Gefühl, als könnte ich sie hören, wie sie hinter meinem Rücken kichern.

»Auf welche Weise beeinflusst Sie das langfristig?«, wollte Dr. Hillstead von mir erfahren. »Gibt es irgendwelche bleibenden emotionalen Konsequenzen?«

»Ja…sicher. Selbstverständlich.« Ich hatte Mühe, die Worte zu finden. »Es ist keine Depression und kein Zynismus. Es ist nicht so, dass man nicht mehr glücklich sein könnte. Es ist…« Ich schnippte mit den Fingern und sah ihn an. »Es ist ein Klimawechsel in der Seele.« Noch während mir die Worte über die Lippen kamen, verzog ich das Gesicht. »Das ist ein alberner, poetischer Mist.«

»Hören Sie auf, so zu reden«, ermahnte er mich. »Es ist nichts Albernes daran, die richtigen Worte für etwas zu finden. Auf diese Weise entsteht Klarheit. Denken Sie diesen Gedanken zu Ende.«

»Na ja…Sie wissen, wie das Klima von Küstengebieten durch das Meer bestimmt wird? Durch die Nähe zu ihm? Es mag vielleicht ein paar verrückte Kapriolen geben, doch im Großen und Ganzen ist es ziemlich konstant, weil der Ozean so riesig ist und sich nicht wirklich ändert.« Ich sah ihn an, und er nickte. »Es ist genau so. Sie sind ständig in der Nähe von etwas Riesigem, Dunklem, Grauenvollem. Es verschwindet nie, es ist immer da. Jede Minute jeden Tages.« Ich zuckte die Schultern. »Das Klima der Seele wird, wie gesagt, dadurch beeinflusst. Für immer.«

Seine Augen wirkten traurig. »Was ist das für ein Klima?«, fragte er.

»Es ist sehr regnerisch. Es kann trotzdem wunderschön sein, es gibt auch sonnige Tage, aber es wird dominiert von Düsternis und Wolken. Ständig droht Regen. Die Nähe ist stets spürbar.«

Ich sehe mich in Annies Schlafzimmer um und höre in meinem Kopf ihre Schreie. Es regnet, denke ich, hier und jetzt. Annie war die Sonne, und das Monster die Regenwolke. Und zu was macht mich das? Noch mehr poetischer Scheißdreck.» Zum Mond«, flüstere ich mir selbst zu. Zum Licht in der Finsternis.

»Hallo.«

James' Stimme lässt mich aus meinen Gedanken aufschrecken. Er steht in der Tür und blickt herein. Ich sehe, wie sein Blick durch das Zimmer wandert, wie er die Blutflecken, das Bett, den umgestürzten Nachttisch in sich aufnimmt. Seine Nüstern blähen sich.

»Was ist das?«, fragt er.

»Parfum. Er hat ein Handtuch mit Parfum getränkt und es unter die Tür gestopft, damit der Gestank von Annies Leiche nicht so schnell nach draußen dringen konnte.«

»Er hat sich Zeit verschafft.«

»Ja.«

James hält einen Aktenordner hoch. »Das hier hab ich von Alan. Berichte von der Spurensicherung und Fotos.«

»Gut. Du musst dir das Video ansehen.«

So beginnt es immer. Wir reden in kurzen, abgehackten Sätzen, wie Maschinengewehrfeuer. Wir werden zu Staffelläufern, die sich den Stab hin und her reichen, hin und her.

»Zeig es mir.«

Also setzen wir uns, und ich sehe mir das Video ein drittes Mal an. Sehe, wie Jack Junior durch das Zimmer tanzt, sehe, wie Annie schreit und einen langsamen, qualvollen Tod stirbt. Diesmal spüre ich es nicht. Ich bin ungerührt – beinahe. Ich bin entrückt und distanziert, während ich den Zug aus verengten Augen mustere. In meinem Kopf entsteht ein Bild von Annie, die tot auf einer Wiese liegt, während der Regen ihren offenen Mund füllt und ihr über die grauen, toten Wangen rinnt.

James ist still. »Warum hat er das für uns dagelassen?«, fragt er schließlich.

Ich zucke die Schultern. »So weit bin ich noch nicht. Lass uns vorn anfangen.«

Er klappt den Aktenordner auf. »Sie haben die Leiche gegen

sieben Uhr gestern Abend entdeckt. Die Todeszeit lässt sich nur ungefähr angeben, doch angesichts des Verwesungsgrades, der Umgebungstemperatur und so weiter schätzt der Pathologe, dass sie zum Zeitpunkt ihrer Entdeckung seit drei Tagen tot war. Sie starb so gegen neun oder zehn Uhr abends.«

Ich denke darüber nach. »Ich schätze, er hat sich mit dem Vergewaltigen und Foltern ein paar Stunden Zeit gelassen. Das bedeutet, dass er spätestens gegen sieben Uhr abends hier eingetroffen ist. Also ist er nicht gekommen, während sie schliefen. Wie ist er reingekommen?«

James schlägt in der Akte nach. »Kein Zeichen von gewaltsamem Zutritt. Entweder hat sie ihn reingelassen, oder er ist so reingekommen.« Er runzelt die Stirn. »Ein dreister Pisser. Er hat es am frühen Abend getan, als alle zu Hause und noch wach waren. Verdammt selbstsicher.«

»Aber wie ist er reingekommen?« Wir sehen uns an und überlegen.

Geh weg, Regen. Geh weg.

»Fangen wir im Wohnzimmer an«, schlägt James vor.

Maschinengewehrfeuer, *ratatatat.*

Wir verlassen das Schlafzimmer und gehen durch den Flur bis zur Wohnungstür. James blickt sich um. Ich sehe seinen Blick schweifen, dann bleibt er auf etwas haften. »Warte mal.« Er kehrt in Annies Schlafzimmer zurück und kommt mit dem Aktenordner wieder. Er reicht mir ein Foto.

»So hat er es gemacht.«

Es ist eine Serie von Aufnahmen des Flurs, vom Bereich direkt hinter der Wohnungstür. Ich sehe, was er mir zeigen will: drei Umschläge liegen auf dem Fußboden. Ich nicke. »Es war nichts Kompliziertes. Er hat einfach geklopft. Sie öffnet, er stürzt herein, sie lässt die Post fallen, die sie in der Hand gehalten hat. Es war überraschend, schnell.«

»Trotzdem, es war früher Abend. Wie hat er verhindert, dass sie schreit und die Nachbarn alarmiert?«

Ich nehme den Ordner an mich und überfliege die Fotos. Ich zeige auf eine Aufnahme vom Esstisch. »Hier.« Das Bild zeigt ein aufgeschlagenes Schulbuch, Mathematik. Wir drehen uns um und sehen zum Tisch. »Er steht weniger als drei Meter entfernt. Bonnie hat hier gesessen, als Annie die Tür aufgemacht hat.«

Er nickt begreifend. »Er hat das Kind in seine Gewalt gebracht und damit die Mutter kontrolliert.« Er stößt einen leisen Pfiff aus. »Wow. Das bedeutet, er ist direkt in die Wohnung gestürmt. Kein Zögern.«

»Wie ein Blitz. Er hat ihr keine Sekunde Zeit zum Überlegen gegeben. Ist reingestürzt, hat die Tür zugeworfen, Bonnie geschnappt, ihr wahrscheinlich eine Waffe an den Hals gehalten…«

»…und zur Mutter gesagt, dass das Kind sterben würde, wenn sie schreit.«

»Ja.«

»Sehr entschlossen.«

Geh weg, Regen. Geh weg.

James schürzt nachdenklich die Lippen.

»Die nächste Frage lautet: Wie lange hat es gedauert, bis er zur Sache kam?«

Hier ist die Stelle, wo es wirklich anfängt. Wo wir nicht länger den schwarzen Zug betrachten, sondern aufspringen. »Da ist eine Reihe von Fragen.« Ich zähle sie an den Fingern ab. »Wie lange hat es gedauert, bis er mit ihr angefangen hat? Hat er ihr gesagt, was er mit ihr vorhat? Und was hat er mit Bonnie gemacht? Hat er sie gefesselt? Hat er sie gezwungen zuzusehen?«

Wir blicken beide zur Wohnungstür, während wir überlegen. Ich kann es sehen, vor meinem geistigen Auge. Ich kann ihn spüren. Ich weiß, dass es James genauso geht.

Es ist still im Flur, und er ist aufgeregt. Sein Herz hämmert in seiner Brust, während er darauf wartet, dass Annie ihm öffnet. Eine

Hand ist erhoben, um ein zweites Mal zu klopfen, die andere hält ...
was? Ein Messer?

Ja.

Er muss ihr irgendeine Geschichte erzählen, und er hat sie sich
viele Male zurechtgelegt. Irgendetwas Einfaches ... beispielsweise,
dass er ein Nachbar aus dem darunterliegenden Stockwerk ist und
eine Frage hat. Irgendetwas, das sich normal anhört.

Sie öffnet die Tür, nicht nur einen Spaltbreit. Es ist früher Abend,
die Stadt ist wach. Annie ist zu Hause, im Innern eines gesicher-
ten Apartmenthauses. Alle Wohnungslichter brennen. Sie hat keinen
Grund, sich zu fürchten.

Er kommt durch die Tür, bevor sie reagieren kann, eine unauf-
haltsame Gewalt. Er schiebt sich in die Wohnung, stößt Annie um,
schließt die Tür hinter sich. Er springt zu Bonnie, reißt sie an sich
und setzt ihr das Messer an die Kehle.

»Ein Laut, und deine Tochter stirbt ...«

Annie unterdrückt den instinktiven Schrei, den sie bereits auf den
Lippen hatte. Der Schock ist vollkommen. Alles ist viel zu schnell
gegangen, um zu reagieren. Sie sucht immer noch nach einer ratio-
nalen Erklärung. Vielleicht ist sie in einer Show mit einer versteck-
ten Kamera, vielleicht erlaubt sich ein Freund einen Scherz mit ihr,
spielt ihr einen Streich, vielleicht ... verrückte Ideen, doch jede auch
noch so verrückte Idee wäre besser als die Wahrheit.

Bonnie starrt zu ihr hoch, die Augen voller Angst.

Annie hat in diesem Moment wahrscheinlich akzeptiert, dass
es kein Streich war. Ein Fremder hielt ihrer Tochter ein Messer
an die Kehle. Das war REAL.

»Was wollen Sie?«, lautet ihre erste Frage. Sie hofft, mit dem
Fremden verhandeln zu können. Dass er weniger will als sie töten.
Vielleicht ist er ein Einbrecher oder ein Vergewaltiger. Bitte, o bitte,
denkt sie, lass es keinen Pädophilen sein.

Mir fällt etwas ein. »Sie hat eine leichte Schnittwunde am
Hals«, sage ich.

»Was?«

»Bonnie. Sie hat eine leichte Schnittwunde, an der Kehle.«
Ich berühre meinen Hals. »Hier. Es ist mir aufgefallen, als ich
im Krankenhaus war.«

Ich sehe, wie James darüber nachdenkt. Sein Gesicht wird
grimmig. »Er hat sie mit dem Messer geschnitten.«

Wir können natürlich nicht sicher sein. Aber es fühlt sich
richtig an.

*Der Fremde ritzt Bonnie mit der Messerspitze die Haut an der
Kehle auf. Nichts Ernstes, doch genug, um ein paar Blutstropfen aus-
treten zu lassen. Ein Keuchen. Genug, um zu zeigen, dass er es ernst
meint, und um Annies Herz angstvoll stocken zu lassen.*

*»Du tust, was ich dir sage«, befiehlt er. »Oder deine Tochter stirbt
ganz langsam.«*

*Und damit war es bereits vorbei. Bonnie war seine Geisel, und
Annie war in seiner Gewalt.*

»Ich mache alles, was Sie wollen. Aber tun Sie ihr nichts.«

*Er riecht Annies Angst, und es erregt ihn. Er spürt eine begin-
nende Erektion in seiner Hose.*

»Ich denke, Bonnie war dabei, als er Annie vergewaltigt und
gefoltert hat. Ich denke, er hat sie gezwungen, alles mit anzusehen«, sage ich.

James hebt seinen Kopf. »Wieso?«

»Dafür gibt es mehrere Gründe. Der wichtigste ist, dass
er Bonnie hat leben lassen. Warum? Dadurch musste er eine
weitere Person unter Kontrolle halten. Es wäre einfacher gewesen, wenn er sie einfach umgebracht hätte. Doch Annie war
seine Beute. Er liebt die Folter, und er liebt die Angst. Die
Qualen. Bonnie dabeizuhaben und Annie wissen zu lassen,
dass sie da war und mit ansehen musste, was geschah…es hat
sie wahrscheinlich wahnsinnig gemacht. Und das hat ihm gefallen.«

James denkt darüber nach. »Ich stimme dir zu, allerdings aus
einem anderen Grund.«

»Und der wäre?«

Er sieht mir in die Augen. »Du. Er jagt dich ebenfalls, Smoky. Und Bonnie zu verletzen macht alles viel schlimmer für dich.«

Ich starre ihn überrascht an.

Er hat Recht.

Tschua-tschua-tschua-tschu, tschua-tschua-tschua-tschu, der schwarze Zug wird schneller…

»Mach, was ich dir sage, sonst tu ich deiner Mama weh«, sagt er zu Bonnie. Er benutzt die Liebe der beiden wie einen Viehstock und treibt sie zum Schlafzimmer.

»Er bringt sie ins Schlafzimmer.« Ich gehe den Flur entlang. James folgt mir. Wir betreten das Schlafzimmer. »Er schließt die Tür hinter sich.« Ich strecke die Hand aus und schließe die Tür. Ich stelle mir Annie vor, die zusieht, wie sie sich schließt, ohne zu begreifen, dass sie sich für sie nie wieder öffnen wird.

James starrt nachdenklich auf das Bett. Er überlegt, versucht sich vorzustellen, wie es abgelaufen ist. »Er brauchte keine Angst zu haben vor Bonnie, doch er kann sich noch nicht entspannen – nicht, bevor er Annie nicht sicher in seiner Gewalt hat.«

»Im Video war Annie mit Handschellen gefesselt.«

»Richtig. Also hat er ihr befohlen, sich selbst die Handschellen anzulegen. Ein Handgelenk, mehr brauchte er nicht.«

»Hier, leg die an«, befiehlt er Annie und zieht ein Paar Handschellen aus der Tasche, wirft sie ihr…

Nein, so war es nicht. Zurück.

Er hat das Messer an Bonnies Hals. Er sieht Annie an. Mustert sie von oben bis unten, nimmt sie mit den Augen in Besitz. Achtet sorgfältig darauf, dass sie dies auch begreift.

»Zieh dich aus«, sagt er. »Los, zieh dich aus für mich.«

Sie zögert, und er drückt die Klinge gegen Bonnies Hals. »Los, ausziehen!«

Annie gehorcht weinend, während Bonnie zusieht. Annie lässt den BH und das Höschen an, ihr letzter Widerstand.

»Alles!«, brüllt er. Drückt erneut das Messer gegen die weiche Haut. Annie gehorcht. Ihr Weinen wird stärker…

Nein. Zurück.

Annie gehorcht und zwingt sich, nicht zu weinen. Sie will stark sein für ihre Tochter. Sie zieht ihren Büstenhalter und ihr Höschen aus und sieht Bonnie dabei unverwandt in die Augen. »Sieh mich an«, denkt sie, befiehlt sie mit ihren Augen. »Sieh in mein Gesicht. Nicht auf das. Nicht auf ihn.«

Jetzt nimmt er die Handschellen aus der Tasche, die er mitgebracht hat.

»Fessel dein Handgelenk ans Bett«, befiehlt er Annie. »Jetzt.«

Sie gehorcht. Als er das Einschnappen des Schlosses hört, greift er in die Tasche und zieht zwei weitere Handschellen hervor. Damit fesselt er Bonnie an Händen und Knöcheln. Sie zittert. Er ignoriert ihr Schluchzen, während er sie knebelt. Bonnie sieht ihre Mutter an, ein flehentlicher Blick. Ein Blick, der sagt: »Mach, dass es aufhört!« Annie weint heftiger.

Er ist immer noch vorsichtig, misstrauisch. Er entspannt sich noch nicht. Er geht zu Annie und fesselt ihre andere Hand ebenfalls ans Bett. Dann die Knöchel. Dann knebelt er auch sie.

Jetzt. Jetzt kann er sich entspannen. Seine Beute ist ihm sicher. Sie kann nicht mehr entkommen. Wird nicht mehr entkommen.

Ist ihm nicht entkommen, denke ich.

Jetzt kann er den Augenblick genießen.

Er nimmt sich Zeit, den Raum vorzubereiten. Das Bett zu positionieren, die Videokamera einzustellen. Es gibt eine bestimmte Art und Weise, wie die Dinge getan werden, eine Symmetrie, die ihm wichtig ist, entscheidend. Er lässt sich Zeit dabei. Einen Schritt zu übersehen mindert die Schönheit des Aktes, und der Akt ist alles. Er ist seine Luft und sein Wasser.

»Das Bett«, sagt James.

»Was?« Ich sehe verwirrt auf das Bett.

Er steht auf und geht zum Fußende. Annies Bett ist extra breit und aus glattem, abgerundetem Holz gefertigt. Stabil.

»Wie hat er es bewegt?« James geht zum Kopfende und blickt auf den Teppich hinunter. »Schleifspuren. Also hat er es zu sich hingezogen.« Er kehrt zum Fußende zurück. »Er muss es irgendwo hier angefasst und rückwärts gezogen haben. Er brauchte einen Hebel…« James kniet nieder. »Er muss es hier unten gepackt und ein wenig angehoben haben.« Er steht auf, geht zur Seite des Bettes, lässt sich auf den Bauch sinken und kriecht bis zu den Schultern unter das Bett. Ich sehe, wie er seine Taschenlampe einschaltet, dann verlöscht der Lichtstrahl. Als James wieder auftaucht, lächelt er. »Kein Abdruckpuder zu sehen.«

Wir sehen uns an. Ich spüre geradezu, wie jeder von uns in Gedanken die Daumen drückt.

Die Leute glauben fälschlicherweise, dass Latexhandschuhe die Übertragung von Fingerabdrücken verhindern. In den meisten Fällen stimmt das auch. Aber nicht immer. Diese Art von Handschuhen wurde für Chirurgen entwickelt, damit sie einen sterilen Überzug für ihre Operationen hatten. Gleichzeitig müssen diese Handschuhe wie eine zweite Haut sitzen, damit der Arzt seine Instrumente ohne einen Verlust an Präzision benutzen kann. Das dichte Anliegen und die Dünnheit des Materials können bewirken, dass sich das Gummi den Furchen und Rillen genau anpasst. Falls – zugegeben, die Wahrscheinlichkeit ist gering, doch sie besteht – jemand mit Latexhandschuhen eine Oberfläche berührt, die Abdrücke aufnehmen kann, erzeugt er unter Umständen einen brauchbaren Abdruck. Annies Bettgestell besteht aus Holz. Möglicherweise haben Reinigungsmittel oder Polituren einen Rückstand hinterlassen, der einen Fingerabdruck zu erhalten imstande ist, der selbst durch die Handschuhe des Täters hindurch entstehen kann.

Zugegeben, eine sehr geringe Möglichkeit. Aber immerhin eine Möglichkeit.

»Sehr gut«, sage ich.

»Danke.«

Öl und Kugellager, denke ich. Ein Tatort ist der einzige Ort der Welt, an dem ich mich mit James verstehe.

*Die Bühne ist vorbereitet. Er hat das Bett in Position gezogen –
hierher. Die Kamera steht ebenfalls … dort. Er überprüft alles ein
letztes Mal, um sicher zu sein, dass alles perfekt ist. Es ist perfekt. Jetzt
widmet er Annie seine volle Aufmerksamkeit. Starrt auf sie hinab.*

*Es ist das erste Mal, dass sie die Wahrheit sieht. Er war abgelenkt,
hat seinen Schauplatz eingerichtet. Sie hatte immer noch Hoffnung.
Jetzt ist sein Blick auf sie fixiert, und sie begreift. Sie sieht Augen, die
keinen Horizont besitzen. Sie sind bodenlos, schwarz und gefüllt mit
einem Hunger, der niemals endet.*

*Er merkt, wie sie begreift. Wie es ihr dämmert. Es macht ihn an,
wie jedes Mal. Wieder hat er die Hoffnung in einem anderen Menschen erstickt.*

Es erweckt ein gottgleiches Gefühl in ihm.

James und ich haben uns zu ihm gesellt. Wir sind da, wir
sehen ihn, wir sehen Annie, und aus den Augenwinkeln sehen
wir Bonnie. Wir riechen die Verzweiflung. Der schwarze Zug
nimmt an Fahrt auf, wird schneller, und wir sind an Bord gesprungen, haben die Tickets gelocht.

»Und jetzt sehen wir uns das Video noch einmal an«, sagt er.

Ich doppelklicke auf die Datei, und wir sehen zu, wie die
Montage abläuft. Er tanzt, er schneidet, er vergewaltigt.

*Die schiere Heftigkeit seines Tuns lässt das Blut überall hinsprit-
zen, und er kann es riechen, schmecken, die klebrige Glätte durch
seine Kleidung hindurch spüren. Irgendwann hält er inne, dreht sich
um und sieht zu dem Kind. Bonnies Gesicht ist weiß, und sie zittert am ganzen Leib, als hätte sie einen Krampfanfall. Der Anblick
erzeugt eine fast unerträgliche, nahezu orgiastische Symphonie köst-
licher Extreme in ihm. Er erschauert, jeder Muskel erzittert vor
Emotion und Empfindungen. Er ist nicht nur böse. Er vergewaltigt das Gute. Er fickt es zu Tode. Musik und Blut und Eingeweide
und Schreie und Angst. Die Welt erbebt, und er ist das Epizentrum.
Er nähert sich dem Höhepunkt, und dann kommt er – jener Punkt,
an dem alles in einem blendenden, grellen Licht explodiert, an dem
jegliche Vernunft und alles Menschliche verschwindet.*

Es ist ein kurzer Augenblick, und es ist der einzige Moment, in dem sein Hunger und seine Gier schwinden. Ein winziger Augenblick der Erfüllung und Erleichterung.

Das Messer saust herab, und alles ist voller Blut und Blut und Nässe und Blut, und er steigt höher und höher und höher, steht auf Zehenspitzen auf dem Gipfel eines Berges, streckt seinen Leib, so weit er kann, reckt einen Finger in die Höhe, nicht um das Antlitz Gottes zu berühren, nicht um MEHR zu sein, sondern um NICHTS zu werden, ÜBERHAUPT NICHTS, und er wirft den Kopf in den Nacken, als sein Körper unter der Wucht eines Orgasmus erzittert, der stärker ist, als er zu ertragen vermag.

Dann ist es vorbei, und die Wut, die immer in ihm schwelt, kehrt zurück.

Ein leichtes Flimmern sticht mir ins Auge. »Warte mal«, sage ich und spule den Film über den Mediaplayer ein Stück zurück. Ich lasse es erneut ablaufen. Das gleiche Flimmern. Ich runzele frustriert die Stirn. »Irgendwas stimmt nicht. Ich weiß nur nicht, was.«

»Können wir den Film nicht in Einzelbildern ablaufen lassen?«, fragt James.

Wir spielen mit der Software herum, bis wir eine Einstellung gefunden haben, die uns zwar keine Einzelbilder, doch zumindest eine Zeitlupenwiedergabe ermöglicht.

»Irgendwo hier«, murmele ich.

Wir beugen uns beide vor und starren angestrengt auf den Schirm. Es ist gegen Ende des Films. Er steht neben Annies Bett, ich sehe ein Flackern, und er steht immer noch neben Annies Bett, aber irgendetwas ist anders.

James bemerkt es als Erster.

»Wo ist das Bild?«

Wir spulen erneut zurück. Er steht neben dem Bett, und an der Wand hinter ihm hängt ein Bild von einer Vase mit Sonnenblumen. Das Flackern, er steht noch immer neben dem Bett … und das Bild ist verschwunden.

»Was zur Hölle …?« Ich blicke zur Stelle an der Wand, wo das Bild hängen müsste. Ich entdecke es am Boden; es lehnt neben dem umgestürzten Nachttisch.

»Warum hat er es von der Wand genommen?«, fragt James. Die Frage ist an ihn selbst gerichtet, nicht an mich.

Wir lassen den Film erneut ablaufen. Er steht neben dem Bett, das Bild hängt an der Wand, Flimmern – er steht neben dem Bett, das Bild ist weg. Wieder und wieder. Stehen, Bild, Flimmern – Stehen, kein Bild … kein Bild, kein Bild, kein Bild.

Das Begreifen kommt nicht allmählich. Es überfällt mich blitzartig. Mein Unterkiefer sackt herab, und mir wird schwindlig. »Mein Gott!«, rufe ich so laut, dass James zusammenzuckt.

»Was?«

Ich spule den Film zurück. »Sieh noch mal genau hin. Achte diesmal darauf, wo die Oberkante des Bilderrahmens ist, und such die Stelle an der Wand, nachdem das Bild verschwunden ist.«

Der Film läuft ab, wir kommen an die Stelle mit dem Flimmern, und James runzelt die Stirn. »Ich begreife nicht …« Er hält inne und reißt die Augen auf. »Ist das möglich?« Er klingt ungläubig. Ich lasse den Film erneut durchlaufen.

Es besteht kein Zweifel. Wir starren einander an. Alles hat sich schlagartig verändert.

Wir wissen jetzt, warum das Bild entfernt wurde. Es wurde entfernt, weil es einen Anhaltspunkt darstellt. Einen Anhaltspunkt für die Höhe.

Der Mann, der über Annie am Bett gestanden hat, während das Bild noch an der Wand hing, war gut fünf Zentimeter größer als der Mann, der hinterher dort steht, nachdem das Bild entfernt wurde.

Wir haben den Maschinenraum des schwarzen Zuges erreicht, und der Schock dessen, was wir dort sehen, schleudert uns hinaus.

Es gibt nicht nur einen Zugführer.
Es sind *zwei*.

KAPITEL 15 »Sie haben Recht«, sagt Leo. Er blickt erstaunt zu mir und James auf.

Er ist soeben mit der Analyse des Videos fertig geworden. »Dieses Flackern kommt von einem schlechten Übergang beim Schnitt.«

Callie, Jenny und Charlie sind ebenfalls da und drängen sich mit uns um den Bildschirm. Wir haben ihnen die Abfolge der Ereignisse geschildert, wie wir sie gesehen haben, und am Schluss die Bombe platzen lassen.

Jenny starrt mich an. »Wow!«

»Ist Ihnen so etwas schon mal begegnet?«, fragt Charlie. »Zwei von der Sorte, die zusammenarbeiten?«

Ich nicke. »Einmal. Das war allerdings eine andere Geschichte. Ein Mann und eine Frau, die sich zusammengetan haben, und der Mann war dominant. Zwei Männer, die zusammenarbeiten, das ist höchst ungewöhnlich. Was sie tun, ist etwas sehr Persönliches für sie. Intim. Die meisten teilen diesen Augenblick nicht gern.«

Alle sind still, während sie über meine Worte nachdenken. Callie durchbricht als Erste das Schweigen. »Ich sollte das Bett nach Fingerabdrücken untersuchen, Zuckerschnäuzchen.«

»Ich hätte daran denken müssen«, sagt Jenny.

»Ja, das hätten Sie«, faucht James. Er ist wieder das alte Ekel.

Jenny funkelt ihn an. Er ignoriert sie und wendet sich ab, um Callie bei der Arbeit zuzusehen. Callie packt ein UV-Skop und das entsprechende Zubehör aus. Das Skop lässt durch die Reflexion von intensivem ultraviolettem Licht Fingerabdrücke sichtbar werden. Dieses Licht wird von glatten Flächen gleichmäßig und dunkel reflektiert, doch sobald es auf Unregel-mäßigkeiten trifft – beispielsweise auf Linien und Rillen von Fingerabdrücken –, reflektiert es sie weißlich. Mit einer UV-Kamera kann man kristallklare Fotografien von diesen Reflexionen anfertigen und sie zur Identifikation und zum Vergleichen mit Abdrücken in der Datenbank heranziehen.

Der Bildwandler besteht aus einem am Kopf getragenen Display, welches das nackte Auge vor den ultravioletten Strahlen schützt, einem UV-Strahler sowie einer hochauflösenden UV-Handkamera. Die Technik funktioniert nicht immer, doch sie hat den Vorteil, dass man die untersuchte Oberfläche nicht verändert. Kein Pulver, kein Sekundenkleber. Sobald diese Substanzen erst aufgetragen sind, kann man sie nicht mehr schadlos entfernen. Licht lässt alles so, wie es war.

»Ich bin so weit«, sagt Callie. Sie sieht aus wie eine Gestalt aus einem Science-Fiction-Film. »Schaltet das Licht aus.«

Charlie betätigt den Schalter, und wir sehen zu, wie Callie sich auf den Rücken legt und unter das Bett schiebt. Wir sehen das Leuchten des UV-Strahlers, als sie damit die Unterseite des Matratzenrostes absucht. Eine kurze Pause, unsichtbare Aktivitäten, und wir hören ein paar Klicks. Dann noch ein paar. Der Strahler erlischt, und Callie kriecht wieder unter dem Bett hervor. Charlie dreht das Licht an.

Callie grinst. »Drei gute Abdrücke von der linken Hand, zwei von der rechten. Hübsch deutlich und klar, Zuckerschnäuzchen.«

Zum ersten Mal, seit Callie mich angerufen und mir von Annies Ermordung berichtet hat, spüre ich etwas anderes in mir außer Wut, Trauer und Kälte. Ich spüre Aufregung.

»Erwischt!«, sage ich und erwidere ihr Grinsen.

Jenny sieht mich kopfschüttelnd an. »Ihr seid wirklich unheimlich, Smoky. Absolut unheimlich.«

Nicht unheimlich, Jenny. Wir fahren mit dem schwarzen Zug, das ist alles, denke ich. Wir lassen uns von dem Zug zu ihren Fehlern führen.

»Frage«, sagt Alan. »Wie kommt es, dass sich niemand wegen der Musik beschwert hat? Sie war ziemlich laut gedreht.«

»Diese Frage kann ich dir beantworten, Zuckerschnäuzchen«, sagt Callie. »Sei still und hör hin.«

Wir verstummen und lauschen, und ich bemerke es auf der Stelle. Das Hämmern starker Bässe, durchsetzt mit gedämpften hohen Tönen, das aus den verschiedensten Wohnungen über und unter Annies Apartment erschallt.

Callie zuckt die Schultern. »Hier wohnen junge Leute und Paare, und einige hören gern laute Musik.«

Alan nickt. »Okay, akzeptiert. Zweite Frage.« Er gestikuliert im Zimmer umher. »Diese beiden Typen haben eine Riesen-Sauerei veranstaltet. Eine richtige Riesen-Sauerei. Sie können unmöglich so nach draußen gegangen sein, von oben bis unten mit Blut besudelt. Sie mussten sich erst waschen. Das Badezimmer sieht spiegelblank aus. Also denke ich, dass sie sich dort gewaschen und es hinterher geschrubbt haben.« Er sieht Jenny an. »Hat die Spurensicherung die Abflüsse untersucht?«

»Finde ich heraus.« Ihr Mobiltelefon klingelt, und sie nimmt ab. »Chang.« Sie sieht mich an. »Wirklich? In Ordnung, ich sage es ihr.«

»Was denn?«, frage ich.

»Das war mein Beamter im Krankenhaus. Er sagt, Bonnie hätte geredet. Nur einen Satz, aber er dachte, du würdest ihn hören wollen.«

»Welchen?«

»Sie hat gesagt: ›Ich will, dass Smoky hier ist.‹«

KAPITEL 16 Jenny hat mich schnell zum Krankenhaus gebracht. Sie hat die Sirene eingeschaltet und Rotlichter überfahren. Keine von uns hat auf dem Weg hierher etwas gesagt.

Jetzt stehe ich vor Bonnies Bett und sehe auf sie hinab, während sie zu mir hochstarrt. Ich bin erneut benommen von ihrer Ähnlichkeit mit ihrer Mutter. Es ist irritierend; eben noch habe ich gesehen, wie ihre Mutter starb, und jetzt liegt Annie hier und sieht mich an, lebendig durch ihre Tochter.

Ich lächle Bonnie an. »Sie haben mir gesagt, du hättest nach mir gefragt, Liebes.«

Sie nickt, doch sie spricht nicht. Mir wird bewusst, dass es noch für eine Weile so bleiben wird. Der glasige Ausdruck des Schocks ist aus ihren Augen gewichen; dafür hat etwas anderes seinen Platz eingenommen und sich eingenistet. Etwas Fernes und Hoffnungsloses und Schweres.

»Ich muss dir zwei Fragen stellen, Liebes. Sie sind wichtig. Ist das okay?«

Sie sieht mich an, forschend, ängstlich. Doch sie nickt.

»Es waren zwei böse Männer da, ist das richtig?«

Angst. Ihre Lippe zittert. Sie nickt.

Ja.

»Gut, Schatz. Noch eine weitere Frage, und dann reden wir für den Augenblick nicht mehr darüber. Hast du das Gesicht von einem der beiden gesehen?«

Sie schließt die Augen. Schluckt. Öffnet die Augen wieder. Schüttelt den Kopf.

Nein.

Innerlich seufze ich. Es überrascht mich nicht, aber es ist frustrierend. Später. Ich nehme Bonnies Hand.

»Es tut mir so Leid, meine Süße. Du hast nach mir gefragt. Du musst nicht mit mir reden, wenn du noch nicht kannst. Vielleicht kannst du es mir zeigen?«

Sie sieht mich weiterhin an. Sie scheint nach irgendetwas in meinen Augen zu suchen. Etwas, das sie beruhigt. Ich vermag nicht zu erkennen, ob sie es findet oder nicht. Aber sie nickt.

Dann streckt sie die Hand aus und ergreift die meine. Ich warte, doch das ist alles, was sie tut. Und dann begreife ich.

»Du möchtest mit mir kommen?«

Sie nickt erneut.

Eine Million Gedanken schießen mir gleichzeitig durch den Kopf. Wie unfähig ich beispielsweise immer noch bin, auf mich selbst aufzupassen, geschweige denn, für sie zu sorgen. Dass ich an einem Fall arbeite, und wer soll solange auf sie aufpassen? Ich denke diese Dinge, trotzdem zählt nichts von alledem wirklich. Ich schweige und lächle sie an und drücke ihre Hand. »Ich muss noch ein paar Dinge erledigen, aber sobald ich damit fertig bin und San Francisco verlasse, komme ich dich holen.«

Sie sieht mir weiter in die Augen. Scheint endlich zu finden, wonach sie gesucht hat. Sie drückt meine Hand, dann lässt sie los, dreht den Kopf in das Kissen und schließt die Augen. Ich stehe für einen Moment da und sehe auf sie hinab.

Als ich leise aus dem Zimmer gehe, weiß ich, dass sich etwas in meinem Leben geändert hat. Ich frage mich, ob zum Guten oder zum Schlechten, und erkenne, dass es keine Rolle spielt. Es geht nicht um Gut oder Schlecht oder Indifferent. Es geht ums Überleben. Das ist die Ebene, auf der wir gegenwärtig funktionieren, alle beide, Bonnie genauso wie ich.

Wir sitzen im Wagen und fahren zum SFPD zurück. Niemand spricht ein Wort.

Schließlich durchbricht Jenny das Schweigen. »Wirst du sie zu dir nehmen?«, fragt sie.

»Ich bin alles, was sie hat. Und vielleicht ist sie alles, was ich habe.«

Jenny denkt darüber nach. Dann erscheint ein schwaches Lächeln auf ihrem Gesicht. »Das ist gut, Smoky. Wirklich gut. Ein Kind in ihrem Alter in der Fürsorge, das ist nicht gut. Sie ist zu alt. Niemand würde sie adoptieren.«

Ich drehe mich zu Jenny um. Ich spüre etwas Verborgenes. Irgendeinen Unterton, der ihre Worte begleitet. Sie sieht mich nervös an, dann entspannt sie sich mit einem Seufzer.

»Ich bin ein Waisenkind. Meine Eltern starben, als ich vier

war, und ich bin in Heimen aufgewachsen. Niemand wollte damals ein Kind chinesischer Abstammung adoptieren.«

Ich bin schockiert und überrascht zugleich. »Ich hatte ja keine Ahnung!«

Sie zuckt die Schultern. »So was erzählt man nicht unbedingt herum. Nach der Art: ›Hi, ich bin Jenny Chang, und ich bin eine Waise.‹« Sie sieht mich an, um zu betonen, dass dies auch jetzt gilt. Dann fährt sie fort: »Aber ich will dir eins sagen: Du hast eine gute Entscheidung getroffen. Gut und rein.«

Ich denke darüber nach und weiß, dass sie meint, was sie sagt. »Es fühlt sich richtig an. Annie hat mir ihre Tochter überantwortet – jedenfalls hat man mir das so gesagt. Ich habe ihr Testament noch nicht gesehen. Ist es wahr, dass das Testament neben Annies Leiche gelegen hat?«

»Ja. Steht in den Akten.«

»Hast du es gelesen?«

»Ja.« Sie stockt erneut. Eine weitere dieser schweren, nachdenklichen Pausen. »Sie hat alles in deine Hände gegeben, Smoky. Die Tochter ist die eigentliche Erbin, doch sie hat dich als Vormund und Treuhänderin benannt. Ihr müsst sehr gute Freundinnen gewesen sein.«

Der Gedanke schmerzt sehr. »Sie war meine beste Freundin. Seit der Highschool.«

Jenny schweigt eine Weile. Als sie wieder spricht, ist es nur ein einziges Wort, gefüllt mit allem, was sie mich wissen lassen will. »Scheiße.«

Scheiße.

Scheißwelt.

Scheißungerechtigkeit.

Scheiße, was mit dir passiert ist, dass deine Tochter gestorben ist, dass Kinder überhaupt ermordet werden, und Scheiße, bis alles tot und begraben und zu Staub geworden ist für immer.

Das ist es, was Jenny sagt.

Ich antworte auf die gleiche Weise: »Danke.«

KAPITEL 17 »Möchtest du die gesamte oder die Kurzversion?«

Alan öffnet den Ordner mit dem Autopsiebericht, während er mir diese Frage stellt.

»Die Zusammenfassung bitte.«

»Also gut, hier das Wesentliche. Der oder die Täter haben sie vergewaltigt, sowohl vor als auch nach ihrem Tod. Er oder sie haben sie mit einem scharfen Messer aufgeschlitzt, bevor sie starb, doch die meisten Wunden waren nicht tödlich.«

Folter. Ich nicke ihm zu, damit er fortfährt.

»Die Todesursache ist Verbluten. Sie ist ausgeblutet, wegen einer Verletzung an der Halsschlagader.« Er wirft einen flüchtigen Blick in die Mappe. »Nachdem sie tot war und sie fertig waren mit ihr, haben sie sie aufgeschnitten. Sie haben die inneren Organe entfernt und in Plastiksäcke gelegt, die sie neben der Leiche zurückgelassen haben.« Er sieht zu mir auf. »Sämtliche Organe wurden gefunden, mit Ausnahme der Leber.«

»Sie haben sie wahrscheinlich mitgenommen«, sagt James in das sich anschließende Schweigen hinein. »Oder aufgegessen.« Ich unterdrücke ein Erschauern bei diesen Worten. Ich bin sicher, dass er Recht hat.

»Die Untersuchung der Schnittwunden hat ergeben, dass sie von einem Skalpell stammen könnten, was passen würde. Der Pathologe sagt, dass sie geschickt vorgegangen sind bei der Entfernung der Organe. Nicht allein die Chirurgie, sondern sie wussten genau, wo die Organe liegen und wie sie vorgehen müssen, um sie intakt zu entfernen. Sie haben nicht nur Dick- und Dünndarm getrennt, sie haben sie in ihre Bestandteile zerlegt. Den Dünndarm in drei, den Dickdarm in vier.«

Ich denke darüber nach. »Hat er – äh, haben *sie* irgendwelche anderen Organe auf die gleiche Weise zerlegt?«

Alan liest in der Mappe nach, dann schüttelt er den Kopf. »Nein.« Er sieht mich an. »Sie wollten offensichtlich angeben.«

»Das ist gut«, sage ich grimmig.

Leo blickt mich ungläubig an. »Wieso ist das gut?«, fragt er.

Alan wendet sich zu ihm und beantwortet die Frage für mich. »Es ist gut, mein Junge, weil wir diese Kerle durch ihre Fehler schnappen. Wenn sie so etwas tun, bedeutet es, dass ihnen der Akt an sich nicht reicht. Sie wollen unsere Aufmerksamkeit. Das bedeutet, dass sie nicht so vorsichtig sind, wie sie sein könnten. Oder sollten. Damit wird die Wahrscheinlichkeit größer, dass sie Fehler begehen.«

»Einfacher ausgedrückt, mein Kind«, schaltet sich Callie ein, »es bedeutet, dass sie noch durchgeknallter sind als üblich. Das erhöht die Chance, dass sie sich verraten.«

»Ich verstehe«, sagt Leo, doch er sieht bestürzt drein, während ihm die Bedeutung dieser Worte aufgeht. Ich kann es verstehen. Das Sezieren menschlicher Organe durch zwei Psychopathen als etwas Positives zu betrachten, fällt schwer und ist noch schwerer zu begreifen. Leo fragt sich wahrscheinlich, ob er es überhaupt begreifen will.

Alan fährt fort. »Nachdem sie die Organe entfernt hatten, ließen sie die Bauchhöhle offen und banden Bonnie an die Tote.« Er klappt die Mappe zu. »Es wurde kein Sperma gefunden, allerdings Latexrückstände in der Vagina.«

Sie haben Kondome benutzt, um keine DNS zu hinterlassen.

»Weiter nichts. Keine Haare, keine Fingerabdrücke an oder in ihrer Leiche. Das ist alles.«

»Und was schließen wir daraus?«

James zuckt die Schultern. »Sehen wir uns den Rest des Bildes an. Es gibt keine Verletzungen, die auf ein Zögern hindeuten. Sie waren von Anfang an sicher und entschlossen in ihrem Tun, was das Aufschneiden angeht. Einer von ihnen hat vielleicht eine medizinische Ausbildung. Ich halte es für wahrscheinlich.«

»Oder sie besitzen eine Menge Übung«, murmelt Callie.

»Was wissen wir sonst noch?« Ich sehe alle der Reihe nach an. Alan zückt einen Block und einen Stift. Das ist Teil unserer

Routine. Er ist bereit, jeden wichtigen Gedanken und jede Vermutung schriftlich festzuhalten.

»Wir wissen, dass beide weiß und männlich sind«, sagt Callie. »Einer ist knapp über eins achtzig groß, der andere knapp unter eins achtzig. Beide sind schlank.«

Alan spricht als Nächster. »Sie sind sehr vorsichtig. Sie wissen, wie Spuren entstehen, und haben Vorkehrungen getroffen, um sie zu vermeiden. Keine Haare, keine Hautschuppen, kein Sperma.«

»Aber sie sind nicht so clever, wie sie glauben«, bemerke ich. »Wir haben die Fingerabdrücke am Bett. Und wir haben herausgefunden, dass sie zu zweit waren.«

»Und das ist das Problem, nicht wahr?«, wirft Alan ironisch ein. »Wenn sie wirklich wissen, wie Spuren entstehen, dann muss ihnen auch klar sein, dass es immer welche gibt, irgendwie.«

Alan spielt auf das Locard'sche Prinzip an. Locard gilt als Begründer der modernen Forensik, und wir alle kennen das Prinzip auswendig. »Wenn zwei Objekte miteinander in Kontakt kommen, dann erfolgt *immer* eine Übertragung von Materie vom einen zum anderen. Auch wenn die Menge klein und schwierig zu entdecken sein mag, so ist sie doch vorhanden. Das Untersuchungsteam hat die Pflicht, sämtliche derartigen Materieteile zu sammeln, ganz gleich, wie klein die Mengen sind, und die Übertragung zu beweisen.«

Unsere Täter sind vorsichtig. Das Fehlen von Sperma ist vielsagend. Es beweist Kontrolle. Seit dem Aufkommen von Kriminalromanen, Fernsehshows und HIV verwenden Vergewaltiger immer häufiger Präservative. Doch es bleibt die Ausnahme. Bei einer Vergewaltigung geht es um sexuelle Macht und um die Verletzung des anderen. Vergewaltiger berauschen sich an der Intensität des dadurch in ihnen ausgelösten Gefühls. Kondome verringern die Verletzung und stören dieses Gefühl. Jack Junior und sein Kumpan haben sie trotzdem benutzt, und diese Tatsache unterstreicht Alans Punkt.

»Wir wissen, dass sie nicht perfekt sind«, sagt James. »Sie haben eine augenfällige Schwäche – sie wollen angeben und uns verhöhnen. Das erhöht ihr Risiko und die Wahrscheinlichkeit, dass sie irgendwann einen Fehler begehen.«

»Richtig. Was noch?«

»Zumindest einer von beiden ist technisch beschlagen«, meldet sich Leo zu Wort. »Die Bearbeitung eines Videos lässt sich heutzutage zwar nicht gerade mit Raketentechnik vergleichen, doch ihre Ausführung zeigt eine Lernkurve. Kein durchschnittlicher Computernutzer kann so etwas auf Anhieb.«

»Wir gehen davon aus, dass sie aus Los Angeles stammen, oder?«, fragt Callie.

Ich zucke die Schultern. »Wir gehen einstweilen davon aus, ja. Aber es ist nur eine Mutmaßung, nichts, das wir wissen. Wir kennen ihren Opfertyp. Sie haben es uns verraten – sie haben vor, weitere Frauen wie Annie zu töten.« Ich wende mich an Leo. »Wie haben sie sie in ihrem Schreiben bezeichnet?«

»Als moderne Hure vom Information Superhighway.«

»Was bedeutet das? Mit welchen Zahlen haben wir es zu tun?«

Leo zieht eine Grimasse. »Mit Tausenden, wenn Sie die gesamten USA nehmen. Allein in Kalifornien vielleicht an die Hundert. Aber das ist nicht das einzige Problem. Betrachten Sie es so: Jede Frau mit einer Webseite ist potentiell eine unabhängige Unternehmerin. Einige arbeiten für eine gemeinsame Dachorganisation, aber die meisten sind wie Ihre Freundin. Sie betreiben ihre eigene Webseite, angefangen beim Design bis hin zu den Inhalten. Es ist ein Eine-Frau-Geschäft mit einer einzigen Arbeitnehmerin. Und es gibt für diese Art von Geschäft keine Handelskammer. An verschiedenen Stellen gibt es Listen von diesen Webseiten, doch es gibt keine Gesamtvereinigung, bei der man nachsehen könnte.«

Ich denke über diese schlechten Neuigkeiten nach. Dann kommt mir eine Idee. »Schön, aber was, wenn wir es aus einem anderen Blickwinkel betrachten? Statt jede in dieser Branche ins Auge zu fassen, sollten wir nach den Seiten suchen, auf denen die Täter Annie gefunden haben könnten. Sie sagten doch, dass es Listen von diesen Webseiten gibt?«

Leo nickt.

»Es ist unwahrscheinlich, dass Annies Seite auf jeder dieser Listen verzeichnet ist. Wir suchen nur nach denjenigen, die Annie führen, und engen auf diese Weise den Opferkreis auf die übrigen Frauen auf diesen Listen ein.«

Jetzt schüttelt er den Kopf. »So einfach ist das nicht, Ma'am. Was, wenn sie Annie durch eine Suchmaschine gefunden haben? Und falls ja, welches Suchwort oder welche Suchwortgruppe haben sie eingegeben? Die meisten Webseitenbetreiber wie Annie haben außerdem eigene Probeseiten. Kleine Gratisseiten mit Beispielbildern und einem Link zu ihrer Hauptseite. Nach dem Motto: Sieh es dir an, und wenn es dir gefällt, komm in den Laden. Die Täter könnten Annie über eine der Probeseiten gefunden haben.«

»Ganz zu schweigen von der Möglichkeit, dass sie Annie durch dich gefunden haben, Smoky«, ergänzt Callie zögernd. Ich sehe sie zustimmend an und seufze niedergeschlagen.

»Also führt uns das Internet nirgendwohin?«

»Nicht nirgendwohin«, widerspricht Leo. »Wir müssen uns die Abonnenten-Liste der Toten ansehen. Die Liste der Leute, die dafür bezahlt haben, um sich ihre Mitgliedern vorbehaltenen Webseitenbereiche anzusehen.«

Ich werde aufmerksam. Alan nickt zustimmend. »Genau«, sagt er. »Auf diese Weise haben sie doch auch all diese Drecksäcke in dem Kinderpornoring geschnappt, stimmt's?«

Leo lächelt ihn an. »So ist es. Für den Einsatz von Kreditkarten gibt es eine Menge Gesetze und staatliche Überwachung. Es müssen sehr genaue Aufzeichnungen aufbewahrt werden. Und das Beste von allem ist, dass die meisten Anbieter eine Adressenüberprüfung eingebaut haben. Die Adresse, die bei der Eintragung angegeben wird, muss mit der aufgezeichneten Adresse des Karteninhabers übereinstimmen.«

»Wissen wir denn, wie viele Abonnenten Annie hatte?«

»Noch nicht, aber das herauszufinden dürfte nicht schwierig sein. Wir benötigen eine richterliche Verfügung, doch die meisten Gesellschaften arbeiten bereitwillig mit. Ich rechne nicht mit Schwierigkeiten.«

»Ich möchte, dass Sie sich darum kümmern, sobald wir zurück sind«, sage ich zu ihm. »Alan wird Ihnen beim Einholen der richterlichen Verfügung helfen. Beschaffen Sie sich die Liste, und kämmen Sie sie durch. Ich möchte außerdem, dass Annies Computer genau unter die Lupe genommen wird. Suchen Sie nach allem – absolut allem –, das einen Hinweis enthalten könnte. Vielleicht ist ihr etwas Eigenartiges aufgefallen, und sie hat eine Notiz verfasst...«

»Verstanden. Ich werde auch ihre E-Mails durchsehen. Je nachdem, welchen Provider sie hat, existieren möglicherweise Kopien sämtlicher neuerer Mails, die nicht auf ihrem Computer zu finden sind.«

»Gut.«

»Da wäre noch etwas«, sagt Jenny. »Sie haben sich eine Menge Mühe gemacht, um uns denken zu lassen, es wäre nur *ein* Täter.«

»Vielleicht haben sie darauf gehofft, uns später irgendwie damit zu verwirren«, antworte ich. »Ich weiß es nicht. Ich habe noch nicht darüber nachgedacht.« Ich schüttele den Kopf. »Wichtig ist, dass wir etwas haben, womit wir anfangen können. Die Fingerabdrücke.« Ich wende mich an Callie. »Wie weit sind wir damit?«

»Ich gebe die Daten ins AFIS ein, sobald wir hier fertig sind, und lasse die Jungs in Los Angeles daran arbeiten. Wir können eine Million Abdrücke in der Minute vergleichen, also wird es nur ein paar Stunden dauern.«

Mehr als alles andere sorgt diese Aussage für Aufregung.

Es könnte ganz einfach werden. Das Automatische Fingerabdruck-Identifikationssystem oder AFIS ist ein phantastisches Werkzeug. Wenn wir Glück haben, finden wir die Mörder sehr schnell.

»Wir sollten es sofort machen.«

»Was haben du und James über diese Typen rausgefunden, Smoky?«, fragt Callie.

»Ja, lasst uns hören!«, ruft Alan. Beide starren mich erwartungsvoll an.

Ich habe gewusst, dass diese Frage kommen würde; sie fragen das jedes Mal. Ich bin auf dem schwarzen Zug gefahren, habe die Monster gesehen, wenigstens eines von ihnen. Callie und Alan wollen wissen, *was genau* ich gesehen habe.

»Das basiert alles nur auf Gefühlen und Vermutungen«, entgegne ich ausweichend.

Alan winkt großzügig ab. »Ja, ja, ja. Das sagst du jedes Mal. Erzähl einfach, was ihr gesehen habt.«

Ich lächle ihn an, lehne mich zurück und blicke zur Decke hinauf. Ich schließe die Augen, während ich mir alles ins Gedächtnis rufe, mich nähere, die Fährte aufnehme.

»Sie sind wie Amalgam, diese beiden. Ich weiß noch nicht, wer wer ist. Sie sind clever, verdammt clever. Sie tun nicht nur so, sie sind es. Wenigstens einer von ihnen hat eine wissenschaftliche Ausbildung.« Ich werfe James einen Blick zu. »Wahrscheinlich Medizin.« James nickt zustimmend. »Sie gehen zielstrebig vor. Geplant. Präzise. Sie haben Stunden damit verbracht, ihre Spuren zu beseitigen, bis sie sicher waren, dass sie nichts zurückgelassen haben. Das ist sehr, sehr wichtig für sie. Jack the Ripper ist einer der berühmtesten Serienmörder aller Zeiten. Warum? Aus einem einzigen Grund: *Er wurde niemals gefasst*. Die hier sind in seine Fußstapfen getreten, in dieser und anderer Hinsicht. Sie imitieren ihn. Jack the Ripper hat die Polizei verhöhnt, also verhöhnen diese Kerle uns ebenfalls. Seine Opfer waren Prostituierte. Also haben sie es auf das – für sie – moderne Äquivalent von Prostituierten abgesehen. Es gibt sicherlich weitere Parallelen.«

»Narzissmus ist ein Problem für sie«, wirft James ein.

Ich nicke. »Ja.«

Charlie runzelt die Stirn. »Wie meinen Sie das?«

»Betrachten Sie es so: Wenn Sie am Steuer sitzen, müssen Sie dann darüber nachdenken, was Sie tun?«, frage ich ihn.

»Nein. Ich fahre einfach.«

»Genau. Aber für Jack Junior und seinen Kumpan ist Fahren allein nicht genug. Diese beiden müssen sich selbst dafür bewundern, wie gut sie fahren. Wie perfekt und kunstvoll. Es ist jene Art von Narzissmus, bei der man bewundert, wie man etwas tut, noch während man es tut...« Ich zucke die Schultern. »Wenn man sich die Zeit nimmt, sich selbst beim Fahren zu beobachten, ist man mit den Augen nicht die ganze Zeit auf der Straße.«

»Daher die Fingerabdrücke am Bett«, sagt James. »Das war keine kleine Unaufmerksamkeit. Wir reden hier nicht von Haaren oder Fasern. Wir reden von fünf Fingerabdrücken. Sie waren zu sehr damit beschäftigt, sich dabei zuzusehen, wie clever sie sind.«

»Kapiert«, sagt Charlie.

»Als ich sagte, sie seien wie Amalgam, war das nicht ganz richtig.« Ich schürze die Lippen, während ich überlege. »Es gibt einen Jack Junior. Ich denke, er ist eine einzelne Identität. Sie ist zu bedeutend, um sie zu teilen.« Ich sehe James an. »Stimmst du mir zu?«

»Ja.«

»Und wer ist dann der andere?«, fragt Alan.

»Ich bin nicht sicher. Vielleicht ein Lehrling?« Ich schüttele den Kopf. »Ich kann es nicht deutlich erkennen. Noch nicht. Ich denke allerdings, dass Jack Junior, wer auch immer es sein mag, der Dominante von beiden ist.«

»Das würde zu den früheren Zweierteams passen«, sagt Callie.

»Genau. Also, sie sind clever, präzise und narzisstisch. Eines der Dinge, die sie so gefährlich machen, ist die Zielstrebigkeit, mit der sie zur Tat schreiten. Sie haben kein Problem mit entschiedenen Handlungen. Das ist schlecht für uns, denn es bedeutet, dass sie die Dinge nicht zu kompliziert machen. Sie handeln klar und einfach. Klopf an der Tür, platz herein, schließ die Tür, übernimm die Kontrolle. A, B, C, D. Das ist im Allgemeinen keine natürliche Fähigkeit. Es wäre möglich, dass einer von ihnen oder beide eine militärische Ausbildung haben. Oder sie waren bei den Vollzugsbehörden. Irgendetwas, wo sie gelernt haben, einen anderen Menschen zielstrebig und ohne Zögern zu unterwerfen.«

»Ihr Spaß an Mord und Vergewaltigung ist jedenfalls echt«, bemerkt James.

»Ist das nicht immer so?«, fragt Jenny.

Ich schüttele den Kopf. »Nein. Manchmal versucht ein Täter, einen gewöhnlichen Mord wie die Tat eines Serientäters aussehen zu lassen. Doch was sie mit Annie gemacht haben, wie sie es gemacht haben … das war echt. Sie sind echte Triebtäter.«

»Sie haben zwei verschiedene Opfertypen«, stellt James fest.

Callie runzelt die Stirn, seufzt. »Du meinst, sie haben es genauso auf uns abgesehen wie auf die Frauen, hinter denen sie her sind.«

James nickt. »Ganz genau. Die Auswahl des Opfers war in diesem Fall spezifisch und rational. Annie King hat in beide Profile gepasst. Sie unterhielt eine Webseite für Erwachsene, und sie war mit jemandem aus diesem Team befreundet. Sie haben eine Menge auf sich genommen, um deine Aufmerksamkeit zu wecken, Smoky.«

»Und die haben sie jetzt.« Ich lehne mich für einen Moment zurück, lasse mir alles durch den Kopf gehen. »Ich schätze, damit hätten wir alles abgedeckt. Vergessen wir nicht das Wichtigste, was wir im Augenblick über diese Kerle wissen.«

»Und was wäre das?«, fragt Leo.

»Dass sie erneut zuschlagen werden. Und wieder und wieder. So lange, bis wir sie geschnappt haben.«

KAPITEL 18 Ich habe Jenny gebeten, mich zum Krankenhaus zu fahren, damit ich nach Bonnie sehen kann, während die anderen mit den ihnen zugewiesenen Aufgaben beschäftigt sind.

Als wir vor der Tür zu ihrem Krankenzimmer eintreffen, hält mir der Polizist, der sie bewacht, einen großen manilabraunen Umschlag entgegen. »Das hier ist für Sie angekommen, Agent Barrett.«

Ich weiß sofort, dass irgendetwas nicht stimmt. Es gibt für niemanden einen Grund, mir auf diese Weise irgendetwas zukommen zu lassen. Ich reiße dem Polizisten den Umschlag aus der Hand und starre auf die Adressierung. In schwarzen Blockbuchstaben steht da: »Zu Händen von Special Agent Barrett«.

Jenny funkelt den Polizisten an. »Herrgott im Himmel, Jim! Benutzen Sie Ihren Verstand!« Sie hat sofort begriffen. Jim ist ein wenig langsamer. Ich weiß, dass es ihm jetzt dämmert, weil seine Gesichtsfarbe plötzlich aschfahl wird.

»Oh … Scheiße!«

Ich halte ihm zugute: Seine erste Reaktion besteht darin, dass er aufspringt und mit Hand an der Waffe in Bonnies Zimmer stürzt. Ich bin direkt hinter ihm und spüre eine fast überwältigende Erleichterung, als ich sie sicher in ihrem Bett liegen und schlafen sehe. Ich bedeute dem Polizisten mit einer Handbewegung, das Zimmer mit mir wieder zu verlassen. Nachdem wir draußen sind und die Tür geschlossen haben, spricht er es aus.

»Der Umschlag ist wohl von dem Mörder, nicht?«

»Ja, Jim, das ist er«, bestätige ich. »Vermutlich ist er das.« Ich habe nicht die Energie zu beißendem Sarkasmus. Meine Worte klingen einfach nur müde. Jenny hat kein derartiges Problem. Sie stößt ihm so heftig den Finger gegen die Brust, dass er zusammenzuckt.

»Sie haben verdammten Mist gebaut! Ich bin stocksauer, weil ich weiß, dass Sie ein guter Polizist sind! Wissen Sie, wieso ich das weiß, Jim? Weil ich speziell Sie für diese Aufgabe angefordert habe. Weil ich weiß, dass Sie mehr sind als ein wandelndes Stück Fleisch.« Sie schäumt vor Wut. Jim nimmt ihre Unmutsäußerungen ohne jede Spur von Ärger oder Widerspruch hin.

»Sie haben Recht, Detective Chang. Ich kann nichts zu meiner Verteidigung vorbringen. Die Schwester vorn beim Empfang hat den Umschlag gebracht. Ich habe Agent Barretts Namen darauf gesehen, doch ich habe nicht nachgedacht. Ich habe weiter in meiner Zeitung gelesen.« Er sieht so niedergeschlagen aus, dass er mir beinahe Leid tut. Beinahe. »Verdammt! Ich habe mich von der Routine einlullen lassen. Ein dämlicher Anfängerfehler! Verdammt, verdammt, verdammt!«

Jenny scheint ebenfalls ein wenig Mitleid mit dem Polizisten zu empfinden, als sich dieser so eifrig selbst beschimpft. Ihre nächsten Worte klingen versöhnlicher. »Sie sind ein guter Polizist, Jim. Ich kenne Sie. Sie werden sich bis zu Ihrem letzten Tag an diesen Bockmist erinnern – und das ist auch ganz richtig so –, aber Sie werden so einen Fehler hoffentlich nie wieder begehen.« Sie seufzt. »Außerdem haben Sie Ihre wichtigste Pflicht erfüllt. Sie haben auf das Kind aufgepasst, und ihm ist nichts geschehen.«

»Danke, Lieutenant. Allerdings fühle ich mich dadurch kein Stück besser.«

»Wie lange ist es her, dass Sie diesen Umschlag bekommen haben?«

Er denkt eine Sekunde nach, bevor er antwortet. »Ich würde sagen … eineinhalb Stunden. Ja. Die Schwester von der Station hat ihn mir gebracht und gesagt, irgendein Typ habe ihn abgegeben. Sie nahm an, dass ich Ihnen den Umschlag zukommen lassen könne.«

»Gehen Sie und erfragen Sie die Einzelheiten. Wie er abgeliefert wurde, wie der Kerl aussah, alles.«

»Jawohl, Ma'am.«

Ich starre den Umschlag an, während Jim davonrennt. »Werfen wir einen Blick hinein.«

Ich öffne ihn. Im Innern finde ich einige zusammengehef-

tete Blätter. Auf der obersten Seite kann ich lesen: *Ich grüße Sie,*
Agent Barrett. Das reicht für den Augenblick. Ich sehe Jenny an.
»Er ist von ihm. Von ihnen.«
    »Verdammt!«
Auf meinen Handflächen hat sich ein wenig Schweiß gebildet. Ich weiß, dass ich lesen muss, was sich in diesem Brief-
umschlag befindet, doch ich fürchte die nächsten Enthüllungen
dieser Mörder. Ich seufze, öffne den Umschlag ganz und ziehe
die zusammengehefteten Blätter hervor. Der Brief liegt zuoberst.

Ich grüße Sie, Agent Barrett! Ich schätze, dass Sie inzwischen die
Ermittlungen aufgenommen haben, Sie und Ihr Team. Hat Ihnen
das Video gefallen, das ich Ihnen dagelassen habe? Ich
empfand die von mir ausgewählte Musik als besonders passend.
    Wie geht es der kleinen Bonnie? Schreit und weint sie, oder ist
sie ganz still? Ich frage mich das nämlich von Zeit zu Zeit. Bitte
sagen Sie ihr, dass ich mich gemeldet habe.
    Die meisten meiner Gedanken gelten allerdings Ihnen, Agent
Barrett. Wie geht die Heilung voran? Schlafen Sie immer noch
nackt dieser Tage? Mit der Packung Zigaretten auf dem Nachttisch
links von Ihrem Bett? Ich war dort, und ich muss sagen, sie reden
ziemlich laut im Schlaf.

»Heilige Scheiße!«, flüstert Jenny.
Ich reiche ihr die Blätter. »Halt die bitte für einen Moment, ja?«
Sie nimmt sie. Ich renne zum nächsten Mülleimer und
erbreche alles, was ich im Magen habe. Diese Kerle waren in
meinem Haus! Sie haben mich im Schlaf beobachtet! Entsetzen und Angst durchzucken mich, gefolgt von einem Übelkeit
erregenden Gefühl der Schändung. Dann Zorn. Doch alles ist
von Angst durchdrungen. Ein Gedanke schießt mir durch den
Kopf: Es könnte erneut geschehen! Ich zittere am ganzen Leib
und hämmere mit der Faust gegen den Rand des Mülleimers.

Dann wische ich mir mit dem Handrücken über den Mund und kehre zu Jenny zurück.

»Alles in Ordnung?«

»Nein. Aber bringen wir es zu Ende.« Sie gibt mir die Blätter zurück. Sie zittern in meinen Händen, als wir weiterlesen.

Matthew und Alexa, was für eine Schmach! Sie ganz allein in diesem Geisterschiff von einem Zuhause, in dem Sie vor dem Spiegel stehen und Ihre Entstellungen betrachten. Es ist zu traurig.

Ich finde, Sie sind schöner mit den Narben, auch wenn ich weiß, dass Sie glauben, es stimme nicht. Ich möchte Ihnen etwas Hilfreiches sagen, Agent Barrett, nur dieses eine Mal. Narben sind keine Schandmale. Es sind die Male der Überlebenden.

Sie mögen sich fragen, warum ich Ihnen eine helfende Hand reiche. Es entspringt einem Gefühl der Fairness. Und dem Bedürfnis, das Spiel aufregend zu gestalten. Es gibt viele auf der Welt, die mich jagen könnten, doch Sie … ich schätze, Sie können es am besten.

Ich habe große Mühen auf mich genommen, um sicherzustellen, dass Sie zurück ins Spiel kommen, und es ist nur noch eine Sache zu erledigen, eine letzte Wunde zu nähen.

Ein Jäger braucht eine Waffe, Agent Barrett, und Sie sind außerstande, Ihre Waffe anzufassen. Wir müssen dies korrigieren, um ein Gleichgewicht in unser Spiel zu bringen. Im Anhang finden Sie aus diesem Grund einige Informationen, von denen ich glaube, dass sie der Kernpunkt für Ihr diesbezügliches Problem sind. Möglicherweise werden die Informationen beim Lesen eine weitere Narbe hinterlassen, aber vergessen Sie nicht: Eine Narbe ist immer besser als eine unverheilte, schwärende Wunde.

From Hell
Jack Junior

Ich blättere um. Es dauert nur wenige Sekunden, bis ich begreife, was dort steht. Alles um mich herum wird plötzlich still und bewegt sich wie in Zeitlupe. Ich kann sehen, dass Jenny zu mir spricht, doch ich höre ihre Worte nicht.

Mir ist kalt, mir wird immer kälter. Meine Zähne klappern, ich fange an zu zittern, und die Welt entgleitet mir langsam. Mein Herzschlag beschleunigt sich, schneller, immer schneller, und dann kehren die Geräusche in einer chaotischen Kakophonie zurück, wie ein gewaltiger Donnerhall. Ich friere immer noch entsetzlich.

»Smoky! Mein Gott – einen Arzt, schnell!«

Ich höre sie, doch ich kann nicht sprechen. Ich kann nicht verhindern, dass meine Zähne weiter klappern. Ich sehe, wie ein Doktor herbeieilt. Er betastet meinen Kopf, sieht mir in die Augen. »Sie fällt in einen ausgewachsenen Schock!«, sagt er. »Legen Sie sie flach hin. Halten Sie ihre Füße hoch! Schwester!«

Jenny beugt sich über mich. »Smoky! Sag irgendwas!«

Ich wünschte, ich könnte, Jenny. Ich bin erstarrt. Die Welt ist erstarrt, und die Sonne ist ebenfalls erstarrt. Alles und jedes ist tot, tot oder liegt im Sterben.

Weil er Recht hat. Ich habe das Blatt gelesen, und dabei ist es mir plötzlich wieder eingefallen.

Es ist ein ballistischer Bericht. Der Teil, den er für mich eingekreist hat, besagt Folgendes: »Ballistische Tests beweisen eindeutig, dass die Kugel, die aus Alexa Barretts Leichnam entfernt wurde, aus der Dienstwaffe von Special Agent Barrett abgefeuert wurde ...«

Ich war diejenige, die meine Tochter erschossen hat.

Ich höre das Geräusch und staune darüber, bevor mir bewusst wird, dass ich selbst es erzeuge. Es ist ein Kreischen. Es fängt ganz dunkel, tief unten in der Kehle an, dann steigt es auf, Oktave um Oktave, bis es schrill genug erscheint, um Glas zu zerbrechen. Dort verharrt es, wie das Vibrato einer Opernsängerin. Es scheint nicht mehr aufhören zu wollen.

Und dann wird alles um mich herum schwarz. Gott sei Dank.

KAPITEL 19 Ich erwache in einem Krankenhausbett, und Callie beugt sich über mich. Niemand sonst ist im Zimmer. Als ich in Callies Gesicht blicke, weiß ich den Grund.

»Du hast es gewusst, nicht?«

»Ja, Liebes«, antwortet sie. »Ich habe es gewusst.«

Ich wende das Gesicht von ihr ab. Seit jener Nacht mit Sands, als ich im Krankenhaus aufwachte, habe ich mich nicht mehr so gleichgültig und leblos gefühlt. »Warum hast du es mir nicht gesagt?« Ich weiß nicht, ob in meiner Stimme Wut mitschwingt. Es ist mir auch egal.

»Dr. Hillstead hatte mich gebeten, es nicht zu sagen. Er meinte, du seist dazu noch nicht bereit. Und ich war der gleichen Meinung. Ich bin immer noch dieser Meinung.«

»Tatsächlich? Du glaubst, du kennst mich so gottverdammt genau?« Meine Stimme klingt heiser, roh. Jetzt ist die Wut da, heiß und giftig.

Callie zuckt mit keiner Wimper. »Ich weiß eines: Du bist am Leben. Du hast dir keine Pistole in den Mund geschoben und abgedrückt. Ich bedaure nichts, Zuckerschnäuzchen.« Ihre nächsten Worte sind geflüstert. »Das bedeutet nicht, dass es mir nicht wehgetan hätte, Smoky. Ich habe Alexa geliebt. Du weißt, dass ich sie geliebt habe.«

Ich reiße den Kopf herum bei ihren Worten, starre sie an, und alle Wut verraucht. »Ich mach dir keinen Vorwurf. Oder ihm. Und vielleicht hatte er ja auch Recht.«

»Warum sagst du das, Liebes?«

Ich zucke die Schultern. Ich bin müde, entsetzlich müde. »Weil ich mich jetzt wieder an alles erinnere. Aber ich will immer noch nicht sterben.« Ich ziehe mich für einen Moment in mich selbst zurück, als der Schmerz mich zu übermannen droht. »Ich habe das Gefühl, damit einen Verrat zu begehen, Callie. Ich habe das Gefühl, dass ich sie, wenn ich am Leben bleiben will, nicht genug geliebt habe.«

Ich sehe sie an und merke, wie sehr meine Worte sie getroffen haben. Meine Callie, meine fröhliche, muntere Eiskönigin sieht aus, als hätte ich ihr einen Schlag ins Gesicht versetzt. Oder vielleicht einen Stich ins Herz.

»Nein«, sagt sie nach einer ganzen Weile. »Das stimmt nicht. Weiterzumachen, nachdem sie beide tot sind, Smoky, das bedeutet nicht, dass du sie nicht geliebt hast. Es bedeutet lediglich, dass sie gestorben sind und du nicht.«

Ich merke mir diesen tiefgründigen Satz, um später darüber nachzudenken. Ich spüre, dass etwas daran ist. »Eigenartig, nicht wahr? Ich habe immer alles mit meiner Waffe getroffen, was ich treffen wollte. Es war ganz natürlich für mich, ein Talent. Ich erinnere mich, dass ich auf seinen Kopf gezielt habe, und dann hat er sich so verdammt schnell bewegt. Ich habe noch nie jemanden gesehen, der sich so schnell bewegen konnte. Er riss Alexa vom Bett und sorgte dadurch dafür, dass sie die Kugel einfing, die für ihn gedacht war. Sie hat mir direkt in die Augen gesehen, als es passiert ist.« Mein Gesicht zuckt. »Weißt du, er hat beinahe überrascht ausgesehen. Trotz allem, was er getan hat, hatte er einen Moment lang diesen Ausdruck im Gesicht, wie jemand, der befürchtet, zu weit gegangen zu sein. Und dann habe ich ihn erschossen.«

»Erinnerst du dich daran, Smoky?«

Ich runzele die Stirn. »Wie meinst du das?«

Callie lächelt. Es ist ein trauriges Lächeln. »Du hast ihn nicht einfach erschossen, Zuckerschnäuzchen. Du hast ihn mit Kugeln voll gepumpt. Du hast vier Magazine in ihn geleert, und du warst beim Nachladen, als ich dich aufgehalten habe.«

Und plötzlich ist alles wieder da. Ich erinnere mich.

Er hatte mich vergewaltigt, mich geschnitten. Matt war tot. Wellen von Schmerz durchzogen mich, und ich verlor immer wieder für kurze Zeit das Bewusstsein. Alles war irgendwie surreal. Als stünde ich unter Drogen. Oder wie jenes Gefühl, das man hat, wenn man mittags ein Nickerchen macht, das eine halbe Stunde zu lange dauert. Ein Gefühl von Eindringlichkeit war da, ich konnte es spüren. Doch es war weit weg. Ich spürte es wie durch weiche Gaze. Ich hätte durch Sirup waten müssen, um es zu erreichen.

Sands beugte sich vor, hielt sein Gesicht dicht an meines. Ich spürte seinen Atem auf meiner Wange. Er war unnatürlich heiß. Irgendetwas Klebriges – mir wurde bewusst, dass es sein Speichel war – trocknete auf meiner Brust. Ich erschauerte, ein Schauer, der meinen ganzen Körper durchlief, lang anhaltend.

»Ich binde jetzt deine Hände und Füße los, meine süße Smoky«, flüsterte er mir ins Ohr. »Ich möchte, dass du mein Gesicht berührst, bevor du stirbst.«

Meine Augen rollen zu ihm hoch, dann weiter hinauf in meinen Kopf. Ich verliere erneut jedes Zeitgefühl, treibe zurück ins Bewusstsein und spüre, wie er sich an meinen Händen zu schaffen macht, die Fesseln löst. Dämmere ins Schwarz hinein, komme zu mir, er ist an meinen Füßen. *Cowabunga.* Licht zu Schatten, Schatten zu Licht.

Ich komme zu mir, und er liegt neben mir, presst sich an mich. Er ist nackt, und ich spüre seine Erektion. Seine linke Hand ist in mein Haar verkrallt, zerrt meinen Kopf nach hinten. Die rechte liegt über meinem Bauch, und ich kann das Messer darin spüren. Sein Atem, sauer und heiß.

»Zeit zu gehen, süße Smoky«, flüstert Sands. »Ich weiß, du bist müde. Du musst nur noch eins tun, bevor du schlafen darfst.« Sein Atem geht schneller. Seine Erektion wird stärker, drückt in meine Seite. »Berühr mein Gesicht.«

Er hat Recht. Ich bin müde. So verdammt müde. Ich will nur wieder zurück in die Schwärze, endlich alles hinter mir haben, vorbei. Ich spüre, wie meine Hand nach oben geht, um seinen letzten Wunsch zu erfüllen – und dann passiert es.

»MAMIIII!«, höre ich Alexa schreien. Es ist ein Schrei voller Angst und Grauen.

Er ist wie ein Schlag mit dem Handrücken mitten ins Gesicht, ein Schrei, der mich bis in die Knochen erschüttert.

»Er hat uns erzählt, Alexa wäre tot, Callie«, flüstere ich im Krankenhauszimmer. »Er hat gesagt, er hätte sie gleich zu Anfang getötet. Ich habe ihren Schrei gehört, und mir war plötzlich klar, dass er mich belogen hatte, und ich wusste – ICH WUSSTE –, dass er als Nächstes zu ihr gehen würde!« Ich balle die Fäuste bei der Erinnerung und spüre, wie ich am ganzen Leib zu zittern anfange vor Entsetzen und nackter Wut, genau wie damals.

Es war, als hätte jemand in mir eine Bombe gezündet. Ich wurde nicht einfach hellwach, ich explodierte. Der Drache kam aus meinem Bauch hervor und brüllte und brüllte und brüllte.

Ich schlug Sands mit voller Wucht ins Gesicht, spürte, wie seine Nase unter meiner Handkante brach. Er stöhnte, und ich war aus dem Bett und auf dem Weg zu der Nachttischkommode, wo ich meine Waffe aufbewahrte, doch er war wie ein Tier. Wild und unglaublich schnell. Kein Zögern. Er rollte sich auf den Boden und sprintete aus der Schlafzimmertür. Ich hörte seine Füße auf den Dielenbrettern stampfen, als er in Richtung von Alexas Zimmer rannte.

Und ich fing an zu schreien. Ich hatte ein Gefühl, als stünde ich in Flammen. Alles wurde weißglühend, Adrenalin verbrannte mich innerlich, und die Intensität war unerträglich. Mein Zeitgefühl hatte sich verändert. Die Zeit verging nicht langsamer, ganz im Gegenteil. Sie verging schneller. Schneller, als ich denken konnte.

Ich hatte meine Waffe und rannte nicht den Flur entlang, sondern katapultierte förmlich in Richtung von Alexas Zimmer, keine Schritte, sondern Blitze. Ich war schnell, verdammt schnell, denn er bog gerade in die Tür, als ich auch schon dort war und sie sah. Auf dem Bett. Der Knebel, den er ihr um den Mund gebunden hatte, war gelockert. Ich erinnere mich noch, wie ich »Tapferes Mädchen!« gedacht habe.

Sie schrie erneut »MAMIIII!«, die Augen weit aufgerissen, das Gesicht hochrot, Tränenströme auf den Wangen. Und dann war ich das Tier, kein Zögern, hob die Waffe, zielte auf seinen Kopf...

Dann. Horror. Horror, Horror, Horror, nicht enden wollender Horror, die Hölle auf Erden.

Dann ich, schreiend. Ich schrie und schrie und schrie, als wollte ich niemals wieder aufhören damit. Ich schoss auf Sands, wieder und immer wieder, leerte ein Magazin nach dem anderen in ihn, bis ich keins mehr hatte, und dann...

»O mein Gott, Callie.« Tränen füllen meine Augen. »Mein Gott, mein Gott, mein Gott, es tut mir so Leid.«

Sie nimmt meine Hand, schüttelt den Kopf. »Denk nicht darüber nach, Smoky.« Sie drückt meine Hand, ein fester, entschlossener Druck. So fest, dass er beinahe schmerzt. »Ich meine es ernst. Du warst nicht bei Sinnen.«

Weil ich mich erinnere, wie ich Callie gehört habe, die durch meine Wohnungstür platzte, wie ich sie auftauchen sah, die Waffe gezückt. Ich erinnere mich, wie sie sich mir mit übertriebener Vorsicht näherte, mich immer wieder aufforderte, die Waffe wegzulegen. Ich erinnere mich, wie ich sie angeschrien habe. Wie sie näher gekommen ist. Ich wusste, dass sie mir die Waffe wegnehmen wollte, und ich wusste, dass ich das nicht zulassen konnte. Ich brauchte sie noch, um sie mir an den Kopf zu setzen, den Abzug durchzuziehen, mich zu erschießen, zu sterben. Ich hatte es verdient. Ich hatte mein eigenes Kind getötet. Also tat ich das Einzige, was in diesem Augenblick einen Sinn für mich ergab. Ich richtete die Pistole auf Callie, und... und ich feuerte.

Es war reines Glück, dass keine Patrone mehr in der Kammer war. Wenn ich jetzt darüber nachdenke, wird mir bewusst, dass sie nicht einmal langsamer wurde, sondern immer näher kam, bis sie nah genug war, um mir die Waffe wegzunehmen, die sie zur Seite warf. Danach erinnere ich mich an kaum noch etwas.

»Ich hätte dich töten können«, flüstere ich.

»Nein.« Sie lächelt erneut. Ihr Lächeln ist immer noch ein

wenig traurig, doch es schimmert auch eine Spur der alten Spitzbübin hindurch. »Du hast nur auf mein Bein gezielt.«

»Callie!« Ich sage es als Tadel, auch wenn er sanft gemeint ist. »Ich erinnere mich.« Ich hatte nicht auf ihr Bein gezielt. Ich hatte auf ihr Herz gezielt.

Sie beugt sich vor und sieht mir direkt in die Augen. »Smoky, ich vertraue dir mehr als jedem anderen Menschen auf dieser Welt. Und daran hat sich überhaupt nichts geändert. Ich weiß nicht, was ich dir sonst noch sagen soll. Außer, dass ich nie wieder mit dir darüber reden will.«

Ich schließe die Augen. »Wer weiß es sonst noch?«

Schweigen. »Ich. Das Team. AD Jones. Dr. Hillstead. Sonst niemand. Jones ist fest entschlossen, dass es dabei bleibt.«

Nur, dass es nicht so ist, denke ich. *Sie* wissen es ebenfalls.

»Während du bewusstlos warst – übrigens fast zwei Stunden lang…«

Ich spüre, dass sie mir etwas zu sagen hat.

»Was?«

»Na ja, du solltest es wissen: Dr. Hillstead ist der Einzige, der von deiner Reaktion weiß, nachdem du es heute herausgefunden hast. Abgesehen von Jenny und dem Rest des Teams.«

»Du hast es nicht AD Jones erzählt?«

Sie schüttelt den Kopf. »Nein.«

»Warum nicht?«

Callie lässt meine Hand los. Sie wirkt unruhig, betreten, etwas Seltenes bei ihr. Sie steht auf und geht ein wenig hin und her. »Ich fürchte – wir fürchten, wenn wir das tun, dann war es das. Er könnte entscheiden, dass du nie wieder arbeiten wirst. Niemals. Wir wissen, dass du vielleicht selbst zu dieser Entscheidung kommst. Aber wir wollten dir die Optionen offen halten.«

»Alle waren damit einverstanden?«

Sie zögert. »Alle, bis auf James. Er sagt, er will erst mit dir reden.«

Ich schließe die Augen. In diesem Moment ist James der letzte Mensch auf der Welt, mit dem ich reden möchte. Der allerletzte.

Ich seufze. »Also schön. Schick ihn rein. Ich weiß im Augenblick nicht, wie ich mich entscheiden werde, Callie. Ich weiß nur eins – ich will nach Hause. Ich will Bonnie holen und nach Hause und versuchen, mit alledem klarzukommen. Ich muss klar werden im Kopf, muss wieder zur Vernunft kommen, ein für alle Mal, oder ich bin erledigt. Ihr könnt den Rest allein erledigen, AFIS und alles. Ich muss nach Hause.«

Sie blickt zu Boden, dann sieht sie mich wieder an. »Ich verstehe. Ich kümmere mich um alles.«

Sie geht zur Tür. Bleibt stehen und dreht sich zu mir um, als sie dort angekommen ist. »Da ist noch etwas, worüber du nachdenken solltest, Zuckerschnäuzchen. Du bist perfekt mit der Waffe, besser als alle, die ich jemals erlebt habe. Vielleicht hast du, als du auf mich gezielt und abgedrückt hast, gewusst, dass die Waffe leer geschossen war. Vielleicht hast du nur deswegen abgedrückt.« Sie zwinkert, öffnet die Tür und geht nach draußen.

»Vielleicht«, flüstere ich zu mir selbst.

Doch ich glaube es nicht.

Ich glaube, ich habe abgedrückt, weil ich in diesem Augenblick wollte, dass die ganze Welt stirbt.

KAPITEL 20 James kommt herein und schließt die Tür hinter sich. Er setzt sich auf einen Stuhl neben meinem Bett. Er schweigt, und ich kann nicht erkennen, was in ihm vorgeht. Aber das ist nie anders gewesen.

»Callie hat gesagt, du wolltest dich mit mir unterhalten, bevor du entscheidest, ob du mich bei AD Jones verpfeifst oder nicht«, sage ich schließlich.

Er antwortet nicht sofort, sondern sitzt einfach nur da und sieht mich an. Es ist zum Aus-der-Haut-Fahren.

»Und?«

Er schürzt die Lippen. »Im Gegensatz zu dem, was du wahrscheinlich denkst, habe ich kein Problem damit, wenn du wieder ganz in den aktiven Dienst zurückkehrst, Smoky. Absolut nicht. Du bist gut in dem, was wir tun, und mehr als Kompetenz verlange ich nicht.«

»Also?«

»Das Problem, das ich habe, besteht darin, dass du nur halb dabei bist.« Er deutet auf mich und das Krankenhausbett, in dem ich liege. »Das hier beispielsweise. Es macht dich gefährlich, weil du unzuverlässig bist.«

»Ach, leck mich am Arsch, und fahr zur Hölle.«

Er geht darüber hinweg. »Es ist wahr. Denk drüber nach. Als du und ich in Annie Kings Wohnung waren, habe ich dein altes Selbst gesehen. Die kompetente Smoky. Genau wie alle anderen. Callie und Alan haben sich schon wieder deinen Wünschen gebeugt und sich auf dich verlassen. Gemeinsam haben wir Beweise gefunden, die übersehen worden wären. Und dann kommt so ein Brief, und du brichst zusammen.«

»Es ist schon ein wenig komplizierter, James.«

Er zuckt die Schultern. »Nicht in der Hinsicht, die zählt, Smoky. Entweder du kommst ganz zurück oder gar nicht. Wenn du nämlich nur halb zurückkommst, so wie jetzt, bist du eine Belastung für uns. Und das führt mich zu dem, womit ich mich einverstanden erklären würde.«

»Und das wäre?«

»Dass du entweder gesund zurückkommst oder verdammt noch mal wegbleibst. Wenn du versuchst zurückzukommen, obwohl du noch nicht wieder so weit bist, gehe ich direkt zu AD Jones und immer weiter nach oben, bis irgendjemand mir zuhört und dich an die frische Luft setzt, wenn es sein muss.«

Weißglühende Wut erfasst mich. »Du bist ein arroganter Wichser.«

Er ist ungerührt. »So ist es nun einmal, Smoky. Ich vertraue dir. Wenn du mir dein Wort gibst, dann weiß ich, dass du es halten wirst. Das verlange ich von dir. Komm gesund zurück oder gar nicht. Dieser Punkt ist nicht verhandelbar.«

Ich starre ihn an. Ich sehe weder Mitleid noch Geringschätzung in seinem Gesicht. Mir wird klar, dass er nicht viel verlangt.

Was er sagt, ist vernünftig.

Ich hasse ihn trotzdem.

»Ich gebe dir mein Wort«, sage ich. »Und jetzt mach, dass du hier rauskommst!«

Er steht auf und geht, ohne sich noch einmal umzudrehen.

KAPITEL 21   Wir fliegen am frühen Morgen zurück, schweigend. Bonnie sitzt neben mir, hält meine Hand und starrt in die Ferne. Callie kommt einmal zu mir und lässt mich wissen, dass zwei Beamte bei mir zu Hause postiert werden, bis ich etwas anderes sage. Ich glaube zwar nicht, dass er jetzt noch einmal in meine Wohnung eindringen wird, nachdem er sich verraten hat, doch ich bin trotzdem mehr als froh über diesen Schutz. Callie berichtet außerdem, dass die Überprüfung der Fingerabdrücke durch das AFIS keine Spur ergeben hat. Eine herbe Enttäuschung.

Ich befinde mich in einem Strudel der Emotionen, ein großes Durcheinander aus Konfusion und frischen Wunden, durchsetzt von immer wieder aufblitzender Panik. Es sind jedoch nicht die Gefühle, die mich überwältigen, es ist die Realität. Bonnies Realität. Ich sehe sie von der Seite her an. Sie macht mich noch nervöser und reagiert, indem sie mir den Kopf zuwendet und mir voll in die Augen sieht. Sie betrachtet mich sekundenlang, dann versinkt sie wieder in ihrem Schweigen, und ihr Blick entrückt in die Ferne.

Ich balle eine Hand zur Faust und schließe die Augen. Kleine

Blitze von Panik zucken in mir auf und zerplatzen krachend wie Feuerwerk am Nachthimmel.

Mutter zu sein macht mir furchtbare Angst. Und genau darum geht es hier, ganz einfach. Ich bin alles, was sie hat, und vor uns liegt ein langer, langer Weg. Ein Weg voller Schultage, Weihnachtsfeste, Schutzimpfungen, Obstaufessen, Fahren lernen, um zehn Uhr abends zu Hause sein und so weiter und so weiter. All die Banalitäten – große, kleine, wunderbare –, mit denen man es zu tun bekommt, wenn man die Verantwortung für ein anderes Leben übernimmt.

Früher hatte ich ein System dafür, das nicht nur auf Mutterschaft, sondern auf Elternschaft basierte. Ich hatte Matt. Wir haben uns gemeinsam um Alexa gekümmert, über ihre Erziehung diskutiert, uns die Bälle zugespielt, sie gemeinsam geliebt. Ein großer Teil der Elternschaft besteht in der ständigen Gewissheit, alles falsch zu machen. Da ist es tröstlich, jemanden zu haben, mit dem man die Schuld teilen kann.

Bonnie hatte nur mich. Mich allein. Mich mit meinem Frachtzug voller Lasten, den ich mit mir herumschleppe, während sie einen Frachtzug voller Entsetzen und Grauen hinter sich herzieht und eine Zukunft hat, die … was? Wird sie jemals wieder sprechen? Wird sie irgendwann Freundinnen haben? Freunde? Wird sie glücklich werden?

Ich erkenne, während meine Panik wächst, dass ich so gut wie überhaupt nichts über dieses kleine Mädchen weiß. Ich weiß nicht, ob sie gut ist in der Schule. Ich weiß nicht, welche Fernsehsendungen sie mag oder was sie morgens zum Frühstück essen möchte. Ich weiß überhaupt nichts.

Meine Angst wächst und wächst, und ich stammle innerlich vor mich hin und würde am liebsten die Luke des Fliegers öffnen und schreiend nach draußen ins Nichts springen, weinend, gackernd und …

Und dann ertönt Matts Stimme in meinem Kopf, wieder einmal, sanft, leise und tröstend.

»Ruhig, Baby, ganz ruhig. Entspann dich. Zuerst die wichtigen Dinge, und das Wichtigste hast du bereits erledigt.«

»Und was wäre das?«, wimmere ich in Gedanken.

Ich spüre sein Lächeln. »Du hast sie zu dir genommen. Sie ist dein. Was immer geschehen mag, wie schwer es auch wird, du hast sie bei dir aufgenommen, und du wirst sie niemals wieder zurückgeben. Das ist das erste Gesetz jeder Mutter, und du hast es erfüllt. Der Rest ergibt sich irgendwie.«

Mein Herz verkrampft sich bei diesen Worten, und ich möchte aufstöhnen. Das erste Gesetz jeder Mutter …

Alexa hatte ihre Probleme. Sie war kein perfektes Kind. Manchmal benötigte sie eine Menge Zuspruch und die ständig wiederholte Versicherung, dass sie geliebt wurde. In diesen Zeiten habe ich immer das Gleiche zu ihr gesagt. Ich nahm sie in die Arme, drückte meine Lippen in ihr Haar und flüsterte auf sie ein.

»Kennst du das erste Gesetz jeder Mutter, Kleines?«, fragte ich flüsternd.

Sie kannte es, doch sie antwortete stets auf die gleiche Weise.

»Was für ein Gesetz ist das, Mami? Was ist das erste Gesetz jeder Mutter?«

»Dass du mein bist und dass ich dich niemals hergeben werde. Ganz gleich, was auch geschieht, ganz gleich, wie schwer es kommen mag, ganz gleich, ob …«

»… ob der Wind aufhört zu wehen oder die Sonne nicht mehr scheint und die Sterne erlöschen«, vollendete sie meinen Satz und vervollständigte so das Ritual.

Das war alles, was ich tun musste, und sie entspannte sich und fühlte sich wieder sicher.

Mein Herz entkrampft sich. Das erste Gesetz jeder Mutter. Ich könnte damit anfangen.

Die kleinen Panikblitze in mir verebben. Für den Moment.

Wir steigen alle gemeinsam aus dem Flugzeug. Ich gehe davon, ohne noch etwas zu sagen, mit Bonnie im Schlepp.

Die besagten beiden Beamten begleiten uns nach Hause, fahren den ganzen Weg hinter uns her. Die Luft ist kühl, und es ist ein wenig dunstig. Auf dem Freeway hat der Verkehr eben erst eingesetzt, ist noch nicht richtig in Fahrt, wie ein Hügel träger Ameisen, die darauf warten, dass die Sonne sie erwärmt.

Im Wagen herrscht während der ganzen Fahrt Schweigen. Bonnie redet nicht, und ich bin zu sehr damit beschäftigt zu denken, zu fühlen, mir Sorgen zu machen.

Ich denke viel an Alexa. Mir ist bis gestern nicht bewusst gewesen, wie wenig ich seit ihrem Tod an sie gedacht habe. Sie war…irgendwie vage. Ein verschwommenes Gesicht in der Ferne. Jetzt wird mir auch bewusst, dass sie die schattenhafte Gestalt in meinem Traum über Sands gewesen ist. Der Brief von Jack Junior und die Erinnerung haben sie mitten in meinen Fokus gebracht, schlagartig.

Jetzt ist sie eine lebendige, blendende, schmerzliche Schönheit. Die Erinnerungen an sie sind wie eine zu laut abgespielte Symphonie. Meine Ohren schmerzen, doch ich kann nicht aufhören zu lauschen.

Die Symphonie der Mutterschaft; sie handelt von bedingungsloser Liebe, von Liebe bis zur Selbstaufgabe, von Liebe mit jeder Faser der Existenz. Sie handelt von einer Leidenschaft, deren Helligkeit die Sonne überstrahlt. Von einer grenzenlosen Hoffnung und einer wilden, herzzerreißenden Freude.

Mein Gott, wie habe ich sie geliebt. So sehr. Mehr als mich selbst, mehr als Matt.

Ich weiß, warum ihr Gesicht so verschwommen gewesen ist all die Monate. Weil eine Welt ohne sie – weil eine Welt ohne sie *unerträglich* ist.

Und doch bin ich hier und ertrage es. Dadurch zerbricht etwas in mir; etwas, das niemals heilen wird.

Ich bin froh darüber. Weil ich will, dass es wehtut. Für immer.

Als wir zwanzig Minuten später beim Haus ankommen, nicken mir die Beamten schweigend zu. Lassen mich wissen, dass sie ihren Job angetreten haben.

»Warte einen Moment hier, meine Süße«, sage ich zu Bonnie.

Ich gehe zum Wagen. Das Fenster auf der Fahrerseite gleitet nach unten, und ich lächle, als ich einen der Beamten erkenne. Dick Keenan. Er war Ausbilder in Quantico, als ich die Akademie durchlief. Ging auf die fünfzig zu und beschloss, seine Laufbahn draußen an der frischen Luft abzuschließen. Er ist ein zuverlässiger Mann, FBI der alten Schule, mit kurzem Stoppelhaarschnitt und so weiter. Er war damals immer zu einem Streich aufgelegt und ein guter Schütze.

»Wie kommt es, dass Sie diesen Auftrag bekommen haben, Dick?«, frage ich ihn.

Er grinst. »AD Jones.«

Ich nicke. Natürlich. »Wer ist das neben Ihnen?«

Der andere Beamte ist ein jüngerer Mann, jünger als ich. Neu im Job und immer noch aufgeregt, ein FBI Agent zu sein. Aufgeregt angesichts der Tatsache, tagelang am Stück in einem Wagen zu sitzen und nichts zu tun zu haben.

»Hannibal Shantz«, stellt er sich selbst vor und streckt mir die Hand durch das Fenster entgegen.

»Hannibal, wie?« Ich grinse.

Er zuckt die Schultern. Er ist einer von der gutmütigen Sorte, das merke ich. Einer mit einem dicken, unmöglich zu durchdringenden Fell, und einer, den man einfach auf Anhieb mögen muss.

»Sie sind über alles auf dem Laufenden, Dick?«

Sein Nicken ist angespannt. »Sie. Das kleine Mädchen. Und ja, ich weiß, wie es zu Ihnen gekommen ist, Smoky.«

»Gut. Ich möchte, dass eins klar ist: Sie ist die Wichtigere von uns. Kapiert? Wenn Sie entscheiden müssen, ob Sie sich an sie oder an mich heften, dann möchte ich, dass Sie bei ihr bleiben.«

»Verstanden, Smoky.«

»Danke. Nett, Sie kennen gelernt zu haben, Hannibal.«

Ich wende mich beruhigt ab und gehe zu Bonnie, die vor meinen Haus steht und wartet.

Im Wagen hatte ich Zeit darüber nachzudenken, warum ich in diesem Haus wohnen geblieben bin. Es war ein Akt der Halsstarrigkeit. Jetzt könnte es außerdem ein Akt der Dummheit werden. Mir wurde bewusst, dass es etwas mit meinem Wesen zu tun hat. Es war mein Zuhause. Wenn ich klein beigegeben hätte und weggezogen wäre, wäre ein Teil von mir für immer verloren gewesen.

Aber auch wenn die Tiger es jetzt umkreisen, ich gebe es nicht auf.

Wir sind in der Küche, und meine nächsten Worte kommen ganz spontan über meine Lippen.

»Hast du Hunger, Liebes?«, frage ich Bonnie.

Sie sieht zu mir auf und nickt wortlos.

Ich nicke zurück, zufrieden. Das erste Gesetz jeder Mutter: Liebe. Das zweite Gesetz: Füttere deine Brut. »Lass mich nachsehen, was wir haben.«

Sie folgt mir, als ich den Kühlschrank öffne und hineinspähe. »Lehre sie zu jagen«, denke ich und muss gegen ein leises hysterisches Lachen ankämpfen. Es sieht nicht allzu gut aus im Kühlschrank. Ein fast leeres Glas Erdnussbutter und eine angebrochene Tüte Milch, die ihr Ablaufdatum längst überschritten hat.

»Sorry, Kleines. Sieht so aus, als müssten wir zuerst ein paar Einkäufe machen.« Ich reibe mir die Augen und seufze innerlich. Mein Gott, bin ich müde. Doch das ist eine der Wahrheiten der Elternschaft. Sie sind deine Kinder, und du bist verantwortlich für sie. Zu dumm also, wenn du müde bist, weil – na ja, sie können nicht fahren, und sie haben kein Geld.

Zum Teufel mit der Müdigkeit. Ich sehe hinunter zu Bonnie und lächle sie an. »Komm, wir gehen unsere Vorratslager auffüllen.«

Sie sieht mich ein weiteres Mal offen an, gefolgt von einem Lächeln. Und einem Nicken.

»In Ordnung.« Ich packe meinen Schlüssel und meine Handtasche. »Sattel die Pferde.«

Ich hatte Keenan und Shantz gesagt, dass sie beim Haus bleiben sollen. Ich könne selbst auf mich aufpassen, und es sei wichtiger für mich zu wissen, dass niemand auf uns wartet, wenn wir zurückkommen.

Wir bewegen uns durch die Regalreihen von Ralph's Supermarket. Moderne Nahrungssuche.

»Geh voran, Honey«, sage ich zu ihr. »Ich weiß nicht, was du magst, deswegen musst du es mir zeigen.«

Ich schiebe den Wagen und folge Bonnie, die aufmerksam nach links und rechts schaut, während sie vor mir hergeht. Jedes Mal, wenn sie auf etwas zeigt, nehme ich es aus dem Regal, sehe es an, lasse es in mein Unterbewusstsein sinken, während ich eine laute Bassstimme in meinem Kopf höre. »MACCARONI UND KÄSE«, dröhnt die Stimme. »SPAGHETTI MIT FLEISCHSAUCE – ABER AUF GAR KEINEN FALL MIT PILZEN!« »CHEETOS – DIE FEURIGEN, WÜRZIGEN.« Die Zehn Gebote des Essens. Wichtige Hinweise, die mir mehr über Bonnie verraten.

Ich spüre, wie etwas Rostiges, Staubiges in mir allmählich in Bewegung kommt, ein quietschendes Zahnrad nach dem anderen. Liebe, Geborgenheit, Maccaroni und Käse. Diese Dinge fühlen sich natürlich an und richtig.

»Es ist wie Fahrradfahren, Baby«, höre ich Matt flüstern.

»Vielleicht«, murmele ich zurück.

Ich bin so sehr damit beschäftigt, mit mir selbst zu reden, dass ich nicht merke, wie Bonnie stehen bleibt, und sie beinahe mit dem Einkaufswagen umrenne. Ich lächle sie entschuldigend an. »Sorry, Schatz. Haben wir alles?«

Sie lächelt zurück und nickt. Alles da.

»Dann lass uns nach Hause fahren und etwas zu essen machen.«

Es ist nicht das Fahrradfahren – das ist nicht das Problem. Es ist die Straße, auf der das Rad fährt, die sich verändert hat. Liebe, Geborgenheit, Maccaroni und Käse, sicher, kein Problem. Aber da ist noch mehr. Da sind ein stummes Kind und eine von Narben entstellte Mutter, die mit sich selbst spricht und ein wenig verrückt ist.

Ich telefoniere mit Alans Frau, und während ich das tue, sehe ich zu, wie Bonnie hingebungsvoll und konzentriert ihre Maccaroni mit Käse herunterschlingt. Kinder sind von einzigartigem Pragmatismus, wenn es ums Essen geht, denke ich. *Ich weiß, die Welt geht unter, doch hey, man muss schließlich etwas essen, oder?*

»Ich weiß es wirklich zu schätzen, Elaina. Alan hat mir erzählt, was los ist, und ich würde nicht fragen, aber…«

Sie lässt mich nicht ausreden. »Bitte hör auf damit, Smoky.« Ihre Stimme ist ein sanfter Tadel. Ich muss an Matt denken, wenn ich sie so höre. »Du brauchst Zeit, um die Dinge zu sortieren, und dieses kleine Mädchen braucht einen Platz, wo es sein kann, wenn du nicht da bist. So lange, bis du alles geregelt hast.« Ich antworte nicht. Ich spüre einen Kloß im Hals. Sie scheint es zu merken, was typisch für Elaina ist. »Ich weiß, dass du die Dinge regeln wirst, Smoky. Du tust das Richtige für sie.« Sie zögert. »Du warst eine wunderbare Mutter für Alexa, und das wirst du auch für Bonnie sein.«

Eine Mischung aus Trauer, Dankbarkeit und Dunkelheit überkommt mich, als ich ihre Worte höre. Mühsam würge ich ein heiseres »Danke« hervor.

»Kein Problem. Ruf mich an, wenn du meine Hilfe brauchst.«

Sie erwartet keine weitere Antwort von mir und legt auf. Elaina war schon immer extrem einfühlsam. Sie war sofort einverstanden, sich um Bonnie zu kümmern, wenn ich einmal jemanden zum Aufpassen brauche. Kein Zögern, keine Fragen.

»Du bist nicht allein, Baby«, flüstert Matt.

»Vielleicht«, murmele ich leise zurück. »Vielleicht auch nicht.«

Mein Telefon klingelt und reißt mich aus meinem Gespräch mit einem Geist. Ich greife zum Hörer.

»Hallo Zuckerschnäuzchen«, meldet sich Callie. »Es ist etwas geschehen. Ich wollte dich benachrichtigen.«

Mein Magen verkrampft sich. Was ist jetzt schon wieder passiert? »Sag's mir.«

»Das Büro von Dr. Hillstead ist abgehört worden.«

Ich runzele die Brauen. »Wie bitte?«

»Die Dinge, die Jack Junior in jenem Brief erwähnt hat: Hast du dich nicht gefragt, woher er die wusste?«

Schweigen. Ich bin erschrocken und verblüfft. Nein. Mir wird klar, dass ich mich das nicht gefragt habe. »Verdammt, Callie. Ich hab nicht weiter darüber nachgedacht. Mein Gott.« Ich taumele. »Wie ist das möglich?«

»Mach dir deswegen keine Vorwürfe. Angesichts all der Dinge, die sonst noch passiert sind, hab ich's auch nicht getan. Aber James.«

»Details, Callie«, bitte ich ungeduldig.

»Jack Junior hat in Dr. Hillsteads Büro zwei Wanzen eingebaut.« Sie erläutert mir, dass es sich um Massenprodukte handelt und dass man sie möglicherweise nicht bis zum Empfänger zurückverfolgen kann. »Er musste nur wissen, wann du deine Termine bei Dr. Hillstead hattest, Zuckerschnäuzchen.«

Ein schmerzhafter Stich durchfährt mich wie ein starker Stromstoß. Er hat mich belauscht? Zugehört, als ich von Matt und Alexa erzählte? Zugehört, als ich *schwach* war? Ich könnte vor Wut ohnmächtig werden oder mich übergeben. Doch dann fühle ich plötzlich gar nichts mehr. Keine Verletzung, keine Wut, nur noch erschöpfte Trostlosigkeit.

»Ich muss jetzt Schluss machen, Callie«, murmele ich.

»Ist alles in Ordnung mit dir, Zuckerschnäuzchen?«

»Danke, dass du es mir gesagt hast, Callie. Jetzt muss ich Schluss machen.«

Ich lege auf und wundere mich über meine innere Leere. Auf ihre Weise ist sie vollkommen. Perfekt.

»Zumindest haben wir immer noch Paris«, rede ich vor mich hin und fühle ein Kichern in mir aufsteigen.

In diesem Moment bemerke ich, dass Bonnie aufgehört hat zu essen und mich ansieht. Mich beobachtet. Es verblüfft mich, erschüttert mich bis in die Knochen.

Meine Güte, denke ich. Mir wird bewusst, dass ich es hier und jetzt und ein für alle Mal begreifen muss: Ich bin nicht allein. Sie ist hier, und sie beobachtet mich.

Meine Tage im Dunkeln – die Tage, an denen ich ins Nichts gestarrt und mit mir selbst geredet habe –, diese Tage müssen aufhören. Niemand kann eine Verrückte als Mutter gebrauchen.

Wir sind in meinem Schlafzimmer, auf meinem Bett, und sehen uns an.

»Wie gefällt es dir hier?«, frage ich. »Geht das hier so?«

Sie blickt sich um, streicht mit der Hand über die Tagesdecke, dann lächelt sie und nickt. Ich lächle zurück.

»Gut. Ich dachte, du möchtest vielleicht hier bei mir schlafen – wenn nicht, dann verstehe ich das natürlich.«

Sie packt meine Hand, und ihr Kopf tanzt auf und ab wie eine Wackelpuppe. Ein entschiedenes Ja.

»Cool. Ich muss mit dir über einige Dinge reden, Bonnie. Ist das in Ordnung?«

Ein weiteres Nicken.

Manche Leute mögen meine Vorgehensweise missbilligen. So schnell zur Sache zu kommen nach dem Schock, den sie durchlebt hat. Ich bin anderer Meinung. Ich gehe nach meinem Gefühl, und mein Gefühl mahnt mich, aufrichtig mit diesem Kind zu sein, nicht mehr und nicht weniger.

»Erstens: Manchmal, wenn ich schlafe…na ja, die meiste

Zeit über habe ich Alpträume. Manchmal machen sie mir richtige Angst, und ich wache schreiend auf. Ich hoffe, das passiert nicht, während du hier schläfst, aber ich habe es nicht unter Kontrolle. Ich möchte nicht, dass du Angst kriegst, wenn es passiert.«

Sie studiert mein Gesicht. Ich merke, wie ihre Augen zu dem Bild auf dem Nachttisch wandern. Es ist ein gerahmtes Foto von Matt, Alexa und mir. Wir lachen alle drei, und keiner von uns ahnt, dass die Zukunft den Tod bringt. Sie betrachtet das Bild, dann sieht sie mich wieder an, hebt die Augenbrauen.

Es dauert einen Moment, bis ich begreife. »Ja. Die Alpträume handeln von dem, was ihnen zugestoßen ist.«

Sie schließt die Augen. Dann hebt sie die Hand und tippt sich damit auf die Brust. Sie öffnet die Augen wieder und sieht mich an.

»Du auch, wie? Okay, Schatz. Wir treffen eine Vereinbarung, was hältst du davon? Keiner von uns beiden bekommt Angst, wenn der andere schreiend aufwacht, okay?«

Sie lächelt mich an. Für einen Moment kommt mir die ganze Situation surreal vor. Ich rede mit einer Zehnjährigen – nicht etwa über Musik oder Kleidung oder einen Tag im Park. Ich schließe einen Pakt mit ihr über das Schreien in der Nacht.

»Zweitens … das ist ein wenig schwieriger für mich. Ich versuche zu entscheiden, ob ich meine Arbeit weitermachen möchte oder nicht. Meine Arbeit besteht darin, böse Menschen zu fangen. Menschen, die Sachen gemacht haben wie das, was deiner Mutter widerfahren ist. Aber vielleicht bin ich zu traurig, um mit dieser Arbeit weitermachen zu können. Verstehst du das?«

Ihr Nicken ist nüchtern und ernst. Oh ja, sie versteht mich sehr genau.

»Ich habe noch keine Entscheidung getroffen. Wenn ich nicht wieder zu meiner alten Arbeit zurückgehe, entscheiden wir beide, was wir weiter machen. Wenn ich zurückgehe … na ja, dann kann ich dich wahrscheinlich nicht immer bei mir haben. Irgendjemand wird auf dich aufpassen, während ich arbeiten bin. Ich verspreche dir allerdings eines: *Wenn* ich wieder arbeiten gehe, dann sorge ich dafür, dass jemand auf dich aufpasst, den du magst. Klingt das okay?«

Ein vorsichtiges Nicken. Ich gewöhne mich allmählich an das, was es aussagt. »Ja«, sagt dieses Nicken. »Es ist okay, wenn auch unter Vorbehalt.«

»Und noch ein Letztes, Kleines. Ich glaube, es ist das Wichtigste von allem, also hör genau zu, okay?« Ich nehme ihre Hand und sehe ihr direkt in die Augen bei dem, was ich ihr als Nächstes zu sagen habe. »Wenn du bei mir bleiben möchtest, wirst du bei mir bleiben. Ich werde dich nicht im Stich lassen. Unter gar keinen Umständen. Das verspreche ich dir.«

Ihr Gesicht zeigt die erste wirkliche Emotion, seit ich sie in jenem Bett im Krankenhaus gefunden habe. Es fällt in sich zusammen, überwältigt von Trauer. Tränen schießen in ihre Augen und rinnen über ihre Wangen. Ich nehme sie und drücke sie an mich, wiege sie, während sie lautlos weint. Ich halte sie und flüstere ihr ins Haar, und ich denke an Annie und Alexa und das erste Gesetz jeder Mutter.

Es dauert eine Weile, doch schließlich hört sie auf zu weinen. Sie klammert sich weiter an mich, den Kopf an meine Brust gedrückt. Das Schniefen endet, und sie löst sich von mir, um sich mit den Händen das Gesicht zu wischen. Sie neigt den Kopf nach hinten und sieht zu mir auf. Sieht mich *richtig* an. Ich sehe, wie ihr Blick über meine Narben gleitet. Ich zucke zusammen, als ihre Hand nach oben kommt, um mein Gesicht zu berühren. Mit unendlicher Vorsicht fährt sie mit einem Finger über die Narben. Anfangend bei denen auf der Stirn, dann über meine Wange, unendlich vorsichtig, wie mit einer Feder. Ihre Augen füllen sich erneut mit Tränen, und sie legt die Hand auf meine Wange. Dann ist sie wieder in meinen Armen. Diesmal ist sie diejenige, die mich an sich drückt.

Eigenartigerweise ist mir nicht nach Weinen zumute, während sie dies tut. Ich erlebe einen kurzen Augenblick des inneren Friedens. Einen Augenblick des Trostes. Ein wenig Wärme fließt aus ihr in jenen Teil von mir, der heute Morgen im Krankenhaus in Eiseskälte erstarrt ist.

Ich lehne mich zurück und grinse sie an. »Wir sind vielleicht ein Paar, wie?«

Ihr Lächeln ist echt. Ich weiß, dass es nur für einen kurzen Moment währen kann. Ich weiß, dass ihre Trauer, wenn sie zurückkehrt, mit der Wucht einer Flutwelle über ihr zusammenschlägt. Trotzdem ist es schön, sie lächeln zu sehen.

»Hör zu, es geht um eines der Dinge, die ich dir erzählt habe – um meine Entscheidung, ob ich wieder arbeiten gehe oder nicht. Es gibt heute Abend noch etwas, das ich erledigen muss. Möchtest du mit mir kommen?«

Sie nickt. O ja. Ich lächle sie aufmunternd an, tippe ihr aufs Kinn. »Also schön, dann lass uns gehen.«

Ich fahre zu einem Schießstand im San Fernando Valley. Ich mustere den Bau, bevor ich aus dem Wagen steige, und versuche meinen Mut zusammenzuraffen. Das Gebäude ist rein funktional; die Außenfarbe blättert ab, und die Fenster sind wahrscheinlich noch nie geputzt worden.

Wie eine Pistole, denke ich. Eine Pistole mag zerkratzt und verschrammt sein, mag sämtlichen Glanz verloren haben – das, was zählt, ist die Wahrheit dahinter. Kann sie immer noch schießen? Mit diesem heruntergekommenen Gebäude ist es das Gleiche. Hierher kommen nur sehr ernsthafte Schützen. Mit ernsthaft meine ich nicht Waffennarren. Ich meine Männer (und Frauen), die ihr ganzes Leben damit verbracht haben, mit Waffen Menschen zu töten oder den Frieden aufrechtzuerhalten. Leute wie ich.

Ich sehe Bonnie an und schenke ihr ein schiefes Lächeln. »Bist du bereit?«, frage ich.

Sie nickt.

»Dann wollen wir mal reingehen.«

Ich kenne den Besitzer. Er ist ein ehemaliger Scharfschütze von den Marines. Seine Augen sind vordergründig warm und innerlich kalt. Er sieht mich, und seine Stimme dröhnt:

»Smoky! Ich hab dich schon eine ganze Weile nicht mehr gesehen!«

Ich erwidere sein Lächeln und deute auf meine Narben. »Hatte ein wenig Pech, Jazz.«

Er bemerkt Bonnie und lächelt sie an. Bonnie lächelt nicht zurück. »Und wen haben wir hier?«

»Das ist Bonnie«, sage ich.

Jazz war schon immer ein guter Menschenkenner. Er spürt, dass es Bonnie nicht gut geht, und unternimmt erst gar nicht den Versuch, sie mit »Hallo Süße, wie geht es dir?« aufzumuntern. Er nickt ihr einfach schweigend zu, und sie sieht mich an, die Hände flach auf dem Tresen.

»Was brauchst du diesmal?«, fragt Jazz.

»Die Glock dort.« Ich deute auf die Pistole. »Und ein einziges Magazin. Außerdem Ohrenschützer für uns beide.«

»Kannst du haben, sollst du haben.« Er nimmt die Pistole aus der Vitrine und legt sie zusammen mit einem vollen Magazin vor mich hin. Dann wendet er sich ein weiteres Mal um und nimmt zwei Ohrenschützer von einem Haken an der Wand.

Meine Hände schwitzen. »Du, äh, du musst mir einen Gefallen tun, Jazz. Du musst die Waffe für mich rüber zum Schießstand tragen und das Magazin einschieben.«

Er hebt verblüfft die Augenbrauen und sieht mich an. Ich spüre, wie ich vor Verlegenheit erröte. Meine Stimme, als ich sie schließlich wiedergefunden habe, klingt leise. »Bitte, Jazz. Das ist ein Test. Wenn ich hierher komme und die Waffe nicht in die Hand nehmen kann, dann werde ich wahrscheinlich nie wieder schießen. Ich will sie nicht schon vorher anfassen.«

Ich spüre, wie mich diese eigenartigen Augen, warm und kalt zugleich, von oben bis unten mustern. Diesmal gewinnt Warm. »Kein Problem, Smoky, absolut keins. Nur eine Sekunde, ja?«

»Danke, Jazz. Ich bin dir echt dankbar.« Ich nehme die Ohrenschützer und knie mich vor Bonnie hin. »Wir müssen die hier auf der Schießbahn tragen, Schatz. Es ist unglaublich laut, wenn man eine Pistole abfeuert, und es verletzt deine Ohren, wenn du keinen Schutz trägst.«

Sie nickt und streckt die Hand aus. Ich gebe ihr ein Paar Ohrenschützer. Sie setzt sie auf, und ich tue das Gleiche.

»Kommt mit«, winkt Jazz.

Wir gehen durch die Tür zum Stand. Augenblicklich bemerke ich jenen charakteristischen Geruch. Den Geruch nach Rauch und Metall. Es gibt nichts Vergleichbares. Ich stelle mit Erleichterung fest, dass niemand außer uns auf dem Stand ist.

Ich bedeute Bonnie mit Zeichen, dass sie sich hinter mir an der Wand halten soll. Jazz sieht mich fragend an, dann schiebt er das Magazin in die Glock und legt die Waffe auf den schmalen Holztresen, der die Schießbahn nach hinten abgrenzt. Er lächelt mich an, mit kalten Augen diesmal, wendet sich ab und kehrt nach vorn an den Empfangstresen zurück. Er spürt, dass ich allein sein will.

Ich sehe Bonnie an, schenke ihr ein Lächeln. Sie erwidert es nicht. Stattdessen mustert sie mich intensiv. Sie versteht, dass ich etwas Wichtiges tue, und sie gibt ihm die Ernsthaftigkeit, die es verdient.

Ich nehme eine Zielscheibe mit menschlichen Umrissen und befestige sie am Halteclip, dann drücke ich auf den Knopf und sehe zu, wie sie über das Seil nach hinten läuft, weg von mir, weiter und weiter, bis sie so klein zu sein scheint wie eine Spielkarte.

Mein Herz hämmert schmerzhaft in meiner Brust. Ich zittere und schwitze, während ich auf die Glock blicke.

Dieses glatte, schwarze Instrument des Todes. Manche sind über seine bloße Existenz empört, andere halten es für einen Ausdruck der Schönheit. Für mich war es stets eine natürliche Erweiterung meiner selbst. Bis sie mich betrogen hat.

Dies hier ist eine Glock 34. Ihr Lauf hat eine Länge von dreizehn Komma fünf Zentimetern, und sie wiegt einschließlich vollem Magazin knapp über siebenhundert Gramm. Das Kaliber ist neun Millimeter, und das Magazin fasst siebzehn Schuss. Der Abzugswiderstand beträgt unmodifiziert sanfte zwei Kilogramm. Ich kenne sämtliche mechanischen Details. Ich kenne sie so gut wie meine eigene Größe und mein eigenes Gewicht. Die Frage ist nun, ob wir uns aussöhnen können, dieser schwarze Vogel und ich.

Ich bewege die Hand in Richtung der Waffe. Ich schwitze jetzt stärker. Mir ist schwindlig, doch ich beiße die Zähne zusammen, zwinge mich weiterzumachen. Ich sehe Alexas Augen, das »O« aus ihrem Mund, als meine Kugel, aus meiner Waffe, in ihre Brust eindringt und sie für immer zum Schweigen bringt. Die Szene spielt sich immer und immer wieder in meinem Kopf ab, wie ein Stück Film in einer Endlosschleife. Peng und tot. Peng und tot. Peng und das Ende der Welt.

»GOTTVERDAMMTER BASTARD. DU GOTTVERDAMMTER BASTARD DU!« Ich weiß nicht, ob ich Gott anschreie oder Joseph Sands oder die Waffe oder mich selbst.

Ich reiße die Glock in einer glatten, fließenden Bewegung hoch, bringe den Lauf ins Ziel und schieße. Der schwarze Stahl ruckt in meiner Hand, *peng-peng-peng-peng-peng*!

Schließlich ein Klicken, das Magazin ist leer geschossen. Ich zittere am ganzen Leib, weine. Doch die Glock ist immer noch da, und ich bin nicht ohnmächtig geworden.

»Willkommen zurück«, meine ich sie flüstern zu hören.

Mit zitternder Hand drücke ich den Knopf, der die Zielscheibe zu mir nach vorne bringt. Als sie da ist, erfüllt mich das, was ich sehe, mit einer Art traurigem Frohlocken. Zehn glatte

Kopfschüsse, sieben ins Herz. Ich habe alles getroffen, was ich treffen wollte, wo ich treffen wollte, genau wie immer.

Ich sehe die Zielscheibe an, dann die Glock, und erneut spüre ich diese Mischung aus Freude und Traurigkeit in mir. Ich weiß jetzt, dass das Schießen nie wieder die einfache, reine Freude sein wird, die es früher einmal für mich war. Zu viel Tod steckt inzwischen dahinter. Zu viel Trauer, die ich niemals verwinden werde.

Doch das ist okay. Ich weiß jetzt, was ich wissen musste. Ich kann eine Waffe halten und abfeuern. Ob ich es gerne tue oder gar liebe, spielt keine Rolle.

Ich lasse das Magazin herausfallen, nehme meine Zielscheibe und drehe mich zu Bonnie um. Sie starrt aus geweiteten Augen fassungslos auf die Scheibe und dann auf mich. Schließlich lächelt sie. Ich zerzause ihr die Haare, und wir verlassen den Schießstand, kehren nach vorn an den Tresen zurück, wo Jazz mit vor der Brust verschränkten Armen auf einem Hocker sitzt. Auf seinem Gesicht steht ein schwaches Lächeln. Seine Augen sind jetzt nur noch warm, keine Spur von Kälte zu erkennen.

»Ich wusste es, Smoky. Es steckt dir im Blut, Darling. Im Blut.«

Ich sehe ihn für einen Moment an, dann nicke ich. Er hat Recht.

Meine Hand und eine Pistole. Wir sind wieder vereint. Es mag vielleicht eine unbequeme Beziehung sein, voller Klippen, die es zu umschiffen gilt, doch mir wird bewusst, dass ich sie vermisst habe. Sie ist ein Teil von mir. Selbstverständlich ist auch die Waffe nicht mehr jungfräulich. Sie ist genauso gealtert wie ich, genauso vernarbt. Das ist ihr Lohn dafür, dass sie mich als Braut erkoren hat.

Teil 11

Träume
und Konsequenzen

KAPITEL 22 Bonnie wacht mitten in der Nacht schreiend auf. Es ist nicht der Schrei eines Kindes. Es ist ein Heulen, wie jemand es von sich gibt, der in einem Raum in der Hölle eingesperrt ist. Hastig schalte ich die Nachttischlampe an. Zu meinem Entsetzen sehe ich, dass ihre Augen noch geschlossen sind. Ich werde immer wach, wenn ich anfange zu schreien. Bonnie schreit im Schlaf. Sie ist in ihren Träumen gefangen, kann ihrer Angst zwar eine Stimme verleihen, doch sie kann nicht aus ihr erwachen.

Ich packe sie und schüttele sie heftig. Das Schreien endet. Sie öffnet die Augen und schweigt wieder. Ihr Schreien hallt in meinem Kopf nach, und ich spüre ihr Zittern. Ich ziehe sie wortlos an mich, streichle ihr über das Haar. Sie klammert sich an mich. Bald darauf endet das Zittern. Kurz danach schläft sie wieder ein.

Ich löse mich von ihr, so sanft ich kann. Sie sieht friedlich aus. Während ich sie beobachte, schlafe ich ebenfalls wieder ein. Und zum ersten Mal seit sechs Monaten träume ich von Alexa.

»Hi Mommy«, sagt sie zu mir und lächelt.

»Was ist denn, Hühnerpo?«, frage ich. Als ich sie das erste Mal so nannte, musste sie so heftig lachen, dass sie Kopfschmerzen davon bekam und schließlich anfing zu weinen. Seitdem nenne ich sie so.

Sie sieht mich ernst an. Mit jenem Blick, der zugleich zu

ihr passt und auch wieder nicht. Er passt nicht zu ihr, weil sie eigentlich zu jung dafür ist. Und er passt zu ihr, weil er echt ist, weil sie ein ernstes Wesen hat. Die warmen braunen Augen ihres Vaters sehen mich aus einem Gesicht heraus an, in dem ich unser beider Gene entdecke, durchsetzt mit Grübchen, die ganz allein die ihren sind. Matt hat ständig gewitzelt, der Postbote habe Grübchen und ich hätte vielleicht eine *Spezialsendung* von ihm erhalten, ha-ha-ha.

»Ich mache mir Sorgen wegen dir, Mommy.«

»Warum denn, meine kleine Süße?«

Ihre Augen werden traurig. Zu traurig für ihr Alter, zu traurig für diese Grübchen.

»Weil du mich so sehr vermisst.«

Ich werfe einen Seitenblick zu Bonnie, dann sehe ich wieder Alexa an. »Was ist mit ihr, Baby? Ist das in Ordnung für dich?«

Bevor sie antworten kann, wache ich auf. Meine Augen sind trocken, doch das Herz in meiner Brust zieht sich zusammen, und ich habe Mühe zu atmen. Nach einigen Sekunden beruhigt es sich wieder. Ich drehe den Kopf. Bonnies Augen sind geschlossen, und ihr Gesicht wirkt entspannt.

Ich schlafe erneut ein, während ich sie beobachte. Diesmal träume ich nicht.

Es ist Morgen. Ich betrachte mich im Spiegel, während Bonnie mich beobachtet. Ich habe meinen besten schwarzen Hosenanzug angezogen. Matt nannte ihn immer meinen »Killer-Anzug«. Er sitzt immer noch ausgezeichnet.

Ich habe meine Frisur monatelang ignoriert. Wenn ich überhaupt Aufmerksamkeit auf mein Haar verwandt habe, dann, um es so zu bürsten, dass es meine Narben verdeckte. Früher habe ich meine Haare offen getragen. Heute habe ich sie streng nach hinten gekämmt und zu einem Pferdeschwanz gebunden, bei dem Bonnie mir geholfen hat. Statt meine Narben vor der Welt zu verbergen, betone ich sie auf diese Weise noch.

Es ist eigenartig, denke ich für mich, während ich mir im Spiegel in die Augen sehe. So schlecht sieht es gar nicht aus, wirklich nicht. Oh, sicher, es ist entstellend. Und schockierend. Aber…insgesamt betrachtet erwecke ich nicht den Eindruck, als gehörte ich in ein Kuriositätenkabinett. Ich frage mich, wieso mir das vorher nie aufgefallen ist, warum ich mir bis heute so viel hässlicher erschienen bin. Ich schätze, es liegt daran, dass ich zu viel Hässliches in mir hatte.

Ich mag es, wie ich aussehe. Ich sehe tough aus. Ich sehe verdammt hart aus. Ich sehe phantastisch aus. All das passt zu meiner gegenwärtigen Sicht des Lebens. Ich wende mich vom Spiegel ab. »Was meinst du? Gut?«

Nicken. Lächeln.

»Dann wollen wir mal los, Honey. Wir haben heute ein paar Dinge zu erledigen.«

Sie nimmt meine Hand, und wir gehen nach draußen.

Mein erster Stopp ist Dr. Hillsteads Praxis. Ich habe angerufen und meinen Besuch angekündigt, und er erwartet mich bereits. Als wir in der Praxis ankommen, überrede ich Bonnie, bei Imelda zu bleiben, Dr. Hillsteads Arzthelferin, und dort auf mich zu warten. Imelda ist eine Latina mit einer herben Art, sich um Menschen zu kümmern, und Bonnie scheint auf ihre Mischung aus Wärme und Schroffheit anzuspringen. Ich kann sie verstehen. Wir lebenden Verwundeten hassen Mitleid. Wir wollen einfach nur ganz normal behandelt werden.

Ich betrete das Sprechzimmer, und Dr. Hillstead kommt um den Schreibtisch herum, um mich zu begrüßen. Er sieht vollkommen niedergeschmettert aus.

»Smoky, ich kann gar nicht sagen, wie Leid mir tut, was passiert ist. Ich wollte ganz bestimmt nicht, dass Sie es auf diese Weise herausfinden.«

Ich zucke die Schultern. »Ja, sicher. Er war in meiner Wohnung. Er hat mich beim Schlafen beobachtet. Ich schätze, er hat ein richtig hübsches Dossier über mich. Das können Sie wohl kaum gewollt haben.«

Er starrt mich schockiert an. »Er...er war in Ihrer Wohnung?«

»Ja.« Ich verzichte darauf, das Pronomen zu korrigieren. Die Information, dass »er« in Wirklichkeit zwei sind, bleibt einstweilen auf das Team beschränkt. Es ist unser heimlicher Trumpf.

Dr. Hillstead fährt sich mit der Hand durch das Haar. Er sieht erschüttert aus. »Das ist wirklich zutiefst beunruhigend, Smoky. Ich habe normalerweise nur aus zweiter Hand mit diesen Dingen zu tun, mit Erzählungen davon, aber das hier ist das erste Mal, dass ich tatsächlich mit so etwas konfrontiert werde.«

»So ist das eben manchmal.«

Vielleicht ist es meine Gelassenheit, die ihn aufhorchen lässt. Zum ersten Mal, seit ich sein Büro betreten habe, sieht er mir in die Augen. Er bemerkt die Veränderung, und das scheint den Arzt in ihm zu wecken.

»Warum nehmen Sie nicht Platz?«

Ich setze mich in einen der Ledersessel vor dem Schreibtisch. Er betrachtet mich nachdenklich. »Sind Sie wütend auf mich, weil ich den ballistischen Bericht zurückgehalten habe?«

Ich schüttele den Kopf. »Nein. Das heißt, ich war es. Doch ich verstehe, warum Sie es gemacht haben, und ich denke, es war richtig.«

»Ich wollte es Ihnen erst sagen, wenn Sie so weit gewesen wären, es zu verarbeiten.«

Ich lächle knapp. »Ich weiß nicht, ob ich bereit war oder nicht, aber ich bin dadurch gewachsen.«

Er nickt. »Ja. Ich bemerke eine Veränderung an Ihnen. Erzählen Sie mir davon.«

»Es gibt nicht viel zu erzählen«, antworte ich schulterzuckend. »Es hat mich schwer getroffen. Im ersten Augenblick konnte ich es nicht glauben. Dann kam die Erinnerung wieder.

Ich erinnerte mich, dass ich Alexa erschossen habe. Dass ich versucht habe, Callie zu erschießen. Es war, als hätte mich all der Schmerz, der mich seit sechs Monaten verfolgt, auf einmal getroffen. Ich wurde ohnmächtig.«

»Das hat Callie mir erzählt.«

»Die Sache ist die, dass ich nicht sterben wollte, als ich aufwachte. Und das weckte Schuldgefühle in mir. Und trotzdem wollte ich nicht sterben. Ich will es immer noch nicht.«

»Das ist gut, Smoky«, sagt er mit leiser Stimme.

»Und es ist nicht nur das. Sie hatten Recht mit meinem Team. Es ist meine Familie. Und es geht ihm verdammt schlecht. Alans Frau hat Krebs. Callie hat irgendwelche Probleme, über die sie mit niemandem reden will, und mir wurde bewusst, dass ich das nicht einfach ignorieren kann. Ich liebe sie. Ich muss für sie da sein, wenn sie mich brauchen. Verstehen Sie das?«

Er nickt. »Das tue ich. Und ich gestehe, dass ich es gehofft habe. Nicht dass die Mitglieder Ihres Teams Schwierigkeiten haben, das meine ich nicht. Aber Sie haben in einem Vakuum gelebt, Smoky. Ich habe gehofft, dass der Kontakt mit den anderen Sie an das eine erinnern würde, wovon ich weiß, dass es Ihnen einen Grund zum Weiterleben gibt.«

»Und das wäre?«

»Pflichtgefühl. Es ist eine treibende Kraft bei Ihnen. Sie haben eine Pflicht gegenüber Ihrem Team. Und gegenüber den Opfern.«

Dieser Gedanke überrascht mich. Weil mir sofort klar wird, dass er den Nagel auf den Kopf trifft. Ich mag vielleicht niemals wieder ganz geheilt werden, und ich mag bis zum letzten Tag meines Lebens nachts schreiend aus dem Schlaf schrecken – doch solange meine Freunde mich brauchen, solange diese Monster zuschlagen, muss ich bleiben. Ich habe keine andere Wahl. »Es hat funktioniert«, sage ich.

Er lächelt sanft. »Das freut mich.«

»Ach ja.« Ich seufze. »Auf dem Weg von San Francisco nach

Hause hatte ich eine Menge Zeit zum Nachdenken. Mir wurde klar, dass ich etwas ausprobieren musste. Falls ich es nicht konnte, war ich erledigt. Dann hätte ich heute mein Entlassungsgesuch eingereicht.«

»Und was war das?«, fragt er, obwohl ich glaube, dass er die Antwort weiß. Er will, dass ich es selbst sage.

»Ich war auf einer Schießbahn. Habe mir eine Glock geben lassen und wollte herausfinden, ob ich noch schießen kann. Ob ich sie überhaupt in die Hand nehmen kann, ohne wieder ohnmächtig zu werden.«

»Und?«

»Es ist alles noch da. Als wäre es nie weg gewesen.«

Er legt die Fingerspitzen aneinander und sieht mich an. »Es steckt noch mehr dahinter, nicht wahr? Ihr gesamtes Erscheinungsbild hat sich verändert.«

Ich blicke diesem Mann in die Augen; ihm, der versucht hat, mir in den vergangenen Monaten zu helfen. Mir wird bewusst, dass seine Fähigkeit, Leute wie mich zu unterstützen, ein erstaunlicher Tanz ist, eine Mischung aus Chaos und Präzision. Er muss wissen, wann er zurückweichen, wann er kämpfen, wann er antäuschen muss, um einen Verstand wieder zum Funktionieren zu bringen. Ich jage lieber Serienmörder.

»Ich bin kein Opfer mehr, Dr. Hillstead. Ich weiß nicht, wie ich es sonst ausdrücken soll. Es ist nichts, das sich in viele Worte kleiden ließe. Es ist einfach so; ich bin kein Opfer mehr.« Ich lehne mich zurück. »Sie haben viel dazu beigetragen, und dafür möchte ich Ihnen danken. Ohne Sie wäre ich vielleicht tot.«

Jetzt lächelt er. Und schüttelt den Kopf. »Nein, Smoky. Ich glaube nicht, dass Sie tot wären. Ich freue mich natürlich darüber, dass Sie der Meinung sind, ich hätte Ihnen geholfen, aber Sie haben ein angeborenes Talent zum Überleben. Ich glaube nicht, dass Sie sich selbst getötet hätten. Bestimmt nicht.«

Vielleicht, vielleicht auch nicht, denke ich.

»Wie soll es nun weitergehen? Wollen Sie mir sagen, dass Sie mich nicht mehr brauchen?« Es ist eine ehrliche Frage. Ich habe nicht das Gefühl, dass er bereits weiß, wie die richtige Antwort lautet.

»Nein, das sage ich nicht.« Ich lächle ihn an. »Es ist eigenartig. Hätten Sie mich vor einem Jahr gefragt, ob ich zu einem Therapeuten muss, hätte ich einen abfälligen Kommentar gemacht und mich den Leuten gegenüber überlegen gefühlt, die meinen, einen zu brauchen.« Ich schüttele den Kopf. »Das sehe ich nicht mehr so. Es gibt immer noch Dinge, die ich bewältigen muss. Der Tod meiner Freundin …« Ich sehe ihn an. »Sie wissen, dass ich ihre Tochter bei mir aufgenommen habe?«

Er nickt ernst. »Callie hat mich über das informiert, was ihr zugestoßen ist. Ich bin froh, dass Sie sie aufgenommen haben. Sie fühlt sich jetzt wahrscheinlich sehr allein.«

»Sie spricht nicht. Sie nickt nur oder schüttelt den Kopf. Letzte Nacht hat sie im Schlaf geschrien.«

Er verzieht das Gesicht. Niemanden bei klarem Verstand freut das Leid eines Kindes. »Ich schätze, es wird eine lange Zeit dauern, bis sie dieses Trauma überwunden hat, Smoky. Möglicherweise redet sie noch jahrelang nicht. Das Beste für sie ist, was Sie bereits tun – einfach da zu sein für sie. Versuchen Sie nicht, mit ihr über das zu reden, was passiert ist. Dazu ist sie noch nicht bereit. Ich bezweifle, dass sie es in den nächsten Monaten sein wird.«

»Tatsächlich?« Meine Stimme ist tonlos. Seine Augen sind freundlich.

»Ja. Hören Sie, am dringendsten benötigt dieses Kind jetzt das Wissen, dass es in Sicherheit ist und dass Sie für es da sind. Dass das Leben weitergeht. Sein Vertrauen in die für jedes Kind grundlegenden Dinge – die Sicherheit eines Zuhauses, Eltern, die für es da sind –, dieses Vertrauen ist erschüttert. Auf eine sehr persönliche, grauenvolle Weise. Es wird eine Weile dauern, bis dieses Vertrauen wieder aufgebaut werden kann.« Er sieht mich prüfend an. »Sie sollten das wissen, Smoky.«

Ich schlucke und nicke.

»Ich würde sagen, lassen Sie ihr Zeit. Beobachten Sie sie, seien Sie für sie da. Ich denke, Sie werden spüren, wann die Zeit für sie reif ist, darüber zu reden. Und wenn diese Zeit kommt …« Er scheint zu zögern, doch nur für einen Moment. »Wenn dieser Zeitpunkt gekommen ist, lassen Sie es mich wissen. Ich würde Ihnen mit Freuden einen Therapeuten für sie empfehlen.«

»Danke sehr.« Mir kommt ein weiterer Gedanke. »Was ist mit der Schule?«

»Damit sollten Sie noch etwas warten. Ihre seelische Gesundheit ist das wichtigere Problem.« Er runzelt die Stirn. »Es ist schwer zu sagen, wie sie sich entwickeln wird. Sie haben sicher das Klischee gehört, und es stimmt: Kinder sind sehr strapazierfähig. Sie könnte sich erholen und bereit sein für die Komplexitäten des schulischen Lebens, oder …« Er zuckt die Schultern. »Möglicherweise benötigt sie Privatunterricht, bis sie die Schule abgeschlossen hat. Doch ich würde sagen, zumindest für den Augenblick, dass das die geringste Ihrer Sorgen ist, Smoky. Die einfache Wahrheit lautet: Seien Sie für sie da. Sorgen Sie dafür, dass es ihr besser geht. Wenn ich Ihnen dabei helfen kann, werde ich es tun.«

Eine gewisse Erleichterung überkommt mich. Ich habe einen vorgezeichneten Weg und muss die Entscheidung nicht allein treffen. »Danke. Vielen Dank.«

»Was ist mit Ihnen, Smoky? Welche Auswirkungen hat es auf Ihren Gemütszustand, dass Sie das Kind bei sich aufgenommen haben?«

»Ich fühle mich schuldig. Glücklich. Schuldig, dass ich mich glücklich fühle. Glücklich, dass ich mich schuldig fühle.«

»Warum ist das so ein starker Konflikt?«, fragt er leise.

Er sagt nicht, dass der Konflikt falsch ist. Er fragt lediglich nach dem Grund.

Ich streiche mir mit der Hand durch die Haare. »Ich denke, ›warum nicht?‹ wäre die angemessenere Frage, Doc. Ich habe

Angst. Ich vermisse Alexa. Ich habe Angst, Mist zu bauen. Suchen Sie sich's aus.«

Er beugt sich vor und sieht mich intensiv an. Er hat etwas gefunden, das spüre ich, und er wird nicht locker lassen. »Gehen Sie der Sache auf den Grund, Smoky. Ich verstehe, es gibt zahlreiche Faktoren, jede Menge Gründe für Ihre Emotionen. Zerlegen Sie sie. Analysieren Sie sie, bis Sie etwas haben, womit Sie arbeiten können.«

Noch während er die Worte sagt, dämmert es mir. »Es ist, weil sie zugleich Alexa ist und es doch nicht ist«, sage ich.

So einfach ist das. Ganz einfach. Bonnie ist eine zweite Chance für mich, eine zweite Chance auf eine Alexa, eine zweite Chance auf eine Tochter. Aber sie ist nicht Alexa, und Alexa ist tot.

Nicht alle Wahrheiten sind gute Wahrheiten, zumindest oberflächlich betrachtet nicht. Manche Wahrheiten sind schmerzlich. Andere sind lediglich Startpunkte für einen langen steinigen Weg nach oben, für eine Menge qualvolle Arbeit. Diese Erkenntnis weckt in mir ein Gefühl von Leere. Wie eine Glocke, die auf einem windstillen Feld geläutet wird.

Wenn es mir gelingt, diese Wahrheit zu verarbeiten, dann werden sich die Dinge ändern, das weiß ich. Doch die Arbeit ist gewaltig und anstrengend und wird mir wehtun.

»Ja«, stoße ich hervor. Meine Stimme klingt abgehackt. Ich setze mich auf, verdränge den Schmerz. »Ich weiß Ihre Mühe zu schätzen, aber im Augenblick habe ich keine Zeit dafür, Doc.« Es klingt schroff. Zu schroff. Doch ich brauche meinen Ärger für andere Dinge. Den harten Teil von mir.

Dr. Hillstead ist nicht gekränkt. »Ich verstehe. Vergessen Sie nur nicht, sich irgendwann Zeit dafür zu nehmen.«

Ich nicke.

Er lächelt. »So, kommen wir zu meiner ursprünglichen Frage zurück. Was werden Sie jetzt tun?«

»Jetzt«, sage ich, und in diesem Moment wird meine Stimme

eiskalt, genau wie mein Herz, »jetzt kehre ich zur Arbeit zurück. Und ich werde den Mann finden, der Annie ermordet hat.«

Dr. Hillstead sieht mich für eine lange, lange Zeit an. Es ist ein Blick so scharf wie ein Laser. Er schätzt mich ab, versucht zu entscheiden, ob er mit meinem Entschluss einverstanden ist. Dies wird offensichtlich, als er in seine Schreibtischschublade greift und meine Glock hervorzieht. Sie ruht noch immer in dem transparenten Beweismittelbeutel. »Ich dachte mir bereits, dass Sie so etwas sagen würden, deswegen habe ich das hier für Sie bereitgelegt.« Er neigt den Kopf. »Das ist der eigentliche Grund, aus dem Sie zu mir gekommen sind, habe ich Recht?«

»Nein«, entgegne ich lächelnd. »Teilweise, aber nicht nur.« Ich nehme die Waffe, schiebe sie in meine Handtasche, stehe auf und schüttele Dr. Hillstead die Hand. »Sie sollten auch sehen, dass es mir wieder besser geht.«

Er hält meine Hand ein wenig länger als nötig. Ich spüre den sanftmütigen Geist dieses Mannes, der mir durch die Augen entgegenkommt. »Ich werde hier sein, wenn Sie wieder mit mir reden möchten. Jederzeit.«

Zu meiner Überraschung kommen mir die Tränen. Ich habe gedacht, ich hätte das hinter mir. Vielleicht ist es gut so, dass es nicht so ist. Ich möchte niemals innerlich derart verhärten, dass mich Freundlichkeit kalt lässt, ob sie nun von Fremden kommt oder von Freunden.

KAPITEL 23   »In diesem Gebäude arbeite ich, Schatz.«

Bonnie hält meine Hand und blickt fragend zu mir auf.

»Ja, ich gehe wieder zurück zur Arbeit. Ich muss es meinem Boss zuerst sagen.«

Sie drückt meine Hand. Sie scheint es gutzuheißen.

Wir fahren hinauf zu den Büros des CASMIRC. Als wir eintreten, sind lediglich Callie und James da.

»Hallo.« Callies Stimme klingt angespannt. James blickt auf, ohne ein Wort zu sagen.

»Callie, ich muss nach oben und mit AD Jones reden. Könntest du solange auf Bonnie aufpassen? Es dauert nicht lange.«

Callie mustert mich für eine Sekunde. Dann sieht sie Bonnie an und lächelt. »Was sagst du dazu, Zuckerschnäuzchen? Ist das in Ordnung, wenn du bei mir bleibst?«

Bonnie studiert sie, und Callie lässt es mit wohlwollender Geduld über sich ergehen. Bonnie nickt, lässt meine Hand los, geht zu Callie und ergreift ihre.

»Ich bin bald wieder zurück.« Ich verlasse das Büro in dem Wissen, dass Callie und James sich fragen, was ich bei AD Jones will. Sie werden es früh genug erfahren.

Das Büro von Jones liegt in der obersten Etage. Shirley, seine Sekretärin, begrüßt mich mit professionellem Lächeln. »Hi Smoky.«

»Hey, Shirley. Ist er da?«

»Warten Sie, ich sehe nach.« Sie nimmt das Telefon auf und drückt auf den Interkom-Knopf. Sie weiß natürlich, dass er da ist. Sie will vorher nur herausfinden, ob er mich zu sehen wünscht. Ich nehme es nicht persönlich. Ich schätze, Shirley würde selbst den Präsidenten der Vereinigten Staaten warten lassen. »Sir? Agent Barrett ist hier. M-hm. Jawohl, Sir.« Sie legt auf. »Gehen Sie gleich zu ihm rein.«

Sie zupft an meinem Ärmel, als ich mich in Richtung Tür in Bewegung setze. Auf ihrem Gesicht steht ein leichtes Lächeln, und es ist neckisch. »Willkommen zurück. Oh, sehen Sie mich nicht so überrascht an. Jeder, der nur ein wenig Verstand im Kopf hat, kann Ihnen ansehen, was los ist. Sie sehen gut aus, Smoky. Verdammt gut.«

»Sie sollten für mich arbeiten, Shirley. Einen scharfen Verstand wie Ihren kann ich immer gebrauchen.«

Sie lacht. »Oh nein, danke sehr. Zu langweilig für meinen Geschmack. Dieser Job hier ist weitaus gefährlicher.«

Ich grinse zurück, öffne die Tür und schließe sie hinter mir. AD Jones sitzt an seinem Schreibtisch und mustert mich aufmerksam von oben bis unten. Er scheint gutzuheißen, was er sieht, und nickt unmerklich vor sich hin.

»Nehmen Sie Platz.« Nachdem ich mich gesetzt habe, lehnt er sich zurück. »Ich habe einen Anruf von Dr. Hillstead erhalten, vor etwa zehn Minuten. Er hat Ihnen die volle Tauglichkeit für den aktiven Dienst bescheinigt. Ist das der Grund, der Sie zu mir führt?«

»Ja. Ich bin bereit, wieder zu arbeiten. Allerdings unter einer Bedingung: Ich möchte Annies Fall behalten.«

Er schüttelt den Kopf. »Ich weiß nicht, Smoky. Ich glaube nicht, dass das eine gute Idee ist.«

Ich antworte mit einem Schulterzucken. »Dann kündige ich eben. Ich arbeite als Privatdetektivin und suche auf eigene Faust nach den Mördern.«

AD Jones sieht aus, als hätte er Mühe, seinen Unterkiefer am Herunterklappen zu hindern. Er sieht außerdem sauer aus. Mächtig sauer. Stinksauer. »Sie stellen mir ein Ultimatum?«

»Jawohl, Sir.«

Er funkelt mich wortlos an, während Schock und Ärger in ihm um die Oberherrschaft ringen. Dann verschwinden beide plötzlich. Er schüttelt den Kopf. Um seine Mundwinkel spielt die Andeutung eines Lächelns. »Ziemlich guter Schachzug, Agent Barrett. Aber okay. Sie sind wieder dabei, und es ist Ihr Fall. Halten Sie mich auf dem Laufenden.«

Das war's. Er entlässt mich, indem er mir sagt, dass ich mich an die Arbeit machen soll. Ich stehe auf, um zu gehen.

»Smoky.«

Ich drehe mich zu ihm um.

»Schnappen Sie diese verdammten Drecksäcke.«

In den Büros des CASMIRC warten James und Callie bereits ungeduldig. Sie wissen, dass etwas im Busch liegt. Mir wird bewusst, dass dies für beide ein entscheidender Augenblick ist, und nicht nur für sie, sondern für mein gesamtes Team. Ein Moment, in dem sich alles für immer ändern kann. Ich hätte es ihnen sagen sollen, als ich reingekommen bin, doch ich war nicht sicher, nicht zu einhundert Prozent, ob AD Jones mir Annies Fall überlassen würde. Die Drohung zu kündigen, falls nicht, war absolut ernst gemeint.

»Ich bringe Bonnie zu Elaina«, sagt ich zu Callie. Sie hebt die Augenbrauen. James sieht mich fragend an. »Ich habe mein Wort gehalten«, erkläre ich. »Ich bin wieder dabei.«

James nickt einmal, ohne weitere Fragen zu stellen. Auf Callies Gesicht sehe ich Erleichterung und Zufriedenheit. Ich bin froh, dass es so ist. Zugleich macht es mich auch ein wenig traurig. Ich frage mich, ob sie glaubt, die Dinge würden wieder so, wie sie einmal waren. Ich hoffe nicht. Die Dinge werden wieder gut sein, ja. Die Zusammenarbeit mit meinem Team wird mir gut tun, wie immer.

Aber die Dinge werden nie wieder, wie sie waren. Wir sind alle älter geworden. Härter. Wie das unbesiegte Team bei seiner ersten Niederlage haben wir gelernt, dass wir nicht unverwundbar sind, dass man uns schlagen kann. Dass man uns sogar töten kann.

Außerdem habe ich mich verändert. Werden sie es bemerken? Und falls ja, macht es sie glücklich – oder traurig? Was ich zu Dr. Hillstead gesagt habe, ist die Wahrheit. Ich bin nicht länger ein Opfer, ich bin fertig damit. Doch das bedeutet nicht, dass ich die gleiche Smoky Barrett bin wie früher.

Es war eine Eingebung, die auf der Schießbahn über mich gekommen ist. Wie die Stimme jenes Gottes, an den ich nicht glaube. Ich habe erkannt, dass ich niemals wieder lieben werde. Matt war die Liebe meines Lebens, und er ist tot. Niemand wird ihn je ersetzen. Das ist kein Fatalismus und keine Depression. Es ist eine Tatsache, eine Gewissheit, und sie hat mir eine Art Frieden gebracht. Aber ich werde Bonnie lieben. Ich werde mein Team lieben.

Und darüber hinaus werde ich nur noch eine Liebe haben, die den Rest meines Lebens definieren wird. Die Jagd.

Ich habe die Glock in der Hand gehalten, und genau in diesem Moment wurde es mir bewusst. Ich bin kein Opfer mehr, jetzt nicht mehr. Stattdessen bin ich die Waffe geworden. In guten wie in schlechten Zeiten, bis der Tod uns scheidet.

KAPITEL 24 Ich sehe Bonnie an, bevor wir aus dem Wagen steigen. »Alles in Ordnung, Honey?«

Sie erwidert meinen Blick aus ihren viel zu alten Augen. Nickt.

»Gut.« Ich rubbel ihr durch das Haar. »Elaina ist eine sehr gute Freundin von mir. Sie ist Alans Frau. Du erinnerst dich an Alan? Der große dunkelhäutige Mann, den du im Flugzeug gesehen hast.«

Nicken.

»Ich denke, du wirst sie sehr mögen. Wenn du trotzdem nicht bei ihr sein willst, dann lass es mich wissen, und wir denken uns etwas anderes aus.«

Sie sieht mich mit geneigtem Kopf an. Scheint die Wahrheit meiner Worte abzuwägen. Lächelt und nickt. Ich grinse zurück. »Sehr schön.«

Ich sehe in den Rückspiegel. Keenan und Shantz parken vor dem Haus, stets gegenwärtig. Sie wissen, dass ich Bonnie hier lassen werde und dass sie ebenfalls hier bleiben sollen. Fast fühle ich mich sicher, sie hier lassen zu können. Fast.

»Gehen wir, Kleines.«

Wir steigen aus dem Wagen und marschieren zur Tür, klingeln. Einen Moment später öffnet uns Alan. Er sieht besser aus als im Flugzeug, doch er wirkt immer noch erschöpft. »Hey Smoky. Hey Bonnie.«

Bonnie sieht zu ihm auf und mustert ihn prüfend, indem sie ihm geradewegs in die Augen starrt. Er erträgt es mit der Gutmütigkeit des sanften Riesen, den er personifiziert, bis sie ihm ein Lächeln schenkt, ihr Äquivalent eines erhobenen Daumens. Er lächelt zurück. »Kommt rein. Elaina ist in der Küche.« Wir treten ein, und Elaina streckt den Kopf in den Flur. Bei meinem Anblick hellt sich ihre Miene auf, und mein Herz macht einen freudigen Sprung. So ist Elaina. Sie strahlt vor Herzensgüte.

»Smoky!«, ruft sie und stürzt auf mich zu. Ich lasse mich von ihr umarmen, erwidere die Umarmung.

Sie tritt zurück, hält mich auf Armeslänge von sich, und wir sehen einander an. Elaina ist nicht so klein wie ich, doch neben Alan wirkt sie mit ihren knapp eins sechzig wie eine Zwergin. Sie ist unglaublich schön. Nicht auf atemberaubende Weise wie Callie – ihre Schönheit ist mehr eine Mischung aus Äußerlichem und der reinen Kraft ihrer Persönlichkeit. Sie ist eine von jenen Frauen, deren Tiefe und Güte ihre gesamte Präsenz durchziehen, die in einem die Sehnsucht wecken, in ihrer Nähe zu sein. Alan hat es einmal in einem einzigen, einfachen Satz zusammengefasst. »Sie ist eine Urmutter.«

»Hallo Elaina!«, sage ich lächelnd. »Wie geht es dir?«

Ein kurzes Etwas zuckt in ihren Augen auf, verschwindet wieder. Sie küsst mich auf die Wange. »Jetzt geht es mir viel besser als eben, Smoky. Du hast uns gefehlt.«

»Ihr mir auch«, sage ich. »Ich meine, ihr habt mir ebenfalls gefehlt.«

Sie mustert mich einen bedeutungsvollen Moment, dann nickt sie. »Viel besser«, sagt sie. Ich weiß, dass sie mich meint. Sie wendet sich zu Bonnie und geht ein wenig in die Knie, sodass die beiden auf gleicher Gesichtshöhe sind. »Du musst Bonnie sein«, sagt sie.

Bonnie sieht Elaina an, und für einen Augenblick scheint die Zeit stillzustehen. Elaina hockt einfach vor ihr und strahlt auf ihre wortlose, unterschwellige Weise ihre Liebe aus. Es ist eine richtige Naturgewalt, eine Macht, die Menschen wie Elaina haben. Irgendetwas, das geeignet ist, die Schranken niederzureißen, die Schmerz um die Herzen anderer errichtet. Bonnie erstarrt. Ihr kleiner Körper erzittert, und ein undefinierbares Gefühl huscht über ihr Gesicht. Es dauert eine Sekunde, bis ich es einordnen kann, und als es so weit ist, durchzuckt mich ein sengender Schmerz wie ein Blitzschlag. Es ist Leid und Sehnsucht, tief und dunkel und aus ganzer Seele. Elainas Liebe ist machtvoll. Sie ist roh und elementar. Sie ist nichts, mit dem man spielen könnte, sie macht keine Gefangenen. Und sie ist in Bonnie gefahren wie ein Messer aus Sonnenlicht, hat ihren versteckten Schmerz tief im Innern blitzartig freigelegt. Alles in einem einzigen Augenblick. Einfach so.

Ich beobachte, wie Bonnie einen inneren Kampf verliert, beobachte, wie ihr Gesicht sich gegen ihren Willen verzieht, beobachte, wie lautlose Tränen über ihre Wangen kullern.

Elaina streckt die Arme aus, und Bonnie stürzt sich in sie. Elaina umschlingt sie, drückt sie an sich, streichelt ihr über das Haar und gurrt leise in dieser Mischung aus Englisch und Spanisch auf sie ein, an die ich mich so gut erinnern kann.

Ich bin sprachlos. Ein Klumpen füllt meine Kehle, verlangt nach Tränen. Ich kämpfe ihn zurück. Ich sehe Alan an. Er kämpft ebenfalls. Der Grund ist für uns beide der gleiche. Es ist nicht allein Bonnies Schmerz. Es ist Elainas Liebe, und Bonnies instinktives, augenblickliches Wissen, dass Elainas Arme ein Ort der Sicherheit sind, wenn irgendetwas schmerzt.

Das ist Elaina. Sie ist eine Urmutter.

Der Augenblick scheint Ewigkeiten zu dauern. Schließlich löst sich Bonnie von ihr, wischt sich mit den Händen über das Gesicht.

»Besser jetzt?«, fragt Elaina.

Bonnie sieht sie an, schenkt ihr ein erschöpftes Lächeln zur Antwort. Es ist nicht nur ihr Lächeln, das erschöpft ist. Sie hat sich soeben einen Teil ihrer Seele aus dem Leib geweint, und das hat sie viel Kraft gekostet.

Elaina streichelt ihr mit einer Hand über die Wange. »Bist du müde, Baby?«

Bonnie nickt und blinzelt mühsam. Ich merke, dass sie fast im Stehen einschläft. Elaina nimmt sie ohne ein weiteres Wort auf den Arm. Bonnies Kopf sinkt gegen ihre Schulter, und von einer Sekunde zur anderen ist sie tief und fest eingeschlafen, einfach so.

Wir waren Zeugen von etwas Magischem. Elaina hat ihr den Schmerz ausgesaugt, und jetzt kann sie schlafen. Nach ihrem Besuch im Krankenhaus damals habe ich ebenfalls die ganze Nacht geschlafen. Zum ersten Mal seit Tagen.

Es trifft mich schwer, als ich Bonnie dort in ihren Armen sehe, schlafend, voller Vertrauen. Ich hasse mich für meine Selbstsucht, doch ich kann nichts gegen die Angst tun. Was, wenn Bonnie dieser wunderbaren Frau zu nahe kommt und sie ebenfalls verliert? Der Gedanke an diese Möglichkeit macht mir furchtbare Angst, eine Angst, wie sie nur eine Mutter empfinden kann.

Elaina blinzelt mir zu und lächelt. »Keine Sorge, Smoky, ich laufe nicht weg mit ihr.« Ein unglaubliches Einfühlungsvermögen, wie immer. Ich fühle mich beschämt. Doch sie lächelt weiter, und ihr Lächeln spült meine Scham davon. »Ich denke, wir kommen hier zurecht. Ihr beide könnt beruhigt zur Arbeit gehen.«

»Danke«, murmele ich. Ich kämpfe noch immer gegen den Kloß in der Kehle.

»Wenn du mir danken möchtest, Smoky, dann komm heute Abend zum Abendessen zu uns.« Sie tritt zu mir und berührt mein Gesicht. Die Seite mit den Narben. »Besser«, sagt sie. Dann, entschieden: »Definitiv besser.«

Sie gibt Alan einen kleinen Kuss, dann geht sie davon, und diese elementare Liebe und Güte folgen ihr. Sie verändert alles, was sie berührt, allein durch ihr Wesen.

Alan und ich gehen nach draußen. Wir bleiben für einen

Moment auf der Veranda stehen. Bewegt und benommen und ein wenig zittrig.

Alan durchbricht die Stille, nicht mit Worten, sondern mit Taten. Diese riesigen Catcherhände fliegen in einer einzigen, plötzlichen, verzweifelten Bewegung vor sein Gesicht. Seine Tränen sind so lautlos wie die von Bonnie vorhin, und es schmerzt mich genauso sehr, sie mit anzusehen. Der sanfte Riese erzittert. Ich weiß, es sind Tränen der Angst. Ich verstehe. Mit Elaina verheiratet zu sein muss einem das Gefühl vermitteln, als wäre man mit der Sonne selbst verheiratet. Er hat Angst, sie zu verlieren. Für immer allein in der Dunkelheit zurückzubleiben. Ich könnte zu ihm sagen, dass das Leben weitergeht, bla-bla-bla.

Ich weiß es besser.

Also lege ich stattdessen eine Hand auf seine Schulter und lasse ihn weinen. Ich bin nicht Elaina. Doch ich weiß, dass er sie niemals seine Sorge und seinen Schmerz so sehen lassen würde wie jetzt mich. Ich tue mein Bestes. Ich weiß aus Erfahrung, dass es nicht genug ist, aber es ist besser, viel besser als überhaupt nichts.

Der Sturm zieht genauso schnell vorbei, wie er gekommen ist. Seine Augen sind bereits trocken, was mich nicht wirklich überrascht. Wir sind eben so, denke ich traurig. So gern wir auch manchmal einfach brechen würden – wir sind nur dazu gemacht, uns immer weiter zu verbiegen.

KAPITEL 25 Alle sehen abgekämpft aus, mit jenem gehetzten, nicht ausgeschlafenen Ausdruck im Gesicht. Die Haare gekämmt, doch nicht perfekt. Die Männer nicht so ordentlich rasiert, wie es sein könnte. Alle wirken zerzaust – bis auf Callie natürlich. Sie ist wunderschön und makellos wie immer.

»Wie geht es Bonnie?«, fragt sie.

Ich zucke die Schultern. »Schwer zu sagen. Für den Augenblick scheint sie okay. Allerdings ...« Ich zucke erneut die Schultern.

Niemand sagt etwas dazu. Vielleicht wird sie sich irgendwann von allem erholen, vielleicht aber auch nie ...Jedenfalls ist es schwierig.

Ein lautes »Ding-dong« erfüllt die Luft.

»Was zur Hölle ist das denn?«, frage ich erstaunt.

»Es bedeutet, dass ich eine E-Mail bekommen habe, Zuckerschnäuzchen. Ich habe ein Programm, das automatisch jede halbe Stunde nachsieht und mich benachrichtigt, falls neue Post eingegangen ist.«

Ich sehe Callie verblüfft an. »Tatsächlich?« Die Vorstellung erscheint mir irgendwie bizarr. Ich bemerke die toleranten Blicke auf den Gesichtern der anderen und habe den Eindruck, dass ich mich als ein wenig rückständig erwiesen habe.

Callie geht zum Notebook auf ihrem Schreibtisch und öffnet ihre Mailbox. Sie runzelt die Stirn und sieht mich an. »Eine Psycho-Mail«, sagt sie.

Das Gefühl von Lethargie, das den Raum eingelullt hat, verschwindet mit einem einzigen elektrisierenden Blitz. Wir drängen uns um ihren Schreibtisch. Die Betreffzeile der eingegangenen Mail lautet: »*A Message From Hell*«, eine Nachricht aus der Hölle, der Absender: »Sie wissen schon, wer«. Mit einem Doppelklick öffnet Callie das Schreiben.

Ich grüße Sie, Agent Thorne! Und Agent Barrett natürlich ebenfalls. – Ich bin sicher, Sie beide lesen diese Nachricht gemeinsam.

Sie sind also wieder zurückgekehrt in Ihr Nest, schätze ich, und überlegen, wie Sie die Verfolgung angehen sollen. Ich muss gestehen, ich werde allmählich aufgeregt angesichts der Tage, die vor uns liegen. Die Jagd ist eröffnet, und ich hätte mir keine besseren Jäger wünschen können.

Ich habe ein spezifisches Anliegen, Agent Thorne, doch bevor

*wir dazu kommen, muss ich ein wenig ausholen. Ich hoffe, Sie
werden mir verzeihen.*

*Ich bin sicher, Sie alle haben sich längst gefragt, warum ich
Sie so direkt herausfordere. Vielleicht haben Sie bereits ein Team
von Profilern, das meine Motive zerlegt und sich bemüht, die
Bedeutung meiner Handlungsweise zu enträtseln.*

»Das wünscht ihr euch wohl«, zischt Callie.

Es ist kein leerer Kommentar von ihrer Seite. »Sie« verraten uns etwas Wichtiges, einen Teil dessen, was sie antreibt.
Der Gedanke, dass wir Zeit und Ressourcen darauf verwenden,
sie zu analysieren, ist ein Egotrip für sie. Der Gedanke macht
sie an.

*Die Antwort ist gar nicht so kompliziert, wie Sie vielleicht vermuten. Genauso wenig, wie ich kompliziert bin. Meine Motive
sind nicht geheimnisvoll, Agent Thorne und Co. Sie sind nicht in
trüben Wassern verborgen. Sie glänzen mit der kühlen Einfachheit
von scharfem Stahl. Steril und grell beleuchtet wie ein Skalpell.
Ich fordere Sie heraus, weil Sie mich verdienen. Sie jagen die Jäger,
und ich bin sicher, Sie haben viele Jahre damit verbracht, sich
gegenseitig auf die Schultern zu klopfen. Sich gegenseitig Gratulationen zuzuraunen und ihre Geschicklichkeit zu bewundern,
mit der Sie diejenigen, die morden, in die Käfige gesteckt haben,
die sie Ihrer Meinung nach verdient haben.*

*Und deswegen verdienen Sie mich. Wenn nämlich diese anderen, die Sie bis heute gejagt haben, Schatten sind, dann bin ich die
Dunkelheit selbst. Sie sind die Schakale, die mir folgen, und ich
bin der Löwe. Sie glauben, Sie wären Meister ihres Fachs? Dann
jagen Sie mich.*

*Ich wünsche mir Gegner, die meiner würdig sind, Agent Barrett.
Lesen Sie meine Briefe sehr sorgfältig. Riechen Sie meinen Duft.
Riechen Sie, wie etwas Tödliches riecht. Sie werden es brauchen in
den Tagen, die vor uns liegen.*

*Lernen Sie in der Annahme zu leben, dass Sie belagert werden.
Sie wissen vielleicht noch nicht, was ich meine, jetzt noch nicht.
Sie werden es erfahren. Lernen Sie daraus, und vergessen Sie es
niemals! Und benutzen Sie es für Ihre Jagd auf mich. Denn eines
verspreche ich Ihnen – solange Sie mich frei herumlaufen lassen,
werde ich meine Beute reißen, und Sie werden ein Leben unter
Belagerung leben.*

Diese Worte lassen mich gegen meinen Willen erschauern.

*Und jetzt zurück zu Ihnen, Agent Thorne. Machen wir es per-
sönlich, ja? Ich habe zwar Agent Barrett von Angesicht zu Angesicht herausgefordert, doch mir ist bewusst, dass jeder Handschuh,
den ich in ihre Richtung werfe, ebenso vor den Füßen von Ihnen
allen landet. Und weil wir noch einen Tag haben, bevor mein
Paket in Ihren eifrigen Händen landet, sollten wir diese Zeit klug
nutzen.*
*   Agent Barrett hat ihre beste Freundin verloren. Sehen wir,
ob wir diese Zeit nutzen können, um sicherzustellen, dass jeder
Einzelne von Ihnen etwas ebenso Wichtiges verliert.*

Alarmsirenen schrillen in meinem Kopf, als ich diesen letzten
Satz lese. Ich kenne meine Beute noch nicht, nicht so, wie ich
am Ende alle Mörder kenne, die wir jagen. Ich habe diese beiden noch nicht richtig in mich eingesaugt, spüre sie noch nicht
in den Knochen. Doch eine Gewissheit habe ich in mich aufgenommen, und durch sie erzeugt dieser Satz ein eisiges Frösteln
in mir. Ich weiß, dass diese beiden Monster nicht bluffen.

*Hier ist ein Link zu einer Webseite für Sie, Agent Thorne.
Besuchen Sie sie, und wenn Sie genau genug hinsehen, werden
Sie alles begreifen. Ich denke, Sie werden die Ironie genießen.*
*   From Hell*
*   Jack Junior*

Die E-Mail enthält einen Link, eine unterstrichene Zeile, die besagt: Hier klicken.

»Ja?«, fragt Callie.

Ich nicke. »Nur zu.«

Sie klickt auf den Link, und ein Browserfenster öffnet sich. Wir warten, während die Webseite geladen wird und sich der Bildschirm allmählich füllt. Der Hintergrund ist weiß. Eine rote Schrift erscheint: »RED ROSE«, und darunter, in kleinerer Schrift: »Eine echte rothaarige Amateurin«.

Der Rest der Grafiken wird aufgebaut, und was ich sehe, lässt mich blinzeln.

Alan runzelt die Stirn. »Was zur Hölle ... ist das?«

Der Bildschirm zeigt eine große, wunderschöne rothaarige Frau Anfang zwanzig, bekleidet mit einem roten Tangahöschen und sonst nichts. Sie blickt direkt in die Kamera, lächelt ein verführerisches Lächeln, sodass wir ihr Gesicht ganz genau erkennen können. Ich drehe mich zu Callie um. Callie ist totenblass. Jegliches Blut ist aus ihrem Gesicht gewichen. Ihre Augen sind erfüllt von einer bodenlosen Furcht.

»Callie ...? Was hat das zu bedeuten ...?«

Wir alle sehen sie an. Weil die junge Frau auf dem Bildschirm, die sich Red Rose nennt, Callie ähnlich genug sieht, um ihre Schwester zu sein.

»Callie?« Alans Stimme klingt erschrocken, und er geht auf sie zu, während sie vom Bildschirm zurückweicht, bis sie an der Wand angelangt ist. Sie ballt eine Faust, schiebt sie sich in den Mund. Ihre Augen werden weit. Sie zittert am gesamten Leib. Alan streckt die Hand nach ihr aus.

Und dann explodiert Callie. Es ist, als würde plötzlich mitten an einem klaren freundlichen Tag ein Hurrikan mit voller Wucht ausbrechen. Die Angst verschwindet aus ihrem Gesicht, weicht einer so intensiven Wut, dass ich zusammenzucke. Sie wendet sich fauchend Leo zu, der erschrocken zurückweicht. Als sie spricht, ist es ein Brüllen.

»Such die verdammte Adresse! Sofort! Sofort! Sofort!«

Leo starrt Callie nur für den Bruchteil einer Sekunde an, dann rutscht er hinter den nächsten Bildschirm. Callie beugt sich vor, über den Schreibtisch, und packt die Tischkanten so fest, dass ihre Knöchel weiß hervortreten. Die Luft rings um sie ist statisch aufgeladen. Als würden kleine Blitze knistern.

James ist derjenige von uns, der ihrer rasenden Wut trotzt. »Callie«, sagt er mit ruhiger Stimme. »Wer ist sie?«

Sie sieht James an. Ihre Augen sind gefüllt mit Blitzen.

»Sie ist meine Tochter.«

Und dann schreit sie los, wirft ihren Schreibtisch um, und ihr Notebook und sämtliche Akten landen auf dem Boden.

Wir weichen mit offenen Mündern zurück, schockiert und entsetzt. Nicht wegen der Zerstörung, nicht wegen ihres Anfalls, sondern wegen der Enthüllung.

»Tot, tot, tot, dieser Kerl ist tot!« Sie wirbelt zu mir herum. *»Hörst du, was ich sage, Smoky? Er ist tot!«* Es ist ein Heulen, voll unerträglicher Qual.

Und ich sehe mich selbst, vor sechs Monaten, als ich meine leer geschossene Pistole auf Callie gerichtet und den Abzug durchgedrückt hatte. *Ja, ich höre sehr genau, was du sagst, Callie.*

»Beschaffen Sie uns diese Adresse, Leo«, sage ich, ohne den Blick von Callie zu wenden. »Machen Sie schnell.«

KAPITEL 26 Ich befinde mich auf dem Beifahrersitz von Callies Wagen und bete, dass wir unser Ziel im Ventura County lebend erreichen. Callie jagt den Freeway 101 hinunter wie eine Wahnsinnige, als wollte sie die Schallmauer durchbrechen. Ich kann nur hoffen, dass die anderen noch hinter uns sind. Leo hat die Adresse des registrierten Betreibers der Red Rose Internet Domain gefunden, und Callie ist aufgesprungen und durch die Tür nach draußen gerast, bevor einer von uns reagie-

ren konnte. Mir blieb nichts anderes übrig, als ihr hinterherzu-
rennen.

Ich sehe sie an. Sie besteht aus einem eng ineinander ver-
flochtenen Knäuel aus Angst und Gefährlichkeit.

»Rede mit mir, Callie«, sage ich, während ich mich am Tür-
griff festhalte.

»Sieh in meinem Portemonnaie nach«, knurrt sie. »In meiner
Handtasche.«

Ich ziehe das Portemonnaie hervor und öffne es. Ich weiß,
was sie mir zeigen will, sobald ich es sehe. Es ist ein kleines Foto.
Schwarzweiß, die Sorte von Babyfotos, die sie im Krankenhaus
machen. Es zeigt ein Neugeborenes, die Augen fest geschlossen, der Kopf noch ein klein wenig kegelförmig vom erst kurz
zurückliegenden Kampf durch den engen Geburtskanal.

»Ich war damals fünfzehn«, erklärt Callie, während sie mit
quietschenden Reifen durch eine Haarnadelkurve jagt. »Fünfzehn und dumm und einfältig. Ich habe mit Billy Hamilton
geschlafen, weil er mir den Hof gemacht hat, bis ich den Verstand verlor, und weil er so gut roch. Ist das nicht lustig, Zuckerschnäuzchen?«, fragt sie bitter. »Das ist alles, woran ich mich
erinnere, wenn ich an Billy denke. Er roch gut. Wie Sonne und
Regen gleichzeitig.«

Ich antworte nicht. Eine Antwort ist auch nicht nötig.

»Billy hat mich geschwängert, und es war der größte Skandal
in der Geschichte der Familie Thorne. Und der Hamiltons obendrein. Mein Dad hätte mich fast verstoßen. Meine Mom ging in
die Kirche und blieb tagelang dort. Eine Abtreibung kam überhaupt nicht in Frage – wir waren schließlich eine respektable
katholische Familie.« Die Worte sind beißend, voller Sarkasmus
und Schmerz. »Die Väter setzten sich zusammen und handel-
ten alles aus. So lief das damals in den besseren Kreisen von
Connecticut. Billy hatte eine Zukunft, ich vielleicht ebenfalls –
auch wenn ich jetzt nicht mehr blütenrein war.« Sie packt das
Lenkrad fester. »Sie beschlossen, dass ich das Baby in aller Stille

bekommen und während meiner Schwangerschaft zu Hause Privatunterricht nehmen würde. Nach der Geburt sollte es zur Adoption freigegeben werden. Man würde sich eine Geschichte ausdenken, um den Privatunterricht zu erklären – ich hätte eine schwere Allergie und müsste behandelt werden, und dazu waren einige Monate Isolation erforderlich. Das war es, was unsere Väter beschlossen, und genauso geschah es auch.

Das Timing hätte besser nicht sein können. Ich bekam das Baby im Sommer, und nach den Ferien konnte ich zurück in die Schule, als wäre überhaupt nichts gewesen. Und so war es auch – fast. Als wäre niemals etwas passiert.« Eine weitere Haarnadelkurve, quietschende Reifen. »Ich durfte das Haus nicht verlassen, und Billy wurde strengstens verboten, darüber zu reden.« Sie zuckt die Schultern. »Er war kein schlechter Kerl. Er hielt den Mund, und er hat mich hinterher niemals schlecht behandelt. Die ganze Geschichte…löste sich einfach irgendwie in Luft auf.« Sie nickt in Richtung des Fotos, das ich in der Hand halte. »Obwohl ich damals einfältig und dumm war, wusste ich, dass es nicht richtig ist, so zu tun, als wäre nichts gewesen. Eine der Schwestern hat dieses Foto für mich gemacht. Ich zwang mich dazu, es wenigstens einmal im Monat anzusehen. Und ich traf eine Reihe von Entscheidungen.« Ihre Stimme ist leise und ernst. Ich kann sie mir vorstellen, wie sie allein in ihrem Zimmer sitzt und stille Eide schwört. »Ich nahm mir vor, niemals wieder einfältig und dumm zu sein. Ich war fertig mit der katholischen Kirche. Und es war das letzte Mal, dass irgendjemand anders für mich eine Entscheidung traf, die mein Leben veränderte.«

»Mein Gott, Callie!« Ich weiß nicht, was ich sonst sagen soll.

Sie schüttelt kurz den Kopf. »Ich habe nie versucht, sie zu finden, Smoky. Das wäre mir falsch erschienen, weil ich wusste, dass sie inzwischen adoptiert worden war. Und ich war zu dem Schluss gekommen, dass sie ein Recht darauf hatte, ihr eigenes Leben zu leben.« Callie lacht auf. Ein schmerzvolles Lachen, wie ein Messer, das durch Metall schneidet. »Aber ich schätze, es stimmt, was sie sagen. Man hört niemals auf, Mutter zu sein. Nicht einmal, wenn man sein Kind fortgegeben hat. Sie unterhält eine Porno-Seite. Und sie ist wahrscheinlich tot, weil ich ihre Mutter bin. Ist das Leben nicht zum Kaputtlachen?«

Ihre Hände am Lenkrad zittern. Ich betrachte erneut das Foto. Dieses Foto war es, das Callie ansah, als ich in dem Café aus der Toilette kam. Callie, grob und respektlos und von atemberaubender Schlagfertigkeit, so voller unzerbrechlicher Zuversicht. Wie oft im Jahr nimmt sie dieses Foto hervor, betrachtet es und spürt diese Traurigkeit, die ich auf ihrem Gesicht gesehen habe?

Ich blicke aus dem Fenster. Die Hügellandschaft peitscht an uns vorbei, zusammen mit den gelegentlichen Ausfahrtsschildern. Der Tag ist in goldenes Sonnenlicht getaucht, der Himmel wolkenlos und strahlend blau. Es herrscht genau das Wetter, das sich die Leute vorstellen, wenn sie an Kalifornien denken.

Scheiß auf perfekten Himmel und goldenes Sonnenlicht. Ein Teil von mir will schreien, jetzt sofort. Weil die Realität unaufhörlich weitere Kegel umstößt – Matt, Alexa, Annie, Elaina… und jetzt Callie. Doch statt zu schreien, lege ich all meine Wut in meine nächsten Worte.

»Hör zu, Callie. Vielleicht ist sie noch nicht tot. Vielleicht wollten die beiden Monster dir nur Angst einflößen.«

Sie antwortet nicht. Sieht mich für einen Moment an. Ihre Augen sind voller Verzweiflung. Dann tritt sie das Gaspedal noch weiter durch.

Dank Callies Raserei erreichen wir dreißig Minuten, nachdem wir vom Parkplatz des FBI losgefahren sind, Moorpark. Es ist eine kleine, wachsende Stadt in der Nähe von Simi Valley und Thousand Oaks. Hier wohnt eine Mischung aus Mittel- und Oberer Mittelklasse, und wir befinden uns im Zentrum einer Vorstadt. Wir halten vor dem Haus. Es ist zweistöckig und weiß gestrichen mit blauen Verzierungen.

Alles ist ruhig. Ein Nachbar auf der anderen Seite mäht seinen Rasen. Die Banalität seiner Arbeit wirkt surreal.

Callie springt aus dem Wagen, die Waffe schussbereit. Eine rothaarige Todesmaschine, angetrieben von Angst um ihr Kind.

»Scheiße«, murmele ich und steige aus, um ihr zu folgen. Das ist alles verkehrt.

Ich blicke die Straße entlang, in der Hoffnung, Alan oder James zu sehen, die hinter uns hergefahren sind, doch die vorstädtische Ruhe wird nicht durchbrochen. Ich folge Callie zur Haustür. Der Nachbar, der seinen Rasen gemäht hat, schaltet den Motor aus und weicht mit weit aufgerissenen Augen in Richtung Haus zurück.

Callie hämmert ohne Zögern gegen die Haustür. »FBI!«, brüllt sie. »Aufmachen, sofort!«

Stille. Dann hören wir Schritte, die sich der Tür nähern. Ich sehe Callie an. Ihre Augen sind weit aufgerissen, die Nüstern gebläht. Ich sehe, wie sie die Waffe fester packt.

Hinter der Tür ist eine Stimme zu hören. Weiblich. »Wer ist da?«

»FBI, Ma'am!«, sagt Callie, den Finger neben dem Abzugbügel gestreckt. »Bitte öffnen Sie die Tür.«

Ich stelle mir das Zögern auf der anderen Seite vor, kann es förmlich spüren. Dann dreht sich der Knauf, die Tür öffnet sich und …

… ich starre Callies Tochter ins Gesicht, lebendig, die Augen aufgerissen und ängstlich beim Anblick der Pistolen in unseren Händen.

Sie hält ein Baby in den Armen.

KAPITEL 27 Wir sind im Haus. Callie sitzt im Wohnzimmer und hat den Kopf in den Händen. Ich bin in der Küche und telefoniere über mein Handy mit Alan.

»Nichts«, sage ich. »Er hat Callie nur fertig machen wollen.«

»James und ich sind ungefähr zehn Minuten von euch entfernt. Sollen wir noch kommen?«

Ich blicke hinüber ins Wohnzimmer, zu Callie und ihrer Tochter. Die Atmosphäre ist gespannt, angefüllt mit Angst und der Erschöpfung, die einem Adrenalinstoß stets folgt.

»Nein. Je weniger Leute jetzt hier sind, desto besser. Fahrt zurück ins Büro. Ich melde mich.«

»Verstanden.«

Er legt auf. Ich atme tief durch und marschiere in den emotionalen Zyklon. Callies Tochter, die sich Marilyn Gale nennt, läuft aufgeregt auf und ab und tätschelt dem Baby dabei den Rücken. Vermutlich mehr zu ihrer eigenen Beruhigung als zu der des Säuglings.

Mein Gott, sie sieht aus wie Callie. Das scheint ihr bis jetzt noch überhaupt nicht aufgefallen zu sein. Eine Spur kleiner, eine Spur kräftiger, ein wenig weichere Gesichtszüge. Doch die roten Haare sind unverkennbar. Und Gesicht und Figur weisen die gleiche Model-Schönheit auf. Die Augen sind anders. Billy Hamiltons Gene, schätze ich. Am meisten aber fühle ich mich durch Marilyns Wut an Callie erinnert. Sie ist stinksauer, die Art von stinksauer, die nur plötzliche Angst hervorzurufen vermag.

»Wollen Sie mir jetzt endlich verraten, was hier gespielt wird?«, fragt sie schrill. »Warum plötzlich zwei FBI-Agenten mit gezogenen Waffen vor meiner Haustür auftauchen?«

Callie antwortet nicht. Sie hat den Kopf immer noch in den Händen. Sie sieht erledigt aus.

Also muss ich das Reden übernehmen, für den Augenblick jedenfalls. »Würden Sie sich bitte zuerst setzen, Mrs. Gale? Ich werde Ihnen alles erklären. Allerdings sollten Sie vielleicht zuerst einmal versuchen, sich ein wenig zu entspannen.«

Sie bleibt stehen und funkelt mich an. Der Blick reicht aus, um mich zu überzeugen, dass die Gene auch für die Persönlichkeitsausprägung eine Rolle spielen. Ich sehe Callies Stahl in diesen wütenden Augen. »Ich werde mich setzen. Aber verlangen Sie nicht, dass ich mich entspanne!«

Ich antworte mit einem schwachen Lächeln. Sie setzt sich. Callie hat den Kopf immer noch in den Händen vergraben.

»Ich bin Special Agent Smoky Barrett, Mrs. Gale, und das hier…«

Sie lässt mich nicht ausreden. »*Ms* Gale, nicht *Mrs.*« Sie zögert. »Barrett? Sind Sie die Beamtin, die vor sechs Monaten von diesem Irren überfallen wurde? Die Frau, die ihre gesamte Familie verloren hat?«

Ich zucke innerlich zusammen, doch ich nicke. »Ja, Ma'am.«

Dies scheint ihr – mehr als alles andere – die Angst zu nehmen. Sie ist immer noch nicht entspannt, aber ihre Wut ist durchsetzt von Mitgefühl. Der Zyklon erstirbt. Lediglich kleine Blitze zucken noch in den Ausläufern. »Es tut mir Leid«, sagt sie. Zum ersten Mal scheint sie auch meine Narben zu bemerken. Ihr Blick ist gemessen und zurückhaltend, und sie wirkt nicht abgestoßen. Sie sieht mir direkt in die Augen, und ich bemerke etwas, das mich überrascht. Nicht Mitleid, sondern Respekt.

»Danke sehr.« Ich atme tief durch. »Ich leite die Abteilung der FBI-Niederlassung von Los Angeles, die sich mit Gewaltverbrechen befasst, mit Serienmorden. Wir suchen einen Mann, der mindestens eine Frau ermordet hat. Er hat Agent Thorne eine E-Mail geschickt, die darauf hindeutete, dass Sie sein nächstes Opfer sein könnten.«

Marilyn Gale wird blass und drückt das Baby an ihre Brust. »Was? Ich? Warum?«

Jetzt hebt Callie den Kopf. Ich erkenne sie kaum wieder. Ihr Gesicht ist eingefallen, von Sorgen gezeichnet. »Er hat es auf Frauen abgesehen, die ihre eigenen pornografischen Webseiten ins Internet stellen. Er hat uns einen Link zu Ihrer Seite geschickt.«

Verblüffung ersetzt die Angst auf Marilyns Gesicht. Nicht

nur Verblüffung. Offene Entrüstung. »Was? Ich…ich *habe* gar keine eigene Webseite! Und schon gar keine Porno-Seite. Herrgott noch mal, ich gehe aufs College! Na ja, im Moment habe ich Mutterschaftsurlaub. Das hier ist das zweite Haus meiner Eltern, und sie lassen mich für den Augenblick hier wohnen.«

Stille. Callie starrt sie an, versucht ihre Konfusion zu begreifen. Und erkennt, genau wie ich, dass es die Art von Verblüffung ist, die man nicht vortäuschen kann. Marilyn sagt die Wahrheit.

Callie schließt die Augen. Ich bemerke eine Art von Erleichterung in ihrem Gesicht, vermischt mit einer winzigen Spur von Traurigkeit. Ich verstehe sie. Callie ist erleichtert, dass ihre Tochter keine Pornografie macht. Doch jetzt weiß sie auch, dass es nur einen Grund gibt, warum Jack Junior seine Aufmerksamkeit Marilyn gewidmet hat. Zittrige Erleichterung kombiniert mit seelenzerschmetternden Schuldgefühlen – eigentlich meine Spezialität.

»Sind Sie sicher, dass…dass dieser Mann mich gemeint hat?«

»Wir sind absolut sicher«, antwortet Callie leise.

»Aber ich betreibe keine Porno-Webseite.«

»Er hat andere Gründe.« Callie sieht sie an. »Wurden Sie adoptiert, Miss Gale?«

Marilyn Gale runzelt die Stirn. »Ja, wurde ich. Warum wollen Sie…?«

Sie bricht ab, als sie Callie ansieht, zum ersten Mal *richtig* ansieht. Ihre Augen weiten sich, und ihr Unterkiefer fällt herab. Ich kann sehen, wie sie Callies Gesicht mustert, wie sie die einzelnen Partien vergleicht. Kann es an ihren Blicken erkennen, dass es ihr schließlich dämmert.

»Sie sind…du bist…«

Callie lächelt ein bitteres Lächeln. »Ja.«

Marilyn sitzt nur da, stocksteif, betäubt. Emotionen huschen über ihr Gesicht. Schock, Staunen, Trauer, Zorn – und keine vermag sich festzusetzen. »Ich weiß nicht…ich weiß überhaupt nicht, was ich dazu…« In einer hastigen, fließenden Bewegung steht sie auf, packt ihr Baby. »Ich lege ihn schlafen. Ich bin gleich wieder zurück.«

Sie verlässt das Zimmer, steigt die Treppe ins obere Stockwerk hinauf.

Callie lehnt sich zurück, schließt die Augen. Sie sieht unendlich müde aus, als könnte sie Millionen Jahre lang schlafen. »Das ist gut gegangen, Zuckerschnäuzchen.«

Ich sehe sie an. Ihr Gesicht ist verhärmt, erschöpft. Leer. Was soll ich zu ihr sagen? »Sie lebt, Callie.«

Diese einfache Wahrheit scheint sie zurück ins Leben zu rufen. Eine Wahrheit wie jene, die sie mir im Krankenhaus gesagt hat. Callie öffnet die Augen und sieht mich an. »Wie unglaublich naiv optimistisch du warst«, erwidert sie mit einem Lächeln. Ich bemerke Nervosität in ihrer Stimme, doch ich fasse auch neuen Mut.

Wir hören Schritte die Treppe herunterkommen. Marilyn betritt das Wohnzimmer. Sie scheint sich oben die Zeit genommen zu haben, ihre Fassung zurückzugewinnen. Sie sieht vorsichtig aus, misstrauisch, nachdenklich. Vielleicht sogar ein klein wenig neugierig.

Ich bewundere für eine Sekunde, wie schnell sie sich gefasst hat, dann fällt mir ein, wessen Gene sie trägt.

»Möchten Sie vielleicht irgendwas? Kaffee oder ein Wasser?«

»Kaffee wäre nicht schlecht«, sage ich.

»Ich ziehe Wasser vor«, sagt Callie. »Im Augenblick brauche ich wirklich keine weiteren Stimulanzien für meinen Kreislauf.«

Ihre Äußerung bringt ihr die Andeutung eines Lächelns von Marilyn ein. »Kommt sofort.«

Sie geht in die Küche und kehrt mit einem Tablett zurück. Reicht mir meinen Kaffee und deutet auf Milch und Zucker. Gibt Callie ihr Wasser und nimmt sich zuletzt selbst eine Tasse Kaffee. Setzt sich, schlägt die Beine übereinander und hält die Tasse in beiden Händen, während sie Callie mustert.

Jetzt, nachdem der Schock ein wenig abgeklungen ist, erkenne ich ihre Intelligenz. Sie ist in den Augen zu sehen. Und ihre Stärke. Nicht die gleiche Stärke wie die von Callie, nicht ganz so hart. Eine Mischung. Eine Mischung aus Elaina und Callie. Urmutter aus Stahl.

»Sie sind also meine Mom«, sagt sie und kommt direkt zur Sache. Ganz wie Callie.

»Nein.«

Marilyn runzelt die Stirn. »Aber ich ... ich dachte, Sie hätten gesagt ...«

Callie hebt die Hand, und Marilyn verstummt. »Ihre Mutter ist die Frau, die Sie aufgezogen hat. Ich bin die Frau, die Sie im Stich gelassen hat.«

Ich verziehe das Gesicht, als ich den Schmerz in ihrer Stimme höre. Die Andeutung von Selbstverachtung. Marilyns Stirnrunzeln vergeht.

»Na schön, dann eben meine leibliche Mutter.«

»Schuldig im Sinne der Anklage.«

»Wie alt sind Sie?«

»Achtunddreißig.«

Marilyn nickt zu sich selbst, während sie im Geiste rechnet. »Dann waren Sie fünfzehn, als Sie mich bekommen haben.« Sie nimmt einen Schluck Kaffee. »Verdammt jung.«

Callie schweigt. Marilyn sieht sie an. Ich sehe keinen Ärger, nichts außer Neugier. Ich wünschte, Callie würde es ebenfalls bemerken.

»Erzählen Sie mir mehr darüber.«

Callie senkt den Blick. Nippt an ihrem Wasser. Sieht Marilyn wieder an, direkt in die Augen. Ich verhalte mich still und unauffällig. Eigenartig, denke ich. Wir stürmen mit gezogenen Waffen ins Haus, mit einer Geschichte über einen Serienkiller. Und was will Marilyn als Erstes hören? Die Geschichte ihrer Mutter. Ich wundere mich darüber und frage mich, ob das uns Menschen einfach lächerlich macht oder zu besseren Wesen.

Callie fängt an zu reden. Langsam zuerst, dann immer schneller. Sie erzählt ihrer Tochter die Geschichte von dem bezaubernden Billy Hamilton und den arroganten Thornes. Marilyn lauscht, ohne zu unterbrechen, während sie ihren Kaffee trinkt. Als Callie fertig ist, schweigt Marilyn lange Zeit.

Dann stößt sie einen leisen Pfiff aus. »Wow. Das ist heftig.«

Ich muss unwillkürlich grinsen. Genau wie ihre Mutter, denke ich. Eine Meisterin der Untertreibung.

Callie schweigt. Sie sieht aus wie jemand, der darauf wartet, verurteilt zu werden.

Doch Marilyn verurteilt ihre Mutter nicht. Sie winkt ab. »Es war nicht deine Schuld, schätze ich.« Sie zuckt die Schultern. »Ich meine, es war scheiße. Aber du warst erst fünfzehn. Ich mache dir keinen Vorwurf.« Es kommt als unvermittelte Feststellung. Callie senkt den Blick, starrt auf den Wohnzimmertisch.

Marilyn wartet, bis sie wieder aufblickt. »Nein, ehrlich nicht, ich mache dir keinen Vorwurf. Ich wurde von wunderbaren Leuten adoptiert. Sie lieben mich, ich liebe sie. Ich habe eine gute Kindheit gehabt. Ich schätze, all das sollte irgendwie viel melodramatischer ablaufen. Es ist dramatisch, versteh mich nicht falsch – aber ich hab die vergangenen dreiundzwanzig Jahre nicht damit verbracht, mich von dir betrogen oder im Stich gelassen zu fühlen oder dich zu hassen.« Sie zuckt die Schultern. »Ich weiß nicht. Das Leben verläuft eben nicht geradlinig. Wenn ich das richtig sehe, war es für dich viel schwieriger als für mich. Sie schweigt für einen Augenblick. Als sie weiterspricht, klingt ihre Stimme angespannt. »Manchmal habe ich an dich gedacht, zugegeben. Und ich muss sagen, die Wahrheit ist viel besser als das, was ich mir vorgestellt habe. Beinahe eine Erleichterung, ehrlich.«

»Wie meinst du das?«, fragt Callie.

Marilyn grinst. »Du hättest eine drogensüchtige Nutte sein können. Du hättest mich im Stich lassen können, weil du mich hasstest. Du hättest tot sein können. Glaub mir, diese Erklärung ist für mich viel leichter zu akzeptieren.«

Ihre Worte scheinen eine beinahe magische Wirkung auf Callie zu haben. Ich kann sehen, wie die Farbe in ihre Haut zurückkehrt, wie wieder Leben in ihre Augen kommt. Sie richtet sich auf. »Danke. Danke für deine Worte.« Sie zögert, senkt den Blick in den Schoß. »Es tut mir Leid.« Mein Gott, sie klingt wie das lebendige Elend. Ich will sie umarmen und trösten.

Marilyns Augen glitzern. Ihre Stimme ist tadelnd. »Hör auf, dich selbst zu zerfleischen. Auch wenn es irgendwie Sinn macht.«

Callie runzelt die Stirn. »Wie das?«

»Na ja, sieh mich an. Du hast das Baby bemerkt, oder? Und ich bin unverheiratet.«

Callie hebt die Augenbrauen. »Du meinst …?«

Marilyn nickt. »Ja. Ich hatte meinen eigenen Billy Hamilton.« Ein weiteres Schulterzucken. »Aber das ist in Ordnung. Er ist weg, und ich habe Steven. Ein mehr als guter Tausch, wenn du mich fragst. Meine Eltern unterstützen uns, und sie sorgen dafür, dass ich wieder aufs College gehen und meinen Abschluss machen kann.« Sie beugt sich vor und sieht Callie fest in die Augen. »Mach dir klar, dass das, was du getan hast, mich nicht in den Untergang gestürzt hat, okay?«

Callie seufzt. Tippt mit den Fingern auf die Lehne. Blickt sich im Zimmer um, trinkt von ihrem Wasser. Denkt über das Gesagte nach. »Na ja, verdammt.« Sie lächelt. »Es fühlt sich merkwürdig an, so glimpflich davongekommen zu sein.« Sie zögert und greift in ihre Handtasche. »Möchtest du etwas sehen?«, fragt sie Marilyn. Sie zieht das Babyfoto hervor, das ich gesehen habe, und reicht es ihr.

Marilyn betrachtet es neugierig. »Das bin ich?«

»Am Tag deiner Geburt.«

»Mann, war ich hässlich.« Sie blickt vom Foto auf und mustert Callie. »Du hast es seit damals mit dir rumgetragen?«

»Immer.«

Marilyn gibt ihr das Bild zurück. Ihre Augen sind sanft. Was sie als Nächstes sagt, hätte auch von Callie sein können, ganz und gar.

»Meine Güte, sind wir hier vielleicht in einer Reality-Show fürs Fernsehen oder was?«

Schockiertes Schweigen, dann lachen wir alle laut und erleichtert auf. Es ist okay. Alles ist okay.

KAPITEL 28 Wir sind oben, an Marilyns Computer, und betrachten die Red Rose Webseite.

»Ich wünschte, das wäre ich«, sagt sie. »Aber glaub mir, das bin ich nicht.« Sie lächelt Callie an. »Meine Titten sind nicht so groß. Und ich hab Schwangerschaftsstreifen auf dem Bauch.«

»Ausgeschnitten und eingefügt, mehr nicht«, stellt Callie fest. »Dein Gesicht auf dem Rumpf von Mrs. Topless.« Sie fährt sich mit der Hand durch die Haare. »Er hat es nur getan, um mir eins auszuwischen.«

Marilyn wendet sich vom Bildschirm ab. »Bin ich in Gefahr? Sind wir – Steven und ich – in Gefahr?«

Callie antwortet nicht direkt. Wägt ihre Worte ab. »Es wäre möglich. Ich bin nicht sicher. Du passt nicht in sein Profil. Allerdings ...«

»Serienmörder sind unberechenbar.«

»Ja.«

Marilyn nickt, während sie nachdenkt. Ich bin überrascht, dass sie nicht mehr Angst zeigt. »Das reicht beinahe aus, um mich noch einmal über mein Hauptfach nachdenken zu lassen.«

Callie runzelt die Stirn. »Was ist denn dein Hauptfach?«

»Kriminologie.«

Callies Unterkiefer sinkt herab. Genau wie meiner. »Du machst Witze.«

»Nein. Unheimlich, wie?« Ein schiefes Grinsen. »Zufall?«, fragt sie mit gedämpfter Stimme. »Ich glaube, nicht!«

Ein Lächeln huscht über Callies Gesicht. »Unheimlich ist es, kein Zweifel.«

»Höchst eigenartig, Momma!«, erwidert Marilyn, indem sie aus einem Song von John Lennon zitiert. Beide lachen.

»Ich möchte jedenfalls kein Risiko eingehen«, sagt Callie und wird wieder ernst. »Ich werde Polizeischutz für dich organisieren, bis diese Sache vorüber ist.«

Marilyn nickt. Sie akzeptiert den Entschluss ihrer Mutter. Sie ist ebenfalls Mutter und wird das Angebot nicht ablehnen. »Du glaubst, es ist irgendwann vorbei?«

Callie lächelt sie grimmig an. Es ist ein Lächeln, das angefüllt ist mit allen möglichen Versprechungen an die Adresse von Jack Junior. »Wir sind gut, Marilyn. Verdammt gut.« Sie deutet auf mich. »Und sie ist die Beste. Von allen.«

Marilyn mustert mich. Betrachtet meine Narben. »Stimmt das, Agent Barrett?«

»Wir kriegen ihn«, sage ich und beschließe, es dabei zu belassen. Zuversichtlich, ohne meine eigenen Zweifel. »Normalerweise kriegen wir sie. Diese Kerle bauen fast immer irgendwann Mist. Er bildet keine Ausnahme, und das führt uns zu ihm.«

Marilyns Blicke wandern zwischen Callie und mir hin und her. Sie scheint meine Antwort zu akzeptieren. »Was jetzt?«, fragt sie.

»Jetzt«, antworte ich, »jetzt wird Callie die lokale Polizei anrufen und dafür sorgen, dass dieses Haus rund um die Uhr bewacht wird. Ich rufe das Team an und informiere meine Leute, was passiert. Wahrscheinlich warten alle ungeduldig auf Nachricht.«

Wir erledigen unsere Telefonate. Alan klingt zutiefst erleichtert. Und Callie trifft bei der örtlichen Polizei auf keinerlei Widerstand.

»Sie sind unterwegs«, versichert sie.

»Wir müssen ebenfalls aufbrechen, sobald sie hier sind, Callie«, sage ich ungern. »Wir müssen zurück.«

Sie zögert, dann nickt sie. »Ja. Ich weiß.« Sie wendet sich zu Marilyn, beißt sich auf die Unterlippe. »Marilyn, darf ich …«

Sie schüttelt den Kopf. »Das ist alles so surreal und bizarr, Zuckerschnäuzchen, aber … können wir uns wiedersehen?«

Marilyns Lächeln ist echt. »Natürlich. – Unter einer Bedingung.«

»Und die wäre?«

»Du sagst mir deinen Namen. Ich kann nicht ewig ›Agent Thorne‹ zu dir sagen.«

Wir sitzen im Wagen. Callie hat den Motor noch nicht angelassen. Sie starrt zum Haus ihrer Tochter. Ich kann ihren Gesichtsausdruck nicht deuten und weiß nicht, was sie denkt. Ich stelle die offensichtliche Frage. »Wie geht es dir?«

Sie starrt weiter zum Haus, bevor sie mich ansieht. Ihr Gesicht ist müde, nachdenklich. »Gut. Es geht mir gut. Ich sage das nicht nur, um dich zu beruhigen. Es ist besser gelaufen, als ich mir im Traum vorzustellen gewagt hätte. Aber es macht mich nachdenklich.«

»Inwiefern?«

»Ich überlege, was er gemeint hat. Er hat geschrieben, jeder von uns würde irgendetwas verlieren. Und ich habe nichts verloren. Glaubst du, es war so gedacht?«

Ich denke darüber nach. »Nein«, sage ich. »Nein, das glaube ich nicht. Ich denke, dass die beiden Mörder davon überzeugt waren, dass Marilyn dich nicht akzeptieren würde. Und dass dich dies furchtbar aus der Bahn werfen würde.«

Sie schürzt die Lippen. »Ich weiß nicht. Ich stimme dir zu, was das Erste angeht. Ich glaube jedoch nicht, dass sie gehofft haben, ich wäre als Resultat des Zusammentreffens zu nichts mehr zu gebrauchen. Ich schätze, sie haben das genaue Gegenteil gehofft. Ich kriege langsam ein Gefühl für diese Geschichte,

Zuckerschnäuzchen. Diese Kerle wollen nicht geschnappt werden. Aber sie wollen, dass wir sie jagen. Und sie wollen, dass wir unser Bestes geben.« Sie sieht mich grimmig an. »Und weißt du was? Es hat funktioniert. Ich höre bestimmt nicht auf, bevor wir sie nicht geschnappt haben. Ganz sicher nicht. Und darauf kam es ihnen an, verstehst du? Sie wollten mich wissen lassen, dass meine Tochter nicht sicher ist, bevor wir sie nicht geschnappt haben.«

Ihre Worte machen Sinn. Callie hat Eingebungen, die gleichen kleinen Erleuchtungen, wie ich auch. Das ist einer der Gründe, warum sie so gut ist. Ich sage das einzige unter diesen Umständen Passende.

»Dann lass sie uns schnappen.«

KAPITEL 29 Es dauert eine Ewigkeit, bis wir zurück sind. Als wir losfuhren, war es früher Nachmittag, und der Berufsverkehr fängt früh an in Südkalifornien. Als wir im Büro eintreffen, springen alle auf, die Gesichter voller Erwartung.

»Fragt nicht, Leute«, sagt Callie und hebt abwehrend die Hand. »Im Augenblick gibt es nichts zu erzählen.« Ihr Handy klingelt, und sie wendet sich ab, um das Gespräch anzunehmen.

Der Vorhang vor Callie hat sich wieder geschlossen. Ich bin erleichtert, und ich kann sehen, dass es den anderen ebenso geht. Es bedeutet, dass mit ihr alles in Ordnung ist. Jeder von uns wäre ohne Zögern für sie da, doch Callie so verwundbar zu sehen, hat uns ziemlich beunruhigt. Ich frage mich, ob das mit ein Grund dafür ist, dass sie sich wieder abgeschottet hat. Nicht, um *sich* zu schützen, sondern *uns*.

Alan durchbricht das Schweigen. »Ich gehe die Akten über Annie noch mal durch«, sagt er. »Irgendwas stört mich an der Sache. Ich weiß nicht genau, was.«

Ich nicke abgelenkt. Vielleicht bin ich auch müde. Ich blicke auf meine Uhr und sehe schockiert, dass es schon fast Feierabend ist.

Nicht, dass die gewöhnlichen Dienstzeiten für uns mehr wären als reine Theorie. Meist steht viel zu viel auf dem Spiel bei unserer Arbeit. Es ist ähnlich wie im Krieg. Wenn die Kugeln fliegen, schießt du zurück, ganz gleich, wie spät es ist. Und wenn du eine Gelegenheit hast, den Gegner zu besiegen, ergreifst du sie, ob es nun vier Uhr morgens oder vier Uhr nachmittags ist. Die andere Parallele besteht darin, dass man die Zeiten der Ruhe ausnutzt, die Gelegenheiten zum Rasten, weil man nicht weiß, wann es wieder losgeht.

Das hier scheint eine von diesen Zeiten zu sein, also treffe ich die Entscheidung, die jeder gute Feldherr treffen sollte.

»Ich möchte, dass wir alle nach Hause fahren«, sage ich. »Morgen geraten die Dinge vielleicht erneut aus dem Ruder. Vielleicht noch mehr als heute. Schlaft euch aus.«

James kommt zu mir. »Ich bin erst mittags da«, sagt er leise. »Morgen ist wieder der Tag.«

Ich brauche einen Moment, um zu begreifen, was er meint. »Oh.« Ich runzele die Brauen. »Tut mir Leid, James. Ich hatte es ganz vergessen. Bitte bestell deiner Mutter liebe Grüße.«

Er wendet sich ab und verlässt das Büro ohne ein weiteres Wort.

»Ich hatte es ebenfalls vergessen«, meint Callie. »Wahrscheinlich, weil es Damien menschliche Züge verleiht.«

»Was vergessen?«, fragt Leo.

»Morgen jährt sich der Todestag von James' Schwester«, erläutere ich. »Sie wurde ermordet. Sie fahren jedes Jahr zu ihrem Grab.«

»Oh.« Er zieht die Mundwinkel hinunter. »Scheiße, Mann!«

Es kommt mit einer leidenschaftlichen Vehemenz, die mich verblüfft. Er winkt ab. »Entschuldigung. Es ist nur … diese Scheiße geht mir an die Nerven.«

»Willkommen im Club, Zuckerschnäuzchen«, kommentiert Callie.

»Ja. Schätze, so ist es.« Er atmet tief durch, stößt die Luft wieder aus. Fährt sich mit der Hand durch das Haar. »Wir sehen uns morgen.« Er geht, winkt ein letztes Mal, halbherzig.

Callie blickt ihm hinterher, nachdenklich. »Der erste Fall ist immer hart. Und dieser hier ist ganz besonders übel.«

»Ja. Trotzdem, ich schätze, er kommt damit zurecht.«

»Das denke ich auch. Ich war zu Anfang nicht sicher, was ihn betrifft, doch der kleine Leo entwickelt sich gut.« Sie sieht mich an. »Und? Was machst du heute Abend?«

»Sie kommt zum Essen zu uns, wenn du es genau wissen willst«, poltert Alan. Er sieht mich an. »Elaina besteht darauf.«

»Ich weiß nicht …«

»Du solltest hingehen, Smoky. Es würde dir gut tun«, sagt Callie. Sie sieht mich bedeutungsvoll an. »Und vielleicht wäre es auch gut für Bonnie.« Sie geht zu ihrem Schreibtisch, schnappt ihre Handtasche. »Außerdem mache ich das Gleiche.«

»Was denn, du gehst auch zu Alan?«

»Nein, Dummerchen. Das war meine Tochter am Telefon.« Sie zögert. »Es klingt eigenartig, nicht wahr? Wie dem auch sei – ich bin heute Abend bei ihr und meinem … meinem Enkel zum Essen eingeladen.«

»Das ist ja großartig, Callie!« Ich grinse sie an. »Oder sollte ich jetzt Oma zu dir sagen?«

»Nicht, wenn du mit mir befreundet bleiben möchtest«, entgegnet sie kühl. Sie wendet sich ab, geht zur Tür, bleibt stehen und dreht sich noch einmal zu mir um. »Geh zu Alan. Mach irgendwas Normales, mit anderen Menschen.«

»Nun?«, fragt Alan. »Kommst du jetzt, oder kriege ich wegen dir Ärger mit Elaina?«

»Herrgott noch mal, nein. Ich komme.«

Er grinst. »Gut. Wir sehen uns bei mir zu Hause.«

Dann ist auch er weg, und ich bin allein im Büro. Ich werde

Callies Rat befolgen. Den Ausschlag hat ihre Bemerkung über Bonnie gegeben. Es sei gut für sie. Bestimmt besser, als mit zu mir zu kommen, in mein … wie hat er es genannt? Geisterschiff von einem Zuhause?

Aber zuvor will ich einen Augenblick für mich allein sein. Die Dinge haben sich mit solch halsbrecherischer Geschwindigkeit entwickelt – physisch, mental, emotional. Ich bin voller Energie und zugleich erschöpft. Ich denke über die vergangenen Tage nach. Ich bin nicht länger selbstmordgefährdet, ich will leben. Ich habe meine beste Freundin verloren. Und ich habe mich mit meiner ältesten Freundin ausgesöhnt, mit meiner Waffe. Ich habe eine stumme Ziehtochter bekommen, die sich vielleicht niemals erholen wird. Ich erinnere mich wieder daran, dass ich meine eigene Tochter erschossen habe. Ich habe erfahren, dass Callie nicht nur eine Tochter, sondern sogar einen Enkel hat. Ich weiß, dass eine Frau, die ich liebe und verehre, Elaina, an Krebs erkrankt ist und vielleicht nicht geheilt werden kann. Und ich habe mehr über das Geschäft mit der Pornografie gelernt, als ich je wollte. – Ja, die Kugeln sind mir um die Ohren geflogen.

Im Augenblick jedoch herrscht Waffenruhe, und es ist Stille eingekehrt. Zeit, die ich nutzen muss wie ein guter Soldat. Ich stehe auf und verlasse das Büro, schließe die Tür hinter mir ab, gehe durch den Gang zum Aufzug.

Auf dem Weg nach unten wird mir bewusst, dass mein Augenblick der Stille ein anderer ist als bei einem normalen, durchschnittlichen Menschen. Es ist eine Gelegenheit zum Ausruhen. Doch es ist zugleich eine Stille, die angefüllt ist mit Anspannung und Unruhe. Weil ich nie weiß, wann die Kugeln wieder fliegen.

Was machen Jack Junior und sein Partner in diesem Moment? Ruhen sie sich ebenfalls aus? Sammeln sie Kraft für ihren nächsten Mord?

Als Alan mir öffnet, merke ich sofort, dass etwas nicht stimmt. Er sieht verstört aus, wütend, den Tränen nahe und gleichzeitig, als würde er am liebsten morden.

»Dieser *Scheißkerl*!«, zischt er.

»Was ist passiert?«, frage ich alarmiert, während ich mich an ihm vorbei ins Haus schiebe. »Ist alles in Ordnung mit Elaina? Mit Bonnie?«

»Niemand ist verletzt. Aber dieser Scheißkerl...« Er steht für eine Sekunde reglos da, ballt die Fäuste. Wäre er nicht mein Freund, würde er mir Angst machen. Er geht zu einem Beistelltisch, nimmt einen großen manilabraunen Umschlag und reicht ihn mir.

Ich sehe auf die Anschrift. Er ist adressiert an »Elaina Washington: Ruhe in Frieden«. Mir wird plötzlich kalt.

»Sieh hinein«, grollt Alan.

Ich öffne den Umschlag. Eine maschinengeschriebene Notiz, dahinter eine Reihe von Blättern. Als ich darauf sehe, begreife ich.

»Scheiße, Alan...«

»Ihre verdammte Krankenakte«, flucht er und marschiert auf und ab. »Alles über ihren Tumor, die Notizen ihrer Ärzte.« Er reißt mir die Sachen aus der Hand, blättert darin. »Sieh dir diese Stelle an. Er hat sie für Elaina unterstrichen!«

Ich nehme die Blätter und lese die Stelle.

»*Mrs. Washington befindet sich im zweiten Stadium, kurz vor dem dritten. Aussichten gut, trotzdem muss die Patientin wissen, dass das dritte Stadium möglich ist, wenn auch nicht sehr wahrscheinlich.*«

»Lies diese beschissene Notiz!«

Ich sehe auf das Blatt, sehe die Grußformel.

Hallo Mrs. Washington!
Ich würde mich nicht als einen Freund Ihres Ehemannes bezeichnen. Eher als ... eine Art Geschäftspartner. Ich dachte, Sie wür-

den gern die Wahrheit über Ihre gegenwärtige Situation
erfahren.

Wissen Sie, wie hoch die Überlebenswahrscheinlichkeit für
das dritte Stadium ist, meine Liebe? Ich zitiere: ›Stadium III:
Metastasen in den Lymphknoten um den Grimmdarm herum,
35 bis 60 Prozent Überlebensrate für die nächsten fünf Jahre.‹

Meine Güte, wenn ich ein Wettfan wäre, müsste ich wohl
gegen Sie setzen!

Viel Glück – ich werde Ihre Fortschritte im Auge behalten.

From Hell

Jack Junior

»Stimmt das, Alan?«

»Nicht so, wie er es darlegt, nein«, schnaubt er. »Ich habe den
Arzt angerufen. Er sagt, wenn er sich wirklich Sorgen machen
würde deswegen, hätte er es uns gesagt. Er habe uns nichts ver-
schwiegen. Scheiße, er hat sich die Notizen nur gemacht, um
nicht zu vergessen, was er uns beim nächsten Besuch sagen
wollte.«

»Aber Elaina hat sie gelesen, ohne Erklärung.«

Die Antwort sehe ich am Elend in seinen Augen.

Ich wende mich für einen Moment ab, lege mir die Hand
an die Stirn. In mir kocht eine weißglühende, alles verzehrende
Wut. Von allen Menschen, die er sich als Opfer aussuchen
konnte, ist Elaina das unfairste. Mit Ausnahme von Bonnie
vielleicht. Ich erinnere mich, wie allein ihre Gegenwart heute
Morgen Bonnies Barrieren durchbrochen hat. Ich erinnere mich
an ihren Besuch bei mir im Krankenhaus. Ich will Jack Junior
umbringen. Mit bloßen Händen.

»Wie geht es ihr?«, frage ich Alan.

Er lässt sich unvermittelt in einen Sessel fallen. Sieht mich
verloren an. »Zuerst hatte sie Angst. Dann fing sie an zu weinen.«

»Wo ist sie jetzt?«

»Oben im Schlafzimmer, mit Bonnie zusammen.« Er sieht mich müde an. »Bonnie weicht nicht von ihrer Seite.« Er vergräbt das Gesicht in den Händen. »Gottverdammt, Smoky! Warum ausgerechnet sie?«

Ich seufze, trete neben ihn, lege ihm eine Hand auf die Schulter. »Weil sie wussten, dass es dich verletzen würde, Alan.«

Sein Kopf fährt hoch, in seinen Augen lodern Flammen. »Ich will diese Säcke schnappen!«

»Ich weiß, Alan.« Mein Gott, mir geht es nicht anders. »Alan, vermutlich wird es dir nicht helfen, aber ... ich glaube nicht, dass Elaina eine konkrete physische Gefahr von Jack Junior und Co. droht, zumindest nicht im Augenblick. Ich glaube nicht, dass das der Sinn seines Briefes ist.«

»Wie kommst du darauf?«

Ich schüttele den Kopf, während ich daran denke, was Callie heute Nachmittag gesagt hat. »Es ist Teil ihres Spiels, Alan. Sie wollen, dass wir sie jagen. Und sie wollen, dass wir unser Bestes geben. Dass wir ein persönliches Interesse daran haben, sie zu schnappen.«

Sein Gesicht wird grimmig. »Es hat funktioniert.«

Ich nicke. »Das hat es.«

Er lehnt sich zurück, seufzt. Es ist ein tief empfundenes Seufzen, voller Traurigkeit. Er blickt zu mir hoch, und in seinen Augen steht ein Flehen. »Kannst du nicht zu ihr raufgehen und mit ihr reden?«

Ich berühre seine Schulter. »Natürlich kann ich das.«

Ich habe Angst davor, doch ich will es versuchen.

Ich klopfe an der Schlafzimmertür, öffne sie und spähe hinein. Elaina liegt mit dem Rücken zu mir auf dem Bett. Bonnie sitzt neben ihr und streichelt ihr über das Haar. Sie sieht mich an, als ich eintrete, und ich bleibe stehen. Ihre Augen sind voller Wut. Wir starren uns für eine Sekunde an, und ich nicke begreifend. Sie haben ihrer Elaina wehgetan. Bonnie ist wütend.

Ich umrunde das Bett, setze mich auf die Kante. Die Erinnerung an das Krankenhaus erfüllt mein Bewusstsein. Elainas Augen sind geöffnet und starren ins Nichts. Ihr Gesicht ist aufgedunsen vom Weinen. »Hallo«, sage ich.

Sie sieht mich an. Wendet den Blick ab, starrt wieder ins Nichts. Bonnie streichelt ihr weiter den Kopf.

»Weißt du, was mich am meisten aufregt, Smoky?«, durchbricht Elaina ihr Schweigen.

»Nein. Sag es mir.«

»Dass Alan und ich nie Kinder hatten. Wir haben es versucht, immer und immer wieder, aber es hat nicht geklappt. Jetzt bin ich zu alt, und ich muss mich mit dem Krebs herumschlagen.« Sie schließt die Augen, öffnet sie wieder. »Und dieser Mann kommt daher und dringt in unser Leben ein. Lacht über uns. Über mich. Er macht mir Angst.«

»Genau das wollte er erreichen.«

»Er hat es geschafft.« Schweigen. »Ich wäre eine gute Mutter geworden, meinst du nicht, Smoky?«

Ich bin erschrocken über die Tiefe des Schmerzes, der aus Elaina spricht. Es ist Bonnie, die ihre Frage beantwortet. Sie tippt Elaina auf die Schulter, und Elaina dreht ihr den Kopf zu. Bonnie wartet, bis sie sicher ist, dass sie ihr in die Augen sieht, und dann nickt sie. Ja, sagt sie. Du wärst eine wunderbare Mom geworden.

Elainas Augen werden weich. Sie streckt die Hand aus, streichelt Bonnies Gesicht. »Danke, mein Liebes.« Schweigen. Sie sieht mich an. »Warum tut er so etwas, Smoky?«

Warum hat er das getan, warum tut er es, warum passiert das alles? Warum meine Tochter, mein Sohn, mein Mann, meine Frau? Es ist die niemals endende Frage aller Opfer.

»Die kurze Antwort lautet, weil es ihm Freude macht, dir wehzutun, Elaina. Das ist das einfache Motiv dahinter. Zweitens weiß er, dass er Alan damit Angst macht. Das vermittelt ihm ein Gefühl von Macht. Und er liebt dieses Gefühl.«

Natürlich ist mir bewusst, dass das keine sehr gute Antwort auf diese niemals endende Frage darstellt. Warum ich? Ich bin eine gute Mutter/Tochter; ein guter Vater/Bruder/Sohn. Ich halte den Kopf unten, tue mein Bestes. Sicher, ich lüge hin und wieder, aber ich sage häufiger die Wahrheit, als dass ich lüge. Und ich liebe die Menschen in meinem Leben und sorge für sie, so gut ich kann. Ich versuche meistens, das Richtige zu tun, und ich bin glücklich, wenn ich häufiger Lächeln sehe als Schmerz. Ich bin kein Held; ich werde bestimmt nicht in irgendwelchen Geschichtsbüchern erwähnt werden. Doch hier bin ich, und es macht mir eine ganze Menge aus. – Warum also ich?

Ich kann ihnen nicht sagen, was ich wirklich denke. Warum? Weil du lebst, weil du atmest, weil du gehst und stehst und weil das Böse existiert. Weil die kosmischen Würfel auf dich gefallen sind. Entweder hat Gott dich an jenem Tag vergessen, oder es ist Teil seines großen Plans. Such dir aus, was du willst. Die Wahrheit lautet, dass schlimme Dinge eben passieren, irgendwo, Tag für Tag. Und heute warst du an der Reihe.

Manche Menschen mögen das eine zynische Ansicht nennen. Mich für meinen Teil hält diese Ansicht gesund. Sonst würde ich womöglich anfangen zu glauben, dass es die Bösen sind, die es richtig machen. Ich ziehe es vor, zu glauben, dass sie im Unrecht sind. Tatsache ist, dass das Böse der Feind des Guten ist, und heute hatte das Gute eben einen schlechten Tag. Diese Ansicht lässt es wahrscheinlich erscheinen, dass morgen das Böse an der Reihe ist, einen schlechten Tag zu haben. Und das nennt man Hoffnung.

Nichts von alledem ist hilfreich, wenn sie dich nach dem Warum fragen, also erzähle ich ihnen irgendwas, genau wie eben Elaina. Manchmal hilft es, lindert ihren Schmerz. Meist aber nicht, weil man für gewöhnlich, wenn man diese Frage stellt, nicht wirklich an einer Antwort interessiert ist.

Elaina jedenfalls denkt über meine Antwort nach. Als sie mich wieder ansieht, bemerke ich eine unvertraute Emotion in ihrem Gesicht. Wut. »Schnapp diesen Mann, Smoky. Hörst du? Schnapp ihn dir!«

Ich muss schlucken. »Ja.«

»Gut. Ich weiß, dass du ihn kriegst.« Sie setzt sich auf. »Kannst du mir einen Gefallen tun?«

»Jeden.« Ich meine es ernst. Würde sie mich bitten, ihr einen Stern vom Himmel zu pflücken, würde ich selbst das versuchen.

»Sag Alan, wenn du runtergehst, dass er zu mir kommen soll. Ich kenne ihn. Er sitzt da und macht sich Vorwürfe. Sag ihm, dass er damit aufhören soll. Ich brauche ihn.«

Erschüttert, aber wieder so stark wie eh und je. Erneut wird mir bewusst, was ich ohnehin schon längst weiß: Ich liebe diese Frau. »Mach ich.« Ich sehe Bonnie an. »Komm, wir gehen, Liebes.«

Sie schüttelt den Kopf. Tätschelt Elainas Schulter, packt sie, besitzergreifend. Ich runzele die Stirn. »Schatz, ich denke, wir sollten Elaina und Alan heute Abend allein lassen.«

Sie schüttelt erneut den Kopf, entschieden, heftig. Nein. Ganz sicher nicht.

»Von mir aus kann sie gern hier bleiben, falls du nichts dagegen hast. Bonnie ist so süß.«

Ich sehe Elaina an, sprachlos. »Bist ... bist du sicher?«, frage ich schließlich.

Sie streichelt Bonnie den Kopf. »Absolut.«

»Na schön, meinetwegen ...« Außerdem wäre offenbar ein Wunder erforderlich, um Bonnie jetzt von Elaina zu lösen. »Dann gehe ich jetzt. Bonnie, wir sehen uns morgen früh.«

Sie nickt. Ich gehe zur Tür, drehe mich um, als ich leise, leichte Schritte hinter mir höre. Bonnie ist vom Bett aufgestanden, steht hinter mir, sieht zu mir auf. Sie nimmt meinen Arm, zieht mich zu sich herunter, sieht mir in die Augen. Sie sind voller Sorge.

Sie zeigt auf sich, dann tätschelt sie mich. Erneut. Insistierend. Und erneut. Die Sorge in ihrem Gesicht wird noch stärker. Endlich begreife ich. Ich erröte, und meine Augen brennen. »Ich gehöre zu dir«, sagt Bonnie mit ihrer Geste, »ich bleibe hier, um Elaina zu helfen. Aber ich gehöre zu dir.« Sie will, dass ich dies begreife. Ja, Elaina ist eine Urmutter. Doch ich gehöre zu dir.

Ich spreche nicht. Stattdessen nicke ich zur Antwort und drücke sie an mich, bevor ich das Schlafzimmer verlasse.

Unten steht Alan am Fenster und starrt in die heraufziehende Dämmerung.

»Sie hat sich wieder gefangen, Alan. Ich soll dir sagen, dass du dir keine Vorwürfe machen sollst und dass sie dich braucht. Oh, und Bonnie bleibt heute Nacht bei euch. Sie hat sich geweigert, von Elainas Seite zu weichen.«

Diese Nachricht scheint ihn ein wenig aufzumuntern. »Tatsächlich?«

»Ja. Sie ist sehr fürsorglich.« Ich tippe ihm gegen die Brust. »Du weißt, dass ich mit dir fühle, Alan. Du weißt, dass es so ist. Aber du musst dich endlich aufraffen und nach oben gehen und deine Frau in die Arme nehmen.« Ich grinse. »Sonst hast du Bonnie im Genick.«

»Ja«, sagt er nach einer Weile. »Du hast Recht. Danke.«

»Kein Problem. Und Alan – wenn du morgen freihaben möchtest, dann nimm dir frei.«

Sein Gesicht ist ernst. »Ganz bestimmt nicht, Smoky! Sie haben, was sie wollten. Ich werde diese Arschlöcher jagen, bis wir sie entweder schnappen oder bis sie tot sind.« Er lächelt, und diesmal ist es ein beängstigendes Lächeln. »Ich denke, sie haben sich mehr aufgehalst, als sie geglaubt haben.«

»Verdammt richtig«, antworte ich.

KAPITEL 30 Auf dem Weg nach Hause fühle ich mich einsam. Keenan und Shantz sind dort, wo sie sein sollen: bei Bonnie. Also bin ich tatsächlich allein. Es ist dunkel draußen, und die

Highways in der Nacht vermitteln einem das Gefühl von Isolation und Einsamkeit. Hin und wieder in meinem Leben war mir dieses Gefühl willkommen. Die Isolation auf dem Highway ist angefüllt mit wütenden Gedanken und Trauer. Ich packe das Lenkrad, als wäre es der Hals von Jack Junior. Der Mond leuchtet hell. Irgendwo in mir weiß ich, dass es ein wunderschönes Licht ist. Heute Nacht jedoch erinnert es mich an die Fälle, in denen ich Blutlachen im Mondlicht gesehen habe. Schwarz und glänzend und endgültig.

Ich fahre durch das Mondlicht, das mich den ganzen Weg bis nach Hause an Blut erinnert. Ich steuere den Wagen in die Einfahrt, als mein Handy klingelt.

»Ich bin es, James.«

Ich richte mich kerzengerade auf. In seiner Stimme ist etwas, das ich noch nie bei ihm gehört habe.

»James? Was gibt's denn?«

Seine Stimme bebt. »Dieser...dieser verfluchte Dreckskerl!« Jack Junior.

»Erzähl mir, was passiert ist, James.«

Er antwortet nicht, ich kann ihn nur atmen hören. Schließlich stößt er hervor: »Ich bin vor ungefähr zwanzig Minuten beim Haus meiner Mutter angekommen. Ich wollte gerade an die Tür klopfen, als ich einen Umschlag bemerkt habe, der mit Klebeband an der Tür befestigt war. Auf dem Umschlag stand mein Name. Also hab ich ihn aufgemacht.« Er atmet tief durch. »Ein Brief lag darin. Und...und...«

»Und was?«

»Ein Ring. Rosas Ring.«

Rosa war die Schwester von James. Seine ermordete Schwester. Die Schwester, deren Grab er morgen zusammen mit seiner Mutter besuchen wollte. Ein dunkles Begreifen regt sich in meinem Hinterkopf. »Was stand in diesem Brief, James?«

»Nur eine Zeile. Rosa – die nicht länger in Frieden ruht.«

Ich spüre, wie sich mein Magen verknotet.

James' Stimme klingt verzweifelt. »Der Ring in diesem Umschlag, Smoky … Wir haben sie mit ihm begraben. Verstehst du, was ich sage?«

Der Knoten in meinem Magen wird zu einem schmerzhaften Klumpen. Ich antworte nicht.

»Also hab ich auf dem Friedhof angerufen. Bekam den Wachmann zu fassen. Er ging raus und hat nachgesehen. Es stimmt.«

»Was stimmt, James?« Ich denke, ich kenne die Antwort. Das Gefühl in meinem Magen ist unbeschreiblich.

James atmet ein weiteres Mal tief durch. Als er spricht, klingt seine Stimme, als würde sie ihm jeden Augenblick den Dienst versagen. »Sie ist verschwunden, Smoky. Rosa ist weg. Diese gottverfluchten Scheißkerle haben sie ausgegraben!«

Ich lehne die Stirn gegen das Lenkrad. Mein Magen ist ein einziges gähnendes Loch geworden. »Oh, James …«

»Weißt du, wie alt sie war, als dieser Abschaum sie ermordet hat, Smoky? Zwanzig. Zwanzig! Sie war schön und freundlich und intelligent, und er hat sie drei Tage lang zu Tode gefoltert. Das haben sie mir hinterher erzählt. Drei Tage. Weißt du, wie lange meine Mutter gebraucht hat, um nicht mehr über ihre Tochter zu weinen?« Er schreit. »Sie hat immer noch nicht aufgehört!«

Ich richte mich auf. Meine Augen sind geschlossen. Ich weiß jetzt, was so fremd klingt in James' Stimme. Trauer. Trauer und Verwundbarkeit. »Ich weiß nicht, was ich sagen soll. Bist du … möchtest du, dass ich vorbeikomme? Was willst du tun?« Meine Worte klingen genauso, wie ich mich innerlich fühle. Hohl und hilflos.

Langes Schweigen am anderen Ende der Leitung, gefolgt von einem Schluchzen. »Nein. Meine Mutter ist oben. Sie hat sich zusammengerollt und weint und reißt sich die Haare aus. Ich muss zu ihr. Ich muss …« Er bricht ab. »Sie machen genau das, was sie uns angedroht haben, Smoky.«

Ich fühle mich leer. »Ja.« Ich erzähle ihm von Elaina.

»Dieser ekelerregende Abschaum!«, brüllt er. Ich kann beinahe spüren, wie er um seine Selbstbeherrschung kämpft. »Diese gottverfluchten Säcke!« Dann, nach einem weiteren Schweigen: »Ich komme zurecht, Smoky. Komm nicht her. Ich hab das Gefühl, du kriegst heute Nacht noch einen weiteren Anruf.«

Mein Magen krampft sich erneut zusammen. Jack Junior hat gesagt, jeder von uns würde etwas verlieren. Leo ist bis jetzt unbehelligt geblieben.

»Ich will dieses Dreckstück haben, Smoky. Ich will ihn haben!«

Ich habe dies heute bereits zweimal gehört, von anderen ausgesprochen, auf andere Weise. Es erneut zu hören, erfüllt mich mit Wut und Verzweiflung. Es gelingt mir, meine Stimme tonlos zu halten. »Ich auch, James, glaub mir, ich auch. Hilf deiner Mutter. Ruf mich an, wenn du mich brauchst.«

»Das wird nicht der Fall sein.«

So viel zu Trauer und Verwundbarkeit.

Er legt auf, und ich bleibe in meinem Wagen in der Einfahrt sitzen und starre zum Mond hinauf.

Eine Minute lang, eine einzige Minute gebe ich einer jener selbstsüchtigen, egoistischen Regungen nach, die nur Menschen in einer Position empfinden können, die über Leben oder Tod entscheiden. Ich habe das Gefühl, mein Team im Stich zu lassen, doch einen selbstsüchtigen Augenblick lang schert mich ihr Wohlbefinden nicht – ich wünsche mir bloß eines: dass ich nicht für sie verantwortlich bin.

Ich packe das Lenkrad und drücke es, bis die Knöchel weiß werden. »Aber du bist für sie verantwortlich!«, flüstere ich, und der Egoismus verschwindet, weicht weißglühendem Hass.

Und so tue ich etwas, das ich schon früher getan habe: Ich schreie in meinem Wagen, schreie mir die Seele aus dem Leib und schlage aus Leibeskräften auf das Lenkrad ein, unter dem beschissenen hellen Licht des Mondes.

Smoky-Therapie.

KAPITEL 31 Als ich im Haus bin, wähle ich Leos Nummer. Es läutet und läutet. »Verdammt, Leo, geh endlich ran!«, fluche ich.

Endlich tut er es. Seine Stimme klingt müde, halb tot, und mir wird unbehaglich. »Hallo?«, fragt er.

»Leo! Wo steckst du?«

»Ich bin beim Tierarzt, Smoky, mit meinem Hund.«

Die Normalität lässt meine Hoffnung wieder aufkeimen, doch nur für einen kurzen Moment.

»Irgendjemand hat ihm die Beine abgeschnitten. Ich muss ihn einschläfern lassen.« Ich stehe da wie vom Schlag getroffen, weiß nicht, was ich sagen soll. Dann bricht seine Stimme. Wie das klare, prägnante Klirren von feinem Porzellan, das auf Steinfliesen prallt. »Wer tut so etwas, Smoky? Was sind das für Menschen? Ich bin nach Hause gekommen, und er lag in meinem Wohnzimmer und wollte…wollte…« Trauer lässt seine Stimme klingen, als würde er ersticken. »Er wollte zu mir kriechen, Smoky. Überall war Blut, und er hat grauenvolle Laute von sich gegeben, wie…wie ein Baby. Er hat mich angesehen aus diesen Augen…Es war…es war, als glaubte er, etwas Falsches getan zu haben. Als wollte er mich fragen: Was habe ich falsch gemacht? Ich bringe es wieder in Ordnung, aber sag es mir bitte. Siehst du? Ich bin ein guter Hund!«

Tränen laufen mir über die Wangen.

»Wer tut so etwas, Smoky?«

Doch es ist keine wirkliche Frage. Er will sagen, dass niemand existieren dürfe, der zu so etwas imstande ist.

»Jack Junior und sein Kumpan, Leo. Sie waren es.«

Ich höre ihn ächzen, und sein Ächzen ist voller Trauer und Qual. »*Was?*«

»Entweder waren sie es selbst, oder sie haben jemanden geschickt, der es für sie gemacht hat. Jedenfalls stecken sie dahinter, Leo.«

Ich spüre, wie er langsam begreift. »Was sie in ihrer E-Mail geschrieben haben…«

»Ja.« Ja, Leo, denke ich. Sie existieren, und was sie mit deinem Hund gemacht haben, war *überhaupt nichts* für sie.

Ein langes, hartes Schweigen. Ich kann mir vorstellen, was er denkt. Mein Hund wurde gefoltert und gequält wegen mir. Wegen meiner Arbeit. Schuldgefühle übermannen ihn, grauenvolle Schuldgefühle, die ihm den Boden unter den Füßen wegzuziehen drohen. Er räuspert sich. Ein elendes, klägliches Geräusch. »Wer sonst noch, Smoky?«

Ich atme durch und erzähle es ihm. Ich erzähle ihm von Elaina und James. Lasse die Einzelheiten von Elainas Krankheit weg. Als ich fertig bin, schweigt er. Ich warte geduldig.

»Ich komme zurecht.« Es ist eine knappe Aussage, eine Aussage voller Lügen. Er lässt mich wissen, dass er begriffen hat.

Ich sage den Satz einmal mehr, den Satz, den ich hasse. »Ruf mich an, wenn du mich brauchst.«

»Ja.«

Ich lege auf, und dann stehe ich in meiner Küche, die Hand auf der Stirn. Das Bild will mir nicht aus dem Kopf gehen. Diese flehenden Augen. Was habe ich falsch gemacht? Die Antwort ist grausam, und noch grausamer, weil das Tier sterben wird, ohne jemals die Wahrheit zu erfahren.

Nichts. Du hast überhaupt nichts falsch gemacht.

»Sie drehen wirklich auf«, stellt Callie fest.

»Ja. Ich wollte, dass du Bescheid weißt. Sei vorsichtig.«

»Gilt auch für dich, Zuckerschnäuzchen.«

»Keine Sorge.«

Ich lege auf, gehe zum Küchentisch, setze mich, vergrabe das Gesicht in den Händen. Heute war der schlimmste Tag seit langem. Ich fühle mich ausgebrannt, zerschlagen, traurig und leer. Und ich fühle mich einsam.

Callie hat ihre Tochter, Alan hat Elaina. Wen habe ich?

Also weine ich. Ich fühle mich töricht und schwach, und ich weine, weil ich nicht anders kann. Es dauert lange genug, um mich wütend zu machen, und schließlich wische ich mir mit den Händen über das Gesicht und kämpfe gegen die Schwäche an. »Hör auf, dich zu bemitleiden!«, knurre ich vor mich hin. »Es ist alles deine eigene Schuld! Du wolltest nicht, dass sie zu dir kommen und bei dir sind, als du verletzt warst. Also wenn du jemandem die Schuld geben möchtest, dann gib sie dir selbst.«

Ich spüre, wie meine Wut wächst, und ich gebe ihr nach. Sie trocknet meine Tränen. Jack Junior und sein Kumpan haben meiner Familie wehgetan. Sie haben sich in ihr Leben eingemischt und sie dort getroffen, wo es sie am meisten schmerzt.

»Sie sind tot«, sage ich zu meinem leeren Haus. »Tot.« Was mich grinsen lässt. Immer noch verrückt nach all diesen Monaten, voll von deftigen Reden an niemanden außer an die Luft. Ich denke an die Beamten, die mein Haus bewachen, die draußen auf der anderen Straßenseite im Wagen sitzen sollten. Sie sind jetzt bei Bonnie. Ob mich jemand beobachtet hat?, frage ich mich. Als ich im Wagen gesessen habe? Als ich geschrien und auf das Lenkrad eingeschlagen habe?

Das ist es, wird mir bewusst. Mein neues Ich. So wird es bleiben. Es gibt noch den Drachen, der in mir erwacht, und ich kann noch den schwarzen Zug sehen und meine Waffe abfeuern. Aber ich bin nicht mehr so geradeaus und voller Zuversicht wie früher. Ich schwanke und torkele, und Teile von mir verlieren ihren Zusammenhalt. Ich habe eine neue Eigenschaft: Zerbrechlichkeit. Sie ist mir fremd, ich mag sie nicht wirklich. Trotzdem, es ist die Wahrheit.

Ich steige die Treppe hinauf zum Schlafzimmer, und ich fühle mich, als schleifte ich Ketten hinter mir her, so müde bin ich mit einem Mal. Zu viele Gefühle.

Ich komme an dem kleinen Arbeitszimmer vorbei, das Matt für uns eingerichtet hat, und eine Regung lässt mich innehalten und einen Blick hineinwerfen. Ich sehe meinen Computer, staubbedeckt und seit so vielen Monaten unbenutzt. Und ich überlege.

Ich setze mich vor die Maschine und warte, während sie

hochfährt. Besteht meine Internetverbindung noch? Ich kann mich nicht erinnern, wie sie abgerechnet wird. Doch ich öffne einen Browser und sehe, dass es funktioniert. Ich lehne mich für einen Moment zurück, starre auf das Icon auf meinem Desktop, über das ich mein Mailprogramm starten kann. Zögere.

Ich doppelklicke darauf, und das Fenster öffnet sich. Ich zögere, dann klicke ich auf die Schaltfläche »Check Mail«. Alles Mögliche wird heruntergeladen. Monate ignorierter Nachrichten und Spam-Mails. Was ich zu finden geglaubt habe, ist ebenfalls da. Es ist die jüngste Nachricht, gerade erst eine Stunde alt.

Die Betreffzeile lautet: »Wie viel kostet das Hündchen im Fenster?«

Mein Hass auf Jack Junior befeuert mich mit neuer Energie. Ich öffne die Nachricht und fange an zu lesen.

Liebste Smoky, inzwischen haben Sie sicher festgestellt, dass ich ein Mann bin, der sein Wort hält. Callie Thorne musste ihrer Tochter unter die Augen treten. Alan Washingtons Frau fragt sich, ob sie sterben wird. Der arme Leo muss das vorzeitige Ableben seines besten Freundes verdauen. Was den jungen James angeht – nun ja, ich sehe auf Rosa, während ich diese Zeilen schreibe. Sie ist ein wenig zerzaust, aber Sie wären erstaunt, wie wirksam diese Konservierungsmittel sind, die sie für die Toten benutzen. Ihre Augen sind verschwunden, doch ihr Haar ist immer noch sehr hübsch. Bitte seien Sie so freundlich und richten Sie das James von mir aus.

Ich finde, Rache ist die effektivste Art, ein Schwert zu schärfen, meinen Sie nicht? Denken Sie darüber nach. Wenn Sie vorher nicht der Meinung waren, so sind sie es ohne jeden Zweifel jetzt. Wie sehr Sie alle mein Blut wollen müssen! Vielleicht träumt der eine oder andere von Ihnen sogar davon? Wie ich um Gnade flehe, ohne Gnade zu erhalten. Wie Sie mir eine Kugel in den Kopf schießen, anstatt mich in eine Gefängniszelle zu stecken.

Aber jede Medaille hat zwei Seiten, und ich möchte die Kehrseite nicht verschweigen. Um eines ganz klar zu machen, falls es nicht bereits klar ist: Nichts, das Ihnen lieb und teuer wäre, ist vor mir sicher.

Jagen Sie mich. Strengen Sie sich an, denn solange ich auf freiem Fuß bin, solange ich am Rand der Zivilisation durch die Wälder schleiche, werde ich Ihnen mehr und immer mehr nehmen. Die Dinge, die ich heute genommen und berührt habe, werden Ihnen demgegenüber wie ein Nichts erscheinen.

Jede Woche, in der es Ihnen nicht gelingt, mich zu fangen, werde ich jedem von Ihnen etwas nehmen. Ich werde Callie Thornes verlorene Tochter und ihr Enkelkind nehmen. Ich werde Alans Frau nehmen. Ich werde James' Mutter töten. Weiter und weiter, bis sie alle das gleiche Leben leben wie Sie, Smoky. Bis alles tot ist, was sie jemals geliebt haben, bis ihre Häuser genauso leer sind wie Ihres, bis ihnen nur noch eines geblieben ist – das schreckliche Wissen, dass all das wegen dem geschehen ist, was sie sind und was sie tun.

Ich hoffe, Ihnen ist inzwischen klar, dass ich meine, was ich sage. Und ich hoffe, diese ständige Ermahnung, diese Pistole am Kopf liefert den erforderlichen Ansporn, Sie alle in einen Zustand konzentrierter Bereitschaft zu versetzen. Ich brauche Sie, Sie alle, und ich brauche Sie wach und scharf. Sie müssen mit den Augen eines Mörders jagen.

Und jetzt fangen Sie an, geben Sie Ihr Bestes. Sie haben eine Woche Zeit. Während dieser Woche sind die Dinge, die Sie lieben, sicher vor mir. Danach fange ich an, Ihre Welt zu fressen, und Ihre Seelen werden sterben.

Spüren Sie die Aufregung? Ich spüre sie. Viel Glück.

From Hell

Jack Junior

PS.: Agent Thorne, vielleicht fragen Sie sich, ob ich Ihnen tatsächlich etwas genommen habe? Vielleicht glauben Sie, ich hätte Ihnen irrtümlich einen Gefallen erwiesen. Auf gewisse Weise wäre es möglich. Aber denken Sie genauer darüber nach. Vielleicht habe ich Sie lediglich an das erinnert, was Sie für immer verloren haben. Ist Ihnen dieser Gedanke bereits gekommen? Was Sie verloren haben?

Ich starre lange, lange Zeit auf die Worte, während ich hier in meinem leeren Haus sitze. Ich bin nicht besorgt, nicht einmal wütend. Stattdessen bin ich erfüllt von dem, was sie die ganze Zeit wollten.

Gewissheit.

Ich werde lieber sterben, als es zuzulassen, dass jemand anderes aus meiner kleinen Familie endet wie ich. Im Selbstgespräch, während er einsam vor sich hin weint.

KAPITEL 32 Es ist Morgen, und ich habe dem Team eine zensierte Version von Jack Juniors E-Mail gegeben. Jetzt sehe ich einen nach dem anderen an und mustere meine Truppe.

Sie alle sehen erbärmlich aus. Und wütend. Niemand hat Interesse, über das zu reden, was passiert ist. Sie wollen auf die Jagd. Und sie warten darauf, dass ich sie führe, ihnen zeige, in welche Richtung wir gehen.

Es ist eigenartig, denke ich. Verantwortung ist ein Mantel, in den man allzu leicht schlüpfen kann – ihn wieder abzulegen ist hingegen beinahe unmöglich. Noch vor einer Woche habe ich daran gedacht, mir das Gehirn aus dem Kopf zu schießen – und jetzt wollen sie, dass ich ihnen sage, was zu tun ist.

»Nun«, fange ich an, »zumindest eines wissen wir mit Sicherheit.«

»Und das wäre?«, fragt Alan.

»Jack Junior und sein Kumpan sind verdammte Arschlöcher.«

Kurzes Schweigen, dann lachen alle. Alle, mit Ausnahme von James. Ein wenig Spannung fällt von ihnen ab. Ein wenig.

»Hört zu«, fahre ich fort. »Runde eins geht an sie, keine Frage. Allerdings haben sie einen großen Fehler gemacht. Sie wollen, dass wir sie jagen, und wir werden ihnen ihren Wunsch erfüllen. Sie haben keine Ahnung, was das bedeutet.« Ich warte, schätze die Reaktion der anderen ab. »Sie glauben, sie wären uns voraus.

Was ist daran neu? Alle denken das. Doch wir haben die Fingerabdrücke von einem von ihnen, und wir wissen bereits, dass es zwei sind. Wir schließen die Lücke. Okay?« Nicken. »Gut. Kommen wir also zum Geschäft. Callie, erzähl noch mal, was Dr. Child über das Profil unserer Täter gesagt hat. Ich habe nicht richtig hingehört.«

»Er hat gesagt, ich soll dir ausrichten, dass er den Brief gelesen und sich einige Meinungen gebildet hat, aber er will warten, bis er sieht, was in dem Paket ist, das am zwanzigsten eintreffen soll.« Sie zuckt die Schultern. »Er war sehr entschieden in dieser Hinsicht.«

Ich belasse es dabei. Dr. Child hat mich noch nie abgewiesen. Ich muss seinem Instinkt vertrauen. Ich wende mich an Alan und Leo.

»Wie weit sind wir mit der Beschlagnahmeverfügung für Annies Abonnentenliste?«

»Sollte innerhalb der nächsten ein, zwei Stunden da sein«, antwortet Leo.

»Gut. Bleibt dran.« Ich schnippe mit den Fingern. »Steht uns ein Sprengstoffspezialist vom LAPD zur Verfügung?«

Alan nickt. »Ja. Und er bringt einen Bombenschnüffler mit.«

»Bombenschnüffler« nennen wir das Gerät, mit dem wir eine mobile Ionenspektrometrie durchführen. Kurz gesagt ist es imstande, Spuren ionisierter Moleküle zu entdecken, die spezifisch für explosive Substanzen sind.

Wir haben ausführlich darüber diskutiert, wie wir alles am besten für den zwanzigsten vorbereiten sollen. AD Jones wollte ein SWAT[2]-Team vor Ort, für den Fall, dass Jack Junior und sein Kumpan beschließen, die Lieferung persönlich abzugeben. Ich habe diesen Plan abgelehnt.

»So haben sie bisher nicht operiert«, widersprach ich, »und

---

2 SWAT = Special Weapons and Tactics, Spezielle Waffen und Taktiken (Anm. d. Übers.).

so werden sie auch diesmal nicht agieren. Ich erwarte, dass es eine ganz gewöhnliche Lieferung sein wird. Mit der Post.«

Schließlich konnte ich ihn überzeugen. Allerdings waren wir beide der Meinung, dass ein Bombentechniker anwesend sein sollte. Auf diese Vorsichtsmaßnahme zu verzichten, wäre töricht gewesen.

»Irgendwas stört mich noch immer an Annies Akte«, sagt Alan. Er sieht James an. »Wäre schön, eine zweite Meinung zu erfahren.«

»Hilf ihm, James.«

James nickt. Er hat an diesem Morgen noch kein einziges Wort gesagt.

»Es gibt eine weitere Frage, die nach einer Antwort verlangt, Zuckerschnäuzchen«, meldet sich Callie leise. »Woher erhalten sie all diese Informationen? Gut, wir haben die Wanzen in Dr. Hillsteads Büro gefunden. Aber die Krankenakte, meine Tochter?«

»So schwer ist das nicht«, schaltet sich Leo ein. Wir sehen ihn an. »Informationen sind nicht so sicher, wie allgemein angenommen. Elainas Krankenakte?« Er zuckt die Schultern. »Ein weißer Kittel und ein entsprechendes Auftreten, und man kann sich im Krankenhaus fast völlig ungehindert bewegen. Das verbunden mit Computer-Know-How, und man hat sich schnell in die Krankenhausdateien eingehackt. Informationen kann man kaufen, stehlen oder knacken. Ihr wärt schockiert, wenn ihr wüsstet, wie leicht so was manchmal ist. Ich habe es selbst gesehen, schließlich war ich bei der Abteilung für Computerkriminalität. Gute Hacker oder Identitätsdiebe können an alle möglichen persönlichen Informationen rankommen. Informationen, die euch überraschen würden.« Er sieht Callie an. »Gib mir eine Woche, und ich kann alles über dich herausbekommen. Von deinem Dispo-Kredit bis hin zu den Medikamenten, die du nimmst.« Er sieht uns der Reihe nach an. »Das Zeug, das er bisher aufgetischt hat? Irritierend, ich weiß. Aber man muss kein Genie sein, um da ranzukommen.«

Ich starre ihn einen Augenblick an, lass es auf mich einwirken. Das tun wir alle. Schließlich nicke ich. »Danke, Leo. Also – weiß jeder, was er zu tun hat?« Ich sehe mich fragend um. »Gut.«

Die Tür zum Büro wird geöffnet, und die Konzentration ist dahin. Ich sehe mich nach dem Neuankömmling um, und Besorgnis durchflutet mich.

In der Tür steht Marilyn Gale, und sie sieht besorgt aus. Ein uniformierter Polizist begleitet sie. Er hält einen dicken Umschlag unter dem Arm.

KAPITEL 33   »Er kam vor einer Stunde an«, sagt sie. »Adressiert an Sie, Agent Barrett, zu meinen Händen. Ich dachte…« Sie bricht ab, und wir alle verstehen. Wer sonst würde einen Brief für mich an Marilyns Adresse senden?

Wir drängen uns um den Schreibtisch, starren den Umschlag an, wobei die anderen Marilyn unauffällig mustern. Callie bemerkt es, und ihre Verärgerung darüber scheint ihre Sorge wegen des Briefs zu verdrängen.

»Herrgott im Himmel!«, fährt sie auf. »Ja, das ist meine Tochter, Marilyn Gale. Marilyn, ich möchte dich mit Alan, James und Leo bekannt machen, subalternen Beamten.«

Marilyn grinst bei Callies Worten. »Hi«, sagt sie.

»Haben Sie ihn abgefangen?«, frage ich den Polizisten, einen Sergeant Oldfield.

»Nein, Ma'am.« Er ist ein solider Bursche. Erfahren, sehr gern Polizist und nicht eingeschüchtert durch mich oder das FBI. »Unser Auftrag lautet, das Haus zu beobachten. Und Miss Gale natürlich, wenn sie das Haus verlässt.« Er zeigt mit dem Daumen auf Marilyn. »Sie kam mit dem Brief zu uns, erklärte, worum es sich handelt, und bat uns, sie und den Brief hierher zu bringen.«

Ich wende mich an Marilyn. »Sie haben ihn nicht geöffnet, oder?«

Ihr Gesicht wird ernst. »Nein. Das hielt ich nicht für klug. Ich habe schließlich erst ein Jahr in Kriminologie hinter mir.« Ich sehe, wie Leo und Alan bei ihren Worten Blicke wechseln. »Selbst ohne Studium muss man bloß hin und wieder fernsehen, um zu wissen, dass man mögliche Beweisstücke nicht berühren sollte.«

»Das ist sehr gut, Marilyn«, sage ich und wähle meine nächsten Worte mit Bedacht. Ich will sie nicht zu sehr verängstigen, aber es muss gesagt werden. »Das ist allerdings nicht der einzige Grund. Was, wenn unser Killer sich entschlossen hat, etwas Wahnsinniges zu unternehmen? Beispielsweise eine Briefbombe zu schicken?«

Ihre Augen weiten sich, und sie wird ein wenig blass. »Oh... Ich... Himmel! Ich meine, ich habe nicht eine Sekunde daran gedacht...« Sie wird noch blasser. Jede Wette, dass sie an ihr Baby denkt.

Callie legt ihr eine Hand auf die Schulter. Ich sehe Ärger und Sorge in Callies Augen. »Nichts, weswegen du dir jetzt den Kopf zerbrechen solltest, Zuckerschnäuzchen. Die Sendung wurde durchleuchtet, bevor sie dich damit reingelassen haben, ja?«

»Ja.«

»Und beim Durchleuchten suchen sie genau nach solchen Dingen.«

Marilyns Gesichtsfarbe kehrt zurück. Sie erholt sich verblüffend schnell.

Damit hätten wir also, denke ich, etwas Neues, womit wir arbeiten können. Neu und interessant – und möglicherweise nicht schön anzusehen.

»Callie, warum gehst du nicht mit Marilyn zum Essen?«

Sie begreift. Ich werde den Brief öffnen, und es könnte etwas darin sein, das Marilyn nicht sehen sollte.

»Gute Idee. Komm, Zuckerschnäuzchen.« Sie hakt sich bei Marilyn unter und zieht sie mit sich zur Tür. »Wo ist eigentlich der kleine Steven?«

»Meine Mutter passt auf ihn auf. Bist du sicher, dass du jetzt wegkannst?«

»Kein Problem«, sage ich zu ihr und lächle, obwohl mir innerlich nicht danach zumute ist. »Und danke, dass Sie den Brief vorbeigebracht haben. Rufen Sie uns das nächste Mal bitte an, wenn so etwas wieder vorkommt. Fassen Sie ihn nicht an.«

Ihre Augen weiten sich erneut, und sie nickt. Callie führt sie nach draußen.

»Haben Sie was dagegen, wenn ich bleibe, Ma'am?«, fragt Sergeant Oldfield. »Ich würde gern sehen, was in diesem Brief ist. Ein Gefühl bekommen für den Täter.«

»Selbstverständlich. Sofern Sie das Abfangen von Postsendungen in Zukunft auf Ihre Liste von Aufgaben setzen.« Ich sehe ihn an. »Keine Rüge, lediglich eine Bitte.«

Er nickt. »Ist bereits geschehen, Ma'am.«

Ich öffne eine Schublade, greife hinein und ziehe ein Paar Latexhandschuhe hervor, die ich mir überstreife. Dann konzentriere ich mich auf den Brief. Es ist ein weiterer Standard-Umschlag aus Manilapapier.

Die vertraute schwarze Druckschrift auf der Vorderseite lautet: »An Agent Smoky Barrett«. Zwei Zentimeter hoch.

Ich drehe den Umschlag um. Nicht zugeklebt, sondern mit einer ganz normalen Klammer verschlossen. Ich blicke hoch. Alle sehen mich schweigend an. Also öffne ich den Umschlag.

Der Brief liegt zuoberst. Ich blättere den übrigen Inhalt kurz durch. Kneife die Augen zusammen beim Anblick einiger ausgedruckter Fotos. Jedes davon zeigt eine Frau mit Höschen, von der Hüfte aufwärts nackt, manchmal an einen Stuhl gefesselt, manchmal an ein Bett. In allen Fällen hat man ihnen eine Kapuze über den Kopf gezogen. Der Umschlag enthält noch etwas, und mir stockt der Atem. Eine CD.

Ich wende mich dem Brief zu. Was kommt jetzt?, denke ich besorgt.

Ich grüße Sie, Agent Barrett!

Ich weiß, mein Vorgehen muss Ihnen umständlich erscheinen – warum wohl wurde der Brief an die Adresse von Marilyn Gale geschickt? Aus einem einzigen Grund, Agent – um Ihnen erneut deutlich zu machen, was ich bereits gesagt habe: dass niemand von denen, die Sie lieben, sicher ist, wenn ich beschließen sollte, meine Hände auszustrecken und sie zu … berühren.

Was nun kommt, ist alles für Sie bestimmt, Agent Barrett. Bitte haben Sie ein wenig Geduld, während ich es Ihnen erkläre. Allem liegt ein philosophisches Fundament zu Grunde, eine Geschichte, die Sie begreifen müssen, wenn Sie den Inhalt dieses Briefes in seiner Gänze verstehen wollen.

Wissen Sie, welches das häufigste Suchwort im Internet ist? Sex. Und eines der anderen am häufigsten eingegebenen Suchworte lautet ›Vergewaltigung‹.

Millionen von Benutzern greifen auf das Internet mit all seiner Vielfalt zu, und zwei der am meisten gesuchten, am häufigsten verlangten Dinge sind Sex und Vergewaltigung.

Was bedeutet das? Man könnte angesichts der Demografie des Internets argumentieren, dass es Millionen Männer gibt, die in diesem Moment in ihren Häusern sitzen und an Vergewaltigung denken, mit schwitzigen Fingern und Zelten in der Hose. Das ist doch was, oder?

Folgen Sie mir nun auf einem anderen Weg, der damit in Zusammenhang steht. Eine neue Sorte von Seiten beginnt im Internet zu wuchern. Seiten, auf denen Männer ihren Hass gegen Frauen teilen. Nehmen wir beispielsweise die Seite, die passenderweise »racheandernutte.com« heißt. Auf dieser Webseite veröffentlichen sitzen gelassene Männer kompromittierende Bilder ihrer früheren Freundinnen oder Frauen. Nacktfotos. Sexuelle Fotos. All das zu einem einzigen Zweck: Erniedrigung und Schande. Jeder ist eingeladen, unter jedem der Fotos seinen Kommentar abzugeben. Ich habe einige Beispiele beigefügt, in der ersten Anlage. Werfen Sie einen Blick darauf.

Ich finde die von ihm bezeichnete Anlage. Zuoberst liegt das Bild einer lächelnden, braunhaarigen Frau. Sie ist zwanzig oder fünfundzwanzig. Nackt, die Beine für die Kamera gespreizt. Der Untertitel lautet: »Meine dämliche, untreue Freundin. Ein widerliches, verficktes Miststück.« Darunter eine Liste mit Kommentaren. Ich lese sie.

CALIFORNIADUDE: Was für eine stinkende Nutte! Sei froh, dass jemand anders diese hässliche Pussy bedient!

JAKE_28: Du hättest diesem Dreckstück ein paar Roofies[3] reinschieben und sie mir und meiner Crew geben sollen. Wir hätten sie in den Arsch gefickt. Fotze!

RIZZO: Roofies sind geil!

DANNYBOY: Ich würde sie totschlagen!

TNINCH: Hübsche Pussy. Schade, dass sie solch einer Schlampe gehört!

HUNGNHARD: Mach es wie ich! Schieb ihr den Schwanz in den Mund, und sag ihr, dass sie die Fresse halten soll!

Ich lege es beiseite. Ich habe genug gelesen. Der ungehemmte Hass lässt eine tiefe Übelkeit in mir aufsteigen.

»Mein Gott!« Leo stößt einen leisen Pfiff aus. »Das ist ja unglaublich! Besorgniserregend!«

Ich lese weiter in Jack Juniors Brief.

Eine Offenbarung, finden Sie nicht? Also, was haben wir bisher in unserem Kessel? Sex und Vergewaltigung; Frauenhass als Zeitvertreib. Wenn wir alles miteinander vermischen, was erhalten wir dann?

Ein Umfeld, das wie geschaffen ist für ein Treffen Gleichgesinnter. Von Menschen wie mir, Agent Barrett.

---

3 Rohypnol; »K.-o.-Pillen«, die von Vergewaltigern benutzt werden, um ihre Opfer gefügig zu machen (Anm. d. Übers.).

Zugegeben, die meisten dieser anderen sind infantil, unwürdig. Wenn man jedoch bereit ist zu suchen, so wie ich, zu stochern, zu bohren, zu locken … findet man irgendwann ein paar, die bereit sind, den Sprung auf die andere Seite zu wagen. Meist fehlt ihnen nichts weiter als ein wenig Aufmunterung. Ein Mentor, wenn Sie so wollen.

Ich spüre, wie sich mein Magen verkrampft. Ein Teil von mir meint zu wissen, wie es weitergeht.

Ich glaube, ich habe nun genügend Grundlagen erläutert, damit Sie begreifen. Kommen wir zu den Fotos, wenn Sie nichts dagegen haben. Sie haben sie wahrscheinlich bereits überflogen. Betrachten Sie sie eingehender, Agent.

Das tue ich. Es sind insgesamt fünf Frauen. Ich betrachte sie genauer. »Was meinst du?«, frage ich Alan. »Sehen das Bett und der Stuhl auf den Bildern gleich aus oder nicht?«

Alan nimmt die Bilder, mustert sie. »Ja.« Er blinzelt, dann legt er die Fotos nebeneinander auf meinen Schreibtisch. Er deutet auf den Teppich, der auf einem Bild zu sehen ist. »Sieh dir das an.«

Ich betrachte den Teppich. Bemerke einen Fleck.

»Und dann hier.« Er deutet auf ein weiteres Bild. Derselbe Teppich, derselbe Fleck.

»Scheiße!«, murmelt Leo. »Unterschiedliche Frauen, derselbe Kerl.«

»Aber es ist nicht Jack, oder?«, fragt James. »Der Kerl ist nicht Jack Junior. Vielleicht ist es sein gegenwärtiger Komplize.«

Schweigen. Ich wende mich wieder dem Brief zu.

Sie sind eine sehr gute Beobachterin, Agent Barrett. Ich bin sicher, dass Sie, nach eingehender Betrachtung der Bilder, festgestellt haben, dass diese jungen Frauen alle am gleichen Ort fotografiert wurden. Der Grund ist einfach: Alle fünf wurden vom gleichen Mann getötet!

Ich fluche laut. Irgendwie wusste ich es, doch jetzt hat er es bestätigt. Diese Frauen sind bereits tot.

Vielleicht haben Sie oder einer Ihrer Mitarbeiter bereits die richtigen Schlussfolgerungen gezogen. Dass nicht ich der Mann bin, der diese fünf Frauen getötet hat. Falls ja, dann möchte ich Ihnen an dieser Stelle meinen Applaus nicht verweigern.

Ich habe den begabten jungen Mann gefunden, der diese Bilder in den großen, dunklen Raum gestellt hat, in jene Wildnis, die sich World Wide Web nennt. Ich erkannte seinen Hunger und seinen Hass, und es hat nicht lange gedauert, bis er den Sprung gewagt hat. Bis er sein letztes, törichtes Festhalten am Licht aufgegeben und die Dunkelheit umarmt hat.

Natürlich könnte ich Sie aufs Glatteis führen wollen, nicht? Werfen Sie einen Blick auf die beiliegende CD, und wenn Sie damit fertig sind, rufen Sie Agent Jenkins im New Yorker Büro Ihres FBI an. Fragen Sie ihn nach Ronnie Barnes.

Oh, und falls die Hoffnung in Ihnen aufkeimt, Barnes könnte Sie auf die von Ihnen gesuchte Spur führen, so muss ich Sie leider enttäuschen.

Mr. Barnes weilt nicht mehr unter uns. Sehen Sie sich die CD an. Sie werden begreifen.

Um auf den Punkt zu kommen – es ist der gleiche wie zuvor. Jagen Sie mich. Jagen Sie mich gut, und vergessen Sie nicht: Ronnie Barnes war nur einer von vielen mit diesen speziellen Gelüsten. Und ich suche ständig nach Seelenverwandten.

From Hell
Jack Junior

»Mein Gott!«, flüstert Alan voller Abscheu.

»Interessant«, sinniert James. »Er ist wie ein lebender Computervirus. Das ist es, was er uns zeigen will. Dass er sich über andere vervielfältigen kann.«

»Ja«, stimmt Leo zu. »Und er steigert sich ständig. Lässt uns wissen, dass er nicht aufhören wird mit seiner Eskalation, bis wir ihn stoppen.«

Ich bin zu erschöpft und zu verstört, um darauf zu antworten, und reiche Leo die CD. »Leg sie ein.«

Wir treten hinter ihn, während er die CD in das Laufwerk schiebt. – Wieder ist es eine Video-Datei. Leo blickt zu mir auf. »Weiter.«

Er doppelklickt auf die Datei. Video und Ton laufen ab. Wir sehen eine an einen Stuhl gefesselte Frau. Diesmal vollkommen nackt, und ihr Gesicht ist nicht verhüllt. Sie ist brünett. Eine hübsche junge Frau Anfang zwanzig. Und sie hat so viel Angst, dass sie den Verstand zu verlieren droht.

Ein Mann tritt zu ihr. Er grinst. Er ist ebenfalls nackt. Ich schlucke angewidert, als ich seine Erektion bemerke. Das Entsetzen seines Opfers macht ihn an. Ich vermute, dass der Mann Ronnie Barnes ist.

»Pickliger Strebertyp«, beobachtet Oldfield.

Er hat Recht. Ronnie Barnes ist ein pickelgesichtiger junger Bursche, kaum erwachsen, mit einer dürren Brust und einer dicken Brille. Die Art von Typ, der von oberflächlichen Frauen verhöhnt wird. Er masturbiert beim Gedanken an diese Frauen, selbst wenn er sie hasst wegen der Dinge, die sie über ihn sagen. Er verabscheut sie umso mehr, weil er sie begehrenswert findet, verachtet sich selbst dafür, dass er sie begehrenswert findet. Ich weiß das alles nicht deshalb, weil er hager und picklig ist, sondern weil er ein Messer in der Hand hält und weil ihn das geil macht.

Er sieht zu etwas hin, das sich außerhalb der Kameraoptik befindet und das wir nicht erkennen können. »Soll ich es jetzt tun?«, fragt er. Ich höre keine Antwort, doch er nickt, reibt sich die Hände. »Cool.«

»Mit wem redet er?«, fragt Alan.

»Zweimal darfst du raten«, antworte ich.

Barnes beugt sich vor, scheint sich zu sammeln. Was dann

kommt, ist so unglaublich entschlossen und brutal, dass wir schockiert zusammenzucken.

»Verfluchte Fotze!«, schreit er, hebt das Jagdmesser und rammt es mit der Spitze voran nach unten, mit aller Kraft, die er aufbringen kann. Die Klinge verschwindet vollkommen in ihr. Er zieht das Messer nicht hervor, er reißt es heraus, wild und wütend. Hebt es hoch über den Kopf und stößt erneut zu, wieder und wieder.

Er legt sein ganzes Gewicht in die Stöße, seine gesamte Kraft, und die Muskeln an seinem Hals quellen hervor durch die Anstrengung.

Und wieder.

Das dort ist nicht die methodische Arbeit von Jack Junior und seinem Komplizen. Das ist der vollkommen außer Kontrolle geratene Wahnsinn eines Irren.

Und wieder.

»Fotze!«, kreischt Barnes, schreit unartikuliert weiter.

»Ich halt das nicht aus!«, stöhnt Leo. Er springt auf, rennt zum Papierkorb, übergibt sich. Keiner von uns kann es ihm verdenken.

So schnell es angefangen hat, ist es vorbei. Die Frau liegt auf dem Rücken und regt sich nicht mehr. Sie ist kaum noch als Mensch zu erkennen. Barnes kniet, lehnt sich nach hinten, hat die Arme ausgestreckt, die Augen geschlossen, ist bedeckt mit Blut und Schweiß. Hyperventiliert vor Glückseligkeit. Seine Erektion ist verschwunden.

Er blickt wieder zu einer Stelle außerhalb der Kamera. Sein Gesichtsausdruck ist anbetend. »Darf ich es jetzt sagen?« Er wendet sich an die Kamera, blickt direkt hinein. Er lächelt ohne jede Spur von Menschlichkeit oder geistiger Klarheit. »Das war für dich, Smoky.«

»O Mann…«, stöhnt Leo.

Ich sage nichts. Ein Teil von mir hat sich abgeschaltet. Ich beobachte weiter.

Barnes blickt wieder zur Seite. »War das gut so? Wie du es dir vorgestellt hast?« Ich sehe, wie sich sein Gesichtsausdruck ändert. Zuerst Verwirrung, dann Angst. »Was machst du da?«

Als der Schuss ertönt, sein Gehirn zerfetzt, springe ich unwillkürlich auf und werfe meinen Stuhl hinter mir um.

»Scheiße!«, brüllt Alan, gleichermaßen erschrocken.

Ich beuge mich vor, packe die Schreibtischplatte, zittere am ganzen Leib. Ich weiß, was jetzt kommt. Kommen muss. Er wird diese Gelegenheit nicht versäumen. Und er enttäuscht mich nicht. Sein verhülltes Gesicht erscheint vor der Kamera, Fältchen um die Augen, weil er unter dem Stoff grinst. Er grüßt uns mit erhobenem Daumen.

Das Video endet.

Alle sind schockiert und still. Leo wischt sich über den Mund. Sergeant Oldfields Hand hat den Kolben seiner Dienstwaffe umklammert, ein unbewusster Reflex.

Mein Verstand fühlt sich an wie ein leerer, hohler Raum. Der Wind fegt hindurch, bläst Steppenroller vor sich her. Mich selbst wieder in den Griff zu bekommen ist fast eine wörtlich zu nehmende Anstrengung.

Meine Stimme ist voll heißer Wut, als ich spreche. Gepresst und rauchig. »Zurück an die Arbeit«, sage ich.

Alle sehen mich an, als hätte ich den Verstand verloren.

»Los, Leute!«, fauche ich. »Reißt euch zusammen! Das ist nichts weiter als ein weiteres verdammtes Ablenkungsmanöver. Er spielt mit uns. Reißt euch zusammen, und macht eure Arbeit! Ich werde diesen Agent Jenkins anrufen.« Meine Stimme klingt fest, doch ich zittere immer noch.

Es dauert eine Minute, bis meine Worte zu ihnen durchgedrungen sind. Dann setzen sie sich in Bewegung. Ich nehme den Hörer von der Gabel, rufe in der Vermittlung an, lasse mich mit dem FBI-Hauptquartier in New York verbinden. Es geschieht wie automatisch. In meinem Kopf dreht sich alles. Als ich verbunden bin, verlange ich Agent Jenkins. Überraschung, Überraschung – er arbeitet ebenfalls für das CASMIRC.

Ich werde durchgestellt. »Hier Special Agent Bob Jenkins«, meldet er sich.

»Hi Bob. Mein Name ist Smoky Barrett, CASMIRC Los Angeles.« Der normale Tonfall meiner Stimme überrascht mich. Hi, wie geht's denn so – ich hab gerade zugesehen, wie eine Frau ausgeweidet wurde; was gibt's Neues bei euch?

»Hi, Agent Barrett. Ich weiß, wer Sie sind.« Seine Stimme klingt neugierig. Ich wäre ebenfalls neugierig, wenn unsere Rollen vertauscht wären. »Was kann ich für Sie tun?«

Ich setze mich. Atme durch. Mein Herzschlag scheint sich langsam zu normalisieren. »Was können Sie mir über Ronnie Barnes erzählen?«

»Barnes?« Jenkins klingt überrascht. »Wow, das ist eine alte Geschichte. Liegt sechs Monate oder so zurück. Barnes hat fünf Frauen umgebracht und verstümmelt. Und ich meine *verstümmelt*. Um ganz ehrlich zu sein, es war ein einfacher Fall für uns. Jemand in seinem Haus hat einen Gestank bemerkt und die Polizei alarmiert. Die Beamten sind in seine Wohnung eingedrungen, fanden eine der toten Frauen und Barnes. Er hat sich selbst in den Kopf geschossen. Der Fall war abgeschlossen, bevor er richtig angefangen hatte.«

»Ich habe Neuigkeiten für Sie, Bob. Barnes hat sich nicht selbst erschossen.«

Eine lange Pause. »Reden Sie weiter«, verlangt er schließlich.

Ich liefere ihm eine kurze Zusammenfassung von Jack Junior und dem letzten Brief, den er uns geschickt hat. Das Video. Als ich fertig bin, schweigt Jenkins eine ganze Weile.

»Ich schätze, ich bin genauso lange im Geschäft wie Sie, Smoky«, sagt er schließlich. »Ist Ihnen je etwas in dieser Art untergekommen?«

»Nein.«

»Mir auch nicht.« Er seufzt. Es ist ein Seufzer, den ich zu erkennen glaube. Ein Eingeständnis, dass die Monster sich weiterentwickeln, mutieren und von Mal zu Mal schlimmer zu werden scheinen. »Kann ich irgendwas für Sie tun?«, fragt er.

»Könnten Sie mir eine Kopie der Akte über Barnes schicken? Ich bezweifle, dass wir etwas finden. Der Kerl ist extrem vorsichtig. Trotzdem...«

»Sicher. Sonst noch etwas?«

»Ja. Aus reiner Neugier. Wann starb Barnes?«

»Warten Sie.« Ich höre, wie er in seine Tastatur tippt. »Hier haben wir es... Die Leiche wurde am 21. November gefunden... Basierend auf dem Grad der Verwesung und anderen Faktoren schätzt der Gerichtsmediziner, dass Barnes am 19. gestorben ist.«

Es ist, als hätte jemand mir die Luft aus den Lungen gesaugt. Meine Hand mit dem Hörer ist gefühllos.

»Agent Barrett? Sind Sie noch dran?«

»Ja. Danke für Ihre Hilfe, Bob. Ich warte auf diese Akte.« Meine Stimme klingt weit entfernt in meinen Ohren, mechanisch. Er scheint es nicht zu bemerken.

»Ich schicke sie Ihnen gleich morgen per Kurier.«

Ich lege auf und starre auf das Telefon.

Am 19. November. Ich kann es nicht fassen.

Am gleichen Abend, in der gleichen Nacht, in der Ronnie Barnes diese junge Frau umgebracht hat, war Joseph Sands in meinem Haus und hat mein Leben zerstört. In der gleichen Nacht. Nicht einfach zum gleichen Datum in einem anderen Jahr oder Jahrzehnt, sondern an genau dem gleichen Tag.

War das ein Zufall? Oder steckt eine tiefere Bedeutung dahinter, etwas, das ich noch nicht sehen kann?

KAPITEL 34 Der Rest des Tages ist vergangen wie in einem Traum. Callie ist zurückgekommen, Marilyn geht es gut. Sergeant Oldfield ist gegangen, nicht ohne mir vorher zu versichern, dass er unter keinen Umständen zulassen wird, dass Jack Junior mit Marilyn das Gleiche tut wie Barnes mit dem Mädchen auf dem Video. Alles ist vorbereitet für die Ankunft von Jack Juniors Sendung am nächsten Tag. Wir haben unsere Arbeit fortgesetzt.

Trotzdem habe ich mich wacklig gefühlt. Ununterbrochen musste ich an die Gleichzeitigkeit der Ereignisse denken. Ich fühlte mich wie in einer Zeitfalte. Zu wissen, dass Barnes in die Kamera gegrinst hat, während Matt gestorben ist und ich geschrien habe. Dass Barnes sein Messer in den Leib seines Opfers gerammt hat, während Joseph Sands mit dem Messer an meinem Gesicht zugange war.

Offensichtlich war Jack Junior schon damals eifrig am Werk. Und er kannte mich bereits.

Das ist es wohl, was mich am meisten erschüttert. Wie lange hat er mich schon im Visier? Wird er ein weiterer Joseph Sands?

Ich habe Angst. Ich gestehe mir ein, dass ich Angst habe. Todesangst.

»Fahr zur Hölle!«, brülle ich und hämmere mit der Faust auf das Lenkrad ein, so heftig, dass meine Hand taub wird. Ich zittere am ganzen Leib.

»So ist es besser, Smoky«, grolle ich vor mich hin, während ich zittere. »Bleib so.«

Also füttere ich die Wut in mir, während ich zu Alan und Elaina fahre, mache mich wütender und wütender auf ihn, der mich so in Angst versetzt.

Meine Wut reicht nicht aus, um die Angst völlig zu vertreiben. Aber sie hilft mir über den Augenblick hinweg.

KAPITEL 35

Ich habe die gestrige Essenseinladung von Alan und Elaina für heute angenommen. Ich brauche ein wenig Normalität, und Elaina enttäuscht mich nicht. Sie sieht besser aus, ähnelt wieder ihrem alten Selbst. Sie bringt mich mehr als einmal zum Lachen, und, was wichtiger ist, sie bringt Bonnie zum Lächeln. Ich kann sehen, dass Bonnie sie liebt. Ich weiß genau, wie sie sich fühlt.

Elaina hilft Bonnie beim Packen und Anziehen, damit sie mit mir nach Hause fahren kann, während Alan und ich im Wohnzimmer sitzen und warten. Zwischen uns herrscht ein geselliges Schweigen.

»Es scheint ihr besser zu gehen«, bemerke ich.

Er nickt. »Stimmt. Bonnie war ihr eine große Hilfe.«

»Das freut mich.«

Bonnie kommt ins Wohnzimmer gesprungen, und der Augenblick ist vorbei. Elaina folgt ihr auf dem Fuß. »Bist du fertig, Schatz?«, frage ich Bonnie.

Sie lächelt und nickt. Ich stehe auf, umarme Alan, umarme Elaina, gebe ihr einen Kuss auf die Wange.

»Alan hat dir gesagt, dass wir morgen ziemlich früh anfangen?«

»Hat er«, antwortet sie.

»Wäre es in Ordnung, wenn ich Bonnie um sieben Uhr vorbeibringe?«

Sie lächelt, streckt die Hand aus und zaust Bonnie durch das Haar. Bonnie blickt voller Verehrung zu ihr auf. »Natürlich ist das in Ordnung«, sagt Elaina und kniet sich vor Bonnie hin. »Los, drück mich ganz fest, Zuckerschnäuzchen.«

Die beiden drücken sich und lächeln, und dann gehen wir durch die Tür nach draußen.

Geh schon nach oben ins Bett, Schatz«, sage ich zu Bonnie. »Ich komme gleich nach.«

Sie nickt wie üblich und tappt die Treppe hinauf. Mein Telefon klingelt.

»Ich bin es, Leo.«

»Was gibt's?«

»Wir haben die richterliche Verfügung zur Beschlagnahmung von Annie Kings Abonnentenliste«, berichtet er. »Ich hatte bisher noch keine Gelegenheit, es dir zu sagen. Ich habe mich mit dem Provider in Verbindung gesetzt. Er war kooperativ.«

»Also hast du die Liste?«

»Ich habe sie die letzten vier Stunden durchgesehen und habe etwas gefunden.«

»Schieß los«, sage ich hoffnungsvoll.

»Deine Freundin hat eine ziemlich lange Liste von Abonnenten gehabt. Fast tausend Leute. Ich dachte, es wäre einen Versuch wert, die Suchparameter so einzustellen, dass sie alle Namen ausspucken, die irgendwie mit dem Jack-the-Ripper-Szenario in Zusammenhang stehen. Du weißt schon, London, Hölle und dergleichen.«

»Und?«

»Ich hab den Namen sofort gefunden. Frederick Abberline. Das war der Inspector, der damals Jack the Ripper gejagt hat.«

»Warum hast du mich nicht sofort angerufen?«

»Weil ich noch nicht fertig bin. Denk drüber nach – es ist viel zu offensichtlich. Sie würden bestimmt nicht so ohne weiteres ihre richtige Adresse preisgeben. Ich habe sie außerdem bereits überprüft; es ist ein Postfach.«

»Verdammt!«, schimpfe ich.

»Trotzdem, es ist eine Spur«, beharrt er. »Ich verfolge noch eine weitere Sache. Wenn jemand eine Webseite abonniert und dabei eine Kreditkarte benutzt, dann wird seine IP-Nummer festgehalten.«

»Was ... was ist das?«

»Alles, was im Internet existiert, ob es nun ein Dot-Com oder deine Wählverbindung ist, erhält eine IP-Nummer zugewiesen. IP steht für Internet-Protokoll. Du bist nicht anonym, wenn du im Web surfst – du kannst jederzeit durch deine bei der Einwahl zugewiesene IP-Nummer identifiziert werden.«

»Wenn ich also im Internet irgendetwas mit meiner Kreditkarte bezahle, wird meine IP-Nummer festgehalten.«

»Genau.«

»Und wohin soll uns das führen?«

»Das ist der problematische Teil. Es gibt zwei Möglichkeiten, wie IP-Nummern mit einer Internet-Verbindung in Zusammenhang stehen können. Eine davon ist gut für uns, die andere weniger. IP-Nummern gehören zu der Gesellschaft, die dir Zugang zum Internet verschafft, also zu deinem Provider. In den meisten Fällen erhältst du bei jeder neuen Einwahl eine neue Nummer aus einem Kontingent. Du hast dann also nie die gleiche.«

»Das ist der nicht so gute Teil für uns, stimmt's?«, frage ich.

»Stimmt. Die andere Möglichkeit ist eine konstante IP. Sie wird vom Provider zugewiesen und bleibt stets die gleiche. Falls er so eine hat, wäre das gut für uns. Weil diese Nummer zu einer konkreten Person zurückverfolgt werden kann.«

»Hmmm ...«, sinniere ich. »Dazu ist er vermutlich zu schlau.«

»Wahrscheinlich«, räumt Leo ein. »Vielleicht aber auch nicht. Trotzdem hilft es uns weiter. Der Internet Service Provider, den er benutzt hat, zeichnet auf, zu welcher Zeit welche IP-Nummern erteilt wurden, und daraus können wir zumindest eine ungefähre Gegend ableiten, vielleicht sogar eine exakte Adresse.«

»Das ist gut, Leo. Gute Arbeit! Häng dich rein.«

»Mach ich.«

Ich glaube ihm. Ich kann die Aufregung in seiner Stimme hören, und ich bezweifle, dass er heute Nacht Schlaf bekommt. Er riecht Blut, das Stimulans des Jägers, und es ist unwiderstehlich.

Ich gehe nach oben, zu Bonnie ins Bett, schlafen.

Ich habe einen Traum. Es ist ein eigenartiger Traum, der nicht mit den anderen in Verbindung steht. Es ist eine Erinnerung.

»Eine Seele wie ein Diamant…«

Das hat Matt einmal zu mir gesagt, im Zorn. Ich war mit einem Fall beschäftigt, der mich drei oder vier Monate lang rund um die Uhr in Anspruch nahm. Während dieser Zeit sah ich Matt und Alexa kaum. Er machte drei Monate lang mit, unterstützte mich, sagte nichts. Als ich eines Abends nach Hause kam, saß er im Dunkeln und wartete auf mich.

»Das kann nicht so weitergehen«, sagte er.

Ich hörte den giftigen Unterton in seiner Stimme und war sprachlos. Ich hatte geglaubt, alles sei in Ordnung. Doch so war es immer bei Matt. Er ertrug mit stoischer Ruhe, was ihn störte, bis er überkochte und explodierte. Und jedes Mal traf es mich aus heiterem Himmel. Von Windstille zum ausgewachsenen Orkan innerhalb eines Sekundenbruchteils.

»Wovon redest du?«

Seine Stimme klang angespannt, gepresst, bebte vor unterdrücktem Ärger. »Wovon ich rede? Herrgott, Smoky! Ich rede davon, dass du nie zu Hause bist! Ein Monat, okay. Zwei Monate, nicht gut, aber okay. Drei Monate – auf gar keinen Fall, verdammt! Ich habe genug davon! Du bist nie zu Hause. Und wenn du da bist, sprichst du weder mit mir noch mit Alexa. Außerdem bist du ständig ärgerlich und gereizt – davon rede ich!«

Ich bin noch nie besonders gut mit direkten Angriffen klargekommen. In trägen Augenblicken schreibe ich dies meiner irischen Seite zu, aber meine Mutter war unendlich geduldig. Nein, dies ist ganz allein meine Eigenart. Wenn ich in eine Ecke gedrängt werde, verliere ich jeden moralischen Maßstab. Ich will nur raus aus dieser Ecke, und ich kämpfe so dreckig und gemein, wie es nötig ist, um das zu schaffen. Matt hatte seinen Fehler. Er unterdrückte seinen Ärger immer viel zu lange. Das passte nicht sonderlich gut zu meinem Fehler – anzugreifen ohne zu zögern, ohne jeden Gedanken an die Konsequenzen, wenn ich mit dem Rücken zur Wand stehe. Dieses Problem bekamen wir nie richtig in den Griff. Es war eine der Unzulänglichkeiten unserer Beziehung. Ich denke auch daran mit Sehnsucht zurück.

Matt jedenfalls hatte mich in eine Ecke gedrängt, aus der es keinen Ausweg gab, und ich reagierte wie stets, wenn ich nicht weiterweiß: Ich verpasste ihm einen Tiefschlag von der gemeinsten Sorte.

»Ich soll also den Eltern der kleinen Mädchen sagen, dass ich keine Zeit habe, den Kerl zu schnappen, der es getan hat, wie? Gut, Matt, ich arbeite in Zukunft pünktlich von neun bis fünf. Aber wenn das nächste Mädchen ermordet wird, dann siehst du dir die Bilder an, und du gehst zu ihren Eltern und sprichst mit ihnen, und gleichzeitig wirst du versuchen, es unserer Familie recht zu machen!«

Diese Worte waren kalt, grausam und schrecklich unfair. Doch so ist das mit meiner Arbeit, dachte ich voller Wut, und in diesem Augenblick hasste ich Matt, weil er es nicht verstand. Wenn ich mit meiner Familie zu Hause sitze, gebe ich dem Mörder mehr Bewegungsspielraum. Wenn ich mich hingegen der Jagd nach dem Täter widme, ist meine Familie wütend und einsam. Es ist ein ständiger Balanceakt, der unendlich viel Kraft kostet.

Matt lief rot an. »Scheiße, Smoky«, fauchte er und schüttelte den Kopf. »Deine Seele ist wie ein Diamant.«

»Was zur Hölle soll das nun schon wieder heißen?«, fragte ich wütend.

Er starrte mich missmutig an. »Es soll heißen, dass du eine wundervolle Seele hast, Smoky. Wunderschön wie ein Diamant. Und manchmal genauso hart und kalt wie einer.«

Diese Worte schmerzten mich so sehr, dass meine eigene Wut sofort verrauchte. Es sah Matt nicht ähnlich, so grausame Worte zu sagen. Das war stets meine Spezialität gewesen, und ich empfand es als niederschmetternd und vernichtend, so etwas von ihm zu hören. Und ich spürte etwas, tief in mir: Angst, dass er vielleicht, ganz vielleicht Recht haben könnte. Ich erinnere mich, wie ich ihn schockiert mit offenem Mund anstarrte. Er erwiderte meinen Blick, sah mir direkt in die Augen, und über sein Gesicht lief eine winzige Andeutung von Verlegenheit.

»Ach, verdammt!«, schnappte er, wandte sich ab und stampfte nach oben. Ich blieb allein und mit wundem Herzen in der Dunkelheit unseres Wohnzimmers zurück.

Wir vertrugen uns natürlich wieder und überwanden unsere Krise. Darum geht es bei der Liebe, das begriff ich irgendwann in meinem tiefsten Innern. Liebe ist nicht Romantik oder Leidenschaft. Liebe ist ein Zustand der Gnade. Man erfährt sie, wenn man die absolute Wahrheit über den anderen akzeptiert, sowohl seine schlechten als auch seine guten Seiten. Und wenn der andere dies ebenso einem selbst gegenüber tut und man feststellt, dass man immer noch sein Leben mit ihm teilen möchte. Wenn man vom anderen die schlimmsten Dinge weiß und ihn trotzdem mit Leib und Seele will. Und weiß, dass es dem anderen genauso geht.

Das vermittelt einem ein Gefühl von Sicherheit und Stärke. Und wenn man dieses Stadium erreicht hat, sind Romantik und Leidenschaft nicht mehr glühend und heftig, sondern unverwüstlich und ewig. – Bis einer stirbt, heißt das.

Ich erwache nicht schreiend aus meinem Traum. Ich wache einfach nur auf. Tränen laufen mir über die Wangen. Ich lasse sie trocknen und lausche meinem Atem, bis mich der Schlaf erneut übermannt.

KAPITEL 36 Die anderen sehen so aus, wie ich mich fühle. Leo noch schlimmer.

»Du bist heute Nacht hier geblieben, hab ich Recht?«, frage ich ihn.

Er antwortet mit einem Blick aus müden Augen und murmelt etwas Unverständliches vor sich hin.

»Deine eigene Schuld. Also, hört zu«, wende ich mich an alle. »Callie und Alan, ihr beide kommt mit mir runter zum Parkplatz. Leo und James, ich möchte, dass ihr mit eurer Arbeit weitermacht.«

Sie nicken.

»Dann los.«

Der Bombentechniker hält seine Marke hoch. »Reggie Gantz«, stellt er sich vor. Er sieht aus wie Ende zwanzig. Er wirkt gelangweilt und hat einen steten Blick.

»Special Agent Smoky Barrett«, sage ich. »Zeigen Sie mir, was Sie haben, Reggie.«

Er führt mich zum Heck seines Einsatzwagens und öffnet die Tür. Nimmt ein Notebook hervor und etwas, das aussieht wie eine große Filmkamera. »Als Erstes das hier. Ein tragbarer digitaler Röntgenapparat. Zeigt den Inhalt eines Pakets auf dem Computerbildschirm. Da Sie gesagt haben, die Sendung werde von einer dritten Person angeliefert, müssen wir nicht fürchten, dass sie durch Bewegung aktiviert wird. Er wird nicht wollen, dass sie bereits auf dem Weg hierher hochgeht.«

»Klingt plausibel.«

»Zuerst werde ich die Sendung durchleuchten«, sagt er. »Danach benutze ich den Sniffer. Ich betupfe die Sendung mit Watte, die in den Sniffer kommt und spektroskopisch analysiert wird. Damit entdecken wir selbst kleinste Sprengstoffspuren. Wenn wir damit fertig sind, können wir mit ziemlicher Sicherheit sagen, ob es sich um eine Bombe handelt oder nicht.«

Ich nicke zustimmend. »Wir wissen nicht, wann es kommt, also sollten Sie sich auf eine Wartezeit einstellen.«

Er tippt zum Gruß mit dem Finger an die Stirn und kehrt ohne ein weiteres Wort nach vorn in seinen Wagen zurück. Mr. Lakonisch.

Ich gehe die Sache noch einmal in Gedanken durch: Der Fahrer trifft ein, um die Sendung zu liefern, und wir kassieren ihn ein und nehmen seine Fingerabdrücke. Reggie untersucht die Sendung, und sobald er sagt, dass alles in Ordnung ist, schaffen Alan, Callie und ich die Sendung rüber ins kriminologische Labor. Dort wird alles auf Fingerabdrücke und dergleichen untersucht und mit einem speziellen Staubsauger jede Faser und jedes Materialteilchen als Beweis gesichert. Anschließend wird alles fotografiert, und erst dann wird der Inhalt an uns weitergegeben.

Dieses routinemäßige Vorgehen hat zugleich Vorteile und Nachteile. Etwas, wofür ein Täter nur Minuten oder Stunden benötigt, kann bei uns Tage dauern. Wir sind stets langsamer. Doch dafür finden wir sämtliche Spuren, die er hinterlassen hat, bis hinunter zu mikroskopisch kleinen Partikeln. Unsere Fähigkeit, selbst die winzigsten Beweise zu bewerten, ist beängstigend. Ein Verbrecher müsste schon einen Raumanzug tragen, um sicher zu sein, dass er keine Spuren hinterlässt. Und selbst dann würden wir wahrscheinlich zumindest herausfinden, dass er einen Raumanzug getragen hat.

Auch die Abwesenheit von Beweisen verrät uns etwas. Sie verrät uns, dass der Verbrecher zumindest oberflächliche Kenntnisse über die Polizeiarbeit und die forensischen Methoden besitzt, und vermittelt uns Einsichten über das Vorgehen und die Psyche des Mörders. Ist er oder sie intelligent, umsichtig, geduldig – oder rasend, voll unkontrollierter Leidenschaft und wahnsinnig? Das Vorliegen oder das Fehlen von Beweisen erzählt uns dies.

»Sieh mal«, sagt Alan und deutet zur Straße. »Ich glaube, dort kommt er.«

Ich sehe einen Zustellwagen, der sich unserem Gebäude nähert, an den Straßenrand fährt und dort hält. Der Fahrer ist ein jüngerer Mann mit blonden Haaren und einem rötlichen Bartflaum. Er hat uns bemerkt und sieht uns nervös an.

Ich kann es ihm nicht verdenken. Er ist wahrscheinlich nicht daran gewöhnt, von einem Trupp ernst dreinblickender, ein wenig furchteinflößender Leute erwartet zu werden. Ich trete zur Fahrerkabine und bedeute ihm, das Fenster herunterzukurbeln.

»FBI«, sage ich und halte ihm meinen Dienstausweis hin. »Sie haben eine Lieferung an diese Adresse?«

»Äh, ja. Sie ist hinten drin. Was hat das zu bedeuten?«

»Es handelt sich um ein Beweismittel, Mister …?«

»Hä? Ah. Jedediah. Jedediah Patterson.«

»Bitte steigen Sie aus dem Wagen, Mr. Patterson. Diese Sendung stammt von einem Verbrecher, den wir verfolgen.«

Sein Unterkiefer sinkt herab. »Tatsächlich?«

»Ja. Wir müssen Ihnen Ihre Fingerabdrücke abnehmen, Sir. Würden Sie bitte aus dem Wagen steigen?«

»Meine Fingerabdrücke? Warum denn das?«

Ich zwinge mich zur Geduld. »Wir werden die Sendung auf Fingerabdrücke untersuchen. Wir müssen wissen, welche von Ihnen sind, um sie von denen des Verbrechers unterscheiden zu können.«

Endlich dämmert es ihm. »Oh. Ja, ich verstehe.«

»Würden Sie jetzt bitte aussteigen?« Meine Geduld schwindet. Vielleicht spürt er es, denn nun öffnet er die Tür und steigt aus.

»Ich danke Ihnen, Mr. Patterson. Bitte gehen Sie zu Agent Washington, er wird die Abdrücke machen.«

Ich deute auf Alan, während ich dies sage, und ich bemerke, wie Patterson erschrickt. »Keine Sorge«, sage ich amüsiert. »Er ist groß und kräftig, aber er ist nur für die bösen Jungs gefährlich.«

Patterson leckt sich über die Lippen, starrt den Berg von einem Mann an. »Wenn Sie es sagen.« Er folgt Alan ins Gebäude.

Jetzt kann ich mich auf die Sendung konzentrieren. Reggie

Gantz steht bereits vor dem Lieferwagen und hat seine Ausrüstung unter dem Arm. Er sieht immer noch gelangweilt drein.

»Fertig?«, fragt er.

»Fangen Sie an«, sage ich.

Er geht zur Rückseite des Wagens, öffnet die Türen. Wir haben Glück – bis auf drei Sendungen sind bereits alle ausgeliefert. Er findet das an mich adressierte Paket sofort.

Ich sehe zu, wie er sein Notebook hochfährt und das mobile Röntgengerät aktiviert. Augenblicke später sehen wir den Inhalt des Pakets auf dem Bildschirm des Notebooks.

»Sieht aus wie eine Flasche mit irgendwas drin. Außerdem vielleicht ein Brief – und noch etwas, flach und rund. Könnte eine CD sein. Das ist alles. Ich muss den Schnüffler aktivieren, um sicher zu sein, dass die Flüssigkeit in der Flasche kein Sprengstoff ist.«

»Ist das wahrscheinlich?«

»Nein. Fast alle flüssigen Sprengstoffe sind instabil. Das Paket wäre wahrscheinlich bereits auf dem Weg hierher in die Luft geflogen.« Er zuckt die Schultern. »Aber wir verlassen uns nicht auf Mutmaßungen.«

Ich bin froh über Reggies Anwesenheit, doch ich denke auch, dass er verrückt sein muss, so eine Arbeit zu machen. »Fangen Sie an«, sage ich zu ihm.

Er zieht einen Wattebausch hervor und wischt damit über das Paket. Ich sehe ihm zu, wie er den Bausch in den Schnüffler schiebt. Das Spektrometer fängt an zu arbeiten. Innerhalb weniger Minuten liegt das Ergebnis vor. Er sieht mich an. »Sieht sauber aus. Ich würde sagen, es ist ungefährlich, das Paket zu öffnen.«

»Danke, Reggie.«

»Kein Problem.« Er gähnt. Ich schüttele den Kopf, während ich zusehe, wie er mit seiner Ausrüstung zu seinem Wagen zurückwandert. Leute gibt es.

Jetzt bin ich mit meinem Paket allein. Ich sehe es an. Es ist nicht besonders groß. Gerade groß genug für seinen Inhalt. Ein Glas oder eine Flasche, ein Brief, eine CD. Wahrscheinlich eine CD. Ich will hineinsehen. Brenne vor Neugier.

Ich kehre zur Vorderseite des Lieferwagens zurück. Alan ist fertig mit Mr. Jedediah Patterson, dessen Fingerspitzen jetzt schwarz sind. Ich winke Alan zu mir.

»Das Paket ist sauber«, sage ich. »Lasst es uns ins Labor schaffen.«

»Nichts wie los«, nickt Callie.

Gene Sykes leitet das kriminologische Labor, und als er uns durch die Tür kommen sieht, breitet sich auf seinem Gesicht ein Ausdruck der Resignation aus.

»Hallo Smoky. Wie lange hab ich?«

Ich grinse ihn an. »Kommen Sie, Gene. So groß ist es doch gar nicht.«

»Aha. Also reden wir von gestern, wie?«

»So ist es.«

Er seufzt. »Informieren Sie mich.«

»Es wurde durch einen Zustelldienst geliefert, stammt definitiv von unserem Täter. Wir hatten einen Bombentechniker da, der es überprüft hat. Der äußere Teil wurde also abgewischt. Wir haben außerdem die Fingerabdrücke des Zustellers, um sie unterscheiden zu können.«

»Wissen Sie, was drin ist?«

»Der Bombentechniker hat es durchleuchtet. Sieht aus wie ein Glas oder eine Flasche; dazu ein Brief und vielleicht eine CD.«

»Woher wissen Sie, dass es von Ihrem Täter ist?«

»Weil er uns wissen ließ, dass er uns heute ein Paket zustellen würde.«

»Das war sehr entgegenkommend von ihm.« Sykes denkt ein paar Sekunden lang über die Informationen nach. »Sie haben bereits eine Tatortanalyse durchgeführt?«

»Ja.«

»Irgendwas gefunden?«

Ich erzähle ihm von den Fingerabdrücken, die wir unter Annies Bett gefunden haben.

Gene kratzt sich am Kopf, während er nachdenkt. Sich mehr und mehr in das Problem versenkt.

»Sie müssen dieses Paket wirklich gründlich absuchen, Gene«, sage ich. »Und das so schnell wie möglich.«

»Sicher. Sie sagen, er sei vorsichtig, deswegen bezweifle ich, dass wir sichtbare oder gar plastische Abdrücke finden. Aber manchmal erleben wir Überraschungen.«

Es gibt drei Sorten von Fingerabdrücken, die Täter hinterlassen: plastische, sichtbare und latente. Plastische und sichtbare sind uns am liebsten. Plastische Abdrücke entstehen, wenn der Täter eine weiche Oberfläche berührt, beispielsweise Wachs oder Knetmasse oder Seife. Sichtbare Abdrücke entstehen, wenn er die Hände benetzt – etwa mit Blut – und dann eine Oberfläche berührt. Man kann sie mit dem bloßen Auge sehen. Die häufigsten sind jedoch latente – oder unsichtbare – Abdrücke. Nach ihnen muss man richtig suchen, und die Technologie, sie zu finden und zu sichern, ist manchmal eine richtige Kunst. Gene ist ein Künstler. Wenn es in diesem Paket Abdrücke gibt, dann findet er sie.

»Es versteht sich von selbst, Gene – wenn im Paket eine CD ist, brauche ich sie, bevor Sie irgendetwas tun, das sie beschädigen könnte.« Das Sichern latenter Abdrücke kann den Einsatz von Chemikalien und Wärme erforderlich machen. Beides kann eine CD beschädigen und unlesbar machen.

Er wirft mir einen Blick beleidigter Herablassung zu. »Also ich bitte Sie, Smoky.«

Ich muss grinsen. »Sorry.« Ich reiche ihm zwei Beweismittelbeutel aus Plastik mit den letzten Sendungen und den Briefen von Jack Junior. »Hier, untersuchen Sie die anschließend bitte auch. Sie stammen vom gleichen Täter.«

Er verzieht das Gesicht. »Noch was?«

»Wir stehen unter einem großen Zeitdruck, Gene. Er hat uns wissen lassen, dass er erneut zuschlagen wird.«

Sein Gesicht wird ernst. »Okay. Bin schon dran.«

Als ich ins Büro komme, telefoniert Alan. Er spricht schnell. Irgendetwas hat sein Interesse geweckt. In der Hand hält er Annies Akte. »Ich brauche eine Bestätigung, Jenny. Ich möchte hundertprozentig sicher sein ... Genau.«

Er tappt ungeduldig mit dem Fuß auf den Boden, während er wartet. »Tatsächlich? ... Okay, danke.« Er legt auf, springt vom Stuhl hoch und kommt zu mir. »Erinnerst du dich, dass ich dir gesagt habe, irgendetwas würde mich stören?«

»Ja.«

»Es war bei den Dingen, die wir aus ihrer Wohnung mitgenommen haben.« Er blättert in der Akte, findet die Seite und deutet darauf. »Eine Quittung von einem Kammerjäger, der ihre Wohnung inspiziert hat, und zwar fünf Tage vor ihrem Tod.«

»Und?«

»Und? Die meisten Apartmenthäuser wie das, in dem sie wohnt, werden von oben bis unten inspiziert. Nicht einzelne Wohnungen.«

»Das ist nicht gerade zwingend, Alan. Aber sprich weiter.«

»Sicher, ich hätte es vielleicht genauso abgetan. Doch ich habe diese Quittung gesehen, als wir dort waren, und irgendwas daran hat seitdem in mir genagt.«

»Komm zur Sache, Alan.«

»Sorry. Es war eine Notiz auf dieser Quittung.« Er nimmt einen Notizblock von seinem Schreibtisch und liest davon ab. »*Did Shoe Write-up*, also: Aktualisierung beschlagen.« Ich meine – was zur Hölle soll das? Und der Kerl hat die Quittung mit ›*Armouried Murrey*‹ unterschrieben.«

»Eigenartiger Name.«

»Es sind Anagramme, habe ich Recht?«, fragt James.

Alan wendet sich überrascht zu ihm um. »Das ist richtig. Wie bist du…na ja, ist ja auch egal.« Er sieht mich wieder an, zeigt mir den Block. »Sieh her: *Did Shoe Write-up*. Wenn du die Buchstaben neu anordnest, kommt dabei etwas ganz anderes heraus: *Die, Stupid Whore* – Stirb, blöde Hure.«

Mein Magen macht einen Satz.

»Und nun *Armouried Murrey*: Stell die Buchstaben um, und du erhältst – er zeigt mir den Notizblock erneut – *I am your murderer*, Ich bin dein Mörder.

»Die finale Beschimpfung«, murmelte James. »Er sagt ihr mitten ins Gesicht, dass sie sterben und er es tun wird. Und sie hat nicht die geringste Ahnung.«

Ich sehe Alan an. »Beeindruckende Arbeit.«

Er zuckt die Schultern. »Ich hatte schon immer eine Vorliebe für Anagramme und für Details.«

»Ja, sicher, du bist der Größte«, sagt James. »Die Frage ist nur: Was bedeutet das, und wie können wir es benutzen?«

»Warum erzählst du es mir nicht, Arschloch?«, zischt Alan.

Die Beleidigung prallt an James ab. Er nickt, während er nachdenkt. »Ich glaube nicht, dass er vorbeigekommen ist, um sie zu verhöhnen. Ich glaube, dass er da war, um die Wohnung auszuspionieren. Um sich ein genaues Bild machen zu können.«

»Oder um Informationen zu überprüfen, die er bereits hatte«, entgegne ich. »Möglicherweise war er schon einmal dort und wollte sich vergewissern, dass sich nichts verändert hat.«

»Das ergibt Sinn, bei Typen wie diesen«, stimmt Alan zu. »Sie sind schlau und vorsichtig, planen alles.«

»Vielleicht ist das ihr *Modus Operandi*!«, rufe ich und spüre Aufregung in mir hochsteigen. »Wenn wir eine Spur zu ihrem nächsten Opfer finden könnten – irgendwas! –, dann könnten wir vielleicht denjenigen zu fassen kriegen, der den Ort vorher auskundschaftet!«

Ich wende mich an Leo. »Wie weit bist du inzwischen?«

Leo verzieht das Gesicht. »Sieht nicht gut aus. Die IP-Nummer war nicht statisch. Wir konnten zurückverfolgen, wem sie erteilt wurde, doch das hat in eine Sackgasse geführt.«

»Wie das?«

»Er hat's von einem Internetcafé aus gemacht, also von einem Café aus, in dem man Computer mit Internetanschluss nutzen kann. Das heißt, vollkommen anonym.«

»Verdammt. Sonst noch was? Irgendwas?«

»Nichts.«

»Na dann. Setzt eure Denkkappen auf. Strengt euch an!«

Das Telefon läutet. Alan geht ran, spricht, legt auf. »Sie sind so weit unten im Labor«, sagt er zu mir.

Ich fahre mit dem Aufzug vier Etagen nach unten, und als ich im Labor ankomme, sehe ich Gene, der auf eine verwirrt wirkende Callie einredet.

»Vorsicht«, sage ich zu ihr. »Er quatscht dich in Grund und Boden.«

Gene wendet sich zu mir. »Ich habe Agent Thorne von den jüngsten Fortschritten bei der Identifikation mitochondrischer DNS berichtet.«

»Ziemlich interessantes Zeug«, sagt Callie in ihrem trockensten Tonfall.

Gene starrt sie finster an. »Vergessen Sie's«, grummelt er. »Ich habe Sie schon anders erlebt, Callie. Sie waren eine meiner besten Studentinnen im Praktikum.«

Sie grinst und zwinkert mir zu.

Ich hebe meinen Kaffeebecher toastend in Richtung Gene. »Ich habe immer gewusst, dass Sie der Beste sind, Gene. In diesem Sinne – was haben Sie für mich?«

Er blickt Callie ein letztes Mal stirnrunzelnd an und wendet sich seufzend mir zu. »Keine direkten physischen Spuren. Damit meine ich keine Fingerabdrücke, keine Fasern, keine Haare, keine Hautschuppen, nichts. Dafür habe ich etwas sehr

Interessantes gefunden. Es verrät uns etwas über den Täter, von dem nicht einmal er etwas weiß.«

Das muntert mich auf. »Wie das?«

»Alles zu seiner Zeit, Smoky. Um es zu verstehen, müssen Sie zuerst seinen Brief lesen.« Er reicht ihn mir. »Hier, sehen Sie sich ihn an.«

Ich mag es nicht, wenn Leute in Rätseln zu mir reden. Doch Gene ist einer der besten forensischen Wissenschaftler im ganzen Land. Vielleicht sogar auf der Welt. Und Callie nickt mir aufmunternd zu.

»Es ist die Geduld wert, Zuckerschnäuzchen.«

Also konzentriere ich mich auf den Brief.

Ich grüße Sie, Agent Barrett!
Ich sterbe vor Neugier: Wie hat Ihnen die Geschichte von Ronnie
Barnes gefallen? Nicht der Hellste, fürchte ich, doch wie geschaffen
für eine Demonstration. Sie fragen sich ohne Zweifel, wie viele
andere Ronnie Barnes' es dort draußen geben mag, habe ich Recht?
Ich fürchte allerdings, es ist sehr viel befriedigender für mich, wenn
ich Sie weiter rätseln lasse.

Ich habe Sie übrigens gesehen, als Sie zu diesem Schießstand
gefahren sind nach Ihrer Rückkehr aus San Francisco. Ich muss
schon sagen – ich war SEHR AUFGEREGT! Es ist stets ein
wunderbares Gefühl, wenn ein Schachzug zu einem so lohnenden
Ergebnis führt. Endlich ist meine Gegenspielerin voll bewaffnet
und einsatzfähig. Es bringt mein Blut zum Kochen, Agent Barrett!
Spüren Sie es auch? Das Hämmern des Herzens? Dieses Schärfen
aller Sinne?

»Er spioniert dir hinterher, Zuckerschnäuzchen.«

»Ja. Wir müssen uns darum kümmern.«

Sie sehen anders aus als früher, Agent Barrett. Gefährlicher. Sie
verbergen nicht länger die Narben, deren Sie sich so geschämt haben.

*Gut für Sie und gut für mich. Weil wir jetzt endlich die Gla-
céhandschuhe ausziehen können. Endlich können wir dieses Spiel
richtig interessant gestalten!*

*Ich habe zwei Dinge für Sie in meinem Paket. Eines davon, der
Inhalt des Glases, bedarf der Erklärung, damit Sie es verstehen können.*

*Reden wir von Annie Chapman. Auch bekannt als Dark Annie.
Bringt dieser Name eine Glocke in Ihnen zum Läuten, Agent Barrett?
Das sollte er nämlich. Sie war das zweite Opfer meines Vorfahren.*

*Die arme, arme Annie Chapman. Sie ist nicht immer eine
dreckige Hure gewesen, müssen Sie wissen. Sie hat gewartet, bis
ihr Ehemann starb. Erst dann fing sie an, die Schenkel für Geld
zu spreizen. Höchst widerlich. Als mein Vorfahre sie umbrachte,
hat er die Gesellschaft von einer Pestbeule befreit.*

*Sie war sein zweites Opfer, doch sie war die Erste, von der Jack
ein Andenken nahm. Er exzidierte ihren Uterus, den oberen Teil
ihrer Vagina und die dahinter liegenden zwei Drittel ihrer Blase.*

*Selbstverständlich hat es zahlreiche verschiedene Theorien
darüber gegeben. Und natürlich sind all diese Theorien falsch. Niemand hatte die Vision, den Plan meines Vorfahren zu begreifen.
Ich verrate ihn Ihnen, also passen Sie gut auf:*

*Jack wusste, dass seine Blutlinie, die vergangene wie die zukünf-
tige, von außergewöhnlicher Beschaffenheit war. Sie stammt von
den alten Raubtieren ab. Den echten Jägern. Sie steht über dem
gewöhnlichen Vieh, das sich Menschheit nennt. Er wusste, dass es
seine Pflicht war, sein Wissen und seine Macht an künftige Generationen weiterzugeben und unsere heilige Mission zu erklären.*

*Und so nahm er viele Andenken. Er nahm Teile von diesen
Huren und versiegelte und konservierte sie. Er verfügte, dass sie
weitergegeben werden sollten, von Generation zu Generation,
als Erinnerung an das, was er begonnen hatte.*

*Ich sagte Ihnen bereits, dass ich einen Beweis für meine Behaup-
tung liefern würde, Agent Barrett. Ich bin ein Mann, der sein Wort
hält, und so überreiche ich Ihnen heute eines der heiligen Andenken
meines Vorfahren. Den konservierten Uterus von Annie Chapman.*

Beeindruckend, finden Sie nicht? Führen Sie Ihre Tests durch.
Wenn Sie damit fertig sind, wird es Ihnen vermutlich schwerer fal-
len, nachts zu schlafen. Denn dann wissen Sie, dass ein Nachkomme
des Schattenmannes aufgetaucht ist und seine Arbeit macht.

»Stimmt das, was er schreibt, Gene? Ist das ein menschlicher
Uterus in diesem Glas?«

Gene lächelt. Ein weiteres kryptisches Lächeln. »Dazu kommen wir noch. Lesen Sie zuerst den Brief zu Ende.«

Der Schattenmann. Es gibt nur ein einziges Original, doch sicher
sind Ihnen schon viele Thronanwärter begegnet, nicht wahr,
Agent Barrett? Jene, die in den Schatten leben und in ihrem Schutz
töten. Mein Vorfahre wurde in den Schatten geboren. Sein Erbe
war die Dunkelheit.

Er liebte die Schatten, und die Schatten … nun ja, sie liebten
ihn. Er war ihr reinstes Kind.

Aber ich schweife ab.

Ich habe eine weitere CD für Sie beigefügt, Agent Barrett. Ich
habe die Mission meines Vorfahren fortgeführt. Ich habe die Erde
von einer weiteren Hure befreit, eine weitere Pestbeule entfernt.

»Verdammt!«, rufe ich.

Genießen Sie es. Ich bin ziemlich stolz auf meine Arbeit.

Das wäre für den Augenblick alles, Agent Barrett. Seien Sie
versichert, dass ich mich wieder melden werde. Vielleicht auf eine
persönlichere Weise. In einer Woche. Tick-tack, tick-tack.

From Hell
Jack Junior

Ich lege den Brief nieder und sehe Gene an. »Spucken Sie's aus.«

Er reibt sich die Hände. »Nachdem ich diesen Brief gelesen
hatte, haben wir selbstverständlich zuerst das Glas untersucht.

Ich habe eine Reihe einfacher Tests durchgeführt, und dabei habe ich es gefunden.«

»Was?«

Er macht eine Pause, um die Wirkung seiner nächsten Worte zu steigern. »Es ist kein menschliches Gewebe in diesem Glas, Smoky. Wenn ich raten müsste, würde ich sagen, es stammt von einem Rind.«

Die Überraschung verschlägt mir die Sprache. »Heilige Scheiße!«, entfährt es mir schließlich.

Er grinst. »Genau. Unser Knabe denkt, dass er etwas von Jack the Ripper weitergegeben hat, doch er irrt sich. Er hat ein Stück Rindfleisch, weiter nichts. Er hat ein ganzes Glaubensgebäude auf einem Stück Rindfleisch aufgebaut und keine Ahnung, dass es eine Lüge ist.«

Mein Verstand arbeitet auf Hochtouren. »Es ist alles Unsinn. Irgendjemand hat ihm einen riesigen Bären aufgebunden. Er ist kein Nachfahre von Jack the Ripper. Er ist …«

»Nichts weiter als ein ganz gewöhnlicher Serienkiller«, sagt Callie und vervollständigt meinen Gedankengang. Sie hebt die Augenbrauen. »Nicht schlecht, wie? Keine greifbare Spur, die zur Identifikation unserer Knaben führt. Dafür ein verräterisches Charakteristikum.«

»Gute Arbeit, Gene. Können Sie einen Bericht anfertigen?«

»Selbstverständlich. Er ist heute Abend fertig.«

Ich wende mich an Callie. »Wir müssen das Team informieren. Sofort.« Wir setzen uns in Bewegung, wollen zur Tür.

»Äh – Agent Barrett?«

Ich drehe mich um und sehe, dass Gene mir etwas in einer behandschuhten Hand hinhält.

Scheiße. In der Aufregung habe ich die CD völlig vergessen. Meine Hochstimmung schwindet.

Zeit, einen weiteren Mord anzusehen.

KAPITEL 37 Wir sind zurück im Büro.

»Ich habe eine gute und eine schlechte Nachricht«, sage ich.

»Wie lautet die gute?«, fragt Alan.

Ich berichte ihnen vom Inhalt des Briefes und ende mit dem, was Gene Sykes über den Inhalt des Glases herausgefunden hat. Leos und Alans Augen weiten sich. James' Blick wird geistesabwesend. Ich kann beinahe hören, wie es in seinem Kopf arbeitet.

»Aha«, sagt er. »Jemand hat ihm diesen Mist eingetrichtert. Entweder glaubt dieser Jemand, dass es wahr ist, oder er möchte, dass Jack Junior denkt, es wäre wahr.«

»Vielleicht hat er sich selbst diesen Schwachsinn ausgedacht«, entgegnet Leo. »Warum sollte ein Dritter darin verwickelt sein?«

»Weil eine so große Selbsttäuschung seine Organisation und Kompetenz beeinträchtigen würde. Denk darüber nach.«

Callie nickt. »Ich bin der gleichen Meinung, Zuckerschnäuzchen. Sich so etwas einzureden und dann zu vergessen, dass man es sich eingeredet hat…ich glaube nicht, dass er dann sonderlich gut funktionieren könnte. Er wäre geistig viel zu verwirrt.«

»Es ist ein großer Durchbruch«, fahre ich fort. »Eine weitere Spur. Jetzt suchen wir nicht nur nach ihm, sondern auch nach demjenigen, der ihm das eingeredet hat.« Ich wende mich an Callie. »Bring das rüber zu Dr. Child. Ruf ihn zu Hause an, falls er nicht im Büro ist. Sag ihm, dass ich ihn morgen früh sprechen muss. Diesmal könnte ein Profil wirklich von Nutzen sein.«

»Verstanden.«

»Er fängt an Mist zu bauen«, sage ich. »Erstens dieses Glas, und dann verrät er uns auch noch, dass er mich verfolgt.«

Alan blickt alarmiert auf. »Wie bitte?«

»Es steht in seinem Brief. Ich bin zu einer Schießbahn gefahren, nachdem wir von San Francisco zurückgekommen sind. Er schreibt in seinem Brief, dass er mich dabei beobachtet hat. Was ein dummer Fehler ist.«

»Du musst extrem vorsichtig sein, Zuckerschnäuzchen.«

Ich lächle. »Keine Sorge, Callie. Ich werde einen alten Freund anrufen. Er war früher beim Secret Service. Ich werde ihn bitten, mich zu überwachen.«

Sie nickt. »Er wird dich beschatten, und indem er das tut, findet er jeden anderen, der dir folgt.«

»Genau. Mein Freund ist verdammt gut. Er findet auch jede Wanze und jeden Sender an meinem Wagen. Ich lasse ihn auch das Haus absuchen. Falls er was findet, lasse ich es dort. – Wir wissen dann, wo die Wanzen sind, aber er weiß nicht, dass wir es wissen.«

»Ist dir aufgefallen, dass du ›er‹ und nicht ›sie‹ gesagt hast?«, fragt James.

Ich sehe ihn überrascht an. Es war mir nicht aufgefallen. »Ich schätze, das ist so, weil ich mehr und mehr überzeugt bin, dass er der Hauptakteur ist. Es gibt einen Jack Junior, der andere ist unwesentlich. Ich kann es spüren. Denkt an Ronnie Barnes. Jack hat ihn benutzt und beseitigt. Er hat es in seinem Brief geschrieben – dass er nach weiteren Mördern sucht, die er fördern kann.«

»Damit stellt sich die Frage nach dem zweiten Täter aus Annie Kings Wohnung«, sagt James. »Ist er noch am Leben – oder ist er tot wie Ronnie Barnes?«

»Das können wir nicht mit Sicherheit sagen... Allerdings schätze ich, dass er noch lebt.«

»Ich stimme zu«, sagt Alan. »Denkt darüber nach. Er hat bei Annie mit etwas angefangen, das er bereits seit einer ganzen Weile geplant hat. Er wird bestimmt nicht mitten in seiner Operation abbrechen und einen weiteren Mordgehilfen ausbilden wollen.«

Ich sehe die anderen der Reihe nach an. »Wir kommen ihm näher.«

James starrt mich an. »Genug Rücken getätschelt«, sagt er. »Wie lautet die schlechte Nachricht?«

Ich halte die CD hoch. »Er hat uns eine weitere geschickt. Er hat wieder jemanden getötet.«

Im Büro wird es still. Leo steht auf, streckt die Hand nach der CD aus. »Bringen wir es hinter uns«, sagt er.

Ich gebe ihm die Scheibe. »Also gut.«

Sein Notebook läuft bereits. Er schiebt die CD ins Laufwerk. Augenblicke später startet das Video.

Es beginnt mit einem Titelbild – weiße Buchstaben vor schwarzem Hintergrund. »Dieser Tod wurde gesponsert von http://www.darkhairedslut.com.«

»Schreib das auf«, sage ich zu Leo.

Eine gefesselte, sich windende Frau erscheint. Sie ist nackt ans Bett gefesselt, genau wie Annie. Ich schätze ihr Alter auf knapp unter fünfundzwanzig. Sie sieht sehr natürlich aus – womit ich meine, dass sie offenbar keine Brustimplantate hat. Sie besitzt den makellosen Körper einer jungen Frau, nicht gezeichnet von der Mühsal, ein Kind auszutragen. Ihre Haare sind lang, dunkel und voll. Also wieder eine Brünette; Jack Junior scheint sie zu bevorzugen. Ihre Augen drücken alles aus, was sie empfindet: Panik, Angst, Verzweiflung, alles in einem unerträglichen Ausmaß.

Jack Junior erscheint vor der Kamera. Er trägt dasselbe Kostüm wie bei der Ermordung Annies. Er winkt in die Kamera, und erneut bekomme ich das Gefühl, dass er grinst. Das Grinsen ist nur für uns – er liebt die Vorstellung, dass sein Verbrechen auf Band festgehalten wird, dass er es praktisch vor unseren Augen begeht, ohne uns den kleinsten Hinweis auf seine Identität zu geben. Er verlässt den Aufnahmebereich. Einen Augenblick später setzt Musik ein. Geradezu betäubend laut.

»*I wish they all could be California giiirls…*« von den Beach Boys tönt aus den kleinen Lautsprechern von Leos Notebook.

Jack Junior geht zu der Frau, neigt den Kopf nach links und rechts, während er sie betrachtet. Dann nimmt er seine

Waffe. Diesmal kein Messer. Diesmal einen Baseballschläger. Er beginnt um sie herumzutanzen und zu springen, wedelt mit dem Schläger, stimmt sich in den Rhythmus des Songs ein. Er führt ein paar angedeutete Schläge aus, um die Angst seines Opfers weiter zu steigern. Ihre Augen quellen hervor, ihr Gesicht ist hochrot, während sie durch ihren Knebel hindurch zu schreien versucht.

Und dann, genau wie in Annies Video, beginnt die Montage. Alles geschieht mit einer entschlossenen, bedenkenlosen Brutalität. Es ist nichts Klinisches, nichts Handwerkliches daran. Als er zum Schlag ausholt, schwingt er den Schläger hoch über den Kopf, legt sein ganzes Gewicht hinein. Er bricht die Knochen offenbar nicht nur, er scheint sie zu pulverisieren. Jedes Mal, wenn sie bewusstlos wird, hält er inne und schlägt ihr ins Gesicht, bis sie wieder aufwacht. Er will, dass sie da ist, dass sie miterlebt, was mit ihr geschieht. Dass sie jede einzelne Sekunde ihres Sterbens spürt.

Er legt den Schläger nieder und setzt sich rittlings auf sie. Die Vergewaltigung beginnt. Er ist unglaublich brutal, auf maximale Bewegung aus. Er will, dass ihre gebrochenen Knochen aneinander reiben, will, dass diese Vergewaltigung das Schlimmste an Schmerzen ist, was sie je erlebt hat. Und wieder weckt er sie jedes Mal auf, wenn sie das Bewusstsein verliert. Es muss für sie gewesen sein, als erwache sie in einem Alptraum, denke ich, immer und immer wieder.

Die Vergewaltigung endet, und er zieht das Skalpell heraus. Er zeigt es ihr. Packt ihr Kinn und zwingt sie, es anzusehen, zu begreifen, was nun kommt. Ihre Augen folgen dem Skalpell, fixieren es, als es an ihrem Bauch nach unten gleitet. Ich beobachte, wie sie sich aufbäumt, als er sie zu sezieren beginnt, bei lebendigem Leib.

Ich blicke zu Leo hinüber. Er ist grün im Gesicht, voller Entsetzen, doch diesmal übergibt er sich nicht. Er ist jetzt abgehärtet, ist zu jemand anderem geworden, verändert für immer.

Als die Frau tot und ausgeweidet ist, steht Jack Junior auf. Er starrt lange, lange Zeit auf sein Opfer hinab. Sie sieht aus, als hätte sie eine Bombe schlucken müssen, die in ihrem Inneren explodiert ist. Schließlich wendet er sich zur Kamera um, blickt uns an, mit erhobenem Daumen. Damit endet der Film.

»Du hältst dich wahrscheinlich für unendlich lustig«, murmele ich wütend vor mich hin. »Lach nur weiter, du Abschaum.« Es fühlt sich genauso ohnmächtig an, wie es klingt.

Die anderen schweigen. Versuchen, die Bilder zu verdauen, die wir soeben gesehen haben. Sie in kleine Happen aufzuteilen. Damit zurechtzukommen.

»Überprüf die Adresse dieser Webseite, Leo«, sage ich. »Finde heraus, wer diese Frau war.«

»Bin schon dabei«, antwortet er leise. Zögert. »Wie … wie kann ein Mensch so etwas tun?«, fragt er. Seine Augen bohren sich in meine, flehen mich um eine Antwort an. Ich überlege, bevor ich etwas sage, wähle meine Worte mit Bedacht.

»Er kann es, weil er es genießt. Es ist seine Art von Sex, und seine Gier danach ist größer, beherrschender, als jeder Junkie auf Entzug sie jemals empfinden könnte. Es gibt alle möglichen Gründe, warum Menschen so werden. Doch der wichtigste ist der, dass sie lieben, was sie tun. Leidenschaftlich.« Ich sehe James an. »Wie lautet dieser Ausdruck, den du dafür geschaffen hast?«

»Sexuelle Fleischfresser.«

»Genau.«

Leo erschauert. »So habe ich mir das nicht vorgestellt. Überhaupt nicht.«

»Ich weiß, das kannst du mir glauben. Alle stellen sich vor, es sei aufregend, Serienmörder oder Babyvergewaltiger oder andere Monster zu jagen. Es ist nicht aufregend. Es frisst dich auf. Du erwachst morgens nicht mit dem Gedanken: ›Meine Güte, ich kann es gar nicht erwarten, diesen Typ zu schnappen.‹ Du wachst auf und siehst in den Spiegel und versuchst dich nicht schuldig zu fühlen, weil du ihn noch nicht geschnappt hast. Du versuchst nicht darüber nachzudenken, dass er schon wieder jemanden umgebracht haben könnte, weil du nicht schnell genug warst.« Ich lehne mich zurück, schüttele den Kopf. »Es geht nicht um Aufregung. Es geht darum, dass man sich verantwortlich fühlt, wenn Menschen sterben.«

Er sieht mich einen weiteren Moment lang an, dann tut er das, was er im Angesicht des Entsetzens zu tun gelernt hat: Er wendet sich seinem Computer zu und fängt an zu arbeiten. Eine Minute später hat er gefunden, was ich brauche. »Ich habe die Adresse des Besitzers von darkhairedslut.com. Es ist ein Apartment in Woodland Hills.«

»Wie lautet der Name?«

»Sorry, die Domain ist auf ein Geschäft registriert. Aber wahrscheinlich sind Besitzer und Betreiber identisch.«

»Alan, ruf bei den Kollegen vom LAPD an und frag, wer für die Gegend zuständig ist. Sag ihnen, sie sollen hinfahren und es überprüfen. Falls sie die Frau finden, sollen sie den Tatort augenblicklich absperren und uns informieren. Niemand darf rein oder raus.«

»Verstanden.«

»Auf diesem Video war es nicht sichtbar«, meint James. »Zumindest nicht für mich.«

Ich wende mich stirnrunzelnd zu ihm um. »Was war nicht sichtbar?«

»Dass es zwei Mörder sind, nicht nur einer.«

Ich blicke ihn an. Dann nicke ich. Er hat Recht. Falls Jack Junior jemanden bei sich hatte, dann war es diesmal mit dem bloßen Auge nicht zu erkennen.

»Aber sie waren beide da«, ergänzt James. »Ich kann es fühlen.«

Ich sehe ihn erneut nickend an. Der schwarze Zug rollt weiter, *tschuk, tschuk* und *tschua, tschua*, und James und ich bleiben mit Entschiedenheit an Bord.

Ich wende mich an Leo. »Ich möchte einen kurzen Blick auf ihre Webseite werfen.«

Callie sieht mich nachdenklich an. »Ich hätte nie geglaubt, dass ich einmal aus dienstlichen Gründen Pornoseiten ansehen muss, Smoky. Und das ist jetzt schon das zweite Mal.«

»Wieso? Machst du das normalerweise allein zu Hause?«

»Sehr witzig.«

Es ist ein Versuch von Galgenhumor. Er scheitert kläglich. Die Bilder des Videos sind zu gegenwärtig.

»Hier ist sie«, sagt Leo.

Wir rücken unsere Stühle heran, sodass wir auf seinen Bildschirm blicken können. Die Webseite ist in hellem Braun gehalten. Wir sehen ein Bild der Frau, die Jack Junior vor unseren Augen umgebracht hat. Sie trägt nichts weiter als ein Höschen und wendet uns den Hintern zu, hervorgestreckt in einer uralten schlüpfrigen Pose. Dabei späht sie über die Schulter und lächelt geziert, während sie mit einem Finger einladend winkt. Sie wirkt wie jemand, der professionell Pornos macht. Doch sie sieht auch hübsch und lebendig und menschlich aus. Auf keinen Fall dazu geschaffen, ein solches Ende zu nehmen, wie wir es soeben gesehen haben.

»Ich bin eine dunkelhaarige Schlampe«, lautet ein sich quer über den oberen Teil der Seite ziehender Satz. Auf der rechten Seite gibt es weitere, kleinere Fotos. Die Wahrheit wird nur angedeutet, doch die Botschaft ist klar. Hier geht es nicht um erotisches Posing oder um Softpornos. Die Bilder zeigen Oralsex, Analsex, Sex mit anderen Frauen und Gruppensex, und die auf ihnen angebrachten Zensurbalken dienen der Steigerung der Neugier. Worum es geht, verraten kleinere Bildunterschriften: »Ich liebe es, Schwänze zu lutschen und Sperma zu schlucken. Ich lebe für Orgien und lasse mich gern in den Arsch ficken. Am LIEBSTEN jedoch lecke ich MUSCHIS!«

»Vielseitige junge Frau«, bemerkt Callie.

Ich schüttle den Kopf. »Kann man wohl sagen.«

Weitere Bilder lassen uns wissen, dass sie »Live Cam Shows« macht und »Sexpartys für Fans« organisiert. Nur für Mitglieder, versteht sich.

Leo führt uns durch zwei weitere derartige Seiten, bis wir schließlich auf der Subskriptionsseite landen.

»Was jetzt?«, frage ich. »Ich werde meine Kreditkarte nicht dafür nehmen.«

»Ich glaube nicht, dass das notwendig ist«, sagt Leo. »Ich habe eine Idee.«

Er klickt auf den Link »Zugang für Mitglieder«, und auf dem Schirm öffnet sich ein Fenster, das nach einem Usernamen und einem Passwort fragt.

»Jede Wette, dass er denselben Usernamen und dasselbe Passwort für diese Seite genommen hat wie für die Seite deiner Freundin. Der Username war ›jackis‹, das Passwort lautete ›fromhell‹«. Leo tippt beides in die entsprechenden Felder und klickt auf den »O.-K.«-Button. Eine weitere Seite öffnet sich. Dort steht: »Willkommen in meinem heißen Mitgliederbereich!« »Voilà!«, lacht Leo.

»Gut nachgedacht.«

Er scrollt die Seite hinunter, die vor allem aus einem Menü der Themen besteht, die hier angeboten werden, etwa: »Persönliche Fotos«, »Meine Video-Clips«, »Meine Live Cam Shows«, »Meine Amateur-Freunde«. Der letzte Menüpunkt erweckt meine Aufmerksamkeit. Er lautet: »Fotos von Sex-Partys der Mitglieder«.

»Ich frage mich…«, sinniere ich.

»Was denn, Zuckerschnäuzchen?«, hakt Callie nach.

»Die Sex-Partys für Mitglieder…Ich schätze, er war nicht imstande, dieser Gelegenheit zu widerstehen. Sex mit ihr zu haben im Wissen, dass er sie bald töten würde…Ich kann mir ziemlich gut vorstellen, dass er das getan hat.«

»Es würde jedenfalls seine Erwartung steigern. Das Gefühl von Macht, das er gespürt hat.«

So etwas wäre typisch für einen Serienmörder: Das Beobachten, das Verfolgen, das Planen – all diese Dinge sind fast so berauschend für ihn wie das eigentliche »Finale«.

»Es besteht eine hohe Wahrscheinlichkeit, dass es stimmt«, sagt James. »Wir könnten sämtliche Fotos herunterladen, die Gesichter der Männer einzeln durchscannen und sie durch unsere Gesichtsdatenbanken schicken.« Er hebt die Brauen. »Die Technik ist noch nicht ganz ausgereift, aber es wäre einen Versuch wert.«

Für das Kopf-an-Kopf-Rennen mit einem Verbrecher müssen wir methodisch vorgehen. Wir werfen Netze und Fallen aus, genau wie Fischer. Nicht eines, sondern viele, wieder und wieder und wieder. Suche nach Fingerabdrücken, erstes Netz. Richterliche Beschlagnahmeanordnung einer Abonnentenliste, zweites Netz. Gesichtserkennung, drittes Netz. Wieder und wieder werfen wir unser Netz aus, ziehen es ein. Normalerweise ist es leer. Wenn wir etwas fangen, dann untersuchen wir es, was es auch sein mag – einen Hai ebenso wie eine Elritze; alles, was uns dem Täter näher bringt. Es ist ein Schildkrötenrennen, bei dem wir unsere Fortschritte in Zentimetern messen, nicht in Kilometern.

»Mach das zusammen mit Leo.«

Ich gehe zu Alan. »Hast du die Kollegen vom LAPD erreicht?«

»Hab ich. Ich fahre hin und treffe mich dort mit ihnen.«

»Was ist mit Dr. Child? Hast du ihn ebenfalls erreicht?«

»Ja. Er war zuerst ziemlich abweisend, aber nachdem ich ihm kurz unsere heutigen Erkenntnisse schilderte, war er Feuer und Flamme. Will noch heute Abend eine Kopie des Berichts per Kurier und meint, er sei morgen früh fertig und bereit, sich mit dir zu unterhalten.«

»Gut. Callie, besorg den Bericht von Sykes, und schick Dr. Child eine Kopie.«

Callie geht zum nächsten Telefon, während Alan das Büro verlässt. Ich trete an meinen Schreibtisch und krame in den

Schubladen, bis ich mein Adressbuch finde. Ich blättere es durch und finde die Telefonnummer, die ich suche.

Tommy Aguilera. Ein früherer Agent des Secret Service, der heute als Personenschützer arbeitet. Wir haben uns im Verlauf eines Falles kennen gelernt, in den der Sohn eines Senators verwickelt war. Er hatte Geschmack an Vergewaltigung und Mord gefunden. Tommy blieb am Ende nichts anderes übrig, als ihn zu erschießen, und im politischen Feuersturm, der daraufhin losbrach, konnte allein meine Aussage verhindern, dass Tommy seinen Job verlor. Damals bot er mir an, mich bei ihm zu melden, wenn ich seine Hilfe brauchte.

Ich wähle die Nummer. Er ist ein ausgesprochen ernst wirkender Mann mit ständigem Pokergesicht. Tommy spricht leise, doch es ist nicht die leise Stimme von jemandem, der schüchtern ist. Sie erinnert eher an die Geschmeidigkeit einer Schlange, die ganz genau weiß, dass sie blitzschnell zuschlagen kann.

Er meldet sich nach dem vierten Durchläuten. »Hier ist Tommy Aguilera.« Seine Stimme klingt genauso, wie ich sie in Erinnerung habe.

»Hallo Tommy. Hier ist Smoky Barrett.«

Eine kurze Pause. »Hallo Smoky! Wie geht es Ihnen?«

Ich weiß, dass Tommy dies aus Höflichkeit sagt. Nicht, dass es ihm egal wäre, wie es mir geht. Er ist nur kein Mann, der Smalltalk mag.

»Ich brauche Ihre Hilfe, Tommy.«

»Sagen Sie mir, was ich für Sie tun kann.«

Ich erkläre ihm die Sache, erzähle ihm von Jack Junior, dass er in meinem Haus war und mich zu verfolgen scheint.

»Es besteht die starke Wahrscheinlichkeit, dass er Ihre Bewegungen elektronisch verfolgt.«

»Das ist ein Teil der Geschichte. Falls ja, will ich es wissen. Aber ich möchte nicht, dass er erfährt, dass ich es weiß.«

Tommy schweigt für einige Sekunden. »Ich verstehe«, sagt er schließlich. »Sie möchten, dass ich Sie beschatte.«

»Richtig.«

»Wann?«

»Zuerst möchte ich, dass Sie meinen Wagen und mein Haus nach Wanzen und Sendern und dergleichen absuchen. Danach möchte ich, dass Sie mich beschatten. Es könnte eine Möglichkeit sein, ihn zu schnappen. Vielleicht die einzige, bei der er einen Fehler macht.« Ich zögere. »Zur Hölle, Tommy. Sie sollen Bescheid wissen. Es sind zwei.«

»Sie arbeiten zusammen?«

»Ja.«

»Wann soll ich anfangen?« Er zögert nicht eine Sekunde.

»Ich müsste heute Abend gegen elf zu Hause sein. Hätten Sie etwas dagegen, wenn wir uns dort treffen?«

»Nein. Ich bin da. Machen Sie sich keine Gedanken, wenn es später wird – ich warte.«

»Danke, Tommy. Ich weiß das wirklich zu schätzen.«

»Ich bin Ihnen was schuldig, Smoky. Wir sehen uns heute Nacht.«

Ich lege auf. Tommy hat es damals also tatsächlich ernst gemeint. Ich bemerke, dass Callie ihr Telefongespräch beendet.

»Und?«, frage ich.

»Ich habe Gene erreicht. Er sorgt dafür, dass Dr. Child noch heute Abend eine Kopie des Berichts erhält.«

»Wie lange dauert es, bis du eine Spurensicherungsausrüstung zusammenhast, Callie?«

Sie hebt überrascht die Augenbrauen. »Kommt darauf an, ob Gene bereits eine hat oder nicht – eine halbe Stunde?«

»Geh zu ihm und macht euch bereit. Falls sich herausstellt, dass es ein Tatort ist, dann möchte ich, dass du und Sykes die ersten Untersuchungen durchführen, persönlich, bevor die LAPD-Forensiker reingehen. Es ist unsere Chance, alles frisch und unverfälscht in Augenschein zu nehmen.«

»Schon erledigt, Zuckerschnäuzchen!«, antwortet sie und verschwindet durch die Tür.

Und dann trifft es mich. Eine meiner Eingebungen. Es sollte mich nicht überraschen. Ich bin in Schwung, in Bewegung, alle Sinne maximal geschärft.

»James und Leo!«, rufe ich aufgeregt. »Sagt mir, was ihr davon haltet!«

Ich warte, bis sie mir ihre volle Aufmerksamkeit schenken. »Jack Junior und sein Komplize haben sich beide Male als Abonnenten registriert, bevor sie die jeweiligen Betreiberinnen der Webseiten ermordet haben, richtig?«

»Ja.«

»Und beide Male haben sie denselben Usernamen und dasselbe Passwort benutzt, also ...«

Ich sehe, wie sich Leos Augen weiten. »Genau! Es besteht die Chance, dass sie bereits ihr drittes Opfer ausgewählt und sich auf der Webseite registriert haben! Möglicherweise unter demselben Namen und demselben Passwort! Oder, wenn schon nicht unter demselben, dann unter einem Passwort aus demselben Jack-the-Ripper-Kontext!«

Ich muss grinsen. »Ganz genau. Ich kann mir nicht vorstellen, dass es hier in der Gegend viele Betreiber gibt, die Beiträge für Erwachsenenseiten einziehen.«

»Nein, gibt es nicht. Weniger als ein Dutzend.«

»Wir müssen mit jedem Betreiber reden, Leo. Du und James. Sagt ihnen, sie sollen ihre Systeme nach diesem Usernamen und diesem Passwort sowie nach thematischen Variationen durchsuchen. Und wir brauchen die dazu passende Webseite! Ich rede davon, dass wir die Leute aus den Betten werfen.«

James sieht mich mit widerwilliger Bewunderung an. »Gut. Sehr gut.«

»Das ist der Grund, weshalb ich der Boss bin und das dicke Gehalt kassiere.«

Sein ausbleibender Kommentar ist als ein Kompliment zu werten.

Ich telefoniere über mein Handy mit Alan. »Es ist ein Tatort, Smoky«, berichtet er.

»Wer ist der Verantwortliche vom LAPD?«

»Barry Franklin. Er will mit dir reden.«

»Stell ihn zu mir durch.«

Ich muss kurz warten, dann ertönt Franklins Stimme. Er ist alles andere als erfreut. »Smoky. Was soll das bedeuten? Sie verweigern uns den Zugang zu unserem Tatort?«

»Ganz und gar nicht, Barry, ganz und gar nicht. Es ist nur so, dass wir hier zum ersten Mal die Chance haben, einen Tatort von dem fraglichen Täter frisch in Augenschein zu nehmen. Sie wissen ja, wie das ist.«

Eine Pause, gefolgt von einem Seufzen. »Sicher. Kann ich denn wenigstens rein? Sie wissen, dass ich nichts verändern werde.«

»Selbstverständlich können Sie rein, Barry. Können Sie mir noch mal Alan geben?«

»Klaro.«

»Also ist er einverstanden?«, fragt Alan.

»Ja. Ich breche in etwa fünf Minuten mit Callie und Gene von hier auf. Wir treffen uns vor Ort.«

»Wir haben inzwischen ihren Namen, Smoky. Charlotte Ross.«

»Danke.« Ich lege auf.

Charlotte Ross. Promiskuitiv, ja. Von zweifelhaftem moralischem Charakter, vielleicht. Doch nichts davon rechtfertigt eine Bestrafung aus Folter, Vergewaltigung und anschließendem Mord.

Ich weiß zudem, dass Jack und sein Komplize ihre Verbrechen nicht primär aus diesem Grund begehen. Dass es nicht der eigentliche Grund ist, aus dem sie sich an Schreien und Tränen laben. Sie schieben diesen Grund lediglich zur Rechtfertigung ihrer Untaten vor.

KAPITEL 38 Der Berufsverkehr endet gegen acht Uhr abends, daher brauchen wir nicht lange, um zu der Adresse in Woodland Hills zu kommen. Es ist ein kleines, einstöckiges Eigenheim, das nicht gerade protzig wirkt; doch es ist hübsch. Passend zur Nachbarschaft.

Ich parke, und wir gehen zur Vordertür, wo Alan wartet.

»Wo ist Barry?«, frage ich.

Er deutet mit dem Daumen auf die Tür hinter sich. »Noch drin.«

»Hast du dich umgesehen?«, frage ich.

»Nein. Ich wusste, dass du es zuerst sehen wolltest.«

Er wusste es. Jahre der Zusammenarbeit erzeugen diese Art von Symbiose.

Ich stecke den Kopf ins Haus und rufe nach Barry. Er taucht in der Tür zu einem Zimmer auf und kommt durch den Flur nach draußen.

»Gott sei Dank«, sagt er und greift in seinen Mantel. »Ich brauchte eine Ausrede, um nach draußen zu kommen und eine zu rauchen.« Er zieht ein Päckchen hervor, steckt sich eine Zigarette zwischen die Lippen, zündet sie an und inhaliert tief, um den Rauch mit seligem Gesicht und großer Erleichterung wieder auszustoßen. »Auch eine?«

»Nein, danke.« Ich stelle überrascht fest, dass ich es ernst meine. Das Verlangen zu rauchen hat sich verflüchtigt – irgendwann zwischen dem Zeitpunkt, an dem ich die Wahrheit über Alexa herausgefunden und dem Moment, in dem ich meine Waffe wieder an mich genommen habe.

Ich bin dankbar und froh, dass Barry die polizeiliche Leitung des Falles übernommen hat. Ich kenne ihn seit fast zehn Jahren. Er ist klein, teigig und wird allmählich kahl. Trägt eine Brille und strahlt eine Gemütlichkeit aus, wie ich sie selten erlebt habe. Trotz seines Äußeren trifft er sich ständig mit jüngeren, hübschen Frauen. Er hat das gewisse Etwas; man hat das Gefühl, dass er viel größer ist als der Körper, in dem er existiert, und er strahlt eine überlegene Selbstsicherheit aus, ohne dabei arrogant zu wirken. Viele Frauen finden diese Kombination und sein gutes Herz unwiderstehlich. Barry ist außerdem ein brillanter Ermittler. Extrem talentiert. Wäre er beim FBI, er wäre in meinem Team, keine Frage.

»Sie sind gespannt auf den Tatort?«, erkundigt er sich.

»Erzählen Sie mir zuerst das Wesentliche. Bevor ich reingehe.«

Er nickt und fängt an zu berichten. Er benötigt dazu keine Notizen – Barry verfügt über ein fotografisches Gedächtnis. »Opfer: Charlotte Ross, vierundzwanzig Jahre alt. Wir fanden sie an ihr Bett gefesselt und bereits tot. Sie wurde vom Brustbein bis zum Schambein aufgeschnitten. Offensichtlich wurden die inneren Organe entfernt, in Plastiktüten gepackt und neben dem Leichnam abgelegt. Schwere Verletzungen an Armen und Beinen, vermutlich gebrochen. Die Prellungen lassen vermuten, dass sie mit irgendetwas geschlagen wurde.«

»Er hat sie geschlagen. Mit einem Baseballschläger.«

Barry hebt die Augenbrauen. »Woher wissen Sie das?«

»Er hat uns ein Video davon geschickt.«

»Ich schätze, dass sie seit wenigstens drei Tagen dort liegt. Die Verwesung ist bereits ziemlich stark fortgeschritten.«

»Passt zum bisherigen Zeitschema.«

Er nimmt einen weiteren tiefen Zug an der Zigarette. Sieht mich nachdenklich an. »Was hat das zu bedeuten, Smoky?«

»Was schon, Barry? Ein Psychopath, der den Schmerz und die Angst seiner Opfer genießt.« Ich reibe mir die Augen. Ich bin müde. »Dieser Täter hat es auf Frauen abgesehen, die im Internet persönliche Webseiten für Erwachsene betreiben. Er…« Ich zögere. »Das alles ist streng vertraulich, Barry. Es muss unter uns bleiben. – Ich will nicht, dass irgendetwas davon an die Presse geht.«

»Kein Problem.«

»Erstens: Es sind in Wirklichkeit zwei. Wir glauben, dass

einer von ihnen dominant ist. Und sie sind besessen von mir und meinem Team. Ein Opfer war eine Freundin von mir, aus der Highschool. Meine beste Freundin. Sie wussten es.«

Barry verzieht bestürzt das Gesicht. »Ach du Scheiße, Smoky.«

»Was Sie beschreiben, scheint ihr allgemeiner *Modus Operandi* zu sein. Sie brachten meine Freundin um, indem sie ihr die Kehle durchschnitten – das unterscheidet sich von ihrem Vorgehen hier –, doch das Entfernen der Organe ist ihr Markenzeichen. Derjenige, den wir für den Dominanten von beiden halten, behauptet, er sei ein Nachfahre von Jack the Ripper.«

Ein missbilligender Ausdruck huscht über Barrys Gesicht. »Blödsinn.«

Ich nicke zustimmend. »Das ist es. Wir haben sogar den Beweis dafür.«

»Und wie wollen Sie weiter vorgehen?«

»Ich will jetzt den Tatort sehen. Allein. Und dann möchte ich, dass Gene Sykes und Callie Thorne eine erste Spurensicherung durchführen. Anschließend kann Ihr Spurensicherungsteam den Rest erledigen. Allerdings muss es schnell gehen, und ich brauche eine Kopie sämtlicher Ergebnisse.«

»Kein Problem.« Er geht mit der Zigarette zum Straßenrand, um sie auszutreten. Um den Tatort nicht zu kontaminieren. Dann kommt er zu mir zurück und deutet auf die Tür. »Wollen Sie jetzt rein?«

»Ja.« Ich sehe Alan an, dann Callie, dann Gene. »Alan, fahr nach Hause zu Elaina. Es gibt keinen Grund, warum du jetzt hier sein musst.«

Er scheint zu zögern, schließlich nickt er. »Danke.« Er wendet sich ab und geht.

»Callie, ich brauche wahrscheinlich zwanzig Minuten bis eine halbe Stunde. Sobald ich fertig bin, könnt ihr rein.«

»Kein Problem, Zuckerschnäuzchen. Nimm dir so viel Zeit, wie du brauchst.«

Ich gehe zur Tür und bleibe für einen Moment dort stehen, während ich mit meinem geistigen Ohr lausche. Nach einer Sekunde höre ich es: tschua-tschua-tschua-tschu. Ich spüre, wie mich Kälte umhüllt, wie sich der Raum um mich herum zu einem windstillen, offenen Feld weitet. Ich höre den schwarzen Zug, und ich bin bereit, ihn zu sehen. Jetzt muss ich ihn nur noch finden. Zurückverfolgen, wie er durch dieses Haus gefahren ist.

Ich trete ein. Die Einrichtung ist einfach, aber sauber. Sie vermittelt den Eindruck von jemandem, der sich sehr bemüht und dann beschlossen hat, das Rennen um Wohlstand und Statussymbole aufzugeben. Es fühlt sich traurig an. Noch nicht ganz nach Hoffnungslosigkeit, doch kurz davor.

Der Geruch des Todes durchdringt die Wohnung. Die Verwesung hat sich auf das Haus herabgesenkt wie eine Verwahrlosung. Kein Parfumduft diesmal, nur der rohe und reale Gestank eines Mordes. Hätten Seelen einen Geruch, dann würden alle Jack Juniors dieser Welt so stinken.

Ich gehe am Wohnzimmer vorbei und sehe rechts die Küche. Eine Schiebetür aus Glas führt nach hinten in den Garten und in eine kühle Nacht. Ich gehe zur Tür und untersuche das Schloss. Es ist ein billiges Standardschloss, und es ist nicht beschädigt.

»Du hast wieder mal einfach geklopft, wie?«, murmele ich vor mich hin. »Du und dein Komplize. Hat er sich an der Seite versteckt, während du vor der Tür gestanden hast? Sich bereitgehalten, um sie zu überfallen, wenn sie nicht damit rechnet?«

Mir kommt der Gedanke, dass der Zeitpunkt des Überfalls auf Annie, sieben Uhr abends, vielleicht mehr war als Dreistigkeit. Es ist eine Zeit, zu der Leute üblicherweise nach Hause kommen oder gerade zu Hause angekommen sind und es sich für den Feierabend gemütlich machen. Sie befinden sich in einem Schwebezustand und wollen nichts von der Welt draußen wissen.

»Hast du es hier genauso gemacht? Bist du, von einem Ohr bis zum anderen grinsend, zur Haustür geschlendert und hast geklopft? Hatte einer von euch die Hände in den Taschen, als würde ihn nichts auf der Welt bekümmern?«

Weil das nämlich etwas ist, was ich bei beiden zu spüren glaube. Es ist ein starkes Gefühl. Tschua-tschua-tschua-tschu.

Ihre Arroganz.

Es ist früher Abend. Sie parken direkt vor dem Haus der Hure. Warum auch nicht? Es ist schließlich nichts Ungewöhnliches, am Straßenrand zu parken, oder? Sie steigen aus, blicken sich um. Es ist ruhig, ohne still zu sein. Die Straße liegt leer, aber nicht verlassen. Abenddämmerung in der Vorstadt, man spürt Leben und Bewegung hinter den Mauern der anderen Häuser. Ameisen in ihren Hügeln.

Sie gehen zur Tür. Sie wissen, dass sie zu Hause ist. Sie wissen alles über sie. Ein Blick in die Runde, um sicher zu sein, dass niemand draußen auf der Straße ist und sie beobachtet. Dann klopft er. Ein Moment vergeht, und sie öffnet…

Dann was? Ich blicke mich im Hausflur um. Ich sehe keine Post am Boden liegen, keine Spur von einem Kampf. Doch ich spüre sie erneut, diese Arroganz.

Sie machen das Einfachste, was sie tun können – drängen hinein, stoßen sie zurück, schließen die Tür. Sie wissen, dass sie sie nicht aufhalten wird. Die meisten von uns reagieren nicht sofort mit entschlossenem Widerstand. Stattdessen suchen wir nach Gründen, versuchen zu begreifen, warum etwas geschieht. Und in diesem Augenblick des Zauderns und der Verwirrung ergreift der Jäger die Initiative.

Vielleicht war sie trotzdem schnell. Vielleicht hat sie den Mund aufgerissen, um zu schreien, noch während sich die Tür schloss. Darauf wären sie vorbereitet gewesen. Womit? Ein Messer? Nein. Kein Kind, das sie diesmal als Geisel hätten nehmen können. Sie brauchten eine direktere Drohung. Eine Schusswaffe? Ja. Es geht nichts über den dunklen, bedrohlichen Lauf einer Schusswaffe, um jemanden am Schreien zu hindern.

»Halt den Mund, oder du stirbst«, sagt einer von ihnen. Seine Stimme ist ruhig, nüchtern. Das macht es noch beängstigender. Noch

glaubwürdiger. Sie hat gespürt, dass sie jemanden vor sich hat, der
sie erschießen und dabei gelangweilt gähnen kann.

Ich nähere mich dem Schlafzimmer. Der Gestank wird stärker. Ich erkenne das Schlafzimmer aus dem Video. Die Einrichtung ist rosa und hell und geschmackvoll. Sie zeugt von Jugend.
Von sorglosem Glück.

Und in der Mitte dieser weichen Süße das Härteste, was
es gibt. Sie selbst. Tot und bereits verwesend an ihr Bett gefesselt.

Sie ist mit offenen Augen gestorben. Ihre Beine sind gespreizt. Die Täter haben sie absichtlich so liegen lassen. Um uns
gegenüber zu prahlen. Wir hatten sie, sagen sie damit, und sie
ist nichts. Eine wertlose Hure. Wir hatten sie.

Ich sehe die Plastikbeutel, die neben dem Bett aufgereiht stehen. Während die Leiche ein Anblick nackter Gewalt ist, voller
Chaos und Erniedrigung, bilden die Beutel einen diametralen
Kontrast. Sie sind in einer exakt geraden Reihe nebeneinander
ausgerichtet. Sauber und ordentlich. Auch das Prahlerei. Spott.
Seht, wie sauber und geschickt wir sind, scheinen sie zu sagen.
Oder vielleicht sprechen sie auch eine Sprache, die nur sie selbst
verstehen, schreiben in blutigen Piktogrammen, die wir nicht zu
entschlüsseln vermögen.

Alles deutet auf ein sorgfältig ausgeführtes Ritual. So hätte
Jack the Ripper es getan, glauben sie, also machen sie es ebenfalls
so. Ich bin fasziniert von dem Gefühl der Konzentration, das
in mir entsteht. Sie waren an ihr interessiert, einzig und allein
an ihr. Nichts anderes im Raum wurde berührt oder beschädigt.
Ihre Gier, sie zu besitzen, erstreckte sich nicht auf ihre Umgebung. Sie war genug.

Ich bewege mich durch das Zimmer und blicke mich um.
Jede Menge Bücher. Zerlesen und ohne erkennbare Ordnung.
Sie füllen nicht einfach einen leeren Raum aus – ihre Besitzerin
hat sie gelesen. Ich beuge mich vor, um einen Blick auf die Titel
zu werfen, und ein Stich aus Trauer, Ironie und galligem Humor

trifft mich. Auf wahren Begebenheiten basierende Kriminalromane, viele von ihnen handeln von Serienmördern.

»Helter Skelter«, murmele ich.[4]

Ich wende mich dem Bett zu, verenge die Augen, als ich ihre Kleidung in einem Haufen auf dem Boden bemerke. Ich beuge mich nieder, ohne etwas anzufassen. Ihr Büstenhalter ist zerrissen, genau wie ihr Höschen. Sie hat sich die Sachen nicht selbst ausgezogen. Sie wurden ihr vom Leib gerissen.

Ich stehe auf und betrachte ihr totes Gesicht, erstarrt in einem ewigen Schrei. »Hast du gegen sie gekämpft, Charlotte?«, frage ich. »Als sie dir befahlen, deinen BH und dein Höschen auszuziehen – hast du da zu ihnen gesagt, dass sie sich zum Teufel scheren sollen?«

Sie steht neben dem Bett, in Unterwäsche, zitternd vom Adrenalin, dass die Angst in ihre Blutbahn gepumpt hat.

Einer von ihnen richtet die Pistole auf sie. »Los, alles«, sagt er. »Zieh dich ganz aus. Jetzt.«

Sie sieht ihn an, dann den anderen. Im Gegensatz zu Annie weiß sie, was geschehen wird, noch bevor sie von ihnen ans Bett gefesselt wird.

Diese leeren Augen. Sie weiß Bescheid.

»FICKT EUCH!«, schreit sie, wendet sich gegen den mit der Pistole, tritt und schlägt nach ihm. »HILFE! HILFE!«

Ich blicke auf ihren toten Körper hinab. Sehe die Prellungen, die blauen Flecken in ihrem Gesicht, um die Augen herum. Sind sie entstanden, bevor oder nachdem sie ans Bett gefesselt wurde? Ich werde es niemals mit Sicherheit sagen können. Ich entscheide, dass es vorher war. Es spielt keine Rolle, ob es stimmt oder nicht. Doch ich fühle mich besser, wenn ich es auf diese Weise sehe.

Er ist außer sich, weil diese Nutte ihn mit ihren Hurenhän-

---

4 Tatsachenroman von Vincent Bugliosi über die Morde der Manson-Familie (Anm. d. Übers.).

den berührt hat. Und er bekommt für einen winzigen Augenblick Angst. Das Schreien muss aufhören. Er schlägt ihr mit der Faust in den Magen, treibt ihr die Luft aus den Lungen, und sie krümmt sich vornüber.

»Halt ihre Arme auf dem Rücken fest«, befiehlt er dem anderen, die Stimme gepresst vor Wut.

Sie ächzt und ringt nach Luft, während der andere sie bei den Ellbogen packt und sie nach hinten biegt.

»Du musst zu gehorchen lernen, Hure«, sagt der mit der Pistole. Seine Hand holt aus, trifft sie mit aller Kraft auf der Wange. Einmal, zweimal. Ein drittes Mal. Ihr Kopf fliegt unter der Wucht der Ohrfeigen hin und her. Er beugt sich vor und reißt ihr den BH mit jener brutalen Kraft vom Leib, die nur Wahnsinnige aufzubringen vermögen. Dann das Höschen. Sie versucht erneut zu schreien, doch er boxt ihr in den Solarplexus, gefolgt von einer Serie weiterer vernichtender Ohrfeigen. Sie ist nackt, benommen, ihre Augen tränen, ihre Ohren klingeln, und sie sieht alles wie durch einen roten Nebel. Ihre Knie geben nach, als sie versucht, das Gleichgewicht zu bewahren.

Endlich ist sie wieder leicht zu kontrollieren.

Das beruhigt ihn.

Jetzt wird er sie geknebelt haben. Ich sehe auf ihre Hände und Füße, mustere die Handschellen. Ihre linke Hand weckt meine Aufmerksamkeit. Ich gehe zum Kopfende des Bettes und beuge mich vor. Charlotte hatte falsche Fingernägel. Der Nagel auf ihrem rechten Zeigefinger ist verschwunden. Schnell überprüfe ich die anderen Finger. Die anderen Nägel sind da. Ich beiße mir auf die Unterlippe, während ich nachdenke.

Mir kommt ein Gedanke, und ich gehe nach draußen auf die Veranda. »Haben Sie eine Taschenlampe?«, frage ich Barry.

»Sicher«, antwortet er und reicht mir eine kleine MagLite.

Ich nehme sie und kehre in Charlottes Schlafzimmer zurück. Ich knie neben dem Bett nieder und leuchte mit der Taschenlampe darunter.

Dort liegt er.

Der verlorene Fingernagel, auf dem Teppich nahe dem Kopfende des Bettes. Ich blinzle. An der Spitze klebt etwas, das aussieht wie Blut.

Ich stehe auf, sehe auf Charlotte hinab, spüre Mitleid. Es hat sich hinterrücks an mich herangeschlichen, eine starke Woge voller Schmerz. Alles wegen dieses einsamen falschen Nagels. Ein letzter Widerstand, ein »Fick dich« aus dem Grab.

Man könnte argumentieren, dass es ein Zufall war, doch ich sehe es nicht so. Ich denke an die Tatsachenromane über Serienkiller, die sie gelesen hat, an die Faszination, die fremdartige Psyche, Forensik und Mord auf sie ausgeübt haben. Und ich sehe eine junge Frau, die eine Kämpferin war und wusste, dass sie sterben würde.

»Fessle die Hure mit den Handschellen ans Bett«, befiehlt der mit der Waffe.

Der andere wirft sie in ihrem benommenen Zustand auf das Bett, packt ihre Handgelenke und …

»Au! Verfluchtes Miststück!«, brüllt er. »Die Fotze hat mich gekratzt!«

»Dann fessel sie endlich, verdammt!«

Er schlägt ihr erneut in den Magen, zwingt ein Handgelenk auf das Bett hinunter, fesselt es. Dann das andere.

Vielleicht hat sie es getan, während er ihre Beine gefesselt hat. Und vielleicht hat sie sich während ihrer Folter und Vergewaltigung und durch ihre Angst hindurch darauf konzentriert.

Alles ist Schmerz und Angst und roter Nebel. Sie werden sie töten. Sie weiß es. Sie hat darüber gelesen. Doch weil sie darüber gelesen hat, weiß sie auch über DNS Bescheid. Weiß, was sie unter dem Fingernagel hat.

Sie drückt von unten mit dem Daumen gegen den Nagel, drückt fester, noch fester, betet, dass sie es nicht bemerken, bis …

Schnapp. Der Nagel löst sich. Schmerzlos. Sie kann nicht hören, wie er auf den Teppich fällt. Ein Teil von ihr spürt Trauer, als sie ihn verliert. Er wird auf gewisse Weise weiterleben. Sie nicht.

Sie richtet den Blick auf den mit der Waffe. Er grinst.

Sie schließt die Augen, beginnt zu weinen, denkt an den Fingernagel, weiß, dass sie ihn niemals wiedersehen wird.

Ich stehe auf. Ein kalter Wind pfeift durch mich hindurch. Ich blicke auf Charlotte hinab.

»Ich habe ihn gefunden«, flüstere ich ihr zu. »Genau da, wo du ihn für mich zurückgelassen hast.«

»Das ist eine elende, widerliche Geschichte«, murmelt Barry. »Ich glaube, daran gewöhne ich mich nie.«

Ich sehe ihn von der Seite an. »Das ist wahrscheinlich auch gut so, Barry.«

Er starrt mich an.

»Ja. Schätze, Sie haben Recht.«

Callie und Gene sind bereit reinzugehen. Ich habe allen von dem Fingernagel erzählt.

»Sie brauchen wahrscheinlich nicht lange, also rufen Sie ruhig schon mal Ihre Jungs von der Spurensicherung her, Barry. Treten Sie ihnen in den Hintern, und beschaffen Sie mir schleunigst diesen Bericht, bitte. Ich sorge dafür, dass Sie eine Gegenleistung kriegen. Ich bin sicher, dass die Mörder aus der Gegend kommen. Wenn es sich irgendwie einrichten lässt, sind Sie dabei, wenn wir sie schnappen.«

Er schüttelt den Kopf. »In solch einem Fall ist es einem doch egal, wer sie zu fassen kriegt, solange sie überhaupt gefasst werden.«

»Wie wäre es, wenn wir übereinkommen, uns gegenseitig zu informieren, und es dabei belassen?«

»In Ordnung.«

»Was genau sollen wir hier machen?«

Genes Gesicht zeigt eine Mischung aus Verärgerung und Aufregung, als er diese Frage an mich richtet. Er ist aufgeregt, weil er zum ersten Mal seit langer Zeit wieder draußen vor Ort sein kann, und er ist verärgert, weil es nicht ganz »sein« Tatort ist.

»Ich möchte alles Offensichtliche, Augenscheinliche, das mir einen Vorteil bei der Jagd auf diese Kerle verschafft. Die Leute von der Spurensicherung sind kompetent. Sie erledigt die Kleinarbeit. Ich möchte, dass ihr eine oberflächliche Inspektion durchführt und mir sagt, ob es etwas gibt, das uns im Moment weiterhelfen kann.«

»Sollen wir den Fingernagel mitnehmen?«, fragt Callie.

Ich denke darüber nach. »Kriegen wir die DNS-Analyse schneller?«

»Ja.«

»Dann nehmt ihn mit. Aber ihr müsst hier bleiben, bis die Spurensicherung da ist, und den Fund eintragen. Wir wollen eine spätere Verurteilung nicht dadurch verderben, dass wir die Beweiskette durchbrochen haben.«

Gene sieht Callie an. »Nehmen Sie die Kamera oder das UV-Licht?«

»Ich nehme die Kamera.«

Callie wird den Tatort fotografieren – insbesondere alles, was anschließend berührt oder entfernt wird. Gene wird den kleinen, tragbaren UV-Strahler tragen. Es ist eine kleinere Version des UV-Skops, das Callie in Annies Wohnung benutzt hat, und es hilft beim Auffinden von Haaren, Blut, Sperma und anderen Körperflüssigkeiten.

»Gehen wir.«

Sie betreten das Haus, und ich folge ihnen. Jetzt bin ich an der Reihe, ignoriert zu werden, während sie sich in einem Tanz bewegen, der mich an James und mich erinnert.

Callie schnüffelt in die Luft. »Was meinen Sie, Zuckerschnäuzchen? Drei Tage?«

»Ja, das würde ich ebenfalls schätzen«, antwortet Gene.

Callie macht ein paar Weitwinkelaufnahmen von der Leiche mitsamt den in Beuteln verpackten Organen.

Gene geht zu den Beuteln und bewegt den UV-Stab darüber. »Keine Spur von Fingerabdrücken.« Er sieht zu mir auf. »Das ist nur vorläufig, nicht endgültig.«

Sie wenden sich dem Leichnam zu. Callie macht weitere Fotos. Gene beugt sich vor, um Charlottes rechte Hand zu untersuchen. »Sehen Sie die Stelle mit dem fehlenden Nagel?«, fragt er Callie.

Sie antwortet mit einer Serie weiterer Fotos.

»Der Nagel liegt auf dem Teppich, zwischen dem Bett und der Wand«, sage ich.

Callie kniet sich hin und macht ein paar Aufnahmen vom Nagel. »Sieht aus, als würden Blut und Gewebe daran haften, Gene.« Sie macht weitere Bilder.

Er kniet nieder und streicht mit dem UV-Skop unter dem Bett hin und her. »Jede Menge Partikel hier unten«, sagt er. »Ich möchte nichts aufwirbeln, außer dem Nagel ...« Er reicht Callie das UV-Skop und greift in eine Tasche, um eine Pinzette und einen kleinen Beweismittelbeutel hervorzuziehen. Ich sehe zu, wie er sich streckt und versucht, den Teppich so wenig wie möglich zu berühren, während er den Nagel mit der Pinzette birgt. Nach einer Sekunde richtet er sich auf und legt den Nagel in den Beutel. »Könnte DNS dran sein«, sagt er.

»Wie lange?«, frage ich.

Gene zuckt die Schultern. »Vierundzwanzig Stunden.« Ich will zu einem Protest ansetzen, doch er winkt ab. »Das ist schon superschnell, Smoky. Vierundzwanzig Stunden, basta.«

Ich seufze. »Also schön.«

Er nimmt wieder das UV-Skop und streicht damit über Charlotte, von Kopf bis Fuß, über den Hals, die offene Bauchhöhle, die Beine. Dann richtet er sich auf. »Ich kann keine offensichtlichen Spuren von Sperma auf der Leiche sehen«, sagt er. »Blut findet sich natürlich überall. Mit nacktem Auge lässt sich jedenfalls nichts mit Bestimmtheit sagen.«

Callie fertigt weitere Fotos an.

»Ich schätze, die beste, am weitesten führende Spur für den Augenblick ist die DNS an dem Fingernagel«, sagt Gene an mich gewandt. »Und weil es allem Anschein nach einen Kampf gegeben hat, werde ich die Spurensicherung bitten, besonderes Augenmerk auf Gewebespuren zu richten, insbesondere am BH und am Slip.«

»Ist das alles?«

»Für den Augenblick, Zuckerschnäuzchen«, antwortet Callie an seiner Stelle. »Aber der Nagel hat Potential, meinst du nicht?«

»Sicher. Ja, das denke ich auch.« Ich sehe auf meine Uhr. Es ist schon fast elf. »Ich muss nach Hause. Ich bin mit meinem Personenschützer verabredet, Callie. Wartet auf die Spurensicherung. Gene – bitte, bitte beeilen Sie sich mit der DNS.«

»Ich tue, was ich kann.«

Er blickt auf Charlotte hinab. Sie schreit immer noch.

KAPITEL 39 »Wie geht es ihr?«, frage ich. Meine Stimme klingt selbst in den eigenen Ohren müde.

»Gut. Sie ist am Nachmittag aufgewacht, und wir haben ein wenig ferngesehen. Sie hat mir beim Abendessen geholfen. Ganz normale Dinge. Jetzt schläft sie.«

»Elaina …« Ich zögere.

»Sie kann heute Nacht hier bleiben, Smoky. Ich wollte es dir sowieso empfehlen. Du klingst todmüde, und es gibt keinen Grund, Bonnie zu wecken.«

Ihre wunderbare Sensibilität. Ich fühle mich schuldig, jedoch nicht so sehr, dass ich ihr Angebot ablehne.

»Danke, Elaina. Ich bin tatsächlich völlig erledigt. Es wird nicht zur Gewohnheit, versprochen. Und ich rufe gleich morgen früh an.«

»Sieh zu, dass du ein wenig Schlaf bekommst, Smoky.«

Hätte ich Alexa unter den gleichen Umständen bei Elaina zurückgelassen?, frage ich mich beim Fahren. Ich schiebe den Gedanken beiseite. Schiebe ihn in einen Schrank, sperre die Tür ab und verkaufe das Haus mitsamt dem Schrank darin.

Kurz nach elf bin ich zu Hause. Mein Gott, es war ein Marathontag.

Tommy ist bereits da. Seine Pünktlichkeit überrascht mich nicht. Pünktlichkeit ist ein Teil seiner Persönlichkeit.

Er steigt aus dem Wagen, während ich an den Straßenrand lenke, und kommt herbei. Deutet an, dass ich die Seitenscheibe herunterlassen soll, was ich tue.

»Fahren Sie in die Garage«, sagt er. »Wir könnten beobachtet werden. Wenn Sie in der Garage angekommen sind, sagen Sie nichts, bevor ich alles nach Wanzen untersucht habe.«

»Okay.«

Ich betätige den Toröffner und fahre den Wagen in die Garage. Er folgt mir nach einem Moment mit einem Rucksack auf dem Rücken. Ich schalte den Motor ab und steige aus.

Ich beobachte schweigend, wie er mit irgendeinem teuren Gerät nach elektronischen Abhörgeräten sucht. Er nimmt sich Zeit, arbeitet langsam und methodisch und vollkommen konzentriert. Es dauert fast zehn Minuten. Als er fertig ist, führt er eine Sichtinspektion durch. Es reicht nicht aus, mit elektronischen Apparaten nach Wanzen zu suchen. Man muss auch die Augen und den Verstand benutzen.

Ich lehne mich zurück und beobachte ihn. Ich habe Tommy seit Jahren nicht mehr gesehen. Er sieht gut aus, wie immer. Er hat Latinoblut in den Adern, und er ist äußerst attraktiv. Fast schwarzes lockiges Haar. Schwarze, tiefe Augen. Eine Narbe an der linken Schläfe macht ihn irgendwie noch attraktiver. Er ist nicht derb, und er ist nicht hübsch. Es liegt irgendwo dazwischen, und es steht ihm. Er ist unter den Männern das, was Callie unter den Frauen ist. Im Gegensatz zu ihr ist er allerdings eher ruhig und schweigsam. Wenn er sitzt und einem zuhört, zappelt er niemals ungeduldig herum, spielt mit den Fingern oder wackelt mit den Füßen. Nicht, dass er steif wäre – im Gegenteil, er wirkt vollkommen entspannt und im Einklang mit sich selbst. Es ist einfach so, dass er kein Bedürfnis spürt, sich zu bewegen. Lediglich seine Augen sind in Bewegung. Stets konzentriert, stets aufmerksam und interessiert. Ich nehme an, es kommt von seiner Vergangenheit beim Secret Service. Geduldiges Beobachten und Reglosigkeit gehen Hand in Hand mit dieser Art von Job.

Tommy ist nicht mitteilsam. Ich weiß, dass er nie verheiratet war. Ich weiß nicht, ob er viele Freundinnen hatte oder nur eine Hand voll. Ich habe keine Ahnung, warum er beim Secret Service aufgehört hat. Soweit ich weiß, haben sie ihn gehen lassen. Eine flüchtige Überprüfung blieb ergebnislos, und ich hatte das Gefühl, als wäre es nicht richtig zu bohren. Ich weiß alles, was ich wissen muss über Tommy. Er ist gut in seinem Fach. Er hat eine Schwester, die er liebt, und eine Mutter, die er unterstützt. Das sind die grundlegenden, enthüllenden Dinge. Dinge, die einem eine Menge über den Charakter eines Menschen verraten. Natürlich bin ich trotzdem neugierig auf die Dinge, die ich nicht weiß. Ich kann nichts dafür.

Seine Stimme reißt mich aus meinen Gedanken. »Ich kann keine Wanzen finden. Hier draußen gibt es wahrscheinlich keine. Sie glauben offensichtlich nicht, dass Sie viel Zeit hier draußen in der Garage verbringen.«

»Sie haben Recht.«

»Ist das der Wagen, mit dem Sie unterwegs waren?«

»Ja.«

Er geht nach hinten und legt sich auf den Boden, auf den Rücken. Ich sehe ihm zu, wie er sich weiter und weiter unter den Wagen vorarbeitet.

»Hab sie. Ein ultramoderner GPS-Tracker, gekoppelt mit Realtime-Übertragung. Professionelles Gerät.« Er kommt unter dem Wagen hervor. »Mit diesem Ding und der richtigen Software können die Kerle Sie mit einem Notebook überallhin verfolgen. Ich nehme an, Sie wollen das Gerät für den Augenblick dort lassen, wo es ist?«

»Ich möchte nicht, dass sie erfahren, dass ich von seiner Existenz weiß. Vielleicht gelingt es Ihnen ja, einen von ihnen zu entdecken, während Sie mich beschatten.«

»Genau. Sie sagten, die Kerle seien in Ihrer Wohnung gewesen?«

»Ja. Ich habe die Schlösser auswechseln lassen.«

»Trotzdem bedeutet es, dass sie vorher jederzeit Wanzen gelegt haben könnten. Soll ich danach suchen? Es könnte einige Stunden dauern.«

»Falls es Wanzen gibt, möchte ich wissen, wo sie sind. Aber ich möchte nicht, dass Sie sie entfernen, Tommy.«

Er nimmt seinen Rucksack auf. »Bringen Sie mich rein, und ich mache mich gleich an die Arbeit.«

Als Erstes hat Tommy mein Handy untersucht. Während er die Suche fortsetzt, rufe ich der Reihe nach die Mitglieder meines Teams an.

»Wie weit sind wir mit den Usernamen und Passwörtern, James?«

»Wir brauchen wahrscheinlich noch die ganze Nacht. Wir spüren die Besitzer der verschiedenen Gesellschaften auf.«

»Bleib dran.«

Er legt ohne Antwort auf. Eben das alte Arschloch.

Callie ist bei Gene im Labor, der getreu seinem Versprechen an der DNS-Analyse sitzt. »Er ruft eine Reihe von geschuldeten Gefälligkeiten ab, Smoky. Wirft Leute aus den Betten. Unser Gene ist sehr konzentriert und entschlossen.«

»Gut.«

»Es ist mir egal, womit sie ihren Lebensunterhalt verdient hat, Zuckerschnäuzchen. Sie war jung. Sie hätte sich irgendwann ändern können, sich einen anderen Beruf suchen. Er hat ihr diese Möglichkeit genommen.«

»Ich weiß, Callie. Das ist der Grund, warum wir ihn kriegen müssen. Bleib dran, und wenn du Zeit findest, nimm dir eine Mütze Schlaf.«

»Du auch, Smoky.«

Zu guter Letzt rufe ich Alan an. Ich berichte ihm, dass Bonnie über Nacht bei ihm und Elaina bleibt.

»Sicher. Kein Problem, Smoky.« Er zögert. »Sie fängt nächste Woche mit der Chemo an.«

Der Klumpen, inzwischen ein fast vertrauter Freund, sitzt wieder in meinem Magen. »Es wird alles gut, Alan, bestimmt.«

»Der Becher ist halb voll, nicht halb leer?«

»Ganz genau.«

»Nacht.« Er legt auf.

Ich höre, wie Tommy mein Haus absucht. Alles ist still. Das Haus ist leer. Ich vermisse Bonnie jetzt schon. Die Umstände, unter denen sie zu mir gekommen ist, waren grauenhaft, und wenn ich etwas daran ändern könnte, würde ich es sofort tun. Doch ich bin froh, dass sie bei mir ist, und ich vermisse sie. Ihre Abwesenheit erzeugt ein hohles Gefühl in mir.

Mir wird bewusst, dass ich aus mehr als den üblichen Gründen darauf brenne, diesen Fall zu lösen. Nicht nur, weil ich Jack Junior und seinem Wahnsinn ein Ende bereiten will. Sondern auch, damit ich endlich anfangen kann, Bonnie ein Zuhause zu geben. Ich denke an die Zukunft und sehne mich danach – etwas, das ich seit dem Tag, an dem ich Joseph Sands erschoss, nicht mehr getan habe.

Tommy arbeitet weiter. Ich gehe ins Wohnzimmer, schalte den Fernseher ein und lehne mich auf dem Sofa zurück, während ich warte.

Ich bin zwölf Jahre alt, und es ist Sommer. Ein wunderschöner Sommer. Mein Vater ist noch am Leben, und ich habe keine Ahnung, dass er vor meinem einundzwanzigsten Geburtstag sterben wird. Wir sind am Zuma Beach, sitzen im heißen Sand.

Ich spüre, wie Tropfen des kalten Meerwassers auf meiner Haut verdunsten, schmecke Salz auf den Lippen. Ich bin jung, bin am Strand, und mein Vater umgibt mich mit seiner Liebe. Es ist ein wunderbarer, perfekter Augenblick.

Mein Vater beobachtet den Himmel. Ich sehe ihn an, sehe, wie er lächelt und den Kopf schüttelt.

»Was denn, Daddy?«

»Ich hab an die verschiedenen Arten von Sonne denken müssen, Liebes. Jeder Ort auf der Welt hat seine eigene Sonne, wusstest du das?«

»Ehrlich?«

»O ja. Es gibt die Kansas-Sonne über den Weizenfeldern. Die Maine-Sonne über Bangor, die durch graue Wolken lugt und einen grauen Himmel erhellt. Und die Florida-Sonne, klebrig-golden.« Er wendet sich mir zu. »Meine Lieblingssonne ist die über Kalifornien. Heiß, trocken, keine Wolken, nichts als blauer Himmel – wie heute. Diese Sonne sagt, dass alles erst anfängt und dass etwas Aufregendes passieren wird.« Er blickt hinauf in den Himmel. Schließt die Augen und lässt sich von seiner Lieblingssonne das Gesicht wärmen, während der Wind vom Meer seine Haare zerzaust. Es ist das erste Mal, dass mir bewusst wird, wie schön ich meinen Vater finde.

Ich habe damals nicht alles verstanden, was er mir gesagt hat, doch das war unwichtig. Ich verstand, dass er mit mir sprach, weil er mich liebte.

Wenn ich an meinen Vater denke, mich an sein Wesen zu erinnern versuche, denke ich an jenen Augenblick.

Mein Dad war ein erstaunlicher Mensch. Mom starb, als ich gerade zehn war. Er kam zwar ins Stolpern, allerdings ohne zu fallen. Überließ mich niemals mir selbst, um in seiner Trauer zu versinken. Das eine, woran ich nie zweifeln musste, ganz gleich, was sonst geschah, war die Tatsache, dass mein Vater mich liebte.

Ich wache auf, als mich etwas berührt, und wirbele vom Sofa, reiße die Waffe hervor, während ich die Augen öffne. Es dauert einen Moment, bevor mir klar wird, dass Tommy fertig ist. Er wirkt nicht erschrocken. Bleibt ganz ruhig stehen, die Hände an den Seiten. Ich senke die Waffe.

»Entschuldigung«, sagt er.

»Nein. Ich bin es, die sich entschuldigen muss, Tommy.«

»Ich bin fertig mit der Suche. Ich habe lediglich eine Wanze am Telefon gefunden, weiter nichts. Wahrscheinlich kommt es daher, dass Sie allein leben. Wenn Sie nicht zu sich selbst reden, ist das Telefon das Einzige, was abhörenswert wäre.«

»Also das Telefon und der Wagen.«

»Genau. Ich schlage Folgendes vor. Ich schlafe hier unten, auf Ihrem Sofa. Morgen früh, wenn Sie das Haus verlassen, folge ich Ihnen.«

»Sind Sie sicher, Tommy? Dass Sie hier bleiben wollen, meine ich?«

»Sie sind jetzt mein Auftraggeber, Smoky. Mein Job ist es, Sie zu schützen, rund um die Uhr.«

»Ich würde lügen, wenn ich sagen würde, dass mir die Vorstellung nicht gefällt. Danke, Tommy.«

»Kein Problem, Smoky. Ich bin Ihnen was schuldig.«

Ich sehe ihm lange in die Augen. »Wissen Sie, Tommy, eigentlich schulden Sie mir überhaupt nichts. Ich habe nur meinen Job gemacht, das ist alles. Ich bezweifle, dass Sie glauben, jemand, den Sie im Auftrag des Secret Service bewacht haben, sei Ihnen was schuldig.«

»Nein. Aber *Sie* haben zu mir gestanden, als es um *mein* Leben ging. Ob Sie nun das Gefühl haben oder nicht, ich sei Ihnen was schuldig, ich habe es auf jeden Fall.« Er schweigt für eine Sekunde, dann fährt er fort: »Ich wünschte nur, ich wäre da gewesen, als Sands zu Ihnen kam.«

Ich lächle ihn an. »Ich auch, Tommy.«

Er nickt. »Jetzt bin ich jedenfalls da. Schlafen Sie sich aus, Smoky. Sie müssen sich keine Sorgen machen.« Er sieht mich an, und seine Augen haben sich verändert. Sie sind steinern. Gefrorener Granit. »Jeder, der zu Ihnen will, muss zuerst an mir vorbei.«

Ich sehe ihn an, als ich mich auf das Sofa setze. Sehe ihn richtig an. Denke an den Traum von meinem Vater, an all das, was passiert ist. An alles, was passieren kann. Ich betrachte seine dunklen, tiefen Augen. Sein hübsches Gesicht. Und spüre ein Verlangen.

»Was ist?«, fragt er mit leiser, sanfter Stimme.

Ich antworte nicht. Stattdessen schockiere ich mich bis in mein tiefstes Inneres, als ich mich vorbeuge und ihn auf den Mund küsse. Ich fühle, wie er sich versteift. Mich von sich schiebt.

»Brrrrrrrrrrrrrr!«, ruft er.

Ich senke den Blick, außerstande, seinen Augen zu begegnen. »Bin ich so hässlich, Tommy?«

Lange Zeit herrscht Schweigen. Ich spüre seine Hand an meinem Kinn, spüre, wie er mein Gesicht anhebt. Ich will ihn nicht ansehen. Will nicht den Abscheu sehen.

»Sieh mich an«, sagt er.

Also gehorche ich. Und meine Augen weiten sich. Kein Abscheu. Nur Zärtlichkeit, gemischt mit Ärger.

»Du bist nicht hässlich, Smoky. Ich habe dich immer für eine verdammt sexy Lady gehalten. Daran hat sich nichts geändert. Du willst jemanden, jetzt. Ich kann das verstehen. Aber ich weiß nicht, wohin das führen soll.«

Ich starre ihn an, spüre die Aufrichtigkeit seiner Worte. »Würdest du weniger von mir halten, wenn es mir egal wäre?«, frage ich neugierig.

Er schüttelt den Kopf. »Nein. Das ist nicht das Problem.«
»Was dann?«

Er breitet die Hände aus. »Ob du weniger von *mir* halten würdest.«

Seine Worte lassen mich zögern. Und machen, dass ich mich gut fühle. Ich beuge mich vor. »Du bist ein wunderbarer Mann,

Tommy. Ich vertraue dir. Es ist mir egal, wohin es führt oder ob es irgendwohin führt.« Ich strecke die Hand aus, berühre sein Gesicht. »Ich bin einsam, und ich bin verletzt worden, ja. Aber das ist nicht der Grund. Ich will einfach nur, dass ein Mann mich will, jetzt, auf der Stelle. Das ist alles. Ist es so falsch?«

Er betrachtet mich, und noch immer verrät sein Gesicht nichts. Dann streckt er die Hände aus, nimmt mein Gesicht. Bringt seine Lippen auf meine herab. Sie sind hart und weich zugleich. Seine Zunge schlüpft in meinen Mund, und meine Reaktion ist spontan. Mein ganzer Körper wirft sich ihm entgegen, und ich kann seine Erektion durch den Stoff der Hose hindurch spüren. Er lehnt sich zurück. Seine Augen sind vor Vergnügen halb verschleiert und sexy wie die Hölle.

»Gehen wir nach oben?«, fragt er.

Wenn er nicht gefragt, sondern es einfach angenommen und versucht hätte, mich nach oben in das Bett zu bringen, das ich niemals mit jemand anderem außer Matt geteilt habe, dann hätte meine Antwort wohl »Nein« gelautet. Ein Teil von mir empfindet immer noch so, denkt, dass ich »Nein« sagen soll.

»Ja, bitte«, antworte ich.

Mit einer einzigen Bewegung nimmt er mich auf die Arme, trägt mich, als wäre ich eine Feder. Ich schmiege mein Gesicht an seinen Hals, rieche seinen männlichen Geruch. Mein Verlangen wird noch intensiver. Ich habe ihn vermisst, diesen Geruch. Ich möchte jemandes Haut an meiner Haut spüren. Ich will nicht allein sein.

Und ich will mich schön fühlen.

Wir kommen ins Schlafzimmer, und er legt mich sanft auf das Bett. Er zieht sich aus, während ich ihn beobachte. Und mein Gott, der Anblick ist lohnenswert, sagt mein Körper. Er ist gut gebaut, ohne übermäßig muskulös zu sein, die Physis eines Tänzers. Er hat Brusthaare, was ich sexy finde, aber nicht zu viele. Einfach nur gerade richtig. Als er seine Hose auszieht, gefolgt von den Boxershorts, stöhne ich auf. Nicht wegen seines Schwanzes – obwohl er verdammt noch mal nicht zu übersehen ist. Ich stöhne wegen des Anblicks eines nackten Mannes. Ich spüre, wie sich in mir eine Energie aufbaut, eine Art formloser Welle, die einer inneren Küste entgegenbrandet.

Er kommt zu mir, setzt sich, bewegt die Hand zu meiner Bluse, um sie aufzuknöpfen. Ich spüre erneut Zweifel. »Tommy, ich ... die Narben. Sie sind nicht nur auf meinem Gesicht.«

»Pssst ...«, sagt er sanft, während seine Finger weiter die Bluse aufknöpfen. Er hat starke Hände. Schwielig an bestimmten Stellen, weich und glatt an anderen. Zart und kraftvoll zugleich. Wie er selbst.

Er öffnet meine Bluse, richtet mich auf, um sie mir auszuziehen, dann entfernt er meinen BH. Er legt mich zurück, betrachtet mich. Meine Angst verschwindet, als ich den Ausdruck auf seinem Gesicht sehe. Kein Abscheu, kein Mitleid. Ich sehe nur die Ehrfurcht, die Männer manchmal haben können, wenn man nackt vor ihnen steht. Die Art von Blick, die »Ehrlich? Alles für mich?« zu fragen scheint.

Er beugt sich vor und küsst mich erneut, und ich spüre seine Brust an der meinen. Meine Nippel werden hart, verwandeln sich in pulsierende Zentren aus Empfindsamkeit. Er küsst mein Kinn, meinen Hals, bewegt sich nach unten, zu meinen Brüsten.

Als er einen meiner Nippel in den Mund nimmt, winde ich mich und schreie auf. Mein Gott, denke ich. Ist es das, was Monate ohne Sex aus einem machen? Ich packe seinen Kopf und halte ihn fest, während ich unverständliche Dinge zu ihm sage, spüre, wie sich mein Drängen verstärkt. Er küsst mich weiter, wandert von Nippel zu Nippel, bringt mich zum Stöhnen und Wimmern, während seine Hände mir die Hose ausziehen, das Höschen mitnehmen, und dann hält er inne, blickt mich an, während er Hose und Höschen zusammengeknüllt in einer Hand hält. Seine Augen sind verhangen, sein Gesicht teilweise im Schatten, und der Ausdruck, mit dem er mich betrachtet, ist reinstes Verlangen.

Hier bin ich, denke ich. Nackt vor einem mehr als attraktiven Mann. Und er will mich, mit Narben und allem. Tränen treten mir in die Augen.

Tommy sieht mich besorgt an. »Alles in Ordnung?«, fragt er.

Ich lächle zu ihm hoch. »O ja«, sage ich, während mir die Tränen über die Wangen strömen. »Ich bin einfach nur glücklich. Du gibst mir das Gefühl, sexy zu sein.«

»Du *bist* sexy, Smoky. Mein Gott!« Er streckt den Finger aus und fährt die Narben auf meinem Gesicht entlang. Nach unten, über die auf meiner Brust, bis zum Bauch. »Du glaubst vielleicht, diese Narben machen dich hässlich.« Er schüttelt den Kopf. »Für mich enthüllen sie Charakter. Sie zeigen Kraft, Überlebenswillen, den Willen, sich nicht geschlagen zu geben. Sie zeigen, dass du eine Kämpferin bist. Dass du um dein Leben kämpfst, bis zum letzten Atemzug.« Seine Hand kehrt zu meinem Gesicht zurück. »Diese Narben sind kein Zeichen für Ausschussware, Smoky. Sie zeigen das, was wirklich in dir steckt.«

Ich strecke die Arme nach ihm aus.

»Komm her und zeig mir, dass du es so meinst, wie du sagst. Zeig es mir die ganze Nacht lang.«

Er kommt. Es geht stundenlang, eine Mischung aus Dunkelheit und Ekstase, und meine Wahrnehmung verwandelt sich in eine Mischung aus unerträglichen Emotionen und Gefühlen. Ich bin unersättlich, und ich fordere immer weiter, und er kommt meinem Verlangen nach, bis zum Ende, als sich die Welt zuerst zu einem Punkt zusammenzieht, bevor sie zu einer nahezu blendenden Sonne explodiert, die mich in den höchsten Tönen schreien lässt vor unaussprechlichem Vergnügen.

»Dass die Fenster klappern«, nannte Matt es.

Der süßeste Schmerz von allen ist das Fehlen jeglicher Schuldgefühle. Weil ich weiß, dass Matt glücklich ist, falls er mich beobachtet. Dass er mir sagt, ein Flüstern in meinem Ohr:

»Leb dein Leben endlich weiter, Smoky. Du gehörst zu den Lebenden.«

Als ich einschlafe, wird mir bewusst, dass ich heute Nacht nicht träumen werde. Die Träume sind nicht vorbei, aber die Vergangenheit und die Gegenwart lernen allmählich, miteinander zu leben. Die Gegenwart hat die Vergangenheit gehasst, und die Vergangenheit war der Feind der Zukunft. Vielleicht ist die Vergangenheit bald wieder nichts mehr weiter als die Vergangenheit.

Der Schlaf übermannt mich, und diesmal ist es keine Flucht, sondern erholsamer Trost.

KAPITEL 40 Als ich am Morgen erwache, fühle ich mich zufrieden und verkatert. Als hätte ich über den Durst getrunken. Tommy ist nicht da, doch als ich die Ohren spitze, höre ich ihn unten. Ich strecke mich, spüre jeden Muskel, dann springe ich aus dem Bett.

Ich dusche, während ich bedaure, dass ich diesen Geruch von mir abwaschen muss, aber anschließend fühle ich mich erfrischt. Guter Sex kann so etwas bewirken. Wie ein guter Marathonlauf. Eine Dusche fühlt sich besser an, wenn man sich vorher richtig schmutzig gemacht hat.

Ich genieße dieses Gefühl für einige Minuten, dann ziehe ich mich an und gehe nach unten, wo ich Tommy in der Küche antreffe.

Er sieht genauso aus wie vorher, bevor wir miteinander ins Bett gestiegen sind. Nicht eine einzige Falte in seinem Anzug. Er ist vollkommen wach und fit. Er hat Kaffee gekocht und reicht mir eine Tasse.

»Danke«, sage ich.

»Fährst du bald?«

»In ungefähr einer halben Stunde. Ich muss zuerst einen Anruf erledigen.«

»Sag mir Bescheid, wenn du so weit bist.« Er betrachtet mich für einen Moment, rätselhaft wie die Sphinx von Theben, bis schließlich ein Lächeln seine Lippen umspielt.

Ich hebe eine Augenbraue. »Was?«

»Ich hab bloß an vergangene Nacht denken müssen.«

Ich sehe ihn an. »Es war wundervoll«, sage ich leise.

»Ja.« Er neigt den Kopf. »Weißt du eigentlich, dass du mich nicht einmal gefragt hast, ob ich nicht schon vergeben bin?«

»Ich dachte, wenn es so wäre, hättest du es nicht so weit kommen lassen. Habe ich mich geirrt?«

»Nein.«

Ich sehe auf meine Kaffeetasse. »Hör zu, Tommy, ich möchte etwas sagen wegen der letzten Nacht. Wegen dem, was du gesagt hast. Dass du nicht sicher wärst, ob es zu etwas führen würde oder nicht. Ich möchte, dass du weißt, dass ich ernst gemeint habe, was ich gesagt habe. Wenn es nirgendwohin führt, dann ist es wirklich okay. Aber …«

»Aber wenn doch, dann ist es auch okay«, sagt er. »Ist es das, was du sagen willst?«

»Ja.«

»Gut. Ich denke nämlich genauso.« Er streckt die Hand aus, streichelt mir über das Haar. Ich lehne mich an ihn, für einen Augenblick. »Ich meine es ehrlich, Smoky. Du bist eine phantastische Frau. Das habe ich schon immer gedacht.«

»Danke.« Ich lächle ihn an. »Wie nennen wir es dann? Einen One-Night-Stand mit Aussichten?«

Er lässt die Hand sinken, lacht. »Das gefällt mir. Lass mich wissen, wenn du fertig bist.«

Ich nicke und gehe. Ich fühle mich nicht nur gut, sondern sogar behaglich. Wie auch immer es enden mag, weder Tommy noch ich werden die letzte Nacht bereuen. Gott sei Dank.

Ich kehre nach oben zurück, spüre allmählich mein Schlafdefizit und halte meinen Kaffee, als wäre er das reine Elixier des

Lebens. Es ist erst halb neun, doch ich bin sicher, dass Elaina eine Frühaufsteherin ist. Ich wähle ihre Nummer.

Elaina meldet sich. »Hallo?«

»Hi, ich bin's, Smoky. Tut mir Leid wegen gestern Abend. Wie geht es ihr?«

»Sie scheint glücklich. Sie redet noch immer nicht, aber sie lächelt viel.«

»Wie hat sie geschlafen?«

Ein Zögern. »Sie hat letzte Nacht im Schlaf geschrien. Ich habe sie geweckt und in den Armen gehalten. Danach ging es ihr wieder gut.«

»Gütiger Gott. Es tut mir Leid, Elaina.« Ich spüre die Schuld einer Mutter bei ihren Worten. Während ich den Mond angeheult habe, hat Bonnie wegen ihrer Vergangenheit geschrien. »Du hast keine Ahnung, wie dankbar ich dir dafür bin.«

»Sie ist ein Kind, das zutiefst verwundet wurde, und sie braucht Hilfe, Smoky. Das ist keine Last in unserem Haus, und es wird niemals eine sein.« Ihre Worte sind die einfache Feststellung einer Tatsache, und sie kommen von Herzen. »Möchtest du mit ihr reden?«

Mein Herz droht auszusetzen. Mir wird bewusst, wie sehr ich es mir wünsche. »Bitte, ja.«

»Warte einen Moment.«

Eine Minute später kommt Elaina zum Telefon zurück. »Sie ist hier. Ich gebe ihr jetzt den Hörer.«

Fummelnde Geräusche, dann höre ich Bonnies leisen Atem.

»Hi, Honey«, sage ich. »Ich weiß, du kannst nicht antworten, deswegen rede ich für uns beide. Es tut mir wirklich Leid, dass ich gestern Abend nicht gekommen bin, um dich zu holen. Ich musste lange arbeiten. Als ich heute Morgen aufgewacht bin, und du warst nicht da …« Meine Stimme versagt. Ich höre sie atmen. »Ich vermisse dich, Bonnie.«

Schweigen. Erneut fummelnde Geräusche, gefolgt von Elainas Stimme. »Warte, Smoky.« Sie spricht vom Telefon abgewandt. »Möchtest du Smoky etwas sagen, Liebes?« Weiteres Schweigen. »Ich sage es ihr.« Dann spricht sie wieder in den Hörer. »Sie hat mir ein wunderschönes Lächeln geschenkt und sich umarmt und auf das Telefon gedeutet.«

Mein Herz verkrampft sich. Ich brauche keine Übersetzung für die Bedeutung ihrer Worte. »Sag ihr das Gleiche von mir, Elaina. Ich muss jetzt auflegen, aber ich komme heute Abend vorbei, um sie abzuholen. Keine weiteren Übernachtungen bei euch, wenn ich es vermeiden kann. Zumindest für eine Weile.«

»Wir sind jedenfalls hier.«

Ich bleibe eine Minute sitzen, nachdem ich aufgelegt habe, und starre ins Leere. Plötzlich sind mir die Schichten meiner Emotionen bewusst, die offensichtlichen wie die unterschwelligen. Ich habe starke Gefühle für Bonnie. Zärtliche, beschützende und sehnsüchtige Gefühle. Sie sind stark und real. Doch es gibt noch andere Gefühle, leise, flüsternd, subtil. Sie durchziehen mein Ich wie trockene Blätter, die der Wind vor sich hertreibt. Ärger ist eines davon. Ärger, dass ich nicht glücklich sein kann über meine eine Nacht mit Tommy. Es ist ein schwaches Gefühl, aber es will nicht weichen. Wie die Selbstsucht eines kleinen Mädchens, das nicht teilen mag. Du verdienst kein Glück, flüstert es mir beharrlich ein.

Und da ist die Stimme der Schuld. Es ist eine glatte Stimme, wie Öl, schlangengleich. Sie stellt nur eine Frage, eine bohrende: Wie kannst du es wagen, glücklich zu sein, wenn sie es nicht ist?

Wiedererkennen durchzuckt mich. Ich habe diese Stimmen schon früher gehört, alle, ohne Ausnahme. Als Alexas Mutter. Eine Mutter zu sein ist kein Ein-Noten-Stück, kein Schauspiel in einem Akt. Es ist komplex, enthält Liebe und Zorn, Selbstlosigkeit und Selbstsucht zugleich. Manchmal ist man überwältigt von der Schönheit des eigenen Kindes. Und manchmal wünscht man sich, zumindest für einen ganz kurzen Moment, dass man überhaupt kein Kind hätte.

Ich fühle all diese Dinge, weil ich im Begriff bin, Bonnies Mutter zu werden. Und dieses Vorhaben lässt eine neue, schuld-beladene Stimme voller Tadel und Elend erschallen: Wie kannst du es wagen, sie zu lieben?

Erinnerst du dich denn nicht? Deine Liebe bringt den Tod. Statt mich niederzuwerfen, macht mich diese Stimme wütend. Ich wage es, antworte ich, weil ich es *muss*. So ist das, Mutter zu sein. Liebe hilft dir durch das Gröbste, Pflichtgefühl durch den Rest.

Ich will, dass Bonnie sicher ist, dass sie ein Zuhause hat und das Gefühl, dass dieses Zuhause *real* ist.

Ich fordere die Stimme auf, sich dazu zu äußern. Sie schweigt.

Gut. Es ist Zeit, zur Arbeit zu fahren.

Die Tür zum Büro fliegt auf, und Callie kommt herein. Sie trägt eine Sonnenbrille und umklammert einen Becher Kaffee.

»Sprich mich nicht an«, wehrt sie ab. »Ich hab noch nicht genug Koffein zu mir genommen.«

Ich schnüffele die Luft ein. Callie hat immer den besten Kaf-fee von allen. »Mmm«, sage ich. »Was ist das? Haselnuss?«

Sie wendet sich von mir ab und umklammert den Kaffee noch fester. Verzieht einen Mundwinkel. »Das ist meiner.«

Ich gehe zu meiner Tasche, greife hinein und nehme ein Paket kleiner Schokoladendonuts hervor. Ich sehe, wie Callies Augenbrauen in die Höhe schießen. Ich winke mit den Donuts. »Oh, sieh mal, Callie, was ich hier habe. Schokoladendonuts. Lecker, lecker.«

Auf ihrem Gesicht liegen die Emotionen im Widerstreit. »Prima«, sagt sie schließlich und schneidet eine Grimasse. Sie packt den Becher auf meinem Schreibtisch und füllt ihn zur Hälfte mit ihrem Kaffee auf. »Und jetzt gibst du mir zwei von deinen Donuts.«

Ich nehme zwei aus der Verpackung und schiebe sie ihr hin,

während sie mir die Kaffeetasse reicht. Es ist wie bei einem Geiselaustausch. Als ich die Tasse packe, reißt sie mir die Donuts aus der Hand. Während sie sich an ihren Schreibtisch setzt und das Gebäck isst, genieße ich ihren Kaffee.

Himmlisch.

Callie isst ihre Donuts und trinkt Kaffee, und ich spüre ihren Blick auf mir ruhen. Nachdenklich und durchbohrend zugleich, selbst durch die Sonnenbrille hindurch.

»Was ist?«, frage ich.

»Erzähl du es mir«, meint sie und nimmt einen weiteren Bissen von ihrem Donut.

Meine Güte, denke ich. Ist diese alte Legende wahr? Dass man es sehen kann, wenn man mit jemandem geschlafen hat? »Ich weiß überhaupt nicht, wovon du redest.«

Sie sieht mich weiter unverwandt durch ihre Sonnenbrille hindurch an, während sie mir ein breites Grinsen schenkt wie das einer trägen Cheshire-Katze. »Wie du meinst, Zuckerschnäuzchen.«

Ich beschließe, sie zu ignorieren.

Leo, Alan und James treffen in kurzen Abständen im Büro ein. Leo sieht aus, als wäre er von einem Laster überrollt worden. James sieht aus wie immer.

»Los, kommt her«, sage ich zu ihnen. »Zeit für eine Besprechung. Leo und James, wie weit sind wir mit der Suche nach dem Usernamen und dem Passwort?«

Leo fährt sich mit der Hand durch die Haare. »Wir haben alle Betreiber erreicht, und alle kooperieren.« Er wirft einen Blick auf seine Uhr. »Ich hab vor einer halben Stunde mit dem letzten gesprochen. Wir müssten die Ergebnisse innerhalb der nächsten Stunde vorliegen haben.«

»Benachrichtige mich sofort. Callie, was macht die DNS-Analyse?«

»Gene sagt, er hätte die Ergebnisse am frühen Abend. Falls es DNS-Spuren gibt und falls diese DNS in der Datenbank gespeichert ist, wissen wir bis zum Abendessen, um wen es sich handelt.«

»Wäre das nicht ein Knaller?«, fragt Alan.

»Ganz sicher«, antworte ich. »Bis dahin jedoch – wann ist Dr. Child bereit, sich mit mir zu treffen?«

»Jederzeit nach zehn«, antwortet Callie.

»Gut. Callie und Alan – ihr setzt euch mit Barry in Verbindung und seht, was die Spurensicherung herausgefunden hat.«

»Klar, Zuckerschnäuzchen.«

»Ich gehe jetzt zu Dr. Child.« Ich blicke alle der Reihe nach an. »Arbeitet ihr inzwischen weiter.«

Es ist Zeit, ein weiteres Netz auszuwerfen.

Ich klopfe an Dr. Childs Tür, bevor ich sein Büro betrete. Er sitzt hinter seinem Schreibtisch und liest in einer dicken Akte. Er blickt auf, als ich meinen Kopf in sein Büro stecke, und lächelt mir zu.

»Smoky. Gut, Sie zu sehen. Kommen Sie herein.« Er deutet auf die Stühle vor seinem Schreibtisch. »Bitte nehmen Sie Platz. Ich muss vorher nur noch schnell meine Notizen durchgehen. Ein faszinierender Fall.«

Ich setze mich und beobachte Dr. Child beim Lesen. Er ist ein Mann Ende fünfzig. Weißhaarig, mit einer Brille und einem Bart. Er sieht zehn Jahre älter aus, wirkt ständig müde, und seine Augen haben einen gejagten Ausdruck, der niemals weggeht, nicht einmal, wenn er lacht. Er späht seit nahezu dreißig Jahren in die Gehirne von Serienmördern. Sehe ich in zwanzig Jahren auch so aus?, frage ich mich.

Er ist der einzige Mensch, dem ich mehr vertraue als James und mir selbst, wenn es um Erkenntnisse darüber geht, was diese Ungeheuer antreibt.

Er nickt vor sich hin und blickt schließlich auf. Lehnt sich in seinem Bürostuhl zurück. »Sie und ich, wir haben schon häufiger zusammengearbeitet, Smoky. Also wissen Sie, dass ich die

Neigung besitze, so zu tun als ob. Genau das gedenke ich auch jetzt zu tun. Haben Sie etwas dagegen?«

»Nicht das Geringste, Doc. Schießen Sie los.«

Er legt die Fingerspitzen unter dem Kinn zusammen. »Ich werde so tun, als handelte es sich hier um ein einzelnes Individuum. Die hinter Jack Junior stehende Person ist unser Primärziel und die dominante Persönlichkeit. Stimmen Sie mir darin zu?«

Ich nicke.

»Gut. Es gibt zwei Möglichkeiten. Die erste ist, fürchte ich, eher unwahrscheinlich. Dass er nur so tut. Dass seine Behauptung, ein Nachfahre von Jack the Ripper zu sein, Teil eines Rollenspiels ist und Sie auf eine falsche Fährte lenken soll. Ich halte diese Sicht der Dinge für abwegig und glaube nicht, dass sie uns weiterhilft.

Die zweite Möglichkeit ist wahrscheinlicher und obendrein höchst ungewöhnlich. Wir haben es hier mit einem Fall von Erziehung gegen die Natur zu tun. Einer Art Langzeit-Gehirnwäsche. Irgendjemand hat eine lange Zeit damit verbracht, unserem Jack Junior die Identität einzuprägen, die er nun angenommen hat. Meiner Meinung nach muss man damit bereits in sehr jungem Alter begonnen haben, um so erfolgreich zu sein. Es wäre möglich, dass einer oder beide Elternteile dies getan haben..

Unsere bisherigen Erkenntnisse zeigen, dass die meisten Serienmörder eine sehr ähnliche Vergangenheit aufweisen. Üblicherweise gehört dazu Missbrauch in früher Kindheit. Dabei kann es sich um Misshandlungen oder um sexuellen Missbrauch handeln; in der Regel ist es beides. Das Resultat ist Wut, eine rasende Wut, und die Missbrauchten sind nicht imstande, diese Wut gegen die Täter zu richten, die größer und stärker sind als sie und in einer Position der emotionalen Autorität und des Vertrauens. Der Täter ist fast immer der Vater oder die Mutter. Die missbrauchte Person liebt diesen Täter und ist im Innern davon überzeugt, dass der Missbrauch auf irgendeine Weise gerechtfertigt ist. Verursacht durch irgendetwas, das sie falsch gemacht hat.

Wut benötigt ein Ventil. Ohne ein konkretes Ziel wird sie von den Opfern beinahe zwangsläufig auf dreierlei Art umgelenkt. Zunächst in Form von Gewalt gegen sich selbst; dazu gehört chronisches Bettnässen. Dann durch Gewalt gegen die Umwelt, etwa durch das Legen kleiner Brände. Und schließlich, in einer eskalierenden Gewaltspirale, die mit Übergriffen auf schwächere Lebewesen beginnt – meist auf kleinere Tiere, die gequält und getötet werden. Sobald die Missbrauchten selbst erwachsen sind, tun sie dasselbe dann logischerweise auch Menschen an.

Dies ist natürlich eine starke Vereinfachung. Menschen sind keine Roboter, und kein Verstand funktioniert wie der andere. Nicht alle Opfer nässen ins Bett oder töten kleine Tiere. Der Missbrauch wird nicht immer vom Vater oder von der Mutter begangen. Insgesamt jedoch trifft, wie unsere Erfahrungen zeigen, dieses vereinfachende Grundmuster zu.«

Er lehnt sich zurück und sieht mich an.

»Es gibt allerdings Ausnahmen, Smoky. Sie sind selten, doch es gibt sie. Sie dienen denjenigen als Argument, die glauben, dass die menschliche Natur die Erklärung für alles liefert. Mörder, die aus anständigen Umfeldern kommen und anständige Eltern hatten. Schlechte Anlagen, ohne erkennbaren Grund für das, was sie tun.« Dr. Child schüttelt den Kopf. »Warum muss es entweder das eine oder das andere sein? Ich war – wie viele andere auch – stets der Meinung, dass beides die Ursache bilden kann. Natur und Erziehung. Dabei ist die Erziehung, wie ich bereits sagte, die am häufigsten zu beobachtende Ursache.« Er klopft auf den Bericht, der vor ihm liegt. »In diesem Fall hier gibt es zahlreiche Abweichungen. Er sagt, er sei weder misshandelt noch sexuell missbraucht worden. Er hat seinen Worten gemäß weder kleine Tiere gefoltert oder getötet noch Brände gelegt. Möglich, dass er lügt. Vielleicht will er es selbst auch nicht wahrhaben. Doch falls es stimmt, dann stellt er etwas Neues dar. Einen Serienmörder vom Reißbrett sozusagen. Jemand, dem so stark und über so lange Zeit ein Glaubenssystem infiltriert wurde, dass es für ihn zur absoluten Wahrheit wurde. Falls dies zutrifft, dann haben wir es hier mit einem extrem gefährlichen Täter zu tun. Er trägt keine alten, durch Missbrauch und Misshandlungen verursachten Verletzungen der Seele mit sich herum und leidet daher nicht an dem schwachen Selbstvertrauen, das diese Dinge bewirken.

Er wäre imstande, extrem rational vorzugehen. Er würde keine Schwierigkeiten haben, sich in die Gesellschaft einzugliedern. Vielleicht ist er sogar genau darauf trainiert worden.

Jack Junior würde das, was er tut, in der Vorstellung tun, dass es seine Bestimmung ist. Dass er dazu geboren wurde. Er würde es nicht als falsch ansehen. Weil man ihm von dem Moment an, in dem er gesprochene Worte verstehen konnte, genau das Gegenteil eingetrichtert hat.«

Dr. Child sieht mich an. »Er ist auf Sie fixiert, Smoky, weil er Sie braucht, um seine Phantasie zu vervollständigen. Er hat es selbst zugegeben, dass Jack the Ripper gejagt werden muss, vorzugsweise von einem brillanten Beamten. Er hat Sie dafür ausgewählt. Eine scharfsinnige Wahl.«

Er beugt sich vor, tippt erneut auf die Akte. »Die Wahrheit über den Inhalt des Glases, das er Ihnen geschickt hat – die Tatsache, dass er von einem Rind stammt und nicht von einem Menschen, wie er zu glauben scheint –, könnte sich als Ihre stärkste Waffe gegen ihn erweisen. Der Inhalt des Glases ist ein Symbol für alles, woran er glaubt. Er hat es stets als Wahrheit akzeptiert. Wenn er herausfindet, dass dieses Symbol eine Lüge ist, immer schon gewesen ist … es könnte ihn zerschmettern. Könnte seine kunstvoll errichtete Welt zum Einsturz bringen.« Dr. Child lehnt sich erneut zurück. »Er hat sich als extrem gerissen, organisiert und präzise erwiesen. Wenn er die Wahrheit über den Inhalt des Glases erfährt, könnte es ihn vernichten. Selbstverständlich gibt es eine weitere Möglichkeit, die wir nicht ignorieren dürfen. Dass er die Wahrheit über das Glas einfach von der Hand weist. Dass er sich darauf versteift, es wäre nichts als eine Lüge, die ihn verunsichern soll. In einem solchen Szenario würde er dem Individuum die Schuld geben, das ihm diese ›Lüge‹ offenbart hat. Er würde einen überwältigen Drang verspüren, dieses Individuum zu vernichten …

Jedes der beiden Szenarien hat seine nützlichen Aspekte, nicht wahr?«

Ich nicke. »Das stimmt.«

»Seien Sie sich der Tatsache bewusst, das jedes dieser Szenarien auch mögliche Gefahren birgt. Wenn das, worauf Jack Junior sein Leben aufgebaut hat, mit einer solchen Plötzlichkeit unter ihm weggezogen wird, könnte er suizidal werden. Allerdings wird er kaum allein sterben wollen.«

Ich begreife, was er mir sagen will. Ein außer Kontrolle geratener Jack Junior, bar jeder Hoffnung, könnte sich in einen Selbstmordattentäter verwandeln. Dr. Child mahnt mich, auf diese Möglichkeit vorbereitet zu sein.

»Was ist mit Ronnie Barnes?«, frage ich.

Er nickt, blickt zur Decke hinauf. »Ja. Der junge Mann, von dem er behauptet, ihn im Internet gefunden und ihn für seine Zwecke ›erzogen‹ zu haben. Sehr interessant – wenn auch nicht ganz ohne Beispiel. Morden im Team ist nicht so selten, wie manche Leute glauben. Charles Manson mag die berühmteste Gruppe von Mördern angeführt haben, doch er war weder der erste noch der letzte.«

»Genau«, antworte ich. »Mir fallen auf Anhieb zwanzig derartige Fälle ein.«

»Genau darauf will ich hinaus. Schätzungsweise fünfzehn Prozent aller Opfer von Serienmorden gehen auf das Konto von Teams. Und obwohl der vorliegende Fall spezielle Eigenheiten aufweist, so passt er dennoch in das allgemeine Schema. Mörderteams bestehen in der Regel aus zwei Individuen; ab und zu gibt es auch größere. Es gibt immer eine dominante Gestalt, jemanden mit einer besonderen Energie oder Phantasie. Er oder sie inspiriert die anderen, ermuntert sie, die Phantasie in die Tat umzusetzen. Alle Beteiligten haben psychopathische Züge, doch zumindest in einigen Fällen wären die anderen ohne die zentrale Gestalt niemals zu Tätern geworden, weil sie den Schritt zum Mord nicht allein hätten machen können.« Er lächelt, und ich meine, einen müden Zynismus in seinem Gesicht zu erkennen. »Damit will ich nicht sagen, dass sie die Opfer waren. Es ist nicht ungewöhnlich, dass die nicht dominierenden Mitglieder eines solchen Teams nach der Verhaftung behaupten, zu ihren Taten gezwungen worden zu sein. Aber die Beweise widerlegen diese Behauptungen fast immer.«

»Die Ripper Crew«, sage ich.

Dr. Child lächelt erneut. »Exzellentes Beispiel. Und eins aus relativ junger Vergangenheit obendrein.«

Es handelt sich um die so genannten Chicago Rippers aus den 1980ern. Ein Psychopath namens Robin Gecht führte ein Team aus drei anderen, gleichgesinnten Männern an. Als sie endlich gefasst wurden, hatten sie mindestens siebzehn Frauen vergewaltigt, geschlagen, gefoltert und erwürgt. Gechts Ripper Crew trennte ihren Opfern in mehreren Fällen eine oder beide Brüste ab, die sie für spätere sexuelle Handlungen benutzten und teilweise sogar verspeisten.

»Gecht hat keines der Opfer selbst umgebracht, oder?«, frage ich.

»Nein, das hat er nicht. Doch er war die treibende Kraft hinter allem. Ein sehr charismatischer Mann.«

»Ähnlich wie Jack Junior«, sinniere ich. »Wenn auch nicht das Gleiche.«

Dr. Child neigt den Kopf, betrachtet mich interessiert. »Erklären Sie mir das.«

»Es ist nur ein Gefühl, das ich von Jack Junior habe. Zugegeben, er ist der Dominante. Er entscheidet, wann etwas geschieht, und er sucht das Opfer aus. Doch innerhalb der meisten Teams gibt es eine persönliche Beziehung zwischen den Mitgliedern. Sie geben einander etwas. Sie sind pervers, aber sie sind ein Team. Jack Junior hat Ronnie Barnes geopfert, und das nur, um mich zu treffen und uns zu verwirren.« Ich schüttele den Kopf. »Ich denke nicht, dass er sie braucht, um seine Phantasien zu verwirklichen. Nicht emotional jedenfalls.«

Dr. Child legt die Fingerspitzen aneinander, während er darüber nachdenkt. Er seufzt. »Nun ja, das würde zumindest zu seinen beiden unterschiedlichen Opferkategorien passen.«

»Sie meinen, die zweite sind wir.«

»Genau. Das macht ihn gefährlicher. Er ist ein Mann mit einem Plan. Mr. Barnes und alle anderen sind lediglich die Bauern. Spielsteine, die er auf seinem Schachbrett nach Belieben verschiebt. Weniger emotionale Bindungen verringern die Wahrscheinlichkeit, dass er sich verfängt.«

Großartig. »Wie geht er Ihrer Meinung nach bei der Suche nach potentiellen Mittätern vor?«, frage ich.

»Offensichtlich bietet ihm das Internet sowohl die erforderliche Anonymität als auch den Zugang zu derartigen Kreaturen.« Dr. Child blickt beinahe melancholisch drein. »Es ist die ewige Ironie. Weltverändernde Erfindungen können wunderbare Dinge bewirken, aber auch missbraucht werden. Auf der einen Seite hat das Internet politische Grenzen eingerissen. Noch vor dem Fall des Eisernen Vorhangs kamen E-Mails aus Russland zu uns. Menschen an den verschiedensten Orten der Welt können in Sekundenschnelle miteinander kommunizieren. Amerikaner und Eskimos finden heraus, dass sie sich gar nicht so sehr voneinander unterscheiden. Auf der anderen Seite bietet das Internet den Jack Juniors dieser Welt ein nahezu schrankenloses Umfeld. Webseiten mit Vergewaltigung oder Pädophilie als einzigem Thema, Seiten mit fotografischen Gräueln wie Erschießungen oder den blutigen Resultaten von Autounfällen und dergleichen mehr.«

Er sieht mich an. »Um Ihre Frage zu beantworten, Smoky: Angesichts der uns bis jetzt vorliegenden Fakten sucht er in diesen abstoßenden Ecken des Internets nach Jüngern, insbesondere dort, wo er zunächst unerkannt beobachten kann. Für ihn ist es wichtig, zunächst einmal nur beobachten zu können. Er hält Ausschau nach Nutzern, die bestimmte Neigungen offenbaren. Wie alle Manipulatoren sucht er nach Schlüsselworten und -themen, die es ihm ermöglichen, sich einzuschmeicheln und als kompetent darzustellen. Allerdings…«, an dieser Stelle beugt sich Dr. Child vor, »…allerdings muss er sie irgendwann persönlich treffen. E-Mails und Chatrooms reichen nicht aus, und zwar aus verschiedenen Gründen. Zum einen wegen der Sicherheit. Es ist viel zu leicht, eine Online-Identität zu fälschen. Jack ist zwar risikofreudig, aber er ist nicht leichtsinnig. Er bereitet sich vor, bevor er ein Risiko eingeht. Er will sicher sein, dass die Person, mit der er sich unterhalten hat, tatsächlich mit der übereinstimmt, für die sie sich ausgegeben hat.«

»Warum noch?«, frage ich.

»Aus Gründen der Gegenseitigkeit. Die, mit denen Jack in Kontakt tritt, wollen genauso wissen, ob er der ist, für den er sich ausgibt. Außerdem glaube ich nicht, dass sich irgendjemand dazu überreden lassen würde, seine Phantasien auszuleben, ohne vorher persönlich mit Jack zusammengetroffen zu sein. Nein. Wenn ich er wäre, würde ich mir Zeit lassen, mich umsehen und meine Liste anfertigen. Als Nächstes würde ich nach einem Weg suchen, die Identität der Aufgelisteten zu überprüfen. Erst dann würde ich einen Online-Kontakt herstellen, gefolgt von persönlichen Treffen. Von da an kann er sich seine Beeinflussungsmethode aussuchen. Vielleicht fängt er in kleinen Schritten an. ›Komm, wir gehen in einen Puff. Wir verprügeln eine Prostituierte, aber wir bringen sie nicht um. Als Nächstes töten wir eine Katze und sehen ihr in die Augen, während das Tier stirbt.‹ Indem er langsam voranschreitet, zerbricht er die schwachen moralischen Gerüste, die sich manche errichtet haben, um ihr Verhalten zu regulieren und sich menschlich zu fühlen. Und nachdem man bereits einen Fuß in die Hölle gesetzt hat, warum nicht auch den zweiten? Schließlich dürfen wir eines nicht vergessen: Für sie ist die Hölle der Himmel.«

»Wie lange braucht er, um so etwas zu bewerkstelligen? Einen anderen Menschen zu konditionieren und ihn dazu zu bringen, diese Linie zu überschreiten?«

Dr. Child sieht mich an. »Sie wollen wissen, wie viele weitere Gehilfen er sich geschaffen haben mag, nicht?«

»Im Prinzip ja.«

Er breitet die Hände aus. »Das kann ich Ihnen nicht sagen. Es hängt von zu vielen Faktoren ab. Wie lange tut er es schon? Aus welchem Pool schöpft er seine Jünger? Wenn er beispielsweise auf Bewährung entlassene Vergewaltiger kontaktiert…nun ja, der Sprung von Vergewaltigung zu Mord ist nur klein.«

Ich sehe in seine müden Augen und lasse seine Worte auf mich wirken. Wie viele Jahre? Wie viele Jünger hat Jack Junior um sich geschart? Wie sollen wir das herausfinden? Wir können es nicht wissen.

»Ich habe noch eine Frage, Doc. Sie haben gesagt, er würde Risiken eingehen. Dieser ganze Prozess, Jünger um sich zu scharen, ist nicht ungefährlich. Jeder einzelne dieser Jünger könnte zur Schwachstelle werden.« Ich schüttele den Kopf. »Es erscheint mir so widersprüchlich. Auf der einen Seite ist er gerissen, sehr gerissen, und äußerst vorsichtig. Auf der anderen geht er große Risiken ein. Ich begreife das nicht.«

Dr. Child lächelt. »Haben Sie an die einfachste Erklärung für diesen Widerspruch gedacht?«

Ich runzle die Stirn. »Der wäre?«

»Dass er wahnsinnig ist.«

Ich starre Dr. Child an. »Das ist alles? ›Dass er wahnsinnig ist‹?«

»Ich werde es ein wenig erklären.« Sein Gesicht wird ernst. »Wir haben es meiner Meinung nach mit zwei Faktoren zu tun.

Einer davon passt zu seinen Phantasien. Dieses verdrehte ›Voranbringen der Spezies‹, das Weiterreichen der Ripper-Fackel und so weiter.« Er zögert. »Der andere ist Gier.«

»Gier?«

»Die Gier, die alle Serientäter antreibt. Sie spüren einen Zwang, das zu tun, was sie tun. Dieser Zwang ist stärker als ihre Vorsicht.« Er hebt die Hand. »Dieser Prozess, mit anderen in Kontakt zu treten, sie zu manipulieren, sie zu formen, ist irrational. Er wird von etwas anderem als Vernunft getrieben. Von Gier. Ein Teil seines Hungers wird gestillt, indem er sich Jünger heranzieht, und das dadurch erzeugte Gefühl ist für ihn befriedigender und wichtiger als seine Sicherheit.«

»Also ist er schlicht verrückt?«

»Wie ich bereits sagte.«

Ich denke über seine Worte nach. »Aber warum Jack the Ripper? Warum diese Besessenheit von Huren?«

»Ich glaube, das eine ist der Grund für das andere. Die Huren sind die Auslöser für die Ripper-Wahnvorstellungen. Wer auch immer dieses Hirngespinst zusammengebraut hat…hatte ein Problem mit Frauen. Möglicherweise ausgelöst durch Missbrauch oder beobachteten Missbrauch. Ironischerweise ähneln die Motive und Gründe für die heutigen Kopien von Jack the Ripper jenen, die den ursprünglichen Ripper angetrieben haben. Frauenhass gemischt mit unbefriedigter Sexualität und verleugnetem Verlangen. Das alte Lied.«

»Also noch einmal: Er ist verrückt. Und derjenige, der ihn indoktriniert hat, war vollkommen durchgedreht.«

»Ja.«

Berechenbar und unberechenbar; getrieben sowohl von Verstand als auch von Wahnsinn. Großartig. Trotzdem habe ich das Gefühl, ihn jetzt ein wenig besser zu kennen.

»Ich danke Ihnen, Dr. Child. Sie waren mir eine große Hilfe, wie immer.«

Er sieht mich aus seinen traurigen, müden Augen an. »Es

ist mein Beruf, Agent Barrett. Ich lasse Ihnen meinen Bericht zukommen. Und bitte – seien Sie vorsichtig mit diesem Mörder. Er ist etwas Neues. Das mag vom klinischen Standpunkt her vielleicht interessant erscheinen…« Er zögert, sieht mir in die Augen. »Aber neu heißt in diesem Zusammenhang lediglich gefährlich.«

Ich spüre, wie sich der Drache in mir rührt. Herausfordernd. Trotzig. »Lassen Sie mich Ihnen sagen, wie sich die Sache von meiner Seite des Zauns aus darstellt, Doc. Wie er es macht und warum er es macht, mag vielleicht neu sein. Aber das, was er tut?« Ich schüttele grimmig den Kopf. »Daran ist absolut nichts Neues. Mord bleibt Mord.«

KAPITEL 41   »Bringen Sie mich auf den aktuellen Stand.«

Ich bin im Büro von AD Jones. Er hat mich zu sich nach oben gerufen, um sich über unsere Fortschritte berichten zu lassen. Er unterbricht mich, als ich Tommy Aguilera erwähne.

»Warten Sie – Aguilera? Er ist inzwischen Zivilist, nicht wahr?«

»Er ist gut, Sir. Wirklich sehr, sehr gut.« Du hast nicht die leiseste Ahnung, denke ich für mich.

»Ich weiß, dass er gut ist. Aber das ist nicht der Punkt.« Er blickt mich säuerlich an. Zitronensäuerlich. »Ich lasse Ihnen das für dieses Mal durchgehen, Smoky. In Zukunft möchte ich, dass Sie zuerst mit mir reden, bevor Sie Externe in einen Fall mit einbeziehen.«

»Jawohl, Sir.«

»Berichten Sie weiter.«

Ich trage ihm den Rest vor bis hin zu meinem Besuch bei Dr. Child. Er nimmt sich Zeit zum Nachdenken, bevor er die Hände auf dem Schreibtisch verschränkt und mich ansieht. »Ich möchte sicher sein, dass ich alles verstanden habe. Der Täter hat zwei Frauen getötet. Jedes Mal, wenn er zugeschlagen hat, sendet er Ihnen ein Video. Er hat einen Partner. Er ist auf Sie fixiert, und zwar so sehr, dass er sich in Ihr Haus schleicht und Ihr Telefon anzapft und Ihren Wagen mit einem Peilsender versieht. Er hat persönliche Angriffe gegen Ihr restliches Team gestartet und droht mit weiteren. Er steht mit anderen potentiellen Serienmördern in Verbindung, zusätzlich zu demjenigen, mit dem er gegenwärtig zusammenarbeitet. Er ist nicht, wer er zu sein glaubt. Kein echter Nachfahre von Jack the Ripper. Habe ich alles?«

»Jawohl, Sir.«

»Sie haben Fingerabdrücke, möglicherweise DNS, Sie kennen seinen vermutlichen *Modus Operandi* – und Ihre heißeste Spur im Augenblick sind die anderen Webseiten, die er abonniert hat, falls er welche abonniert hat. Ist das ungefähr alles?«

»Eine ziemlich gute Zusammenfassung, Sir. Ich möchte zwei weitere Maßnahmen ergreifen, um diesen Fall zu knacken, und dazu benötige ich Ihre Genehmigung.«

»Was?«

»Ich möchte die Medien in die Suche mit einbeziehen.«

Seine Augen werden misstrauisch. Wir mögen die Medien nicht, meistens jedenfalls. Wir arbeiten nur mit ihnen zusammen, wenn wir dazu gezwungen sind, und manchmal auch, wenn wir denken, dass sie uns nützlich sein könnten. Ich denke, Letzteres ist hier der Fall, und davon muss ich AD Jones überzeugen.

»Warum?«

»Aus zwei Gründen. Erstens aus Sicherheitsgründen. Wir bekommen zwar allmählich ein Bild von ihm, aber wir wissen nicht, wann wir ihn zu fassen kriegen. Wir müssen eine Warnung herausgeben. Es wird Zeit, Sir.«

Er nickt widerwillig. »Und der zweite Grund?«

»Dr. Child hat gesagt, dass es ihn zutiefst erschüttern wird, wenn er die Wahrheit über den Inhalt des Glases erfährt. Vielleicht wird es ihn sogar so erschüttern, dass er die Kontrolle verliert. Wir müssen ihn so weit bringen, Sir. Er war bisher äußerst kontrolliert. Er kennt die Wahrheit über den Inhalt des Glases nicht. Es ist eine gute Waffe, und ich möchte sie einsetzen.«

»Er könnte durchdrehen, Smoky. Ich rede hier nicht von dem kranken Mist, den er bisher angestellt hat. Er könnte sich in eine Lenkrakete verwandeln, die nur ein Ziel vor Augen hat, nämlich Sie.«

»Ja, Sir. Das wäre möglich. Und dann schnappen wir ihn.«

Er mustert mich mit einem Blick, den ich nicht zu interpretieren vermag, steht auf, geht zum Fenster. Sein Rücken ist mir zugewandt, als er zu reden anfängt. »Seine Besessenheit von Ihnen, Smoky...« Er dreht sich um. »Ich möchte, dass Sie sehr, sehr vorsichtig sind. Ich...« Er zögert. »Ich möchte nicht, dass sich der Fall Joseph Sands wiederholt. Niemals wieder.«

Es verschlägt mir die Sprache. Weil ich die Emotionen spüre, die von AD Jones ausstrahlen.

»Ich kenne Sie, seit Sie zum FBI gekommen sind, Smoky«, fährt er fort. »Seit Sie jung und voller Begeisterung und grün hinter den Ohren zu uns gekommen sind. Es ist mir nicht gleichgültig, was mit Ihnen geschieht. Verstehen Sie das?«

Ich sehe den Schmerz in seinen Augen. »Jawohl, Sir. Ich werde vorsichtig sein.«

Der Schmerz verschwindet irgendwo in seinem Innern, zurückgedrängt. Er hat mich ihn kurz sehen lassen, wollte, dass ich von seiner Existenz erfahre. Ich weiß, dass es vielleicht das einzige Mal ist, dass er ihn mir gezeigt hat, auf diese Weise, und ich bin gerührt und dankbar zugleich.

»Was ist der zweite Plan?«, fragt er.

»Wenn wir ein mögliches Opfer lokalisieren, möchte ich Jack Junior eine Falle stellen. Und wir müssen verdammt schnell sein.«

»Wenn dieser Zeitpunkt gekommen ist, reden Sie zuerst mit mir.«

»Jawohl, Sir.«

Als ich ins Büro zurückkomme, wedelt Leo mit einem Blatt Papier. »Sie sind fertig mit der Suche«, sagt er. »Wir haben einen Treffer mit dem gleichen Usernamen und Passwort!«

Eigenartig, denke ich. Sehr eigenartig, dass sie ihn nicht variieren. »Erzähl mir mehr«, sage ich zu Leo.

Er sieht auf sein Blatt und liest ab. »Sie heißt Leona Waters. Sie hat eine persönliche Webseite mit Namen…«, er blickt zu mir auf, verzieht lustlos den Mund, »…mit Namen Cassidy Cumdrinker. Sie wohnt in der Gegend von Santa Monica.«

»Haben wir die Adresse?«

»Ich hab sie ausgedruckt.« Er reicht sie mir.

»Was möchtest du jetzt unternehmen, Zuckerschnäuzchen?«

»Was hat Barry bisher zu berichten?«

»Sie haben eine weitere Rechnung von einem Ungezieferdienst gefunden«, poltert Alan. »Die gleiche Scheiße wie beim letzten Mal.«

»Also definitiv ein *Modus Operandi*.«

»Sieht so aus.«

»Sonst noch was?«

»Nein. Die Spurensicherung des LAPD hat ihre Untersuchungen noch nicht abgeschlossen.«

»Gut. Wir machen Folgendes: Callie und ich fahren zu Miss Waters. Ich möchte mir die Wohnung ansehen, ein Gefühl für die Person entwickeln. Danach schmieden wir unseren Plan. Alan, ich möchte, dass du mit Barry in Verbindung bleibst. Und mit Gene ebenfalls, wegen der DNS. Falls sich irgendetwas Neues ergibt, rufst du mich an.«

»Verstanden.«

»Was sollen wir in der Zwischenzeit machen?«, fragt James.

»Seht euch schmutzige Bilder an«, sage ich und deute auf die Fotos der Sexparty, die sie durch die Gesichtserkennungssoftware haben laufen lassen. Ich schnippe mit dem Finger. »Callie, hast du noch deinen Kontakt zu Channel Four?«

»Bradley?« Sie grinst höchst undamenhaft. »Na ja…wir

schlafen zwar nicht mehr miteinander, aber wir unterhalten uns hin und wieder noch.«

»Gut. Du musst dich mit ihm in Verbindung setzen. Wir werden uns mit dieser Sache an die Öffentlichkeit wenden. Ich will, dass er herkommt, so schnell es geht. Ich will, dass es in den Sechs-Uhr-Nachrichten gesendet wird.«

Sie hebt die Augenbrauen. »So schnell?«

Ich nenne ihr meine Gründe. Sie denkt darüber nach, nickt. »Es wird ihn ziemlich erschüttern, und das ist gut für uns.« Sie sieht mich sorgenvoll an. »Er könnte auch durchdrehen und dir an den Kragen gehen.«

»Das tut er bereits. Auf diese Weise sind wir auf ihn vorbereitet.«

»Ich rufe Bradley an.«

Ich nutze die Zeit, um meine E-Mails abzurufen. Ich habe angeordnet, dass jeder sein Postfach jede halbe Stunde überprüft und habe seit mehreren Stunden nicht in mein eigenes gesehen.

Ich finde eine Mail, die bewirkt, dass ich mich kerzengerade in meinem Stuhl aufrichte. Der Betreff lautet: »Grüße von der dunkelhaarigen Schlampe«.

Ich doppelklicke auf die Nachricht. Die einleitenden Worte sind mir inzwischen vertraut.

Ich grüße Sie, Agent Barrett!
Ich nehme an, dass Sie inzwischen meine letzte Arbeit begutachtet haben. Die kleine Charlotte Ross. Meine Güte, was für eine kleine Hure sie war! Sie hat die Beine für jeden breit gemacht, Männlein oder Weiblein, allein oder in Gruppen. Interessant, nicht, dass ich der einzige Mann war, für den sie die Beine nicht bereitwillig breit machen wollte?

Nicht, dass dies eine Rolle gespielt hätte.

Eine weitere Hure weniger. Und Sie – Sie sind immer noch kein Stück weiter. Sind Sie bereits entmutigt, Agent Barrett? Habe ich Sie möglicherweise deklassiert?

Ach, übrigens – fühlen Sie sich frei, den Peilsender an Ihrem
Wagen und die Wanze in Ihrem Telefon zu entfernen.

»Scheiße!«, murmele ich leise.

Was glauben Sie eigentlich, mit wem Sie es zu tun haben, Agent
Barrett? Ich weiß Ihre Bemühungen zu schätzen, aber haben Sie
wirklich geglaubt, Sie würden mich auf diese Weise schnappen?
Ich wusste, dass Sie die Wanzen irgendwann finden würden. Sie
können Ihren Mr. Aguilera wieder nach Hause schicken oder ihn bei
sich behalten – gleichgültig, was Sie tun, auf diese Weise kommen
Sie mir nicht näher.

Ich bin inzwischen ein gutes Stück meines Weges gegangen. Ich
folge den Fußstapfen meines Vorfahren, führe seine heilige Mission
fort. Und ich sammle meine eigenen Andenken, um sie an zukünf-
tige Generationen weiterzugeben.

Ich betrachte mein nächstes Opfer, während ich Ihnen diese
Zeilen schreibe, Agent Barrett. Ein süßes Früchtchen ist sie, zugege-
ben. Andererseits ist Schönheit etwas sehr Oberflächliches. Sie reicht
gerade bis unter die Haut. Betrachten Sie sich selbst – oberflächlich
vernarbt, ja, doch innerlich die geborene Jägerin, voller Perfektion.
Mein zukünftiges Opfer ist äußerlich schön – aber innerlich?

Nichts als eine weitere Hure.

Ich habe noch einige weitere Überraschungen für Sie in petto.

Wir bleiben in Verbindung. Für den Augenblick – seien Sie
fleißig, fleißig!

Ich weiß, dass Sie fleißig sein werden.

From Hell

Jack Junior

Seine Selbstgefälligkeit treibt mich zur Weißglut. Du verdammter
Psychopath, warte nur, bis du meine Antwort hörst. Sie wird dir
dein selbstgefälliges Grinsen, das du so schön verbirgst und von
dem ich trotzdem weiß, dass es da ist, aus dem Gesicht treiben.

»Ich hab Bradley erreicht, Zuckerschnäuzchen!«, ruft Callie
mir von ihrem Schreibtisch zu.

Ich schließe das Mail-Programm.

»Und?«

Sie lächelt. »Ich glaube, er hat sich fast in die Hosen gemacht. Er ist in einer halben Stunde hier.«

»Gut. Sag unten beim Empfang Bescheid, dass sie ihn direkt in den Konferenzraum im zweiten Stock schicken sollen.«

Wie versprochen, ist Bradley Cummings siebenundzwanzig Minuten später da. Er sieht genauso aus wie beim letzten Mal, als ich ihn gesehen habe. Zerfurcht, attraktiv, makelloser Anzug. Groß gewachsen. Niemals verlegen. Callie hat mich in die abenteuerlichen Dschungelsexgeschichten eingeweiht, die sie mit ihm erlebt hat. »Ziemlich befriedigend«, hat sie ihn genannt.

Er ist nur mit kleinem Gefolge angerückt. Er und ein Kameramann.

»Danke, dass Sie gekommen sind, Brad.«

»Callie hat mir am Telefon die Kurzversion erzählt. Kein echter Nachrichtenjournalist lässt sich so etwas entgehen. Wie möchten Sie es machen?«

»Ich gebe Ihnen alle Details bei abgeschalteter Kamera. Danach können Sie vor der Kamera sämtliche Fragen stellen, die Sie möchten.«

»Das klingt prima.«

»Hier ist der Haken, Brad. Ich brauche die Meldung in den Sechs-Uhr-Nachrichten.«

»Vertrauen Sie mir, da gibt es nicht das geringste Problem.«

»Gut. Der zweite Haken ist, dass ich sicher sein muss, dass ein Teil der Informationen über diesen Fall von mir selbst vor laufender Kamera mitgeteilt wird. Sie werden es begreifen, wenn Sie es sehen. Es ist von größter Wichtigkeit, dass ich es sage und niemand anderes.«

Er sieht mich beunruhigt an. »Diese Geschichte kocht über, stimmt's, Smoky?«

»Wenn Sie meinen, dass ich Sie benutze – ja, da haben Sie

Recht. Aber…«, ich hebe einen Finger, »jedes Detail stimmt. Sie werden die Wahrheit berichten. Und Sie werden zwei weitere Dinge tun: Sie warnen potentielle Opfer, und Sie geben mir die Chance, diesen Mörder richtig sauer zu machen. Deswegen muss ich diejenige sein, die es sagt. Betrachten Sie diesen Kerl als eine Handgranate, Brad. Ich bin diejenige, die den Stift zieht.« Ich zucke die Schultern. »Und wer den Stift zieht, setzt sich dem Risiko aus, bei der Explosion erwischt zu werden.«

Er sieht mir in die Augen, sucht nach einer Unwahrheit. »Gut. Ich vertraue Ihnen. Schießen Sie los.«

Die nächsten zwanzig Minuten verbringe ich damit, ihm eine Zusammenfassung dessen zu liefern, was sich in den vergangenen fünf Tagen ereignet hat. Er macht seine Arbeit gut, fertigt Notizen an, stellt hier und da Fragen. Als ich fertig bin, lehnt er sich zurück.

»Wow!«, sagt er schließlich. »Das ist wirklich…ein Hammer. Ich nehme an, dass das, was Sie vor der Kamera sagen wollen, den Inhalt des Glases betrifft?«

»Genau. Einer der Gründe, warum es wichtig ist, dass ich es sage und niemand anderes, ist, dass die Information ihn richtig wütend machen wird. Er wird sich wahrscheinlich auf jeden stürzen, der sie verkündet.«

»Ja, so ist es wohl«, sagt er nachdenklich. »Also schön, fangen wir an.«

Brad ist sicher und professionell vor der Kamera. Seine Fragen sind scharf und präzise, ohne mich anzugreifen. Schließlich kommt er zum entscheidenden Punkt. »Special Agent Barrett – Sie haben gesagt, dass Sie über eine enthüllende Information hinsichtlich des Inhalts des Glases verfügen, das er Ihnen geschickt hat? Könnten Sie das erläutern?«

»Selbstverständlich, Brad. Wir haben das Glas geöffnet und den Inhalt analysiert. Und wir haben herausgefunden, dass das Gewebe darin nicht von einem Menschen stammt. Es handelt sich um Rindfleisch.«

»Was bedeutet das?«

Ich drehe mich so, dass ich direkt in die Kamera blicke. »Es bedeutet, dass er nicht der ist, der er zu sein vorgibt. Er ist kein Nachfahre von Jack the Ripper. Wahrscheinlich glaubt er, ein Nachfahre von Jack the Ripper zu sein. Ich bezweifle, dass er wusste, was sich in diesem Glas befand.« Ich schüttele den Kopf. »Traurig, wirklich traurig. Er ist eine lebendige Lüge, und er weiß es nicht einmal.«

»Ich danke Ihnen, Agent Barrett.«

Brad ist überglücklich, als er abzieht. Er verspricht mir, die Meldung in den Sechs- und den Elf-Uhr-Nachrichten zu bringen, und er kann sich gerade noch so weit zügeln, dass er nicht voller Eifer losrennt.

»Das lief gut«, bemerkt Callie. »Ich hatte ganz vergessen, was für ein attraktiver Bursche er ist. Vielleicht sollte ich ihn mal wieder anrufen.«

»Wenn du es machst, verschon mich diesmal bitte mit den Details.«

»Das ist nicht witzig.« Sie zögert. »Er wird außer sich sein vor Wut, Zuckerschnäuzchen. Jack Junior, meine ich. Vielleicht verliert er tatsächlich die Kontrolle.«

Ich grinse böse. »Das hoffe ich. Das hoffe ich sehr. Und jetzt statten wir Miss Waters unseren Besuch ab.«

Auf dem Weg zu Leona Waters rufe ich Tommy Aguilera an und erzähle ihm von der E-Mail.

»Einer von beiden war an jenem Abend offensichtlich da und hat mich beobachtet. Oder am nächsten Morgen. Es bedeutet, dass die beiden sehr gut informiert sind über alle Leute, die du kennst. Leute wie mich beispielsweise.«

»Ja. Ich schätze, das war's, Tommy. Ich ruf dich später wieder an, wenn es dir recht ist. Damit du mir hilfst, die Wanze und den Sender loszuwerden.«

»Das musst du nicht.«

»Wieso nicht?«

»Weil ich dich weiter beschatten werde, Smoky. Ich hab es dir letzte Nacht gesagt. Du bist meine Klientin. Mein Job ist nicht vorbei, bevor du ihn nicht geschnappt hast und ich weiß, dass du in Sicherheit bist.«

Ich will protestieren, doch in Wahrheit hat ein Teil von mir gehofft, dass er so etwas sagen würde.

»Ich beobachte dich weiter, Smoky.«

Die Fahrt dauert länger, als ich gedacht habe, weil es auf dem Freeway einen Unfall gegeben hat. Ein Lieferwagen ist gegen die Leitplanke gekracht. Es ist nur ein Blechschaden, trotzdem ist der Stau wie immer gewaltig. Als wir endlich ankommen, ist es fast zwei Uhr nachmittags.

Leona Waters wohnt in einem sehr hübschen Apartmenthaus in einer weniger schönen Umgebung. Santa Monica ist eine ziemlich unsichere Gegend geworden. In vielen Stadtteilen wohnt zwar noch die Mittel- oder gar Oberschicht, aber es beginnt zu verfallen, genau wie der gesamte Rest von Los Angeles. Es ist die ewige Geschichte dieser Stadt – die Menschen ziehen weiter und weiter nach draußen, um dem Krebsgeschwür des Niedergangs zu entfliehen. Doch der Krebs scheint immer schon vor ihnen da zu sein.

Wir parken am Straßenrand und gehen zum Eingang. Es gibt Sicherheitstüren, und die Bewohner müssen einen Kode eintippen. Ein Wachmann sitzt hinter einem Empfangsschalter. Ich klopfe an die Glasscheibe, damit er Notiz von uns nimmt. Er betrachtet mich mit einem Ausdruck gelangweilter Verärgerung, bis ich meinen FBI-Ausweis gegen die Scheibe drücke. Als er ihn sieht, fliegt er wie von einem Katapult geschossen aus dem Sitz und stürzt herbei, um uns einzulassen.

Als er die Narben in meinem Gesicht bemerkt, zögert er für eine Sekunde und starrt mich offen an. Dann wandern seine Augen zu Callie, gleiten an ihr hinauf und hinab und verharren einen Sekundenbruchteil länger als nötig auf ihrer Brust.

»Was hat das zu bedeuten, Ma'am?«

»Nur ein paar Fragen, Mr....?«

»Ricky«, beeilt er sich zu sagen und leckt sich die Lippen. Er richtet sich ein wenig höher auf. Ricky sieht aus wie Ende vierzig. Er hat das mitgenommene Aussehen von jemandem, der früher einmal in Form war und sich hat gehen lassen. Sein Gesicht ist von tiefen Linien durchzogen und wirkt müde. Ricky ist kein Mann, der sein Leben genießt.

»Wir haben ein paar kurze Fragen an einen der Mieter. Keine große Sache.«

»Benötigen Sie Hilfe, Ma'am? Welcher Mieter?«

»Ich fürchte, das ist vertraulich, Ricky. Das werden Sie doch sicher verstehen?«

Er nickt, bemüht sich, wichtig dreinzuschauen. »O ja, Ma'am, selbstverständlich. Ich verstehe. Der Aufzug befindet sich gleich dort drüben. Lassen Sie mich wissen, wenn Sie etwas brauchen.« Ein weiterer verstohlener Blick zu Callies Titten.

»Mache ich, danke sehr.« Bestimmt nicht, denke ich.

Wir steigen in den Lift. »Widerlicher Kerl«, bemerkt Callie, während wir nach oben in den dritten Stock fahren.

»Allerdings.«

Wir steigen aus. Hinweisschilder führen uns zu Apartment Nummer 314. Ich klopfe an, und einen Moment später wird uns geöffnet.

Die Frau in der Tür und ich starren uns gegenseitig an, und uns fehlen die Worte. Callie durchbricht das Schweigen.

»Hast du eine Schwester, von der ich nichts weiß, Zucker-schnäuzchen?«

Ich habe keine, doch die Frage ist berechtigt. Leona Waters und ich könnten Schwestern sein. Wir sind fast gleich groß. Sie hat meine Figur, meine Kurven an der Hüfte und den Man-gel an Kurven an der Brust. Das gleiche lange, dunkle, dicke

Haar, und unsere Gesichter besitzen ebenfalls Ähnlichkeit. Die gleiche Nase. Unterschiedliche Augenfarben. Und natürlich hat sie keine Narben. Unter meinem Staunen spüre ich eine aufkeimende Beunruhigung. Ich schätze, es ist eindeutig, warum Jack Junior diese Frau ausgewählt hat.

»Leona Waters?«, frage ich.

Ihre Augen zucken von mir zu Callie und wieder zurück. »Ja…?«

Ich halte ihr meinen Dienstausweis hin. »FBI.«

Sie runzelt die Stirn. »Stecke ich in Schwierigkeiten?«

»Nein, Ma'am. Ich bin die Leiterin des CASMIRC Los Angeles, dem Child Abduction and Serial Murder Investigative Ressources Center. Wir suchen einen Mann, der mindestens zwei Frauen vergewaltigt, gefoltert und ermordet hat. Wir halten es für möglich, dass er Sie als nächstes Opfer ausgesucht hat.« Ich komme direkt zur Sache, maximale Schockwirkung.

Ihr Unterkiefer sinkt herab. Ihre Augen weiten sich. »Soll das ein Witz sein?«

»Nein, Ma'am. Ich wünschte, es wäre so. Leider ist es bitterer Ernst. Dürfen wir hereinkommen?«

Sie braucht eine Sekunde, doch dann fasst sie sich. Sie tritt beiseite und lässt uns ein.

Als wir ihr Apartment betreten, fällt mir als Erstes die geschmackvolle Einrichtung ins Auge. Subtile Schönheit und äußerst feminin. Unverkennbar das Zuhause einer Frau.

Sie deutet auf das Sofa und bittet uns, Platz zu nehmen. Sie setzt sich uns gegenüber in einen dazu passenden Polstersessel.

»Also…also ist es wahr? Sie sagen, irgendein Irrer da draußen will mich umbringen?«, fragt sie.

»Ein sehr gefährlicher Mann. Er hat bereits zwei Frauen getötet. Sein Ziel sind Frauen, die Webseiten für Erwachsene betreiben. Er foltert, vergewaltigt und tötet sie. Anschließend verstümmelt er ihre Leichen. Er hält sich für einen Nachkommen von Jack the Ripper.«

Ich setze meinen Bericht fort, schnell, kalt und erbarmungslos, um jedem Zögern und jeglichen Bedenken ihrerseits zuvorzukommen. Es scheint zu funktionieren; ihre Gesichtsfarbe wird immer blasser.

»Was bringt Sie auf den Gedanken, dass er mich als nächstes Opfer ausgewählt hat?«

»Er hat eine bestimmte Vorgehensweise. Er abonniert eine Webseite und wird Mitglied. Er hat dies bisher bei jeder Frau getan, die er ermordet hat. Er wählt einen Usernamen und ein Passwort, das mit Jack the Ripper in Zusammenhang steht. Wir fanden eine dieser Kombinationen auf ihrer Mitgliederliste.« Ich deute auf mich. »Er hasst mich, Miss Waters. Er ist besessen von seinem Hass auf mich. Sehen Sie nicht, wie ähnlich wir uns sind?«

Sie zögert, mustert mich von oben bis unten. »Ja. Natürlich sehe ich es.« Sie zögert. »Hat er…hat er Ihnen das angetan?« Sie deutet auf mein Gesicht.

»Nein, nicht er. Das war jemand anders.«

»Ich will ja nicht unhöflich sein, aber das ist nicht gerade sehr Vertrauen erweckend.«

Ich antworte mit einem schwachen Lächeln. Zeige ihr, dass ich mich nicht angegriffen fühle. »Das ist verständlich. Doch der Mann, der dies getan hat, hat mich unvorbereitet getroffen. Das ist es, was wir hier zu vermeiden versuchen. Er weiß nicht, dass wir ihm so dicht auf den Fersen sind.«

Ich sehe, wie Begreifen in ihrem Gesicht dämmert. »Ich verstehe. Sie wollen ihm eine Falle stellen, richtig?«

»Das ist richtig, Ma'am.«

»Und Sie wollen mich als Köder.«

»Genau genommen nicht, nein. Sie sind nur in der Hinsicht der Köder, dass er denkt, Sie wären daheim. Ich werde einen Beamten an Ihre Stelle setzen. Ich kann das Risiko nicht eingehen, Sie als Zivilistin in Gefahr zu bringen. Wir möchten lediglich Ihr Apartment benutzen. Sie müssten es für eine kleine Weile verlassen.«

In ihren Augen blitzt etwas auf, das ich nicht zu entziffern vermag. Sie steht auf, geht ein paar Schritte. Wendet uns für einige Sekunden den Rücken zu. Als sie sich wieder zu uns umdreht, ist ihr Gesicht entschlossen.

»Wissen Sie, wie alt ich bin?«, fragt sie.

»Äh – nein«, antworte ich.

»Ich bin neunundzwanzig.« Sie deutet mit beiden Händen auf sich. »Nicht schlecht für neunundzwanzig, meinen Sie nicht?«

»Nein, wirklich nicht schlecht.«

»Ich habe den ersten Mann geheiratet, mit dem ich Sex hatte. Ich war damals achtzehn und dachte, er sei die Liebe meines Lebens, der großartigste Mann auf der Welt. Ich hätte alles für ihn getan. Habe alles für ihn getan, eine Weile jedenfalls. Dann hat sich Prince Charming verändert. Und für die nächsten sieben Jahre hat er mich geschlagen. Er hat mir niemals die Knochen gebrochen, nein, niemals Spuren auf meinem Gesicht hinterlassen. Dazu war er viel zu schlau. Doch er wusste, wo es besonders wehtat. Und er hat mir jede Menge Erniedrigungen zugefügt.« Ihre Augen starren unverwandt in meine. »Wissen Sie, wie es ist, mit so einem Mann Sex zu haben? Es ist eine Vergewaltigung. Es spielt keine Rolle, ob man mit ihm verheiratet ist oder nicht. Er macht es zu einer Vergewaltigung.« Sie schüttelt den Kopf, blickt zur Seite. »Ich habe lange gebraucht, bis ich erwachsen wurde. Sieben Jahre. Die ersten sechs kam mir nicht mal der Gedanke, ihn zu verlassen. Er kam mir einfach nicht. Er hatte mich überzeugt, dass das, was er mit mir machte, meine eigene Schuld war. Oder sein Recht.«

»Was ist passiert, um das zu ändern?«, fragt Callie.

Wir sind zu erfahren, um sie zu fragen, wohin das führt oder was das mit unserem Fall zu tun hat. Was auch immer sie sagen will, muss gesagt werden. Und um das zu bekommen, was wir wollen, müssen wir uns anhören, was sie zu sagen hat.

Ihre Augen werden hart wie Feuerstein. »Wie ich bereits sagte, ich wurde erwachsen. Ich wusste, dass er sich schlau anstellte. Ich habe mit einer Reihe von Cops geredet. Sie sagten mir, es wäre eine Schlacht auf verlorenem Boden, ihm zu beweisen, was er tat.« Sie lächelt. »Also habe ich eine Kamera versteckt und alles gefilmt. Ein letztes Mal ließ ich mich von ihm verprügeln, erniedrigen, vergewaltigen. Ich übergab das Video der Polizei und erstattete Anzeige. Sein Anwalt versuchte den Richter zu überzeugen, dass das Video nicht als Beweis zulässig wäre, weil ich ihm eine Falle gestellt hätte, aber ...« Sie zuckt die Schultern. »Ich hatte eine gebrochene Nase, zwei blaue Augen und gebrochene Rippen. Der Richter ließ das Video zu. Mein Ehemann kam ins Gefängnis, und ich verkaufte all unseren Besitz und ging nach Los Angeles.«

Sie deutet auf ihre Wohnung. »Das hier ist meins. Ich weiß, dass Sie wahrscheinlich nicht billigen, womit ich meinen Lebensunterhalt verdiene, aber das ist mir egal. Das hier ist meins, und ich bin frei von ihm.« Sie setzt sich und sieht uns an. »Die Sache ist die: Ich habe mir geschworen, dass mich kein Mann jemals wieder kontrollieren würde. Niemals. Also – wenn Sie meine Wohnung benutzen wollen, um diesen Psychopathen zu schnappen, kooperiere ich. Bis zum Äußersten. Doch ich werde meine Wohnung nicht verlassen.« Sie lehnt sich zurück, verschränkt die Arme vor der Brust. Ein Bild der Entschlossenheit.

Ich betrachte Leona Waters lange Zeit. Sie erträgt meine Blicke, ohne mit der Wimper zu zucken. Es gefällt mir nicht. Überhaupt nicht. Aber ich gelange zu der Überzeugung, dass sie nicht nachgeben wird. Resigniert breite ich die Hände aus.

»Also schön, Miss Waters. Wenn ich meinen Boss dazu bringen kann, sein Okay zu geben, machen wir es, wie Sie es wünschen.«

»Nennen Sie mich Leona, Agent Barrett. Also ...« Sie beugt sich vor, sieht uns genauso wild wie aufgeregt an. »Wie soll es funktionieren?«

Ich bin vorsichtig optimistisch. Leona hat keinerlei Besuch von einer Ungezieferfirma erhalten, was bedeutet, dass Jack Junior noch keine Aufklärung betrieben hat. Es könnte jederzeit geschehen. Heute, morgen. Ich bin überzeugt, dass es bald geschehen wird.

Der Drache in mir bäumt sich auf. Er riecht Blut.

Ich habe mit AD Jones telefoniert und ihm gesagt, was ich brauche. Nach langem Fluchen hat er schließlich nachgegeben. Callie und ich sind immer noch in Leonas Wohnzimmer, diesmal mit Kaffee in den Händen, den Leona uns angeboten hat. Wir warten auf die Ankunft zweier Agents und zweier LAPD-Beamter des SWAT-Teams. Sie kommen nacheinander her. Wir wollen die Mörder nicht alarmieren, falls einer von ihnen das Haus beobachtet.

Leona ist in ihrem Büro; sie sagt, sie müsste ein paar E-Mails beantworten.

»Weißt du«, sagt Callie, »mir gefällt zwar nicht, womit sie ihren Lebensunterhalt verdient, aber ich mag diese Miss Waters. Sie ist eine starke Frau.«

Ich grinse schief. »Ich auch. Ich wünschte nur, sie würde nicht darauf beharren zu bleiben. Doch ich muss gestehen, sie ist tapfer, und sie ist entschlossen.«

Callie trinkt von ihrem Kaffee. »Was glaubst du, wie stehen unsere Chancen?«, fragt sie.

»Ich weiß es nicht, Callie. Nachdem ich Leona gesehen habe, bin ich sicher, dass wir auf der richtigen Spur sind. Sie steht auf seiner Liste. Ich meine, sieh sie dir nur an.« Ich verziehe das Gesicht. »Wahrscheinlich hat er sie ausgewählt, um das Gefühl zu haben, dass er mich vergewaltigt und ermordet.«

»Es ist wirklich unheimlich, Zuckerschnäuzchen. Man könnte fast anfangen, an diese ganze Doppelgänger-Geschichte zu glauben.«

Mein Handy klingelt. »Hallo?«, antworte ich.

Alans Bariton rumpelt an meinem Ohr. »Ich wollte dich nur

kurz informieren. Gene sagt, dass es länger als erwartet dauert mit der DNS. Er hat frühestens heute Abend um zehn Uhr ein Ergebnis.«

»Wir sind auf eine heiße Spur gestoßen hier draußen.« Ich berichte ihm von Leona und unserem neuen Plan.

»Das könnte eine gute Nachricht sein«, sagt er. »Vielleicht schnappen wir die Säcke.«

»Drück die Daumen. Ich halte euch auf dem Laufenden.« Ich lege auf und sehe auf die Uhr. »Verdammt. Die Zeit ist schnell rumgegangen.« Ich sehe Callie an. »Es ist beinahe sechs.«

»Zeit für die Abendnachrichten«, sagt sie.

»Zeit, diesem Psychopathen eins in die Fresse zu geben.«

KAPITEL 42 Brad wirkt in seinem Sonderbericht attraktiv und ernst.

»Viele werden sich an Special Agent Smoky Barrett erinnern, über die wir vor einem halben Jahr an dieser Stelle berichtet haben. Damals jagte sie einen Serienmörder, Joseph Sands, der eines Abends sie und ihre Familie überfiel. Es gelang Smoky, sich aus seiner Gewalt zu befreien und ihn zu erschießen, doch er brachte vorher ihre gesamte Familie um und verstümmelte sie grauenvoll. Trotz dieser persönlichen Tragödie hat Smoky Barrett ihre Arbeit wieder aufgenommen.

Sie verfolgt gegenwärtig einen Mann, von dem nichts bekannt ist, außer, dass er sich Jack Junior nennt. Er behauptet, ein direkter Nachfahre von Jack the Ripper zu sein ...«

Sein Bericht ist nüchtern und sachlich. Er hat es nicht nötig, irgendetwas auszuschmücken. Die Wahrheit ist grauenhaft genug. Gegen Ende des Berichts taucht mein Gesicht auf der Mattscheibe auf, und ich liefere die schockierende Wahrheit über den Inhalt des Glases. Ich betrachte mich leidenschaftslos.

Allmählich gewöhne ich mich an meine Narben. Ich bezweifle, dass die Zuschauer ähnlich empfinden.

»Das FBI fordert alle Frauen mit diesem Beruf auf, Vorsichts-maßnahmen zu treffen.« Er spult eine Liste von Maßnahmen ab, die wir ihm gegeben haben und die wir für durchführbar halten. Er sieht eindringlich in die Kamera. »Seien Sie auf der Hut, seien Sie wachsam. Ihr Leben könnte auf dem Spiel stehen.«

Der Beitrag endet.

»Er hat gute Arbeit geleistet«, sagt Callie. »Du ebenfalls, Zuckerschnäuzchen.«

»Sie versuchen ihn wütend zu machen, habe ich Recht?«, ertönt hinter uns eine Stimme. Wir waren so in den Bericht vertieft, dass wir nicht bemerkt haben, wie Leona aus ihrem Büro zurückgekommen ist.

»Ja«, sage ich. »Das versuchen wir.«

Sie lächelt mich bewundernd an. »Sie sind wirklich beeindruckend, Agent Barrett. Wenn ich das hätte durchmachen müssen, was Sie durchgemacht haben…« Sie schüttelt den Kopf.

»Ich weiß nicht, Leona. Sie haben eine ähnliche Geschichte erlebt, und Sie sind auch nicht untergegangen.«

Es klopft an der Tür, und unsere Unterhaltung endet abrupt. Leona versteift sich.

»Bleiben Sie hier«, murmele ich ihr zu, während ich meine Waffe ziehe.

Ich gehe zur Tür. »Ja?«, frage ich.

»Special Agent Barrett? Hier sind die Agents Decker und McCullough, zusammen mit zwei Mitgliedern des LAPD-SWAT-Teams.«

Ich blicke durch den Spion. Erkenne Decker.

»Warten Sie«, rufe ich und öffne die Tür, winke alle vier herein.

Gemäß meinen Anweisungen sind sie in Zivil gekommen. Amüsiert bemerke ich, dass sie alle die gleichen Sachen tragen:

Jeans und Hemd und Pullover. Selbst in ihrer Freizeit kleiden sie sich uniform. Doch keiner von ihnen würde auf den ersten Blick als Gesetzesvertreter auffallen.

»Sie sind alle informiert?«, frage ich, nachdem wir im Wohnzimmer angekommen sind.

Ein Chor aus »Ja, Ma'am!«.

»Gut. Wir legen hier eine Falle aus, Gentlemen. Die Täter haben zweimal zugeschlagen. Sie sind gefährlich, extrem gefährlich. Sie operieren mit Präzision – wenig Zögern, voller Entschlossenheit. Wir kennen ihren gegenwärtigen *Modus Operandi* von ihren früheren Opfern. Einer von ihnen kundschaftet die Wohnung des geplanten Opfers als Kammerjäger verkleidet aus, und wir hoffen, dass sie diesmal genauso vorgehen. Unterschätzen Sie die Täter nicht, Gentlemen. Wenn einer von ihnen oder beide ein Messer ziehen, dann nicht, um einzuschüchtern oder zu verängstigen. Sie benutzen es ohne eine Sekunde des Zögerns. Wer von beiden hier auftaucht, wir brauchen ihn lebendig, damit er uns zu seinem Komplizen führen kann.« Ich deute auf Leona. »Das hier ist Miss Waters. Wir sind sicher, dass er sie als Opfer ausgewählt hat.«

Ich sehe, wie sie Leona mustern. Abschätzen. Einer der SWAT-Typen starrt sie unprofessionell an, voll sexueller Anspielung. Ich bin außer mir vor Empörung und Entsetzen. Ich trete vor ihn, bohre ihm den Finger in die Brust, hart genug, um ein Hämatom zu hinterlassen. »Ich erwarte von jedem, dass er mit höchster Professionalität arbeitet. Sie sollten wissen, dass ich Miss Waters gebeten habe, woanders zu wohnen, während wir diese Operation durchführen. Sie hat sich geweigert, ist freiwillig geblieben.« Ich beuge mich vor und lasse den Typen sehen, wie wütend ich auf ihn bin. »Wenn diese Frau verletzt wird, weil du mit dem Schwanz gedacht hast, Kerl, dann fresse ich dich bei lebendigem Leibe, kapiert?«

Zu seinen Gunsten ist der entschuldigende Blick des Kerls offen und ohne Groll. Er nickt.

»Wie lautet der Plan, Ma'am?«, fragt Agent Decker und bringt mich wieder zum Thema zurück.

Ich verdränge meinen Ärger. »Wir halten die Operation so einfach wie möglich. Einer auf dem Dach, einer draußen beim Lift. Zwei hier drin, zusammen mit mir und Agent Thorne. Der Mann auf dem Dach wird uns alarmieren, sobald sich jemand von der Straße her nähert. Der Mann am Aufzug wird angeben, ob die betreffende Person auf diesem Stockwerk aussteigt. Wir hier drinnen halten uns bereit, um den Verdächtigen zu überwältigen. Sie haben alles an Ausrüstung dabei, was gebraucht wird?«, frage ich Decker.

»Ja, Ma'am. Ohrhörer und Kehlkopfmikrophone. Und Waffen.«

»Einschließlich eines Scharfschützengewehrs für die Arbeit auf dem Dach«, ergänzt einer der SWAT-Leute.

Ich nicke. »Gut. Es sollte Ihnen klar sein, dass Sie keine Aufmerksamkeit auf sich ziehen dürfen. Wir haben Hinweise, dass einer der beiden Täter mich beschattet hat. Wenn sie einen Verdacht hegen, werden sie ihre Aktion abbrechen und fliehen.« Ich sehe alle der Reihe nach an. »Irgendwelche Fragen?«

Alle verneinen. »Dann begeben Sie sich auf Ihre Positionen. Bleiben Sie wachsam, aber machen Sie sich auf eine lange Wartezeit gefasst.«

KAPITEL 43   Das, denke ich, ist typisch für meinen Beruf. Mein Leben wird von äußeren Einflüssen bestimmt, die mich zu plötzlichen Aktionen zwingen. Die Ironie bleibt mir nicht verborgen. Ich hasse es, wenn ich gezwungen werde, irgendetwas zu tun, und doch habe ich mich für einen Beruf entschieden, bei dem genau das regelmäßig geschieht. Wenn man Mörder jagt, gibt es keine geregelte Arbeitszeit. Die Regel ist einfach: Je länger er dort draußen sein Unwesen treibt, desto höher wird die Zahl seiner Opfer. Darum arbeitet man unermüdlich, bis man ihn gefasst hat.

Und so finde ich mich hier, im Apartment einer Frau, die ihren Lebensunterhalt damit verdient, ihre sexuellen Abenteuer darzubieten, und warte so lange, wie es erforderlich ist, in der Hoffnung, dass entweder Jack Junior oder sein Partner auftauchen.

Ich sehe zu Callie rüber. Sie sitzt auf dem Sofa, die Füße auf dem Wohnzimmertisch, und verfolgt zusammen mit Leona eine Talkshow, während beide Frauen Popcorn essen. Das ist eines von Callies Talenten, die ich bewundere und liebe. Sie kann im Augenblick leben, vollkommen entspannt, und wie mit einem Peitschenknall von einem Sekundenbruchteil zum anderen aktiv werden. Eine Fähigkeit, die ich nie besessen habe.

Ich blicke auf meine Armbanduhr. Es ist halb zehn. Ich überprüfe die Lage auf dem Dach. »Irgendetwas Ungewöhnliches, Bob?«, frage ich den SWAT-Beamten, dessen Vornamen ich inzwischen erfahren habe.

»Nein, Ma'am, nichts.« Die Stimme knackt und rauscht in meinem Ohr.

Ich neige den Kopf, belausche die Unterhaltung zwischen Callie und Leona.

»Lassen Sie mich Ihnen eine Frage stellen, Zuckerschnäuzchen. Was passiert, wenn Sie eines Tages beschließen, dass Sie wieder einen Mann in Ihrem Leben haben möchten?«

»Wie meinen Sie das?«

»Ich meine, ändern Sie dann Ihre Lebensweise?«

Leona denkt über die Frage nach. »Kommt darauf an. Viele Menschen führen nicht-monogame Beziehungen. Die Chancen stehen dagegen, dass so etwas funktioniert, aber es kommt vor. Ich nehme an, wenn ich so etwas nicht finde, muss ich warten, bis ich selbst beschließe aufzuhören, bevor ich nach einem Partner suche. Ich habe mir geschworen, dass ich niemals mehr wegen eines Mannes mein Leben von Grund auf ändern werde. Niemals.«

»Interessantes Thema, nicht?«

»Zumindest für Leute, die so leben wie ich, das steht fest.«

Ich höre nicht mehr hin. Callie hat ein unersättliches Interesse an dem, was andere Menschen antreibt. Das hatte sie schon immer.

Bobs Stimme knackt in meinem Ohr, reißt mich aus meinen Gedanken und meiner Langeweile. »Männliche Person, circa eins achtzig groß, dunkelhaarig, betritt das Gebäude. Gekleidet in eine Art Arbeitskleidung. Ich kann sie nicht genau erkennen.«

»Verstanden«, sagt Dylan, unser Mann am Aufzug.

Ich sehe Callie und die Agenten Decker und McCullough an. Sie nicken, geben mir zu verstehen, dass sie mitgehört haben. Sekunden verstreichen.

»Männliche Person mit passender Beschreibung hat soeben den Aufzug verlassen, geht auf die Wohnung zu«, meldet Dylan. »Ich bestätige Arbeitskleidung, ich wiederhole, bestätige Arbeitskleidung einer Schädlingsbekämpfungsfirma.«

»Verstanden«, antworte ich. Mein Herz hämmert bis zum Hals, und der Drache in mir rührt sich aufgeregt. »Bleiben Sie, wo Sie sind, um mögliche Fluchtversuche zu verhindern, Dylan.«

»Verstanden.«

»Bob, ich gebe Ihnen Bescheid, wenn er uns entwischt. Möglicherweise müssen Sie schießen.«

»Verstanden. Ich bin bereit.«

Ich sehe Leona an. »Er ist es.«

Sie nickt. Sie sieht aufgeregt aus, angespannt, nicht verängstigt, wie ich bemerke.

Es klopft an der Tür. Ich bedeute Leona zu öffnen. Sie geht zur Tür und blickt durch den Spion, eine letzte Überprüfung. Wendet sich mir zu und schüttelt den Kopf. Sie kennt ihn nicht. Ich nicke ihr zu.

»Wer ist da?«, fragt sie.

»ABC Ungezieferbekämpfung, Ma'am. Tut mir Leid, dass

ich zu dieser späten Stunde störe, aber der Hausbesitzer hat uns wegen eines dringenden Notfalls angerufen. Es gibt Ratten im Haus. Ich muss reinkommen und Ihre Wohnung überprüfen. Es dauert nur ein paar Minuten.«

»Äh ... okay. Warten Sie einen Moment.«

Sie sieht mich fragend an. Ich bedeute ihr, ins Schlafzimmer zu gehen. Ich ziehe die Waffe, wie Callie, Decker und McCullough. Ich hebe die Hand, zähle mit den Fingern bis drei. Eins ... zwei ... Bei drei reiße ich die Tür weit auf.

»FBI!«, brülle ich ihn an. »KEINE BEWEGUNG!«

Der Lauf meiner Pistole ist keine fünfzig Zentimeter von seinem Gesicht entfernt. Ich kann seine Augen deutlich sehen, und ich erkenne die Leere, die ich mir vorgestellt habe. Er lässt den Notizblock fallen, den er in der Hand gehalten hat, und hebt die Hände über den Kopf.

»Nicht schießen!«, sagt er. Er klingt verblüfft, wie nicht anders zu erwarten, wenn man in den Lauf einer Pistole starrt, doch irgendetwas in mir ist unruhig, weil seine Augen alles andere als Verblüffung zeigen. Sie sind geschäftig. Zucken hierhin, dorthin, wägen ab, denken.

»Keine falsche Bewegung!«, warne ich ihn. »Nehmen Sie die Hände hinter den Kopf, und knien Sie sich auf den Boden!«

Er fixiert mich, leckt sich die Lippen. »Wie Sie meinen ... Smoky.«

Mir bleibt keine Millisekunde, um mich von der Überraschung wegen der Nennung meines Vornamens zu erholen. Er bewegt sich wild wie der Wind, macht einen Schritt zur Seite, dann direkt auf mich zu. Seine Hände bewegen sich in unterschiedliche Richtungen, eine schlägt meine Waffe zur Seite, die andere kracht in mein Gesicht. Ich segele rückwärts, sehe Sterne, und die Millisekunde ist vorbei.

Ich lande hinterrücks auf dem Boden und versuche mich wieder auf die Beine zu kämpfen. Es ist mir gelungen, die Waffe in der Hand zu behalten.

Er schnellt vor – eine ultra-effiziente Art von Kampfkunst, kraftvoll und unglaublich vernichtend. Wie bei mir springt er seine Gegner an, und seine Schläge und Tritte sind kurz und brutal. Nicht kunstvoll, sondern effektiv. Ich beobachte hilflos, wie er Agent Decker den Ellbogen gegen den Kiefer stößt und bemerke mit benommenem Interesse, dass zwei seiner Zähne nicht ausfallen, sondern förmlich aus seinem Mund SCHIESSEN, wie zwei Kugeln. Und dann höre ich Callies Stimme, kalt wie Eis: »Noch eine einzige Bewegung, und du bist tot.«

Sämtliche Bewegung erstarrt. Als wäre die Zeit stehen geblieben. Weil Callie ihre Pistole nun an seiner Stirn hat. Seine Blicke jagen wutvoll hierhin und dorthin, und dann wird er von Agent Decker gerammt und ein weiteres Mal von Dylan, der vom Aufzug herbeigekommen ist, um mitzumachen und ebenfalls ein wenig Spaß zu haben.

Ich merke, dass ich blute, und ich bin immer noch benommen. Sehr benommen.

»Alles in Ordnung, Zuckerschnäuzchen?«

Ich stehe auf, wanke. »Ich bin in …«

Und dann falle ich wieder um. Ich verliere nicht das Bewusstsein, aber ich falle auf den Hintern, einfach so.

»Du dämliche Nutte!«, brüllt der Mörder mich an. »Du nutzloses Stück Scheiße! Du glaubst, das hat irgendwas zu bedeuten? Das bedeutet überhaupt nichts! Nichts! Ich werde dich trotzdem …«

»Verdammt!«, unterbreche ich ihn. »Halt's Maul, oder ich schieße dir ins Bein. Dylan, McCullough – fesseln und knebeln Sie ihn bitte.«

Dylan grinst mich an, doch dann legt er dem Kerl die Handschellen an und führt ihn nach draußen in den Flur, um ihm seine Rechte vorzulesen.

»Wie geht es dir?«, fragt Callie besorgt.

Ich schüttele probeweise den Kopf. »Ich bin nicht mehr benommen. Okay, schätze ich. Wie sieht mein Gesicht aus?«

»Er hat dir die Lippen zerschlagen, Zuckerschnäuzchen. Sie sind dick geschwollen, wie bei einer Collagen-Prinzessin.«

Das lässt mich alarmiert aufspringen. »Decker!«

»Hier. Alles in Ordnung.«

Ich sehe ihn. Er ist aufgestanden, lehnt sich an eine Wand. Er hat ein Taschentuch vor dem Mund, das voll gesogen ist mit Blut.

»Mein Gott!«, sage ich. »Sie müssen zu einem Arzt.«

»Ich muss zum Zahnarzt«, stöhnt er. »Dieser Mistkerl hat mir zwei Zähne ausgeschlagen.«

»Callie.«

Sie klappt ihr Mobiltelefon auf. »Ich rufe sie an, Zuckerschnäuzchen.«

Die Tür zu Leonas Schlafzimmer öffnet sich, nur einen Spaltbreit. »Kann ich rauskommen?«, fragt sie mit zitternder Stimme. »Ist jemand verletzt?«

Ich sehe mich in ihrem Wohnzimmer um, sehe Decker und seinen blutenden Mund, den zersplitterten Wohnzimmertisch, und dann begreife ich. Adrenalin schießt nicht einfach in meinen Kreislauf, es explodiert förmlich hinein.

»WIR HABEN IHN!«, brülle ich.

Callie und Decker zucken zusammen und starren mich an. Callie grinst. Decker bemüht sich.

»Alles in Ordnung, Leona«, sage ich und sehe zur Tür. »Alles in bester Ordnung.«

Ich knacke mit den Fingerknöcheln. Meine Lippen brennen.

Doch der Drache in mir tobt, brüllt, klappert mit den Zähnen.

»Füttere mich!«, verlangt er. »Lass mich seine Knochen brechen!«

Ich lecke mir über die Oberlippe, schmecke mein eigenes Blut. Das sollte ihn für den Augenblick zufrieden stellen.

KAPITEL 44 Ich bin zusammen mit Callie auf dem Weg ins FBI-Gebäude. Wir haben einen Beamten bei Leona gelassen, und unser Verdächtiger wurde zur Wilshire Police Station in Gewahrsam gebracht. Ich bin hergekommen, um Alan zu holen und unsere Verhörstrategie zu planen. Ich habe gerade den Knopf des Aufzugs gedrückt, als mein Handy klingelt.

»Smoky!«

Ich bin augenblicklich alarmiert. Es ist Elaina, und sie klingt verängstigt.

»Was ist los, Elaina?«, frage ich.

»Drei Männer schleichen um das Haus herum, hinten im Garten. Junge Männer.«

Entsetzen durchflutet mich. Ich muss an Ronnie Barnes denken. Ist es das? Hat Jack Junior eine kleine Armee aus Psychopathen aufgebaut? Oder bin ich paranoid?

Paranoid? Bei Jack Junior? Ganz bestimmt nicht.

Ich muss daran denken, dass ich zu Alan gesagt habe, Elaina drohe von den Tätern keine physische Gefahr, und mir wird ganz übel bei dem Gedanken an die möglichen Konsequenzen dieser Fehleinschätzung.

Ich fange an zu rennen, die Treppen hinauf, ohne auf den Lift zu warten. Callie folgt mir. »Elaina, was ist mit den beiden Agenten vor der Tür?«

Schweigen.

Dann: »Ihr Wagen steht da, aber ich kann sie nicht sehen.«

»Hast du eine Waffe im Haus? Eine Pistole?«

»Ja. Oben, im Schrank.«

»Hol sie, schließ dich im Badezimmer ein. Ich hole Alan. Wir brauchen vielleicht fünfzehn Minuten bis zu dir.«

»Ich habe Angst, Smoky.«

Ich schließe sekundenlang die Augen, während ich weiterrenne. »Ruf die Polizei, hol deine Pistole. Wir sind so schnell wie möglich bei dir, Elaina.«

Ich lege auf, hasse mich selbst, weil ich es tue. Momente später platze ich durch die Tür in unser Büro. Der Ausdruck auf meinem Gesicht lässt jeden aufmerken.

»Alan, Elaina hat Besuch!« Ich deute auf Leo und James. »Ihr zwei bleibt hier. James, du übernimmst die Koordination mit dem LAPD wegen des Verdächtigen, den sie für uns in Gewahrsam genommen haben. Callie und Alan, ihr kommt mit mir. Los, Beeilung!«

Alan ist bereits in Bewegung. Sein Gesicht ist voller Fragen, seine Augen voller Angst. Seine Stimme klingt fest, selbst während wir die Treppe hinunterstürzen in Richtung Parkplatz. »Wie viele?«, fragt er.

»Drei. Sie schleichen um euer Haus. Ich hab Elaina gesagt, sie soll die Polizei rufen, die Pistole holen und sich im Badezimmer einschließen.«

»Wo zur Hölle sind die beiden Agents, die Bonnie bewachen sollen?«

»Keine Ahnung.«

Wir rennen durch die Lobby, am Empfang vorbei, bersten durch die Eingangstür und jagen die Stufen zur Straße hinunter. Elaina und Bonnie, Elaina und Bonnie, das Mantra kreist in meinen Gedanken, wieder und immer wieder. Auf einer unterbewussten Ebene registriere ich, dass ich mehr Angst spüren sollte, doch alles ist nur Vorwärtsbewegung. Ich habe nicht genügend Zeit, um gründlicher nachzudenken oder mir über meine Gefühle klar zu werden. Callie hat kein Wort gesagt. Sie folgt uns, ohne Fragen zu stellen.

Und dann passiert es.

»Stirb, Fotze!«

Wir sind auf dem Parkplatz, und der junge Mann, der mir diese Worte entgegenschreit, stürzt auf mich zu, ein Messer in der erhobenen Hand. Sein Gesicht ist verzerrt, wahnsinnig. Seine Augen sind hungrig. Die Zeit verlangsamt sich fast bis zum Stillstand. Zwei Meter, denke ich analytisch. Er rennt, hat das Messer zum Stoß erhoben, das heißt, er ist in weniger als einer halben Sekunde über mir...

Ich habe ihm eine Kugel durch den Schädel gejagt, bevor ich den Gedanken richtig zu Ende gedacht habe. Die Geschwindigkeit, mit der ich meine Waffe gezogen und abgedrückt habe, ist einfach zu groß für ein bewusstes Überlegen. Es ist instinktiv, entschlossen, schnell wie ein Blitzschlag.

Sein Schädel explodiert, und die Zeit setzt sich wieder in Bewegung, verläuft in normaler Geschwindigkeit. Ich springe zur Seite, als er nach vorn kippt und mit einem dumpfen Schlag so heftig auf das Pflaster knallt, dass Hirnmasse umherspritzt und das Messer klappernd davonfliegt.

»Verdammte Scheiße!«, brüllt Alan.

Ich bemerke, dass weder er noch Callie ihre Waffen gezogen haben. Ich mache es ihnen nicht zum Vorwurf. Wir haben eine ganz spezielle Beziehung, mein schwarzer stählerner Freund und ich. Mein Verstand arbeitet im gleichen irrsinnigen Tempo weiter. »Callie, du wirst fahren. Bewegung, Bewegung!«

Ich sehe Tommy, der auf uns zugerannt kommt. »Alles in Ordnung!«, rufe ich ihm zu. »Aber Alans Frau ist in Gefahr. Es sind Unbekannte auf dem Grundstück!«

Tommy unterbricht sein Laufen nicht, nickt nicht, macht überhaupt nichts außer kehrt, um zu seinem Wagen zurückzurennen. Das ist Secret Service Training, denke ich. Entschlossenes, augenblickliches, entschiedenes Handeln.

Wir erreichen Callies Wagen und springen hinein. Sie hat den Gang eingelegt und jagt keine zwei Sekunden später mit quietschenden Reifen los.

»Wer zur Hölle war das?«, fragt Alan.

Callie antwortet für mich. »Blutsbruder von Ronnie Barnes, Zuckerschnäuzchen«, murmelt sie mit wildem Blick, während der Wagen vom Parkplatz jagt.

Alan antwortet nicht. Ich sehe, wie Begreifen in seinem Gesicht dämmert, gefolgt von Angst. »Oh nein...«, flüstert er.

Ich sage nichts. Es ist nicht nötig. In Alans Schädel kreist das gleiche Mantra wie in meinem. Elaina und Bonnie. Ich bin sicher, dass er im Stillen betet, genau wie ich.

KAPITEL 45 Alan ruft Elaina an. »Baby? Wir sind auf dem Weg. Hast du die Polizei angerufen? – Was? Scheiße! Bleib da, Honey! Bleib, wo du bist!« Er legt eine Hand über das Mikrophon. »Sie sind im Haus. Sie kann sie herumschleichen hören.« Er redet wieder mit Elaina. »Hör zu, Liebes. Sprich nicht mehr. Ich möchte nicht, dass sie dich hören. Bleib in der Leitung, aber leg das Telefon hin, und ziel mit der Waffe auf die Tür. Wenn du mich nicht hörst oder Smoky oder Callie, dann schießt du auf jeden, der versucht, durch die Tür zu kommen.«

Elaina und Bonnie, Elaina und Bonnie, Elaina und Bonnie …

Wir sind in Alans Straße. Callie bringt den Wagen mit quietschenden Reifen zum Stehen, und wir springen hinaus. Alan hat das Telefon weggesteckt, hat die Waffe gezogen, wie wir alle. Ich sehe mich um, erblicke Keenans Wagen. Ich renne hin, und was ich sehe, erfüllt mich mit Wut und Trauer. Beide sind tot, Löcher in der Stirn.

Räche jetzt, denke ich, trauern kannst du später.

Ich renne vom Wagen die Auffahrt hinauf, zur Vorderseite des Hauses, deute zur Tür. Sie ist gewaltsam geöffnet worden, der Rahmen zersplittert. »Seid leise«, flüstere ich. »Wir brauchen sie möglichst lebend. Hast du verstanden, Alan?«

Er starrt mich an, ein langer, kalter Killerblick. Dann nickt er widerwillig.

Wir schleichen uns durch die Vordertür, Augen und Waffen in Bewegung, auf der Suche nach den Eindringlingen. Callie, Alan und ich sehen uns an, schütteln die Köpfe. Hier unten ist niemand.

Wir alle halten inne, als wir oben Bewegung hören. Ich deute zur Decke.

Wir schleichen die Treppe hinauf. Das Herz hämmert mir bis zum Hals. Ich höre Alans Atmen, und ich sehe Schweiß auf seiner Stirn, obwohl es kühl ist im Haus. Wir sind fast oben, als Elaina schreit.

»*Alan!*« Ihre Stimme ist erfüllt von Angst. Ich höre das überlaute *PENG-PENG-PENG* einer abgefeuerten Pistole.

»*FBI!*«, brülle ich, als wir oben auf der Treppe angekommen sind. »*Lassen Sie die Waffen fallen, und knien Sie sich auf den Boden!*«

PENG-PENG-PENG! Weitere Schüsse, und jetzt sehe ich auch, woher sie kommen. Ein junger Mann mit dunklen Haaren wird von den Einschlägen hin und her geworfen, während Elainas Pistole ihn durchlöchert. Sie ist im Overkill, feuert unablässig weiter, bis das Magazin leer geschossen ist.

Zwei weitere Männer wenden sich zu uns um. Einer hat eine Pistole, der zweite ein Messer, wie ich im Bruchteil einer Sekunde erkenne. Sie scheinen überrascht, sehen mich, und Hass flammt in ihren Augen auf.

»Sie ist es!«, sagt der mit der Pistole. »Die Fotze Smoky!«

Er hebt die Waffe, um zu schießen, und der mit dem Messer stürzt auf mich zu. Erneut scheint die Zeit sich zu verlangsamen, beinahe stillzustehen.

Ich sehe Alan und Callie auf den Kerl mit der Pistole feuern, beobachte mit einer Art distanzierter Anerkennung, wie sich Löcher in seiner Brust und seinem Kopf bilden, wie Blut spritzt. Ich sehe, wie sich seine Waffe im Fallen entlädt. Der Typ mit dem Messer stürzt weiter auf mich zu. Es ist eine Wiederholung vom Parkplatz, nur, dass ich diesmal auf die Hand ziele, die das Messer hält, um ihn lebendig zu bekommen. Ich sehe, wie zwei seiner Finger verschwinden, wie sich seine Augen weiten und nach oben in den Kopf rollen, als der Schock ihn trifft wie ein Schmiedehammer. Er sinkt auf die Knie, rundet den Mund zu einem »O«, erbricht seinen Mageninhalt und kippt nach vorn, bewusstlos und zitternd.

»*Elaina!*«, brüllt Alan.

»*Hier drin!*«, ruft sie zurück, hysterisch. »Wir sind unverletzt! Uns ist nichts passiert! Uns ist nichts passiert!«, schluchzt sie, und sowohl Alan als auch ich stürzen ins Badezimmer.

Meine Knie sind weich vor Erleichterung, als ich die beiden sehe, in der Badewanne, unverletzt. Elaina weint, die Waffe immer noch mit beiden Händen umklammert, die Augen wild. Bonnie sitzt am anderen Ende der Wanne, die Arme um die Knie geschlungen, die Stirn auf den Knien, und schaukelt lautlos vor und zurück. Alan und ich rempeln uns an, als er zu Elaina, ich zu Bonnie stürze.

»Alles in Ordnung, Liebes?«, frage ich, packe ihren Kopf mit beiden Händen, während ich nach Verletzungen suche.

Alan macht das Gleiche bei Elaina, und Bonnie fängt an zu schluchzen, wirft die Arme um mich, und Elaina tut das Gleiche bei Alan, und unser »Gott sei Dank, Gott sei Dank« hallt von den Badezimmerwänden wider. Es ist ein Chaos der Erleichterung.

»Callie?«, rufe ich zur Tür hinaus. »Sie sind beide unverletzt! Niemand wurde verletzt!« Callie antwortet nicht.

»Callie?«

Das Bild steigt mir ins Bewusstsein, trifft mich wie ein Donnerschlag. Der Kerl, der im Fallen die Waffe abgefeuert hat…

»Oh nein…«, flüstere ich. Ich lege Bonnie zurück, ziehe die Pistole, krieche aus dem Badezimmer.

Ich sehe sie.

Ich bin eingehüllt in eine Glocke aus Stille. Eine Stille, die der Schock erzeugt.

Callie liegt auf der obersten Treppenstufe, auf dem Teppich, die Haare um sie herum ausgebreitet. Sie hat die Augen geschlossen, und auf ihrer Brust ist ein roter Fleck.

»Notarzt, Alan…«, krächze ich. Dann schreie ich los. »*Ruf den Notarzt! Ruf den verdammten Notarzt, Alan!*«

KAPITEL 46

Ich sitze in Tommys Wagen, und wir rasen zum Krankenhaus. Ich zittere am ganzen Leib, vollkommen außer Kontrolle.

Ich kann keinen zusammenhängenden Gedanken fassen. Angst durchflutet mich, gewaltige Schübe von Adrenalin.

Alan ist mit Elaina und Bonnie zurückgeblieben und kümmert sich darum, dass unser einziger überlebender Verdächtiger verarztet wird. Er hat kein Wort zu mir gesagt, doch das war auch nicht nötig. Es stand alles in seinen Augen.

Tommys Stimme durchdringt den Nebel.

»Ich hab die Wunde gesehen, Smoky. Ich kenne mich aus mit Wunden. Ich weiß nicht, ob sie es übersteht oder nicht. Ich weiß nur, dass es kein gezielter Schuss war.« Er sieht mich von der Seite an. »Hörst du, was ich sage?«

»*Ja, gottverdammt! Ich höre dich!*« Es kommt als Schrei heraus. Ich weiß nicht, warum. Ich bin nicht wütend auf Tommy.

»Los, schrei nur, Smoky. Tu, was immer du tun musst.« Seine Stimme ist stoisch. Aus irgendeinem Grund macht mich das wütend.

»Mr. Cool, Calm and Collected, wie?[5]« Ich kann nicht anders. Gift brodelt in mir, bitter, gallig und überwältigend, und es drängt machtvoll nach draußen. »Glaubst wohl, das macht dich zu etwas Besserem, wenn du ungerührt bleibst wie ein beschissener Roboter?«

Keine Antwort.

»So viel besser kannst du gar nicht sein! Schließlich haben sie dich beim Secret Service vor die Tür gesetzt, oder nicht? Beschissener Verlierer!« Er blinzelt nicht einmal. Ich fange an zu schreien. »*Ich hasse dich, weißt du das? Hörst du, was ich sage? Ich hasse dich! Du bedeutest mir überhaupt nichts! Meine Freundin liegt im Sterben, und du tust, als sei dir das scheißegal, und deswegen bist du mir auch scheißegal, und ich hasse dich und…*«

---

5 Eine Anspielung auf einen Song der Rolling Stones (Anm. d. Übers.).

Meine Stimme versagt, verwandelt sich in ein Stöhnen. Das Gift ist raus. Zurückgeblieben ist mein alter Freund, der Schmerz. Ich lasse das Seitenfenster herunter und kotze auf die Straße. Ein stechender Schmerz schießt durch meinen Kopf.

Ich lehne mich zurück, vollkommen erschöpft von meiner emotionalen Orgie. Tommy beugt sich zu mir herüber und öffnet das Handschuhfach. »Da sind Kleenex drin.«

Ich nehme ein paar. Wische mir das Gesicht ab.

Wir rasen die ganze Zeit weiter.

»Es tut mir Leid«, sage ich schließlich mit kleinlauter Stimme, etwa zwei Kilometer weiter.

Er sieht mich an, schenkt mir ein freundliches, sanftes Lächeln. »Mach dir deswegen keine Gedanken. Nicht eine Sekunde.«

Als ich anfange zu weinen, legt er die Hand auf mein Knie und lässt sie dort, während wir weiter mit Höchstgeschwindigkeit in Richtung Krankenhaus rasen.

KAPITEL 47 Die Kapelle des Krankenhauses ist leer. Ich habe sie ganz für mich allein. Callie ist im OP, und wir haben noch keine Nachricht. Alle sind hier im Krankenhaus. Leo, James, Alan, Elaina, Bonnie. AD Jones ist auf dem Weg.

Ich knie nieder und bete.

Ich habe nie an jenen Gott geglaubt, an den die meisten Menschen glauben. An irgendjemanden dort oben, allmächtig, der das Universum lenkt.

Ich glaube, dass es *irgendetwas* gibt. Irgendjemanden, der sich nicht sonderlich für uns interessiert und nur von Zeit zu Zeit mal vorbeischaut. Nachsieht, was die Ameisen da unten jetzt schon wieder angestellt haben.

Ich falte kniend die Hände, weil jetzt vielleicht einer jener Augenblicke ist.

An mir kleben Blut und Hirnspritzer. Ich bin bedeckt von den Spuren von Gewalt. Doch ich senke den Kopf und bete, ein konstantes, verzweifeltes Murmeln.

»Okay, Matt wurde mir genommen, meine Tochter und meine beste Freundin. Ich wurde aufgeschlitzt und habe grauenhafte Narben davongetragen, und ich leide unter Alpträumen, die mich Nacht für Nacht schreiend aus dem Schlaf schrecken lassen. Ich habe sechs Monate voller Schmerzen verbracht und nur noch den Wunsch gehabt zu sterben. Bonnie ist stumm wegen der unvorstellbaren Gräueltaten, die irgenwelche Psychopathen an ihr und ihrer Mutter begangen haben. Ach ja, und Elaina, einer der besten Menschen, die ich kenne, eine Frau, die ich liebe und verehre, hat Krebs.« Ich zögere, wische mir mit zittriger Hand eine Träne aus dem Auge. »Mit alledem bin ich zurechtgekommen. Es hat eine Weile gedauert, aber ich bin damit zurechtgekommen.« Eine Träne, die ich übersehen habe, rollt über meine Wange. Ich verklammere die Hände ineinander, bis sie schmerzen. »Doch das hier – nein. Nein, auf keinen Fall. Das ist zu viel. Nicht Callie. Also, hier ist mein Vorschlag. Hörst du zu?« Ich höre das Elend und das Flehen in meiner Stimme. »Lass sie am Leben, und du kannst mit mir machen, was du willst. Alles. Mich blenden. Mich verkrüppeln. Mich an Krebs erkranken lassen. Mein Haus niederbrennen. Mich unehrenhaft aus dem FBI werfen. Mich wahnsinnig werden lassen. Mich töten. Aber lass sie am Leben. Bitte, bitte, lass sie am Leben.«

Meine Stimme versagt endgültig, und irgendetwas in mir zerbricht. Vor Schmerz krümme ich mich vor, muss mich mit den Händen abstützen. Ich hocke auf allen vieren, und ich sehe, wie meine Tränen auf den Fliesenboden der Kapelle tropfen. »Willst du, dass ich vor dir krieche?«, flüstere ich. »Willst du, dass irgendjemand, dass zehn andere kommen und mich noch einmal vergewaltigen und aufschlitzen? Meinetwegen. Hauptsache, du lässt Callie am Leben.«

Ich erhalte keine Antwort, nicht einmal die Spur einer Antwort. Es ist mir egal. Ich habe keine Antwort erwartet. Ich musste es einfach nur sagen. Wie man es auch nennen mag – zu Gott oder zu Allah beten oder ein Ziel formulieren, gleichgültig, wie. Ich musste mit dem Universum reden, damit es Callie verschont. Ich musste zeigen, dass ich bereit bin, alles aufzugeben, alles und jedes, um meine Freundin zu retten.

Nur für den Fall, dass es irgendetwas bewirken kann.

Ich kehre aus der Kapelle in das Wartezimmer zurück. Ich habe mir genug Zeit genommen, um mich wieder ein wenig zu sammeln, doch ich fühle mich noch immer geschockt und verwirrt und niedergeschlagen. Ich weiß, dass ich jetzt für meine Leute da sein muss. Das ist meine Aufgabe, meine Pflicht. Das, was ein Anführer tut.

»Habt ihr schon irgendetwas gehört?«, frage ich. Ich bin stolz auf mich. Meine Stimme ist fest.

»Noch nicht«, antwortet Alan düster.

Ich sehe sie reihum an. James blickt grimmig drein. Leo marschiert auf und ab, auf und ab. Alan ist so hilflos, wie ich ihn noch nie gesehen habe. Lediglich Elaina und Bonnie wirken ruhig, was mich erstaunt. Immerhin wurden sie eben gerade angegriffen. Man kann vorher nie sagen, wie viel Kraft einzelne Menschen aufzubringen imstande sind, wenn so etwas geschieht.

Ich rieche den sterilen Geruch, höre das leise Rauschen und Piepen, das jedes Krankenhaus erfüllt. Sonst ist alles still. Wie in einer Bibliothek, in der die Menschen bluten und sterben.

Ich gehe zu Bonnie und setze mich neben sie. »Wie geht es dir, Schatz?«

Sie sieht mich an, nickt, schüttelt den Kopf. Es dauert ein paar Sekunden, bis ich begreife. Es geht mir gut, nein, du musst dir keine Sorgen um mich machen, sagt sie mir.

»Gut«, murmele ich.

Die Tür des Wartezimmers fliegt auf, und AD Jones marschiert herein. Er sieht aus, als wäre er außer sich. »Wo ist sie? Ist sie okay? Was ist passiert?«, will er wissen.

Ich stehe auf, gehe zu ihm. *Klickediklack* höre ich meine Schuhe auf den Steinfliesen des Fußbodens, mit jenem Teil von mir, der immer noch benommen und taub ist. »Sie ist im OP, Sir.«

Er sieht mich lange an. »Wie geht es ihr?«

»Die Kugel ist in den oberen Bereich der Brust eingedrungen. Neun Millimeter. Keine Austrittswunde. Sie hat eine Menge Blut verloren, und sie wird einer Notoperation unterzogen. Das ist alles, was wir wissen.« Kurz und prägnant, denke ich. Sauber, glatt und effizient. Ich unterdrücke eine Anwandlung von Hysterie, die in mir aufsteigen will wie Schaumblasen im Wein.

Er sieht mich an, und sein Gesicht wird rot. Ich erschrecke wegen des Ausmaßes an Wut in seinen Augen, weil ich mit diesem Mann niemals Wut verbunden hätte. Sie dämpft den Irrsinn, der in mir schäumt. »Wie lange ist sie bereits im OP?«, will er wissen.

»Zwei Stunden.«

Er wendet sich von mir ab, eine plötzliche Bewegung. Geht ein paar Schritte. Wirbelt herum, zeigt mit dem Finger auf mich. »Hören Sie zu, Smoky, hören Sie verdammt gut zu! Ich habe zwei tote Agenten und einen dritten auf dem Operationstisch. Keiner von Ihnen, und damit meine ich *absolut keiner* von Ihnen, wird von jetzt an allein bleiben. Und falls das bedeutet, dass einige von Ihnen zusammen schlafen müssen, bis diese Sache vorbei ist, dann ist das eben so. Sie gehen nicht mal auf die Toilette, um sich die Nase zu pudern, ohne dass jemand Sie begleitet. Haben Sie das verstanden?«

»Jawohl, Sir.«

»Keine weiteren Zwischenfälle mehr. Hören Sie, Smoky? *Kein einziger!*«

Ich nehme seine Wut auf mich, beuge mich ihr wie ein Baum im Sturm. Es geht ihm ähnlich wie mir im Wagen mit Tommy.

Er verschafft sich Luft, auch wegen Joseph Sands. Er fühlt mit. Ich verstehe ihn gut.

Der Sturm zieht vorüber, und er entspannt sich ein wenig. Seine Hand fährt nach oben, er wischt sich über die Stirn. Ich erkenne den kurzen Widerstreit seiner Gefühle. Der gleiche, den ich wenige Augenblicke vorher verspürt habe. Er ist der Boss. Zeit, dies zu zeigen.

»Nutzen wir die Zeit, um uns zu reorganisieren, während wir warten. Bringen Sie mich auf den aktuellen Stand.«

Ich berichte von der Verhaftung eines der beiden Täter des Jack-Junior-Duos. Ich erzähle von Elainas Anruf, von dem Kerl, den ich auf dem Parkplatz erschossen habe. Und ich berichte, was sich in Alans Haus zugetragen hat.

»Wo ist der Kerl, dem Sie in die Hand geschossen haben?«

»Er ist ebenfalls hier«, antworte ich. »Ebenfalls in der Chirurgie. Sie versuchen, ihm die Finger wieder anzunähen.«

»Scheiß drauf!«, schnaubt AD Jones.

Aus den Augenwinkeln sehe ich, wie Bonnie beifällig nickt. Es bestürzt mich.

»Die anderen drei?«, fragt Jones. »Alle tot?«

»Alle tot.«

»Wer ist dafür verantwortlich?«

Er will wissen, wer sie erschossen hat. Irgendwann werden wir deswegen Rechenschaft ablegen müssen. Für jede verschossene Kugel. »Ich habe den Kerl auf dem Parkplatz erschossen. Elaina hat einen der Angreifer in ihrem Haus erschossen, Alan und Callie den anderen, den mit der Pistole.«

AD Jones sieht zu Elaina hin. Seine Augen werden weich. »Es tut mir Leid, Ma'am«, sagt er. Bitte entschuldigen Sie, dass Sie, eine Zivilistin, gezwungen waren, einen Mann zu erschießen, will er ihr damit sagen. Sie versteht, was er meint.

»Und es ist zu vermuten, dass all diese Kerle Jünger von Jack Junior sind?«

»Es besteht kaum Zweifel daran, Sir.«

»Was ist mit dem Verdächtigen, den Sie gestern Abend geschnappt haben? Ist er einer von ihnen? Sicher?«

»Nichts ist hundertprozentig sicher, bevor wir nicht sämtliche erforderlichen Beweise haben, Sir, aber … ja, es passt.«

Er nickt anerkennend. »Das ist gut. Wirklich gut.« Er schweigt für einen Moment, denkt über alles nach. Sieht jeden von uns an. Als er wieder spricht, ist seine Stimme weicher. »Hört zu, Leute. Wir werden alle zusammen hier warten, bis wir wissen, ob Agent Thorne da heil rauskommt. Hoffentlich schafft sie es. Sobald wir wissen, was los ist, gehen wir – ob sie es geschafft hat oder nicht – zurück an die Arbeit. Zuerst die Wut, dann die Trauer.«

Es gibt keinen Widerspruch. Ich sehe nichts außer grimmiger Entschlossenheit. Er scheint es ebenfalls zu bemerken, denn er nickt zufrieden. »Also gut.«

Also gut, alles voll Blut, denke ich für mich, während eine weitere hysterische Schaumblase meine inneren Schutzschilde überwindet. Mir wird schwindelig, und ich setze mich wieder hin.

Irgendein Mobiltelefon klingelt. Alle sehen nach, und dann bemerke ich Tommy, der sein Handy ans Ohr nimmt. Ich hatte ihn beinahe vergessen. Er ist der Außenseiter und hat sich von uns zurückgezogen, sich in einer Ecke auf das Warten eingerichtet.

»Aguilera?«, meldet er sich. Er lauscht, runzelt die Stirn. »Wer ist da?«

Ich sehe, wie eine eisige Ruhe über ihn kommt. Es ist nichts Entspanntes daran, absolut nichts Entspanntes. Nein, er würde am liebsten töten, wer auch immer es ist am anderen Ende der Leitung. Er sieht einmal kurz zu mir. »Warten Sie.«

Er kommt zu mir, hält eine Hand über das Mikrophon. »*Er* ist es.«

Ich springe von meinem Stuhl wie von der Tarantel gestochen, und fast alle tun es mir gleich. Die Schaumblasen sind verschwunden, sind dem grellen Licht des Schocks gewichen. »Was? Du meinst Jack Junior?« Ich fühle mich genauso ungläubig, wie meine Worte klingen.

»Ja. Er will mit dir reden.«

Eine Zillion verschiedener Gedanken schießen mir durch den Kopf. Es ist ein völliger Bruch mit seinen Gepflogenheiten und ergibt keinen Sinn. »Haben wir eine Chance, das Gespräch zurückzuverfolgen?«, frage ich Tommy als den anwesenden Experten in elektronischer Überwachung.

»Wenn die Fangschaltung nicht bereits eingerichtet ist – nein.«

Für einen Moment weiß ich nicht, was ich tun soll.

AD Jones seufzt. »Reden Sie mit ihm, Smoky. Mehr bleibt Ihnen nicht übrig.«

Ich strecke die Hand aus und nehme das Handy. Nach einem tiefen Atemzug, um mich zu wappnen, halte ich es ans Ohr. »Hier ist Smoky Barrett.«

»Special Agent Barrett! Wie geht es Ihnen?« Er benutzt irgendeinen elektronischen Verzerrer, um seine Stimme unkenntlich zu machen. Es klingt, als hätte ich eine Konversation mit einem Roboter.

»Was wollen Sie?«

»Ich dachte, dass wir uns – nur dieses eine Mal – persönlich unterhalten sollten. E-Mails und Briefe sind so unpersönlich, meinen Sie nicht?«

»Ich denke, Sie haben diese Geschichte bereits zu etwas sehr Persönlichem gemacht, Jack. Außerdem sind Sie ein erbärmlicher Lügner.«

Er kichert. Der Verzerrer macht ein bösartiges Geräusch daraus. »Sie reden von meinen kleinen Besuchern, richtig? Nun ja … zugegeben. Aber das hat nichts mit Lüge zu tun. Ich fing nur an, mich zu … langweilen. Auf gewisse Weise sind meine kleinen Spielchen mit Ihnen und Ihren Kollegen genauso befriedigend wie meine Arbeit an diesen Huren.«

Ich will ihn schlagen, irgendetwas tun, um ihm dieses arrogante Gehabe auszutreiben. »Hey, Jack – haben Sie meinen kleinen Spot in den Nachrichten gesehen?«

Langes Schweigen. Als er wieder redet, verspüre ich eine grimmige Befriedigung darüber, dass seine Stimme plötzlich tonlos klingt. »Ja, Smoky. Ich habe Ihre Lügen gesehen.«

Ich lache auf, voller Spott und Herablassung. »Lügen? Warum zur Hölle sollte ich lügen? Sie wollen einfach nicht die Wahrheit hören, Sie Wichser. Es gibt kein ›Vermächtnis‹, keinen Uterus von Annie Chapman, keine heilige Mission. Sie sind der Lügner, Jack. Ihr ganzes Leben ist eine einzige Lüge! Meine Güte, Sie schaffen es ja nicht mal, sich an den *Modus Operandi* Ihres angeblichen Vorfahren zu halten! Er hat Huren ermordet, Jack, keine Polizisten. Und Sie – Sie können sich offensichtlich nicht entscheiden, was Sie lieber tun! Der echte Ripper hat sich einen Typ von Opfer ausgesucht und ist dabei geblieben. Was ist los mit Ihnen – ertragen Sie die Wahrheit nicht? Ertragen Sie es nicht, wie erbärmlich Sie sind?«

Ich höre ihn atmen, schwer, wütend. Selbst das Atmen ist verzerrt; es klingt surreal.

»Sind Sie noch da, Jack?«

Eine weitere lange Pause, dann: »Netter Versuch, Smoky. Hurra und Applaus. Warum sollten Sie lügen? Ich werde Ihnen sagen, warum. Aus dem einfachsten Grund von allen. Psychologische Kriegführung. Um mich wütend zu machen, um mich aus dem Gleichgewicht zu bringen.« Er zögert, und ich kann seine Wut beinahe spüren. »Ich habe nie gesagt, dass ich der Ripper bin, du dummes Miststück. Ich habe gesagt, dass ich ein Nachfahre bin. Aber ich habe mich weiterentwickelt. Ich stehe über ihm. Warum ich Sie genauso jage wie diese Huren? Weil ich gut genug bin dafür. Weil mir danach ist. Aus dem gleichen Grund, aus dem ich meine kleinen Gehilfen heranziehe. Es amüsiert mich, und ich bin dazu fähig.«

Ich will ihn verletzen. Für einen Moment, nur einen kurzen

Moment, stehe ich dicht davor, ihn damit zu verspotten, dass wir seinen Komplizen geschnappt haben. Es gelingt mir, diesen Impuls zu unterdrücken.

»Nein, Jack, das ist nicht der Grund. Der Grund ist, dass Sie ein Haufen Scheiße sind. Weiterentwickelt? Das glaube ich nicht. Der echte Ripper wurde niemals gefasst. Aber Sie werde ich fassen, verlassen Sie sich darauf.«

Es folgt ein langes Schweigen. Als er schließlich wieder spricht, ist die Wut verschwunden. Seine Stimme ist ruhig. Er hat sich wieder unter Kontrolle.

»Wo wir gerade von Huren reden – wie geht es der kleinen Bonnie?«

Ich kämpfe um meine Selbstbeherrschung. Ich muss ihn am Reden halten. Ich wechsele das Thema, versuche es aus einer anderen Richtung. Ich senke die Stimme, spreche gleichmütig, vernünftig. »Jack, warum hören wir nicht auf, so zu tun als ob? Sie und ich wissen, wen Sie wirklich wollen, nicht wahr?«

Er zögert. »Und wer sollte das sein, Special Agent Barrett?«

»Ich. Sie wollen mich.«

AD Jones fährt sich mit den Fingerspitzen über die Kehle. »Nein! Verdammt, Smoky!«

Ich ignoriere ihn. »Habe ich Recht?«

Er lacht erneut. »Smoky, Smoky, Smoky…« Seine Stimme klingt herablassend. »Ich will alles, meine Liebe. Ich will diese Huren, ich will Sie, ich will alles und jeden, den Sie lieben. Wo wir gerade davon reden – wie geht es der lieben Callie? Wird sie überleben?«

Meine Wut flammt erneut auf, heiß und unbeherrschbar. »Wichser!«

»Sie haben einen Tag, Smoky«, erwidert er gleichmütig. »Danach stirbt eine weitere Hure. Oh, und Sie und Ihre Leute dürfen ebenfalls mit fortgesetztem Spaß rechnen.«

Ich habe das Gefühl, dass er das Gespräch beenden will. »Warten Sie!«

»Nein, ich denke nicht. Ich konnte nicht widerstehen, dieses eine Mal. Aber es ist riskant, wenn wir auf diesem Weg kommunizieren. Für mich, heißt das. Rechnen Sie nicht damit, dass es noch einmal geschieht. Das nächste Mal, wenn Sie meine Stimme hören, werde ich persönlich vor Ihnen stehen, und Sie werden schreien.« Eine kurze Pause. »Noch eine letzte Sache. Falls Agent Thorne stirbt, sollten Sie darüber nachdenken, ob Sie ihren Leichnam nicht einäschern lassen. Ansonsten könnte ich vielleicht versucht sein, sie auszugraben und…mit ihr zu spielen. Genau wie ich es mit der lieben Rosa getan habe.«

Er legt auf, während seine Worte durch meine Knochen schneiden.

»Was zur Hölle ist los mit dir?«, fährt James mich an. Die Wut in seiner Stimme ist ein Schock, und ich bin sprachlos, stehe da wie angewurzelt und starre ihn an. Ich bin wie betäubt von der Wucht des Hasses, den ich in seinen Augen sehe. Er zittert. Es kommt in Wellen über ihn.

»Wovon redest du?«, frage ich ungläubig.

»Du musstest ihn unbedingt verspotten, wie? Du konntest nicht widerstehen!« Seine Worte triefen vor Gift. »Er ist hinter uns her, und du musstest ihn noch wütender machen, noch mehr Benzin ins Feuer schütten. Genau wie immer. Du erzählst uns, wir wären unbesiegbar, und du erzählst diesen Kerlen das Gleiche, und es ist nichts als Schwachsinn.« Er redet sich immer mehr in Rage, die Worte sprudeln unkontrolliert aus ihm hervor.

Ich kann ihn nur sprachlos anstarren.

»Was denn, erinnerst du dich vielleicht nicht? Erinnerst du dich nicht, dass du schon einmal im Fernsehen gewesen bist, als wir Joseph Sands gejagt haben? Dass du vor laufender Kamera gesagt hast, er sei ein erbärmlicher Schlappschwanz? Dass du ihn verhöhnt und verspottet und gehofft hast, er würde den Köder schlucken?« Er wartet, mit flammenden Blicken, schnarrt weiter. »Er hat ihn geschluckt, verdammt, nicht wahr? Er hat ihn geschluckt und deine Familie umgebracht, und dich hat er ebenfalls erwischt, und beinahe hätte er dich auch noch umgebracht. Und jetzt ist dieser Psychopath wild entschlossen, das Gleiche mit uns allen zu tun, und *du willst einfach nicht lernen!* Keenan und Shantz sind tot – hast du denn überhaupt nichts kapiert? Muss Callie auch noch sterben, bis du es endlich begreifst?« Er beugt sich zu mir herab, starrt mir in die Augen. »Dass manchmal, wenn du die harte Superfrau spielst, andere Leute sterben?« Er wartet, und ich bekomme das Gefühl von einem Gummiband, das immer weiter gespannt wird, bis es reißt. Es ist die bebende Stille unmittelbar vor dem ausbrechenden Sturm. Er spricht in diese Stille hinein. »Hast du diese Lektion nicht gelernt, als dein Mann und deine Tochter getötet wurden?«

Mein Unterkiefer sinkt herab, und von einer Sekunde zur anderen will ich mich auf ihn stürzen. Ihm eine Ohrfeige versetzen, nein, nicht eine, eine ganze Salve gemeiner Ohrfeigen, mit dem Handrücken voll ins Gesicht. Ihm die Zähne ausschlagen, die Nase brechen. Ich will es so sehr, dass ich es schmecken kann, wie Blut in meinem Mund. Zwei Dinge halten mich davon ab: Eines ist die nahezu augenblickliche Scham, die ich in seinen Augen aufflackern sehe. Das andere ist Bonnie. Sie steht neben James, reißt an seiner Hand, energisch.

»Was … was ist denn?«, fragt er sie. Er klingt genauso benommen, wie ich mich fühle. Sie bedeutet ihm, sich zu ihr herunterzubeugen. Er kniet sich hin, und ich sehe ihm zu, während ich am ganzen Leib zittere und bebe.

Sie gibt ihm die Ohrfeige an meiner Stelle, mit der flachen Hand auf die Wange. Und obwohl sie erst zehn Jahre alt ist und klein für ihr Alter, klingt es wie ein Peitschenknall im stillen Wartezimmer.

James' Augen weiten sich im Schock, sein Mund formt ein lautloses »O«, und er stolpert zurück, landet in sitzender Position auf dem Fußboden. Ich weiß nicht, was ich sagen soll. Sie sieht mich kurz an, nickt und kehrt zu ihrem Sitzplatz neben Elaina zurück.

Alle sind still. Ich kann ihre reglose Bestürzung spüren. James steht langsam auf, die Hand an der Wange, die Augen erfüllt von Scham und Verblüffung.

Ich will etwas sagen, doch einmal mehr geschehen zwei Dinge, bevor ich dazu komme. Callies Tochter stürzt in das Wartezimmer, und direkt hinter ihr erscheint ein verschwitzter, erschöpfter Chirurg in der Tür. Marilyn dreht sich fragend zu ihm um, öffnet den Mund.

»Alles der Reihe nach«, sagt er mit schwerer, müder Stimme. »Agent Thorne lebt.«

»Gott sei Dank!«, schreit Elaina auf.

Ich will vor Erleichterung auf die Knie sinken, doch ich tue es nicht.

Der Chirurg hebt die Hand, bittet um Ruhe. »Die Kugel hat ihr Herz knapp verfehlt. Und sie ist ganz geblieben. Leider hat sie die Wirbelsäule getroffen, ist von dort abgeprallt und in ihre obere linke Schulter gedrungen.«

Die Temperatur im Raum scheint bei dem Wort »Wirbelsäule« um dreißig Grad zu sinken.

»Der Rückenmarksnerv wurde nicht durchtrennt. Doch die Wirbelsäule wurde verletzt. Außerdem hat Agent Thorne große innere Blutungen erlitten.«

»Was bedeutet das, Doc?«, fragt AD Jones.

»Es bedeutet, dass Miss Thorne eine Menge Blut verloren und schwere Verletzungen erlitten hat. Ihr Zustand ist noch immer kritisch. Sie scheint stabil, aber sie ist noch nicht über den Berg.« Er zögert, scheint nach einer anderen Formulierung zu suchen. »Das heißt, dass sie immer noch sterben kann.«

Marilyn stellt die Frage, vor der wir uns alle fürchten. »Und die Verletzung der Wirbelsäule ...?«

»Wenn sie die Krise übersteht, hat sie gute Aussichten, wieder vollständig gesund zu werden. Aber ...«, er seufzt, »das können wir natürlich nicht mit hundertprozentiger Sicherheit garantieren. Bei einer derartigen Verletzung besteht immer die Gefahr einer dauerhaften Lähmung.«

Marilyns Hand fliegt zum Mund. Ihre Augen sind weit vor Entsetzen.

Ich spreche in die Stille hinein. »Danke, Herr Doktor.«

Er nickt uns allen müde zu und geht.

»Oh nein, gütiger Gott, nein…«, stöhnt Marilyn. »Ich habe sie doch gerade erst wiedergefunden. Ich…« Und dann kommen die Tränen.

Ich gehe zu ihr und drücke sie an mich, als sie anfängt zu weinen. Meine eigenen Augen sind trocken. Ich bin zu sehr damit beschäftigt, mich zu biegen. Immer weiter zu biegen, ohne zu brechen.

KAPITEL 48 Wir sind wieder im Büro, ein niedergeschlagener Haufen. Elaina und Bonnie sind bei mir zu Hause, seit Alans Heim überfallen worden ist. Marilyn ist im Krankenhaus geblieben, um auf Neuigkeiten über den Zustand ihrer Mutter zu warten. Sie war nicht verstimmt darüber, dass wir gegangen sind.

»Schnappt ihn!« war alles, was sie sagte.

James steht am Fenster und sieht nach draußen. Er wagt nicht, mir in die Augen zu sehen.

Ich will in ein Loch kriechen, mich zusammenrollen und ein Jahr lang schlafen. Doch das kann ich nicht.

»Weißt du, was bei Stress das Problem ist, James?«, frage ich nachdenklich.

Er schweigt. Ich warte. »Was?«, fragt er schließlich, ohne den Blick vom Fenster abzuwenden.

»Stress erzeugt kleine Haarrisse. Sie fangen ganz winzig an und breiten sich aus, und dann werden sie groß, und das Resultat ist, dass irgendwann etwas zerbricht.« Ich spreche vorsichtig, ohne Anklage. »Was willst du, James? Möchtest du, dass ich zerbreche? Möchtest du, dass ich zerbreche und…und gehe?«

Sein Kopf fährt herum. »Was? Nein. Ich…« Er klingt, als wäre er kurz vor dem Ersticken. »Ich meine nur, mit Callie…« Er ballt die Fäuste, öffnet sie, atmet tief durch. Bringt sich unter Kontrolle. Dann wendet er sich mir zu und sieht mir in die Augen. »Ich habe keine Angst um mich selbst, Smoky. Ich habe Angst um Callie. Verstehst du das?«

»Selbstverständlich verstehe ich das«, antworte ich leise. »Ich hatte auch Angst um meine Familie. Jeden Tag. Ich hatte Alpträume, dass ihnen etwas zustoßen könnte – genau das, was ihnen schließlich zugestoßen ist.« Ich senke den Kopf. »Matt hat irgendwann mit mir gesprochen, und er hat mir die Wahrheit gesagt. Er sagte, dass ich genau das täte, was ich gerne tue. Und er hatte Recht. Ich hasse es, diese Mistkerle zu jagen, aber ich liebe es, sie zu schnappen. Verstehst du?«

Er sieht mich noch einen Moment lang an, dann nickt er.

»Und ich habe sehr häufig und intensiv über genau das nachgedacht, was du mir im Wartezimmer vorgeworfen hast. Lange, bevor du es gesagt hast. Ich habe mir den Kopf darüber zerbrochen, glaub mir. Ist Sands zu mir gekommen, und hat er meine Familie getötet, weil ich ihn im Fernsehen lächerlich gemacht habe? Lange Zeit habe ich geglaubt, die Antwort lautete Ja. Doch später wurde mir bewusst, dass das Unsinn war. Er ist zu mir gekommen, weil ich ihn gejagt habe. Weil ich das tue, was ich tue. Er hätte es auf jeden Fall getan, ob ich ihn verspottet hätte oder nicht. Verstehst du, was ich sagen will?«

James antwortet nicht.

»Worauf ich hinauswill, James, ist Folgendes: Es spielt überhaupt keine Rolle, was ich zu Jack Junior sage. Dieser Mörder hat es auf uns abgesehen, Punkt. Wir sind seine Beute. Du möchtest seinen Opfertypus wissen?« Ich deute in den Raum. »Sie sind alle hier versammelt.«

Er sieht mich lange an, bevor er antwortet. Als er es tut,

geschieht es wortlos. Er schließt die Augen und nickt. Mehr nicht.

»Entschuldigung angenommen.«

Er wendet den Blick ab, räuspert sich. Alle haben schweigend zugesehen. Angespannt. Es ist, als säßen wir alle gemeinsam auf einer heißen Ofenplatte und warteten darauf, wie ein Maiskorn zu zerplatzen und zu verbrennen. Die komplexe Maschine, die mein Team ist, scheint sich festzufahren, kann jeden Augenblick zerreißen und explodieren.

Ich weiß, dass die eigentliche Ursache für diesen Stress Jack Junior ist. Doch ich sorge mich, dass wir anfangen, unsere Wut aneinander auszulassen. Ich habe mich stets als die Achse empfunden, auf der sich die Zahnräder meines Teams drehen. Wenn ich die Achse bin, ist Callie der Antrieb. Sie ist es, die das Rad über gleich welchen Untergrund vorantreibt. Ihre Mätzchen, ihre Witze, ihre Neckereien und ihr unbarmherziger Humor halten uns zusammen. Ihr Fehlen erzeugt eine Art Vakuum, und wir sind kurz davor, dieses Vakuum dadurch aufzufüllen, dass wir einander an die Kehle springen.

»Weißt du, was das Erste ist, das Callie bei unserem Kennenlernen zu mir gesagt hat?«, frage ich ohne Einleitung. »Sie sagte: ›Gott sei Dank! Du bist keine Liliputanerin!‹« Ich muss grinsen bei dem Gedanken daran. »Sie hat mir erzählt, sie habe gehört, dass ich nur eins siebenundfünfzig groß sei, und sie habe sich nicht vorstellen können, wie groß das ist. Sie habe gedacht, ich sei eine Zwergin.«

Alan lacht auf, als er das hört; ein leises, trauriges Lachen. »Weißt du, was sie zu mir gesagt hat? Sie hat gesagt: ›Meine Güte, ein Riesenneger!‹«

»Hat sie nicht!«, rufe ich.

»Doch, das hat sie, ehrlich.«

Wir alle verstummen, als Alans Handy klingelt, und sehen zu, wie er es ans Ohr nimmt und lauscht. »Tatsächlich? Kein Witz? Danke, Gene.« Er legt auf, sieht mich an. »Die Abdrücke des in Polizeigewahrsam genommenen Verdächtigen stimmen mit denen überein, die wir vom Bett in Annies Wohnung genommen haben. Außerdem haben wir seine DNS zum Vergleich. Davon weiß er allerdings nichts…Er hat sich die Lippe aufgeschlagen während des Kampfes, den er euch bei seiner Festnahme geliefert hat. Barry bot ihm ein Taschentuch an, damit er sich das Blut abwischen konnte.«

Ich grinse. »Clever.«

Alan beugt sich vor, sieht mich an. »Er ist also einer der Mörder, Smoky. Ganz sicher, einhundert Prozent. Vielleicht können wir es noch nicht eindeutig beweisen, doch wir sind ganz nah dran. Was möchtest du jetzt tun?«

Alle sehen mich an, dieselbe Frage in ihren Augen. Was willst du jetzt tun? Die Antwort ist einfach.

Wir töten ihn und fressen ihn auf?, fragt mein Drache.

In gewisser Hinsicht, ja, denke ich.

»Einer von uns geht zu ihm und führt das Verhör unseres Lebens. Wir brechen ihn weit, weit auf, Alan.«

KAPITEL 49 Wir stehen zusammen mit Barry im Observationsraum und blicken durch den Einwegspiegel auf Robert Street. Er sitzt am Tisch und ist an Händen und Füßen mit Handschellen gefesselt.

Es überrascht mich ein wenig, wie unscheinbar er aussieht. Er hat braune Haare und ein hartes, kantiges Gesicht. Seine Augen blicken heiß und wütend, während er ansonsten entspannt wirkt. Er starrt uns durch den Spiegel hindurch an.

»Ziemlich cooler Typ«, sagt Alan. »Wissen wir schon mehr über ihn?«

»Nicht viel«, räumt Barry ein. »Sein Name lautet Robert Street. Er ist achtunddreißig Jahre alt, Single, war nie verheiratet, hat keine Kinder. Arbeitet als Kampfsportlehrer im Valley.« Barry sieht mich an, nickt in Richtung meiner immer noch geschwollenen Lippe. »Das haben Sie ja bereits am eigenen Leibe erfahren.«

»Haben Sie seine Adresse?«, frage ich.

»Ja. Er wohnt in einem Apartment in Burbank. Anhand seiner Fingerabdrücke, die wir in der Wohnung Ihrer Freundin gefunden haben, können wir einen Durchsuchungsbefehl erwirken. Ich habe bereits einen meiner Leute damit beauftragt.«

»Wer führt das Verhör?«, fragt Alan. »Du hast gesagt, einer von uns – wer soll es machen? Du oder ich?«

»Du, keine Frage.« Ich muss gar nicht erst darüber nachdenken. Alan ist der Beste, und der Mann in dem Raum hinter dem Spiegel ist der Schlüssel zum Auffinden des echten Jack Junior. Der Schlüssel, all das zu beenden.

Alan sieht mich lange an, nickt, wendet sich wieder ab und betrachtet Robert Street durch das Glas. Er beobachtet ihn eine ganze Weile, während Barry und ich geduldig warten. Wir wissen, dass Alan uns vollständig ausgeblendet hat, sich vollkommen auf den vor ihm liegenden Raum konzentriert und Robert Street studiert wie ein Jäger seine Beute. Dass er sich darauf vorbereitet, Street wie eine Walnuss zu knacken.

Wir müssen ihn knacken, aus zwei Gründen. Zum einen haben wir ihn noch nicht, noch nicht wirklich. Die Fingerabdrücke in Annies Apartment lassen sich irgendwie erklären. Ein guter Strafverteidiger könnte argumentieren, dass die Abdrücke dorthin gekommen sind, als er während der vorgeblichen Ungezieferkontrolle das Bett verrückt hat. Was für sich genommen vielleicht ungesetzlich sein mag, aber noch lange nicht bedeuten muss, dass Street der Mörder ist. Wir haben seine DNS, aber wir haben noch keine Resultate. Was, wenn die DNS unter dem Fingernagel von Charlotte Ross von Jack Junior stammt und nicht von Robert Street?

Doch vor allem müssen wir Street dazu bringen, dass er uns zu Jack Junior führt.

Alan sieht Barry an. »Kann ich jetzt rein?«

Barry bringt ihn nach draußen, und kurze Zeit darauf sehe ich Alan das Verhörzimmer betreten. Robert Street blickt zu ihm auf. Neigt den Kopf, mustert Alan. Grinst.

»Wow«, feixt er. »Ich schätze, Sie spielen den bösen Bullen, richtig?«

Alan schlendert zum Tisch, der Inbegriff von jemandem, der alle Zeit der Welt hat, und zieht sich einen Stuhl heran, sodass er direkt vor Robert Street Platz nehmen kann. Er strafft seine Krawatte. Lächelt. Ich beobachte ihn und weiß, dass jede Bewegung kalkuliert ist. Nicht nur die Bewegungen, sondern auch die Geschwindigkeit, mit der er sie ausführt. Wie nah er Street dabei kommt. Die Tonlage seiner Stimme, wenn er mit Street spricht. Es ist alles Teil einer Aufführung, und alles zielt nur auf ein Ergebnis ab.

»Mr. Street, mein Name ist Alan Washington.«

»Ich weiß, wer Sie sind. Wie geht es Ihrer Frau?«

Alan lächelt, schüttelt den Kopf, winkt mit dem erhobenen Zeigefinger. »Schlau«, sagt er. »Zu versuchen, mich gleich zu Anfang wütend zu machen und zu verunsichern.«

Street gähnt in übertriebener Langeweile. »Wo ist diese Fotze Barrett?«, fragt er.

»Sie wird irgendwo in der Nähe sein«, antwortet Alan. »Sie haben ihr ganz schön eins verpasst in diesem Apartment.«

Das entlockt Street ein hässliches Grinsen. »Freut mich zu hören.«

Alan zuckt die Schultern. »Hey, unter uns gesagt – ich würd ihr manchmal selbst gern eins verpassen.«

Street verengt die Augen. »Tatsächlich?«, fragt er zweifelnd.

»Ich kann nichts dafür. Ich wurde altmodisch erzogen. Frauen haben ihren festen Platz auf der Welt.« Alan grinst. »Und dieser Platz ist unter mir, nicht über mir, wenn Sie verstehen, was ich meine.« Er kichert. »Verdammt, ich muss meiner Frau auch hin und wieder eins verpassen. Um sicher zu sein, dass sie nicht vergisst, wo sie steht.«

Jetzt hat er Streets volle Aufmerksamkeit. Der Blick des Monsters ist voller Faszination. Sehnsucht kämpft mit Zweifeln. Er möchte, dass Alan meint, was er sagt, und dieser Wunsch ist stärker als sein Misstrauen.

Die Tage des Einsatzes von Wasserschläuchen und der Rollenspiele von »guter Bulle, böser Bulle« sind längst vorbei. Heute ist die Befragung und die Führung eines Verhörs eine fundierte Wissenschaft, vielfach erprobt und als erfolgreich befunden. Es ist ein auf Psychologie basierender Tanz, eine gewisse Kunst gemischt mit einer äußerst scharfen Beobachtung. Schritt eins ist stets der gleiche: Stelle eine Verbindung her. Wenn Street gerne Barsche angelt, verwandelt sich Alan von einer Sekunde zur anderen in einen begeisterten Sportangler. Wenn er ein Waffennarr ist, beeindruckt Alan ihn mit seiner Kenntnis von Waffen. Street verletzt gern Frauen. Also tut Alan dies ebenfalls. Und es wird funktionieren – ich habe es an abgebrühten Kriminellen beobachtet. Ich habe es an Polizisten beobachtet, die diese Technik selbst kennen und darin ausgebildet sind. So funktioniert nun mal die menschliche Natur, unwiderstehlich und unausweichlich.

»Was würde das FBI davon denken?«, fragt Street.

Alan beugt sich vor, eine einzige Drohung. »Sie weiß, dass sie den Mund zu halten hat.«

Street nickt. Er ist beeindruckt.

»Wie dem auch sei«, fährt Alan fort. »Sie haben Smoky ziemlich gut erwischt. Auch ein paar der anderen Jungs. Es heißt, Sie hätten irgendeine spezielle Kampfkunst in diesem Apartment angewandt. Sie unterrichten, stimmt das?«

»Das ist richtig.«

»Welchen Stil?«

»Wing Chun. Das ist eine Form von Kung Fu.«

»Ernsthaft? Bruce Lee, wie?« Alan grinst. »Ich hab selbst einen schwarzen Gürtel in Karate.«

Jetzt blickt Street auf, mustert Alan, schätzt seine Größe ab.

»Sind Sie gut? Betreiben Sie es ernsthaft? Oder ist es bloß zur Show?«

»Ich trainiere zweimal die Woche, mache täglich meine Katas, und das seit zehn Jahren.«

Ich sehe Barry an. »Alan kann einen Karateschlag nicht von einem wilden Schwinger unterscheiden.«

Street nickt. Eine Andeutung von Respekt, von Mann zu Mann. Alan stellt den Kontakt zu ihm her. »Das ist gut. Man muss sich immer in Form halten. Ein großer Mann wie Sie – Sie können ziemlich gefährlich sein.«

Alan hebt abwehrend die Hände. »Hey, ich versuch's«, besagt die Geste. »Ich habe meine starken Momente. Wie steht es mit Ihnen? Wann haben Sie mit Kung Fu angefangen?«

Ich sehe, wie Street zögert, nachdenkt. Tut, was Alan möchte, ohne es zu wissen. »Ich erinnere mich nicht genau, in welchem Jahr ... ich war fünf oder sechs. Wir haben damals in San Francisco gewohnt.«

Alan stößt einen Pfiff aus. »Lange Zeit. Wie lange dauert es – durchschnittlich, meine ich –, bis man Kung Fu einigermaßen beherrscht?«

Street überlegt. »Schwer zu sagen. Kommt auf die Person an. Aber im Allgemeinen – vier bis fünf Jahre.«

Alan benutzt unschuldige Fragen, um eine »Grundlinie« zu schaffen. Er bedient sich dabei einer Technik, die »neurolinguistische Befragung« genannt wird und bei der man dem Befragten zwei Sorten von Fragen stellt. Eine Fragenart zielt darauf ab, dass sich der Befragte an etwas erinnert. Die andere soll ihn dazu bringen, seine kognitiven Fähigkeiten einzusetzen. Alan studiert Streets Körpersprache, während er seine Fragen stellt; registriert, welche Veränderungen stattfinden, wenn er über Informationen nachdenkt statt sich an etwas zu erinnern. Die Veränderungen zeigen sich primär in den Augen, und Street zeigt die klassischen Verhaltensmuster. Wenn Alan ihn nach einer Erinnerung fragt – wann er mit dem Kung Fu angefangen hat –, wandern Streets Augen nach links. Wenn er ihm eine Denkfrage stellt – beispielsweise abzuschätzen, wie lange man braucht, um gut zu werden in Kung Fu – richten sich Streets Augen nach unten und rechts. Jetzt weiß Alan, dass Street, wenn er ihm eine Erinnerungsfrage stellt und Street nach unten rechts blickt, aller Wahrscheinlichkeit nach lügt, weil er denkt, statt sich zu erinnern.

»Vier bis fünf Jahre also. Nicht schlecht.« Alan nimmt eine Hand hinter den Stuhl und gibt ein Zeichen. Ich reagiere, indem ich an das Fenster klopfe. Alan verzieht das Gesicht. »Entschuldigung. Ich bin gleich wieder da.«

Street antwortet nicht, und Alan steht auf und verlässt den Verhörraum. Einen Moment später ist er bei uns im Beobachtungszimmer.

»Er gibt sich cool«, sagt er, »aber er hat nicht die geringste Ahnung von Körpersprache und Verhörtechnik. Ich werde ihn überrollen.«

»Sei vorsichtig«, mahne ich ihn. »Wir wollen, dass er uns zu Jack Junior führt. Du weißt noch nicht, wie loyal er ist.«

Alan sieht mich an, schüttelt den Kopf. »Es spielt keine Rolle.« Er wendet sich an Barry. »Sie haben die Akte?«

»Ja, hier.« Barry reicht ihm die Akte, gefüllt mit zahlreichen Blättern, die entweder überhaupt nichts mit Street zu tun haben oder leer sind. Vorn auf dem Hefter steht deutlich erkennbar der Name ROBERT STREET.

Der Hefter ist nichts weiter als eine Requisite. Alan wird von jetzt an den Ton und die Geschwindigkeit des Verhörs ändern und auf Konfrontationskurs gehen. In unserer Gesellschaft sind Akten gleichbedeutend mit wichtigen Informationen, und die Tatsache, dass diese Akte prallvoll mit Dokumenten ist, wird Street deutlich machen, dass wir eine Menge Beweise gegen ihn in der Hand haben. Alan wird ins Verhörzimmer zurückkehren und mit einer so genannten »konfrontierenden Feststellung« beginnen. Es ist eine Schlüsselstelle in dieser Art von Verhör, und sie kann dramatisch sein. Mancher Verdächtige wird dadurch so demoralisiert, dass er tatsächlich ohnmächtig wird, sobald man ihn mit den ihm zur Last gelegten Straftaten konfrontiert.

Alan mustert Street noch einige Sekunden, dann geht er zur Tür. Einen Moment später betritt er das Verhörzimmer erneut. Er tut, als würde er in der Akte lesen. Er schließt sie und hält sie so, dass Street seinen Namen darauf entziffern kann. Diesmal bleibt Alan stehen, statt sich zu setzen. Er stellt sich breitbeinig hin, die Schultern straff. Alles an ihm sagt, dass er dominant ist, die Kontrolle besitzt. Selbstsicher ist. Alles ist absichtlich und sorgfältig berechnet.

»Hier ist es, Mr. Street. Wir wissen, dass Sie an der Ermordung von Annie King und Charlotte Ross beteiligt waren. Wir haben eindeutige Beweise dafür. Die Fingerabdrücke in Annie Kings Wohnung stimmen mit Ihren Fingerabdrücken überein. Außerdem vergleichen wir zurzeit eine DNS-Probe aus Charlotte Ross' Apartment mit Ihrer DNS, und ich wette, dass wir eine Übereinstimmung feststellen. Wir kennen außerdem den *Modus Operandi*, mit dem Sie vor den eigentlichen Verbrechen die Wohnungen Ihrer Opfer ausspioniert haben – unterschriebene Rechnungen, die Sie als ›Kammerjäger‹ einer Ungezieferfirma unterschrieben haben. Wir haben verdammt gute Handschriftenexperten, die imstande sind, diese Schrift als die Ihre zu identifizieren. Wir haben Sie, Mr. Street. Was ich wissen will, ist Folgendes: Sind Sie bereit, mit mir darüber zu sprechen?«

Street starrt Alan an, der hoch vor ihm aufragt, Selbstbewusstsein und Macht ausstrahlt – der Inbegriff des Alpha-Mannes. Seine Augen weiten sich ein wenig, und ich kann sehen, dass sich sein Atem beschleunigt. Dann verengen sie sich wieder, und er lächelt, zuckt die Schultern.

»Ich würde ja gern – wenn ich eine Ahnung hätte, wovon Sie reden.«

Streets Lächeln wird breiter, wie bei einer Cheshire-Katze.

Er denkt, er hätte noch eine Trumpfkarte im Ärmel. Dass wir nicht wissen, dass sie zu zweit sind.

Alan schweigt. Starrt Street an. Abrupt wendet er sich zur Seite, nimmt den Tisch und trägt ihn zur Wand. Dann stellt er seinen Stuhl so hin, dass er direkt vor Street sitzt. Er nimmt darauf Platz. Ganz nah.

Bedrohlich.

»Was soll das werden?«, fragt Street. In seiner Stimme schwingt eine Spur von Nervosität mit. Auf seiner Stirn zeigen sich winzige Schweißperlen.

Alan sieht ihn überrascht an. »Ich möchte lediglich sicher sein, dass ich alles höre, Mr. Street«, sagt er.

Er blättert erneut in der falschen Akte und runzelt die Stirn. Schüttelt den Kopf. Er schauspielert, was das Zeug hält. Er legt die Akte neben sich auf den Fußboden und rutscht mit dem Stuhl näher an Street heran, dringt in seinen persönlichen Raum ein. Ich beobachte, wie er ein Knie zwischen Streets Beine schiebt, eine auf dessen Unterbewusstsein zielende Bedrohung seiner Männlichkeit. Der Mörder schluckt. Der Schweiß auf seiner Stirn tritt deutlicher zu Tage, doch er ist sich dieser physischen Reaktion nicht bewusst. Er weiß nur, dass Alan seine Welt ausfüllt und dass diese Welt plötzlich äußerst unbehaglich geworden ist.

»Ach wissen Sie, es gibt da ein paar offene Fragen.«

Street schluckt erneut. »Was?«

Alan nickt. »Ein paar offene Fragen.« Er beugt sich vor, kommt noch dichter an Street heran, schiebt sein Knie noch ein wenig weiter vor. »Wir wissen, dass Sie nicht allein gearbeitet haben.«

Street reißt die Augen weit auf. Sein Atem beschleunigt sich. Er stößt ein unwillkürliches Ächzen aus. »Was?«

»Sie haben einen Komplizen. Wir haben es durch das Video herausgefunden, auf dem der Mord an Annie King zu sehen ist. Ein Größenunterschied. Und wir wissen, dass Ihr Komplize der echte Jack Junior ist, nicht Sie.«

Street sieht aus wie ein Fisch am Haken. Wortlos öffnet und schließt er den Mund, öffnet und schließt den Mund. Seine Augen sind auf Alan fixiert. Er ächzt erneut. Seine Hände gleiten nach unten, legen sich schützend vor seinen Schritt. All das geschieht reflexhaft, er bemerkt es nicht. Alan beugt sich vor.

»Wissen Sie, wer er ist, Robert?«, fragt er.

»Nein!« Augen nach unten rechts. Eine Lüge.

»Nun, Robert...ich denke, Sie wissen es. Robert, ich glaube, Sie wissen sehr genau, wer er ist und wo wir ihn finden können. Stimmt das, Robert?« Alan wiederholt seinen Namen, um sowohl eine unterschwellig weiterwirkende Anschuldigung als auch das Gefühl zu erzeugen, dass er sich nirgendwo verstecken kann. Ein konstantes Trommelfeuer, aus dem es kein Entrinnen gibt.

Street starrt Alan an. Er schwitzt aus allen Poren.

»Nein.«

»Was mir nicht einleuchten will – warum schützen Sie ihn?« Alan beugt sich noch weiter vor. Reibt sich nachdenklich das Kinn. »Vielleicht...« Er schnippt mit den Fingern. »Tja, wissen Sie, wenn zwei männliche Serienmörder zusammenarbeiten, dann treiben sie es in den meisten Fällen auch miteinander. Sie vögeln sich. Das heißt, der Dominante von beiden vögelt den anderen. Ist das bei Ihnen so? Ist das der Grund, warum Sie ihn zu schützen versuchen? Weil Sie es sich gern besorgen lassen, während er gerne austeilt?«

Street reißt die Augen auf. Er bebt vor Wut. »Ich bin keine verdammte Schwuchtel!«

Alan beugt sich so weit vor, dass sich ihre Nasen fast berühren. Street erschauert. Er ächzt einmal mehr. »Das entspricht aber nicht dem, was das kleine Mädchen erzählt hat. Bonnie, Sie erinnern sich bestimmt? Sie hat gesagt, einer von Ihnen beiden hätte am Schwanz des anderen gelutscht, als wäre er bei einem Würstchenesswettbewerb.«

Street sieht aus, als stünde er dicht vor einem Schlaganfall. »*Diese verlogene kleine Fotze!*«

»Jetzt haben wir ihn«, sagt Barry neben mir.

Alan lässt nicht locker. »Sind Sie sicher? Sie hat gesagt, einer von Ihnen hätte dem anderen den sprichwörtlichen Golfball durch den Gartenschlauch gesaugt. Sie hat eine Menge Details genannt. Details, die ein Mädchen ihres Alters sonst gar nicht wissen kann.«

»Sie *lügt*! Sie weiß wahrscheinlich, was Schwanzlutschen ist, weil ihre Mutter eine Hure war! Wir haben kein einziges Mal miteinander ...«

Er stockt unvermittelt, begreift, was passiert ist. Was er gesagt hat.

»Also waren Sie dort«, stellt Alan fest.

Streets Gesicht wird purpurrot. Tränen laufen ihm über die Wangen. Ich glaube nicht, dass er es merkt. »Scheiße – ja! Ja, ich war dort! Ich habe geholfen, diese Fotze zu erledigen! Na und? Sie kriegen ihn nie! Er wird Ihnen durch die Maschen gehen, warten Sie's ab. Er ist *zu clever* für Sie!«

»Damit hätten wir ein Geständnis von einem der beiden«, sage ich.

Barry nickt. »Er hat sich soeben ein Ticket in die Gaskammer gekauft.«

Alan entfernt sich von Street, aber nur ein klein wenig. Er lässt sein Knie da, wo es ist, bedrohlich. Street bricht vor unseren Augen auseinander.

»Wissen Sie, Robert, wir haben bereits Leute zu Ihrer Wohnung geschickt. Robert, ich wette, dass wir dort etwas finden, das uns bei unserer Suche nach ihm weiterhilft, meinen Sie nicht? Das uns verrät, wer er ist – oder, Robert?«

Streets Augen zucken nach links. Erinnerung. Dann: »Nein! Nichts! Fahrt doch zur Hölle! Und hören Sie auf, immer wieder meinen verdammten Namen zu sagen!«

»Haben Sie das gesehen?«, fragt Barry aufgeregt.

Ich habe es gesehen, und auch ich spüre, wie meine Aufregung wächst. Als er »Nein!« gebrüllt hat, sind seine Augen nach unten gewandert. Nach unten rechts.

Er hat gelogen.

In seiner Wohnung gibt es etwas, das wir nicht finden sollen.

KAPITEL 50 Wir stehen in Streets Wohnung. Barry und ich haben zugesehen, wie Alan Robert Street auseinander genommen hat, Stück für Stück. Es ist ihm nicht gelungen, Street dazu zu bewegen, den Namen von Jack Junior preiszugeben, doch er hat alles andere gestanden. Wie Jack mit ihm in Kontakt getreten ist, wie sie ihre Opfer ausgesucht haben und andere Fakten. Er hat ein Geständnis unterzeichnet, und er war nur noch eine schweißdurchtränkte, zerbrochene, erbärmlich wimmernde Masse, als Alan den Verhörraum verlassen hat. Alan hat ihn regelrecht zerstört.

Der Drache in mir war zufrieden.

Mein Handy klingelt. »Barret?«

»Ich bin es Smoky, Gene Sykes. Ich dachte, es würde Sie interessieren, dass Streets DNS zu der Probe passt, die wir an Charlotte Ross' Fingernagel gefunden haben.«

»Danke, Gene. Das ist eine gute Neuigkeit.«

Er zögert. »Wird Callie durchkommen?«

»Ich denke schon. Aber wir müssen abwarten und sehen.«

Er seufzt. »Hoffen wir das Beste. Bye.«

»Bye.«

»Die Wohnung ist sauber«, bemerkt Alan.

Ich sehe mich um. Er hat Recht. Streets Wohnung ist nicht nur sauber – sie ist makellos. Es ist die Sorte von Sauberkeit, wie man sie bei obsessiv-zwanghaften Menschen antrifft. Die Wohnung enthält außerdem nichts Persönliches. Keine Bilder an den Wänden, kein Gemälde, nicht einmal ein Foto von Street oder seiner Familie oder von Freunden. Nichts. Das Sofa ist funktional. Der Wohnzimmertisch ist funktional. Der Fernseher ist klein.

»Spartanisch«, murmele ich.

Wir betreten das Schlafzimmer. Es ist makellos, wie das Wohnzimmer. Die Bettlaken sind straff, die Ecken militärisch sauber eingeschlagen. Auf einem kleinen Schreibtisch an der Wand steht ein Computer.

Und dann sehe ich es.

Das Einzige, was nicht hierher gehört. Was nicht passt. Ein kleines Medaillon, die Kette präzise neben einem Collegebuch ausgerichtet. Ich beuge mich darüber, um es aus der Nähe zu betrachten. Es ist ein Frauenmedaillon, golden an einer goldenen Kette. Ich nehme es auf, öffne es. Im Innern befindet sich ein Miniaturfoto von einer atemberaubend schönen älteren Frau. Jemandes Mutter, denke ich.

»Hübsch«, sagt Alan.

Ich nicke. Lege das Medaillon zurück, schlage das Lehrbuch auf. Es ist ein Englischbuch. Auf der inneren Umschlagseite befindet sich ein handschriftliches Exlibris. »*Dieses Buch gehört Renee Parker. Es mag nach nichts aussehen, doch es ist in Wirklichkeit MAGISCH – haha! ☺ Es ist mein Fliegender Teppich. Also fasst es nicht an, ihr Schwachköpfe!*«

Der Text ist mit einem Datum versehen und unterschrieben.

»Wie … wie lange ist das her? Fünfundzwanzig Jahre?«

Ich nicke. Mein Herzschlag geht schneller. Das ist es. Das ist der Schlüssel, da bin ich absolut sicher.

Das wird uns sein Gesicht zeigen.

Ich berühre das Buch, fahre mit den Fingern über die Inschrift. Vielleicht verbirgt sich am Ende tatsächlich Magie in diesem Buch.

KAPITEL 51 Ich stehe neben Alan und lausche seinen Worten. Er ist fasziniert. Ich habe das Gefühl, als würde sich alles schneller und schneller bewegen, als würden aufgeheizte Moleküle sich unaufhaltsam dem Kochen nähern.

»Wir haben mit dem Namen Renee Parker einen Treffer im VICAP gelandet. Es handelt sich um einen ungelösten Fall.«

VICAP steht für Violent Criminal Apprehension Program, Programm zur Erfassung von Gewaltverbrechern. Ein Detective der Polizei von Los Angeles hat es sich bereits 1957 ausgedacht, doch es wurde erst 1985 verwirklicht, im National Center For the Analysis of Violent Crime in der FBI Academy. Das Konzept ist brillant. Es ist ein nationales Dateninformationszentrum, in dem Gewaltverbrechen gesammelt, miteinander verglichen und analysiert werden. Der Schwerpunkt liegt dabei auf Mord. Sämtliche Informationen über gelöste und ungelöste Fälle werden hier von allen Gesetzesbehörden zusammengetragen. Diese umfangreiche Datensammlung ermöglicht Querverweise auf Gewaltverbrechen in der gesamten Nation.

Alan deutet auf die Unterlagen in seiner Hand. »Ein alter Fall – fünfundzwanzig Jahre alt. Eine Stripperin in San Francisco. Sie wurde in einer Seitengasse erdrosselt aufgefunden, und – hör zu! – einige ihrer Organe wurden entfernt.«

Meine Müdigkeit ist schlagartig verschwunden. Ich fühle mich, als hätte ich eine Nase voll Koffein geschnüffelt. »Das muss er sein. Das ist er ganz bestimmt.«

»Ja. Und es wird noch besser. Sie hatten damals einen Verdächtigen. Sie konnten nur nicht genug Beweise für eine Verurteilung finden.«

Ich springe auf. »Leo, du bleibst als Kontaktmann hier und übernimmst die Koordination. James und Alan – wir fliegen nach San Francisco. Sofort.«

»Das musst du mir nicht zweimal sagen«, erwidert Alan.

Wir gehen zur Tür, erfüllt von einem zweiten Atem, der zusammengesetzt ist aus Adrenalin, Aufregung und verhaltener Wut.

Wir kommen auf die Straße, und ich sehe Tommy. Er sitzt in seinem Wagen, rührt sich nicht, passt auf.

»Gebt mir eine Sekunde«, sage ich zu Alan und James. Ich gehe zum Wagen. Tommy lässt das Fenster herab.

»Was ist los?«, fragt er.

Ich berichte ihm von unserem Treffer im VICAP. »Wir fliegen nach San Francisco.«

»Was soll ich tun?«

Ich lächle ihn an, strecke die Hand aus und streichle ihm über die Wange, einmal. »Geh dich ausschlafen.«

»Klingt gut!«, antwortet er. Mister Lakonisch, wie immer. Ich wende mich zum Gehen. »Smoky!«, ruft er mir hinterher. Ich bleibe stehen, drehe mich um, sehe zu ihm zurück. »Sei bitte vorsichtig.«

Ich habe gerade noch Zeit, um die Sorge in seinen Augen zu bemerken, bevor er das Fenster hochdreht und davonfährt.

Aus irgendeinem Grund muss ich an Sally Fields bei der Oscar-Verleihung denken.

»Er mag mich, er mag mich. Er mag mich wirklich!«, wispere ich im Falsett.

Hysterische Schaumblasen.

KAPITEL 52 Dieser Traum ist neu.

Die Vergangenheit und die Gegenwart sind miteinander verschmolzen, sind eins geworden. Ich schlafe in meinem Schlafzimmer. Plötzlich höre ich ein Geräusch. Ein sägendes und zugleich patschendes Geräusch. Ich stehe auf. Mein Herz hämmert, und ich packe meine Pistole auf dem Nachttisch.

Ich tappe durch die Tür, die Waffe schussbereit, mit zitternder Hand beim Gedanken daran, dass jemand in mein Haus eingedrungen ist.

Die Geräusche kommen aus dem Wohnzimmer. Inzwischen mischt sich Kichern in das leise Patschen.

Als ich es betrete, ist er da. Ich kann sein Gesicht nicht sehen, denn es ist verdeckt von Bandagen um seinen Kopf. Seine Lippen sind sichtbar, sie sind riesig, aufgequollen, rot. Seine schwarzen Augen sind tot und ausdruckslos.

»Siehst du das?«, flüstert er zischend wie eine Schlange.

Ich kann nicht sehen, worauf er deutet. Die Rückseite des Sofas verbirgt es vor meinem Blick. Eine Gewissheit steigt in mir auf, dass ich es nicht sehen will.

Doch ich muss.

Ich bewege mich vorwärts, vorwärts, vorwärts.

»Siehst du es?«, flüstert er erneut.

Und nun sehe ich es.

Sie liegt auf dem Sofa. Er hat sie aufgeschnitten, vom Brustbein bis zum Unterleib, ihre Organe freigelegt. Friedhofserde klebt an ihren Haaren. Und ein von Erde und Schmutz verkrusteter Finger zeigt auf mich.

»Deine Schuld!«, krächzt sie.

Sie ist Alexa, dann ist sie Charlotte Ross, dann Annie.

»Warum hast du zugelassen, dass er mich tötet?«, fragt mich Annies Gesicht, während sie anklagend auf mich zeigt. »Warum?«

Der Mann mit dem bandagierten Gesicht kichert erneut. »Siehst du es?«, fragt er. »Siehst du ihre schmutzigen Finger? Sie zeigen auf dich, bis in alle Ewigkeit.«

»Warum?«, fragt Annie.

»Siehst du es?«, kichert er.

Ich schrecke aus dem Schlaf hoch, bin sofort hellwach. Die Kabine des Jets liegt im Halbdunkel. Alles ist still. James und Alan dösen.

Ich blicke aus dem Fenster hinaus in die kalte Nacht und erschauere. Schmutzige Finger. Ich muss nicht erst nach der Bedeutung des Symbols suchen.

Ich spüre sie ständig, wie sie aus dem Grab auf mich zeigen. Die Finger all derer, die ich nicht retten konnte.

Ich habe Jenny Chang vom Flugzeug aus angerufen, und sie erwartet uns.

»Betrachte mich nicht länger als deine Freundin«, sagt sie und deutet auf ihre Uhr. Es ist noch mitten in der Nacht.

»Tut mir Leid, Jenny, aber die Dinge kochen ziemlich hoch.«

Ich berichte ihr, was Callie passiert ist, und sie presst die Lippen zu einem schmalen, wütenden Strich zusammen.

»Noch keine Neuigkeiten über ihren Zustand?«, fragt sie.

»Nein«, antwortet James an meiner Stelle.

»Mein Gott …«, flüstert sie, starrt in die Ferne.

Ich halte meinen Aktenkoffer hoch. »Aber wir haben einen Treffer im VICAP gelandet. Höchstwahrscheinlich ist es unser Mann.«

Der Detective in Jenny rührt sich, hellwach und interessiert. »Erzähl mehr.«

Ich berichte in knappen Worten.

»Vor fünfundzwanzig Jahren also. Ich bin mit zweiundzwanzig zur Polizei gegangen. Also war es vor meiner Zeit. Wer war damals der verantwortliche Beamte für den Fall?«

»Detective Rawlings«, sagt Alan.

Jenny ist plötzlich stocksteif. Blickt Alan an. »Rawlings? Sind Sie sicher?«

»Ja, absolut sicher. Warum?«

Sie schüttelt den Kopf. »Weil die Dinge jetzt vielleicht tatsächlich ins Rollen kommen. Rawlings ist ein erstklassiges Arschloch. War er schon immer nach allem, was ich höre. Er säuft und sitzt seine Zeit ab bis zur Pensionierung.«

»Und wieso ist das gut für uns?«, frage ich.

»Die Wahrscheinlichkeit ist groß, dass er damals etwas Wichtiges übersehen hat. Etwas, das euch niemals entgangen wäre.«

In ihrem Büro im SFPD angekommen, trommelt Jenny mit einem Stift auf den Schreibtisch, während sie darauf wartet, dass jemand am anderen Ende der Leitung abnimmt. »Rawlings? Ich bin es, Jenny Chang. Ja, ich weiß, wie spät es ist.« Sie runzelt die Stirn. »Es ist nicht meine Schuld, dass Sie betrunken sind.«

Ich sehe sie flehend an. Ich brauche den Burschen jetzt, brauche ihn hier, und ich will nicht, dass er einfach auflegt. Sie schließt die Augen. Ich habe das Gefühl, als würde sie innerlich bis zehn zählen.

»Hören Sie, Don, es tut mir Leid. Ich bin ebenfalls aus dem Bett gerissen worden. Das hat mir die Laune verdorben. Die Leiterin des CASMIRC Los Angeles ist hier, wegen eines alten Falles von Ihnen. Eine gewisse …«, sie wirft einen Blick auf den Notizblock, der vor ihr auf dem Schreibtisch liegt, »… eine gewisse Renee Parker.« Ein überraschter Ausdruck huscht über ihr Gesicht. »… Sicher. Okay. Wir sehen uns dann gleich.« Sie legt den Hörer auf. Nachdenklich.

»Was ist?«, frage ich.

»In dem Augenblick, als ich den Namen genannt habe, hat er aufgehört zu jammern und gesagt, er sei sofort da.«

»Ich schätze, der Name bedeutet ihm etwas.«

Don Rawlings ist tatsächlich innerhalb einer halben Stunde da. Ich kann mit einem Blick auf ihn sagen, dass Jennys Vermutung richtig war. Er ist ungefähr eins achtzig groß, dickbäuchig, mit wässrigen Augen und dem geröteten Gesicht eines Gewohnheitstrinkers. Er sieht frühzeitig gealtert aus.

Ich erhebe mich und gebe ihm die Hand. »Ich danke Ihnen, dass Sie sofort gekommen sind, Mr. Rawlings. Ich bin Special Agent Smoky Barrett, Leiterin des CASMIRC Los Angeles. Das hier sind James Giron und Alan Washington, die ebenfalls für das CASMIRC arbeiten.«

Er blinzelt, als er mich mustert. »Ich kenne Sie. Sie sind die

Beamtin, in deren Haus eingebrochen wurde.« Er verzieht das Gesicht. »Der Alptraum eines jeden Polizeibeamten.«

Ich bemerke, dass er eine Akte unter dem Arm hält. »Was ist das?«, frage ich.

Er lässt die Akte auf den Schreibtisch fallen, als er sich setzt. »Eine Kopie der Akte über Renee Parker. Ich habe sie all die Jahre behalten. Nehme sie manchmal zur Hand und lese darin, wenn ich nicht schlafen kann.«

In Rawlings' Gesicht vollzieht sich eine Veränderung, als er über Renee Parker spricht. Die Augen werden wacher. Sein Mund wird traurig. Ich hatte Recht. Dieser Fall bedeutet ihm etwas.

»Erzählen Sie mir mehr darüber, Detective.«

Seine Augen richten sich in die Ferne. Leer, ohne Horizont. »Dazu muss ich ein wenig ausholen, Agent Barrett. Detective Chang hier hat Ihnen wahrscheinlich bereits gesagt, dass ich ein gottverdammter Säufer bin. Und sie hat Recht. Doch ich war nicht immer so. Früher einmal war ich genau dort, wo sie jetzt ist. Der beste Ermittler im Department. Erstklassig.« Er sieht Jenny an, lächelt. »Das wussten Sie nicht, wie?«

Jenny hebt eine Augenbraue. »Nein, keine Ahnung.«

»Sicher. Verstehen Sie mich nicht falsch. Als ich bei der Polizei anfing, war ich jung und ein richtiges Arschloch. Ein Rassist, ein Homo-Hasser, unheimlich leicht reizbar. Ich habe mehr als einmal die Fäuste benutzt, wo es vielleicht nicht nötig gewesen wäre. Aber die Straße hat ihre eigene Art, einen zu lehren, wie die Dinge wirklich laufen.

Ich habe an dem Tag aufgehört Rassist zu sein, als ein schwarzer Polizist mir das Leben gerettet hat. Ein Gangster kam von hinten. Der Polizist hat mich aus dem Weg gerammt und gleichzeitig den Gangster niedergeschossen. Wir wurden Freunde, und unsere Freundschaft hat bis zu seinem Tod gehalten. Er wurde im Dienst getötet.«

Die traurigen Augen werden noch leerer und blicken in noch weitere Fernen.

»Nach einem Jahr bei der Mordkommission war ich auch kein Homo-Hasser. So ist der Tod eben. Er vermittelt einem eine andere Sicht der Dinge. Es gab da einen jungen Mann, der – nun ja, ganz offen und großspurig von seiner Homosexualität gesprochen hat. Er hat in einem Imbissstand in der Nähe des Bahnhofs gearbeitet, und er merkte meinen Hass sehr schnell. Der kleine Mistkerl hat mich deswegen auf den Arm genommen, hat alle möglichen Dinge gemacht, um mich in Verlegenheit zu bringen.«

Ein schwaches Lächeln huscht über seine Lippen. Verschwindet sogleich wieder, torpediert von Traurigkeit.

»Mein Gott, er hat mich wahnsinnig gemacht. – Na ja, eines Tages haben ein paar Typen den Burschen totgeschlagen, nur weil er schwul war. Und Sie werden es nicht für möglich halten – ausgerechnet ich bekam den Fall.« Er grinst mich sardonisch an. »Was sagen Sie nun – ist das Karma oder nicht? Im Verlauf der Ermittlungen habe ich zwei Dinge gesehen, die mir meinen Hass auf Schwule ausgetrieben haben. Ich sah, wie sich seine Mutter die Haare ausriss und schrie und vor meinen Augen innerlich starb. Ich sah, wie ihre Welt endete, weil ihr Junge tot war.

Dann ging ich zu seiner Beerdigung, auf der Suche nach Verdächtigen. Und wissen Sie, was ich dort sah? Ungefähr zweihundert Leute. Soll man das für möglich halten? Ich *kannte* nicht mal zweihundert Leute. Zumindest nicht so viele, die zu meiner Beerdigung gekommen wären, so viel steht fest.« Er schüttelt ungläubig den Kopf. »Und es waren nicht nur Leute aus der Schwulenszene, die kamen, weil er ein Homo war. Es handelte sich um Leute, deren Leben er verändert hatte. Wie sich herausstellte, hat er überall ehrenamtlich mitgearbeitet. In Krankenhäusern, in Drogencentern, als Krisenberater. Dieser junge Bursche war ein Heiliger. Er war einer von den Guten. Und der einzige Grund für seinen Tod bestand darin, dass er schwul war.« Rawlings ballt eine Faust. »Das war falsch. Ich konnte nicht Teil davon sein. Nie wieder.«

Er winkt ab. »Wie dem auch sei … da war ich nun. Neu bei der Mordkommission und ein neuer Mensch. Ich dachte nicht länger in Begriffen wie ›Schwuchtel‹ oder ›Nigger‹. Ich hatte mich geändert. Ich ging in meinem Beruf auf, und das Leben war gut.

Und jetzt springen wir fünf Jahre weiter. Ich hatte meine beste Zeit seit drei Jahren hinter mir, und es ging rasch bergab. Ich hatte angefangen zu trinken, und ich spielte meiner Frau übel mit. Ich dachte oft daran, mir die Kanone in den Mund zu stecken. Alles nur wegen dieser verdammten toten Babys.« Seine Augen blicken gehetzt, auf eine Weise gehetzt, die ich wiedererkenne. Ich habe den gleichen Ausdruck im Spiegel gesehen. »Irgendjemand brachte Babys um. Ich rede von Kleinkindern und Säuglingen. Er stahl sie, strangulierte sie und warf sie hinterher auf die Straße oder den Bürgersteig. Sechs Stück und kein Tatverdächtiger – das genügte, und ich starb innerlich.« Er sieht mich an. »Sie kennen dieses Gefühl sicherlich bei dem, was Sie tun.«

Ich nicke.

»Stellen Sie sich vor, dass Sie sechs Babys haben sterben lassen. Dass Sie nicht nur den Kerl nicht geschnappt haben, der so etwas macht – Sie haben nicht einmal einen Verdächtigen. Nichts. Ich war völlig fertig.«

Noch vor einem Jahr hätte ich jemandem wie Don Rawlings gegenüber ein verächtliches Schnauben unterdrücken müssen. Ich hätte ihn als Schwächling betrachtet. Als jemanden, der die Vergangenheit für die Gegenwart verantwortlich macht, sie als Ausrede benutzt. Ich kann ihm nicht ganz verzeihen, dass er aufgegeben hat, doch jetzt spüre ich nicht den Drang, verächtlich auf ihn hinabzusehen. Manchmal ist das Gewicht der Verantwortung dieser Tätigkeit einfach zu groß. Im Augenblick empfinde ich jedenfalls nicht Überlegenheit, sondern Mitgefühl.

»Ich kann es mir vorstellen«, sage ich und sehe ihm in die Augen. Ich glaube, er sieht, dass ich es ehrlich meine, und er setzt seine Geschichte fort.

»Ich war auf dem absteigenden Ast, aber das war mir egal.

Ich habe alles getan, was ich konnte, um diese toten Babys aus dem Kopf zu kriegen. Alkohol, Sex – einfach alles. Es half nichts, sie kamen immer wieder, tauchten in meinen Träumen auf. Und dann lernte ich Renee Parker kennen.«

Ein ehrliches Lächeln, das einem jüngeren Don Rawlings zu gehören scheint, huscht über sein Gesicht.

»Ich begegnete ihr, als ihr Freund erschossen wurde. Er war ein kleiner Dealer und hatte sich mit dem falschen Kerl angelegt. Sie war eine Stripperin, die gerade angefangen hatte, Karriere zu machen. So was passiert häufig. Man sieht es ständig und lernt irgendwann, schnell damit fertig zu werden. Doch Renee – mit ihr war es etwas anderes. Sie war ein menschliches Wesen. In ihr war Leben unter der Oberfläche.« Er blickt auf. »Ich weiß, was Sie jetzt denken. Polizist, Stripperin, Ende der Geschichte. Aber so war es nicht. Sicher, sie hatte einen großartigen Körper. Doch darum ging es mir bei ihr nicht. Als ich sie sah, dachte ich, dies sei vielleicht meine Chance, endlich etwas Gutes zu tun. Die Sache mit den Babys auszubügeln.

Sie erzählte mir ihre Geschichte. Sie war nach San Francisco gekommen, um als Schauspielerin zu arbeiten, und endete in einer Oben-ohne-Bar, um sich ihren Lebensunterhalt zu verdienen. Sie lernte einen Mistkerl kennen, der ihr irgendwelchen Dreck gab. ›Hier, probier das mal, es macht nicht süchtig.‹ Nichts Neues so weit. Doch ich sah noch etwas in ihr. Verzweiflung in den Augen. Als würde sie immer noch an der Kante der Klippe hängen, als wäre sie noch nicht abgestürzt.

Ich packte sie und brachte sie für den Entzug in ein Drogenzentrum. Wenn ich freihatte, ging ich sie besuchen. Hielt sie, während sie kotzte. Redete mit ihr. Ermutigte sie. Manchmal redeten wir die ganze Nacht. Und wissen Sie was? Sie war meine erste Freundin.« Er blickt mich an. »Wissen Sie, was ich meine? Denken Sie an das normale männliche Stereotyp. Ich war chauvinistisch. Frauen sind zum Heiraten oder zum Ficken da. Verstehen Sie?«

»Ich habe ein paar von dieser Sorte kennen gelernt«, sage ich.

»Nun, so war ich. Doch dieses zwanzig Jahre alte Mädchen wurde eine richtige Freundin. Ich habe nie daran gedacht, sie zu ficken, und ich wollte sie nicht heiraten. Ich wollte nur, dass es ihr gut geht. Mehr wollte ich nicht.« Er beißt sich auf die Lippe. »Verstehen Sie, ich war ein guter Detective. Ich hab mich nie bestechen lassen, und in der Regel fing ich die bösen Jungs. Ich hab nie eine Frau geschlagen. Ich hatte meine Regeln, wusste, was richtig und was falsch war. Trotzdem war ich nie ein wirklich anständiger Mann. Verstehen Sie den Unterschied?«

»Sicher.«

»Aber das, was ich mit Renee gemacht habe, das war anständig.« Er fährt sich mit der Hand durch die Haare. »Sie schaffte den Entzug und wurde aus der Rehabilitation entlassen. Sie schaffte ihn wirklich, verstehen Sie? Sie war eine von denen, die sauber blieben. Ich lieh ihr ein wenig Geld, und sie nahm sich ihre eigene Wohnung. Sie fing an zu arbeiten. Ein paar Monate später ging sie sogar zur Abendschule. Nahm Schauspielunterricht. Sie meinte, wenn sie es nicht schaffen würde, Schauspielerin zu werden, dann könnte sie immer noch als Kellnerin arbeiten. Aber sie war noch nicht bereit, ihren Traum aufzugeben.

Wir trafen uns hin und wieder. Gingen zusammen ins Kino. Immer als Freunde. Ich wollte nie mehr von ihr. Es war das erste Mal, dass eine Freundschaft für mich wichtiger war als ein Hintern. Das Beste von allem war, dass ich nicht mehr ständig an die Babys denken musste. Ich hörte auf zu trinken und vertrug mich wieder mit meiner Frau.«

Er verstummt, und ich weiß, was nun kommt; kann es hören wie einen Phantomfrachtzug, der aus der Ferne herandonnert. Ich kenne das Ende seiner Geschichte. Renee Parker, die Frau, die Rawlings gerettet und mit der er Freundschaft geschlossen hat, wird auf grauenhafte Weise ermordet. Was ich bisher nicht gewusst habe, war, was das für die Menschen um sie herum bedeutete.

Für Don Rawlings war dies der Punkt, an dem sich das Schicksal erneut gegen ihn wendete und ihn in die Dunkelheit stürzen ließ. Der Punkt, an dem die toten Babys zurückkehrten, um ihn niemals wieder zu verlassen.

»Ich bekam den Anruf um vier Uhr morgens. Ich wusste nicht, wer die Tote war, bis ich am Tatort eintraf.« Seine Augen sehen aus wie Gespenster im Nebel. Verloren und auf alle Ewigkeit dazu verdammt, über die Erde zu wandeln. »Er hat sie verstümmelt. Der Pathologe sagte, sie hätte fast fünfhundert Brandwunden von Zigaretten gehabt. Fünfhundert!« Seine Hände auf dem Schreibtisch fangen an zu zittern. »Er hatte sie gefoltert und vergewaltigt. Doch das Schlimmste war das, was er hinterher mit ihr tat. Er schnitt sie auf, entnahm einige ihrer Organe und warf sie neben ihren Körper. Warf sie einfach auf die Straße, damit sie dort zusammen mit ihr verwesten.

Es fällt mir schwer, mich an dieses Gefühl zu erinnern. Wie ich mich gefühlt habe, als ich sie sah. Vielleicht will ich mich einfach nicht erinnern. Woran ich mich erinnere, ist ein Uniformierter, der auf sie hinabsah und meinte: ›O ja, die hab ich gekannt. Eine Stripperin, hat drüben im Tenderloin gearbeitet. Großartige Titten.‹ Das war's für ihn. Keine weitere Erklärung nötig. Er blickte auf Renee hinab, erinnerte sich an ihre Titten, steckte sie in eine Schublade. Für ihn war sie kein menschliches Wesen, kein kluges Mädchen, das versuchte, sein Leben in den Griff zu kriegen. Nur eine Stripperin.« Er fährt mit dem Finger über eine Rille in der Schreibtischplatte. »Sie mussten mich von ihm wegreißen. Nicht, dass es etwas gebracht hätte. Es ist einfach nicht zu glauben. Dieser verdammte Bastard ging später hin und korrigierte die Akte, Jahre später. Unter ›Beruf‹ strich er die Angabe ›Kellnerin‹ und schrieb stattdessen ›Stripperin/Prostituierte‹. Er hat diese Korrektur sogar ans VICAP geschickt.«

Ich bin entsetzt. Ich nehme an, es ist auf meinem Gesicht zu sehen, denn Rawlings blickt mich an und nickt.

»Es ist nicht zu glauben, nicht wahr?« Er seufzt. »Wie dem

auch sei, ich hielt meine Freundschaft zu ihr geheim, sodass ich den Fall übernehmen konnte. Ich wollte diesen Dreckskerl schnappen. Ich musste ihn schnappen. Doch er war gut. Keine Fingerabdrücke, nicht die kleinste Spur. Wir hatten damals noch keine DNS-Analyse, deswegen ...« Er zuckt die Schultern. »Ich suchte dort, wo wir damals immer gesucht haben, wenn es keine stichhaltigen Beweise gab.«

»Wer kannte sie, mit wem stand sie in Kontakt«, sage ich.

»Ganz genau. Sie ging zur Abendschule. Wie sich heraus-stellte, hatte sie dort einen Jungen kennen gelernt. Sich ein oder zweimal die Woche mit ihm getroffen. Ein gut aussehender Bursche namens Peter Connolly. Ich wusste sofort, von Anfang an, dass irgendwas mit ihm nicht stimmte. Irgendwas an der Art und Weise, wie er redete, als ich ihn befragte – als würde er sich über mich lustig machen. Mir irgendwas verheimlichen. Ich gab einem Impuls nach und zeigte das Foto von ihm in der Gegend herum, wo sie gearbeitet hatte. Und siehe da, einige Leute erin-nerten sich an ihn. Sie hatten ihn in der Gegend gesehen, und zwar immer dann, wenn Renee dort arbeitete.

Es kommt noch besser. Peter hatte, wie sich herausstellte, ein Drogenproblem. Er war ebenfalls im Entzug gewesen. Und was soll man sagen – zur gleichen Zeit, als Renee ihren Entzug gemacht hatte, in derselben Anstalt. Jetzt waren meine Anten-nen weit ausgefahren. Nachdem ich herausgefunden hatte, dass er sich nur eine Woche nach ihr in der Abendschule einge-schrieben hatte, wusste ich, war ich sicher, dass er mein Mann sein musste.«

Rawlings verstummt und fängt nicht wieder an zu reden.

»Ich kann mir denken, wohin das geführt hat, Don«, sage ich mit sanfter Stimme. »Keine Beweise, richtig? Sie konnten ihn nicht festnageln. Sicher, er war in der Striptease-Bar gewesen, er war im Entzug, in der Abendschule. Doch all das reichte als Beweis nicht aus.«

Er nickt. Hoffnungslos. »Genauso war es. Es reichte aus,

um einen Durchsuchungsbefehl für seine Wohnung zu erwirken, aber wir fanden nichts. Absolut nichts. Er hatte eine weiße Weste.« Rawlings sieht mich an, und seine Augen sind voller Frustration. »Ich konnte nicht beweisen, was ich wusste. Und es gab keine weiteren Morde. Keine weiteren Tatorte. Die Zeit verging, er zog weg. Ich fing wieder an zu träumen. Manchmal waren es die Babys. Die meiste Zeit über war es Renee.«

Niemand fühlt sich Rawlings überlegen, nicht mehr. Wir wissen, dass jeder an diesen Punkt kommt, irgendwann. Wo wir uns nicht länger biegen können, ohne zu brechen. Er erscheint uns nicht länger als erbärmlich und schwach. Wir sehen in ihm, was er ist: ein Opfer. Ein Opfer seiner Arbeit.

Wer auch immer gesagt haben mag, dass die Zeit alle Wunden heilt – ein Polizist war er nicht.

»Der Grund, warum wir hier sind«, sage ich in die Stille hinein, »ist der, dass wir im VICAP einen Treffer hatten. Der *Modus Operandi* unseres Verdächtigen passt zu Ihrem ungelösten Fall. Der gleiche Täter hat, wie es scheint, erneut zugeschlagen.« Ich beuge mich vor. »Nachdem ich Ihre Geschichte gehört habe, bin ich absolut sicher, dass der Täter unserer Fälle und der Mörder von Renee identisch sind.«

Er studiert mein Gesicht wie jemand, der dem Schicksal misstraut. »Und? Hatten Sie mehr Glück als ich?«

»Nicht hinsichtlich der physischen Beweise. Doch wir haben etwas herausgefunden, das zusammen mit Ihrem Verdacht von vor fünfundzwanzig Jahren möglicherweise ausreicht, um diesen Fall zu lösen.«

»Was ist das?«

Ich berichte ihm von Jack Junior und dem Inhalt des Glases. Der Zynismus verschwindet aus seinem Gesicht, je länger er zuhört, und weicht Aufregung.

»Sie meinen also, diesem Typen sei eingetrichtert worden, er wäre ein Urenkel von Jack the Ripper oder was auch immer, und diese Programmierung habe in frühester Jugend begonnen?«

»Genau das.«

Er lehnt sich in seinem Stuhl zurück und sieht mich mit einem Ausdruck von ungläubigem Staunen an. »Mann o Mann o Mann…Ich sah damals keinen Grund, seine Mutter zu überprüfen. Sein Vater war längst tot und vergessen…« Don Rawlings sieht aus wie jemand, der einen Schock erlitten hat. Er wankt. Er reißt sich zusammen und tippt auf den Aktenordner, den er mitgebracht hat. »Die Informationen sind alle hier drin. Wer seine Mutter ist, wo sie damals gewohnt hat.«

»Dann werden wir ihr einen Besuch abstatten«, sage ich.

»Glauben Sie…« Er atmet tief durch, strafft die Schultern. »Ich weiß, ich stelle heutzutage nicht mehr viel dar. Ich bin ein alter Trunkenbold, der seine Zeit hinter sich hat. Aber wenn Sie mich mitnehmen zu seiner Mutter, dann verspreche ich Ihnen, keinen Mist zu bauen.«

Ich habe nie jemanden so demütig gehört wie ihn jetzt.

»Wenn Sie nicht gefragt hätten, hätte ich Sie darum gebeten, Don«, sage ich. »Es ist Zeit, dass Sie die Sache zu einem Ende bringen.«

KAPITEL 53 Concord liegt nördlich von Berkeley in der Bay-Area. Wir sind dorthin gefahren, um Peter Connollys Mutter zu besuchen, eine Frau mit Vornamen Patricia. Der Führerscheinkopie in der Akte haben wir entnommen, dass sie inzwischen vierundsechzig Jahre alt ist. Wir haben beschlossen, unangemeldet auf ihrer Türschwelle zu erscheinen, statt unseren Besuch anzukündigen und unseren Verdacht zu äußern. Mütter haben schon früher ihre Söhne zum Töten ausgeschickt. Wer weiß, ob es in diesem Fall ähnlich ist?

Ich bin in der Zone. Das ist jener Ort, wo ich immer gegen Ende einer Jagd lande. Wenn ich instinktiv weiß, dass wir unsere Beute umzingelt haben. Alle Sinne sind so sehr geschärft, dass es beinahe schmerzt, und ich fühle mich, als würde ich auf einem dünnen Klavierdraht über einen Abgrund balancieren. Im vollen Lauf, sicher, unbesiegbar, ohne Angst abzustürzen.

Ich mustere Don Rawlings, während wir fahren, und ich sehe bei ihm einen Funken davon, die gleiche Anspannung, auch wenn sie vielleicht stärker mit Verzweiflung gemischt ist. Er wagt es, wieder Hoffnung zu schöpfen. Für ihn ist der Preis eines Fehlschlags wahrscheinlich viel höher als lediglich Enttäuschung. Er könnte tödlich sein. Trotzdem sieht Don zehn Jahre jünger aus. Seine Augen sind klar und konzentriert. Fast kann ich sehen, wie er damals gewesen sein muss, scharfsinnig und in Form.

Wir sind alle Junkies, jeder von uns, der in diesem Beruf arbeitet. Wir waten durch Blut, Verwesung und Gestank. Wir werfen uns nachts voller Alpträume in unseren Betten hin und her, gequält von einem Grauen, das vom Bewusstsein nur mühsam verarbeitet werden kann. Wir tragen es in uns selbst aus oder auf dem Rücken unserer Freunde oder Familien; manchmal auch beides. Doch irgendwann kommen wir schließlich in der Zone an, und das ist ein unvergleichliches Hochgefühl. Es ist eine Euphorie, die einen den Gestank und das Blut und die Alpträume und das Entsetzen vergessen lässt. Und wenn man es hinter sich hat, ist man erfrischt und ausgeruht und bereit, es wieder zu tun.

Selbstverständlich kann der Schuss auch nach hinten losgehen. Man schnappt den Täter nicht. Der Gestank bleibt, ohne die Belohnung, die ihn davonspült. Und wir setzen unsere Arbeit fort, bereit, diese Möglichkeit zu akzeptieren.

Es ist ein Beruf, bei dem man am Rand eines Abgrunds arbeitet. Es gibt eine hohe Selbstmordrate unter meinen Kollegen. Wie in jedem anderen Beruf, wo sich bei einem Versagen ein so gewaltiges Gewicht an Verantwortung auf einen wälzt.

Ich denke an all diese Dinge, aber es ist mir egal. In diesem Augenblick haben meine Narben keine Bedeutung. Ich bin in der Zone.

Ich war schon immer von Büchern und Filmen über Serienmörder fasziniert. Schriftsteller und Regisseure scheinen besessen von der Vorstellung, dass sie ihrem Helden eine Brotkrumenspur auslegen müssen, der er folgen kann. Eine logische Kette von Schlussfolgerungen und Hinweisen, die zum Nest des Monsters führen, wenn das »AHA!« endlich blendend grell aufleuchtet.

Manchmal ist es so, zugegeben. Doch die meiste Zeit über nicht. Ich erinnere mich an einen Fall, der uns fast in den Wahnsinn getrieben hat. Der Kerl brachte Kinder um, und nach drei Monaten tappten wir immer noch im Dunkeln. Nicht eine einzige heiße Spur. Eines Morgens erhielt ich einen Anruf vom LAPD – er hatte sich selbst gestellt. Der Fall war abgeschlossen.

Bei Jack Junior haben wir das gesamte Spektrum physischer Beweise abgegrast, einschließlich der internen IP-Nummern der Provider. Er hat sich maskiert, hat Wanzen und Peilsender angebracht, sich Jünger herangezogen, hat ausgesprochen geschickt agiert.

Und jetzt hängt die Aufklärung des Falles wahrscheinlich von lediglich zwei Faktoren ab. Einem Stück Rindfleisch und einem fünfundzwanzig Jahre zurückliegenden ungelösten Fall, der im VICAP Staub angesetzt hat.

Ich habe im Verlauf der Jahre gelernt, dass ich nur eine Wahrheit brauche und dass sie mich mit alldem Übrigen belohnt, das ich benötige. Überführt ist überführt, und überführt ist gut. Basta.

Alans Handy klingelt. »Ja?«, meldet er sich. Er schließt die Augen, und in mir steigt Angst auf. Doch dann öffnet er sie wieder, und ich sehe seine Erleichterung. »Danke, Leo. Danke, dass du gleich angerufen hast.« Er legt auf. »Sie ist noch nicht wieder zu sich gekommen, aber ihr Zustand ist nicht mehr kritisch, sondern stabil. Sie ist immer noch auf der Intensivstation, doch der Arzt hat zu Leo gesagt, dass sie über den Berg sei, außer

Lebensgefahr – es sei denn, dass irgendetwas Unerwartetes geschieht.«

»Callie wird es schaffen. Sie ist viel zu starrköpfig, um zu sterben«, erwidere ich.

James sagt nichts, und erneut schweigen alle, während wir weiterfahren.

»Hier ist es«, murmelt Jenny.

Das Haus ist alt und ein wenig heruntergekommen. Der Garten ist verwildert, doch nicht ganz tot. Haus und Garten strahlen das Gleiche aus: auf dem Weg ins Nichts, aber noch nicht ganz fort. Wir steigen aus dem Wagen und gehen zur Tür. Sie öffnet sich, bevor wir klopfen können.

Patricia Connolly sieht alt aus, alt und müde. Doch trotz aller Müdigkeit sind ihre Augen wach.

Und voller Angst.

»Sie sind wahrscheinlich von der Polizei«, sagt sie.

»Ja, Ma'am«, antworte ich. »Und vom FBI.« Ich zeige ihr meinen Ausweis und stelle mich und die anderen vor. »Dürfen wir hereinkommen, Mrs. Connolly?«

Sie zieht die Augenbrauen zusammen und mustert mich. »Solange Sie mich nicht Mrs. Connolly nennen.«

Ich verberge meine Überraschung. »Selbstverständlich, Ma'am. Wie möchten Sie denn angesprochen werden?«

»*Miss* Connolly. Connolly ist mein Mädchenname, nicht der meines verstorbenen Mannes. Möge er in der Hölle schmoren.« Sie hält uns die Tür auf, damit wir eintreten können. »Kommen Sie herein.«

Das Innere des Hauses ist sauber und hübsch, allerdings ohne persönliche Note. Als würde es allein aus Gewohnheit sauber gehalten werden. Es fühlt sich zweidimensional an.

Patricia Connolly führt uns in ihr Wohnzimmer und bedeutet uns, Platz zu nehmen. »Möchte irgendjemand von Ihnen irgendetwas?«, fragt sie. »Ich habe nur Wasser und Kaffee, aber das gebe ich Ihnen gern.«

Ich sehe meine Mannschaft an, und alle schütteln verneinend den Kopf. »Nein, danke sehr, Miss Connolly. Sehr freundlich von Ihnen.«

Sie nickt, blickt auf ihre Hände. »Nun, warum erzählen Sie mir nicht, warum Sie hier sind?«

Sie blickt weiter auf ihre Hände, während sie dies sagt, außerstande, uns in die Augen zu sehen. Ich beschließe, meinem Instinkt zu folgen. »Warum erzählen *Sie uns* nicht, warum wir hier sind, Miss Connolly?«

Ihr Kopf ruckt hoch, und ich erkenne, dass ich Recht hatte. Ihre Augen glitzern vor Schuld.

Doch sie ist noch nicht bereit zu reden. »Ich habe keine Ahnung.«

»Miss Connolly, Sie *lügen*«, sage ich ihr auf den Kopf zu und bin verblüfft über die Schroffheit meiner eigenen Stimme. Auf Alans Gesicht zeigt sich Überraschung.

Ich kann es nicht ändern. Ich habe genug von diesem Mist. Ich habe den Hals gestrichen voll, und der Ärger in mir fließt über. Ich beuge mich vor, sehe ihr in die Augen und zeige mit dem Finger auf sie. »Wir sind wegen Ihres Sohnes hier, Miss Connolly. Wir sind hier wegen einer Mutter, einer Freundin von mir, die vergewaltigt und aufgeschlitzt wurde. Wegen ihrer Tochter, die drei Tage lang an den Leichnam ihrer Mutter gefesselt war.« Meine Stimme wird lauter. »Wir sind hier wegen eines Mannes, der Frauen foltert. Wegen zweier toter Agenten und eines dritten, der im Krankenhaus liegt und vielleicht für den Rest seines Lebens gelähmt bleiben wird, ebenfalls eine Freundin von mir. Wir sind hier ...«

Sie springt auf, die Hände an die Ohren gepresst. »Hören Sie auf!«, schreit sie. Ihre Hände sinken herab. Ihr Kopf knickt nach vorn. »Hören Sie auf ... bitte, hören Sie auf.« Genauso schnell, wie sie hochgefahren ist, verlassen sie ihre Kräfte wieder. Es ist, als würde man zusehen, wie einem Ballon die Luft entweicht. Sie setzt sich.

Patricia Connolly seufzt, ein langer, schwerer Seufzer, der zu signalisieren scheint, dass sie bereit ist, von etwas abzulassen, das älter ist als dieser Moment. »Sie denken, Sie wissen, warum Sie hier sind«, sagt sie und sieht mich an. »Aber Sie wissen es nicht. Sie denken, Sie sind wegen dieser armen Frauen hier.« Sie blickt Don Rawlings an. »Oder wegen jener armen jungen Frau von vor über zwanzig Jahren. Sie sind alle Teil davon. Doch womit Sie es hier zu tun haben, ist viel, viel älter als beides.«

Ich könnte sie unterbrechen, könnte ihr von dem Rindfleisch im Glas erzählen und von Jack Junior, aber irgendetwas sagt mir, dass ich sie reden lassen soll, ihr selbst überlassen soll, das Tempo zu bestimmen.

»Es ist eigenartig, wie man manchmal die wichtigsten Dinge bei anderen Menschen übersieht. Selbst bei Menschen, die man liebt. Das ist nicht fair. Wenn ein Mann im Herzen grausam ist, wenn er sich in jemanden verwandelt, der Frauen schlägt oder Schlimmeres, dann sollte es etwas geben, das man sehen kann, das einem verrät, mit wem man es zu tun hat. Finden Sie nicht?«

»Ich habe angesichts meiner beruflichen Erfahrungen oft darüber nachgedacht, und ich bin der gleichen Meinung wie Sie, Ma'am«, antworte ich.

»Ja, ich kann mir vorstellen, was Sie meinen«, sagt sie, während sie mich betrachtet. »Dann wissen Sie ja auch, dass es sich eben nicht so verhält. Überhaupt nicht. Tatsächlich ist häufig genau das Gegenteil der Fall. Die hässlichsten Menschen sind manchmal die anständigsten. Und der charmanteste Mann kann ein eiskalter Mörder sein.« Sie atmet tief durch. »Das Aussehen gibt keinen Hinweis darauf, nicht den geringsten.

Wenn man jung ist, dann macht man sich keine Gedanken über derartige Dinge, natürlich nicht. Ich habe meinen späteren Ehemann Keith kennen gelernt, als ich achtzehn Jahre alt war. Er war fünfundzwanzig und einer der hübschesten Männer, die ich je gesehen hatte. Und das ist nicht übertrieben. Eins fünfundachtzig groß, dunkles Haar, das Gesicht eines Schauspielers. Wenn er sein Hemd auszog…sagen wir, er hatte einen Körper, der zu seinem Gesicht passte.« Sie lächelt bei der Erinnerung. Ein trauriges Lächeln. »Als er Interesse an mir zeigte, war ich buchstäblich überwältigt. Wie viele junge Menschen war ich überzeugt, dass mein Leben langweilig sei. Er hingegen war attraktiv und aufregend. Genau das, was der Doktor verschreiben würde.« Sie zögert, sieht uns an. »Das war übrigens unten in Texas. Ich bin nicht in Kalifornien geboren.« Ihre Augen schweifen in die Ferne. »Texas. Flach und heiß und langweilig.

Keith stieg mir nach, auch wenn es kein Marathon war. Mehr ein Sprint. Ich ließ ihn gerade weit genug rennen, um ihn wissen zu lassen, dass ich kein leichtfertiges Ding war. Mir war das damals nicht bewusst, aber er durchschaute mich, als wäre ich aus Glas gemacht. Er wusste von Anfang an, dass er mich am Haken hatte. Er spielte nur deswegen mit, weil es ihn amüsierte. Er hätte mich packen und mir sagen können, dass ich auf der Stelle mit ihm kommen solle, und ich hätte Ja gesagt. Er wusste es, doch er verabredete sich trotzdem ein paar Mal mit mir.

Er war gut in dem, was er tat. Gut darin, so zu tun, als wäre er kein Ungeheuer. Er trat als vollendeter Gentleman auf und gab sich so romantisch, wie ich es bis dahin nur im Film gesehen oder in Büchern gelesen hatte. Lieb, attraktiv, romantisch – ich dachte, ich hätte meinen Traummann gefunden. Den Mann, von dem jedes junge Mädchen überzeugt ist, ihn zu verdienen und eines Tages zu finden.« Ihre Stimme und ihr Lächeln sind bitter.

»Sie müssen wissen, dass ich zu Hause nicht gerade ein leichtes Leben führte. Mein Vater war ein jähzorniger Mensch. Es war zwar nicht so, dass er meine Mutter jeden Tag oder auch nur jede Woche geschlagen hätte. Doch einmal im Monat passierte es. Ich musste mit ansehen, wie er sie ohrfeigte oder auf sie einprügelte, so lange ich mich zurückerinnern kann. Mich hat er nie angerührt. Als ich älter wurde, begriff ich, dass er nicht deshalb darauf verzichtete, weil er mich nicht schlagen wollte. Der Grund war der, dass er, wenn er mich angerührt hätte, dies in einer anderen Absicht getan hätte als der, mich zu schlagen.« Sie hebt die Augenbrauen. »Verstehen Sie?«

Unglücklicherweise verstehe ich. »Ja«, sage ich.

»Ich denke, Keith hat es auch verstanden. Da bin ich mir sicher. Eines Abends, knapp einen Monat, nachdem wir uns kennen gelernt hatten, bat er mich, ihn zu heiraten.«

Sie seufzt, als sie sich erinnert. »Er wählte den perfekten Abend dazu. Es war Vollmond. Die Nacht war kühl, aber nicht kalt. Wundervoll. Er brachte mir eine Rose und teilte mir mit, dass er nach Kalifornien gehen werde. Er wollte, dass ich mit ihm komme, dass ich ihn heirate. Er sagte, er wisse, dass ich fortmüsse von meinem Daddy, und dass er mich liebe und dass dies unsere Chance sei. Natürlich habe ich Ja gesagt.«

Sie schließt die Augen und schweigt sekundenlang. Ich begreife, dass sie diesen Moment als die Stelle betrachtet, an der sie falsch abgebogen ist in ihrem Leben. Von wo aus ihr Weg in die ewige Dunkelheit führte.

»Vier Tage später sind wir weggegangen. Heimlich. Ich habe mich nicht von meinen Eltern verabschiedet. Ich habe meine wenigen Sachen gepackt und mich mitten in der Nacht aus dem Haus geschlichen. Ich habe meine Eltern niemals wieder gesehen.

Es war eine aufregende Zeit. Ich fühlte mich frei. Das Leben entwickelte sich so, wie ich es mir vorstellte. Ich hatte einen attraktiven Mann, der mich heiraten wollte, und ich war der Sackgasse entkommen, in die ich hineingeboren worden war. Ich war jung, die Zukunft lag vor mir.« Ihre Stimme sinkt zu einem monotonen Flüstern. »Wir brauchten fünf Tage bis nach Kalifornien. Zwei Tage später heirateten wir. Und in der Hochzeitsnacht fand ich heraus, dass die Zukunft, in die ich aufgebrochen war, ein Ort in der Hölle war.«

Ihr Gesicht ist ausdruckslos geworden. »Es war wie das

Gegenteil von Halloween. Statt eines Menschen mit der Maske eines Monsters war Keith ein Monster mit der Maske eines Menschen.« Sie erschauert. »Ich war Jungfrau, als wir heirateten. Er blieb reizend und bezaubernd bis zu jenem Moment, in dem er mich über die Schwelle unseres billigen Hotelzimmers trug. Nachdem sich die Tür hinter uns geschlossen hatte, fiel die Maske von ihm ab.

Ich werde dieses Lächeln nie vergessen. Diktatoren mögen so lächeln, wenn sie an die Opfer denken, die sie auf dem Gewissen haben. Keith lächelte – und dann versetzte er mir eine Ohrfeige quer über das Gesicht. Hart. Ich wurde herumgewirbelt, Blut schoss mir aus der Nase. Ich landete mit dem Gesicht nach unten auf dem Bett. Ich sah Sterne und versuchte mir einzureden, dass ich träumte.« Sie schürzt grimmig die Lippen. »Es war kein Traum – es war ein Alptraum. Ein Wirklichkeit gewordener. ›Um es von Anfang an klarzustellen‹, sagte er zu mir, während er mir die Kleider vom Leib riss. ›Du gehörst mir. Du bist mein Eigentum. Eine Gebärmaschine, weiter nichts.‹ Ich glaube, es war mehr seine Stimme, die mir Angst machte, als das, was er tat. Sie war ruhig und gelassen und…normal. Sie passte nicht zu dem, was er mit mir tat, überhaupt nicht.

Er zwang mich auf die Knie und…man kann nicht sagen, dass wir miteinander geschlafen hätten. Nein. Es bedeutet mir nichts, dass wir Mann und Frau waren. Er vergewaltigte mich. Knebelte mich, damit ich nicht schreien konnte, während er es tat.

Die ganze Zeit über redete er mit dieser ruhigen, gelassenen Stimme weiter. ›Wir werden ein paar Tage hier drinnen verbringen, bis dir klar geworden ist, welchen Platz du einnimmst, du Gebärmaschine. Du wirst lernen zu tun, was ich sage, ohne Fragen zu stellen und ohne zu zögern. Die Strafe selbst für den geringfügigsten Ungehorsam wird Schmerz sein. Mehr Schmerz, als du ertragen kannst.‹ «

Sie verstummt. Schweigt für eine lange Zeit. Wir warten ab,

respektieren ihr Schweigen. Ich habe es nicht eilig. Es besteht kein Zweifel daran, dass sie uns zu dem führt, was wir wissen wollen.

Als sie wieder spricht, ist ihre Stimme kaum mehr als ein Flüstern.

»Er brauchte drei Tage, um mich zu brechen. Er fügte mir Schnittverletzungen zu. Verbrannte mich mit Zigaretten. Schlug mich. Als er fertig war, hätte ich alles getan, was er sagte, ganz gleich wie abscheulich oder erniedrigend es war.« Ihr Mund verzieht sich vor Selbstekel. »Dann offenbarte er mir die Abschlusslüge. Er brachte mich aus diesem Hotel in sein Haus.« Sie nickt. »So war es – er hatte dieses Haus schon die ganze Zeit. Er hat nie in Texas gelebt. Er war nur zur Jagd nach Texas gegangen. Zur Jagd auf jemanden, der ihm ein Kind gebären würde.«

»Peter«, sage ich. Es ist eine Feststellung.

»Ja«, sagt sie. »Mein süßer kleiner Junge.« Sie betont das »süß« so, dass es sarkastisch klingt. »Keith fesselte mich nachts, damit ich nicht weglaufen konnte. Schlug mich, missbrauchte mich. Zwang mich, Dinge zu tun. Dann wurde ich schwanger. Es war die einzige friedliche Zeit, die ich hatte. Während ich schwanger war, rührte er mich nicht an. Ich war wichtig geworden für ihn – ich trug sein Kind aus.« Sie legt sich die Hand an die Stirn. »Ich habe Gott gedankt, dass es keine Tochter war. Er hätte sie bei der Geburt getötet. Heute weiß ich, dass es genauso schlimm war, einen Sohn zu gebären, wenn auch auf eine andere Weise.«

Sie nimmt sich Zeit, um ihre Fassung zurückzugewinnen, bevor sie weitererzählt. »Er zwang mich, das Baby zu Hause zu bekommen, was sonst. Er hat es geholt. Gab mir einen Lappen, mit dem ich mich sauber machen konnte, während er den kleinen Peter auf dem Arm hielt und bewunderte und begurrte. Nachdem ich sauber war und ein wenig geschlafen hatte, gab er mir Peter. Und stellte mir ein Ultimatum.« Sie knetet sich die Hände, eine unbewusste Geste, die ihre Nervosität verrät.

»Er sagte, er würde mir die Wahl lassen. Er könne mich an Ort und Stelle töten und Peter allein großziehen, oder ich könne bleiben und ihm dabei helfen. Er sagte, falls ich bliebe, würde er nie wieder die Hand gegen mich erheben. Er würde sogar in einem eigenen Bett schlafen. Falls ich mich aber zum Bleiben entschied und dann doch zu fliehen versuchte…, würde er mich jagen und mich verfolgen bis ans Ende der Welt, und es würde Wochen dauern, bis ich tot wäre.« Sie hat die Hände so sehr ineinander verkrampft, dass die Knöchel weiß hervortreten. »Ich glaubte ihm. Ich hätte Ja sagen und mich und Peter auf der Stelle umbringen sollen. Aber damals hatte ich noch Hoffnung. Ich dachte immer noch, dass sich die Dinge vielleicht ändern würden.« Ihr Gesicht, ihr Mund, ihre Augen sind voll Bitterkeit.

»Also war ich einverstanden. Er hielt sich an sein Wort. Er schlug mich niemals wieder. Er schlief in seinem eigenen Zimmer, ich in meinem. Selbstverständlich schlief Peter bei ihm. Er wollte sichergehen, dass ich nicht nachts mit Peter davonlief. Er achtete sehr sorgfältig darauf, dass sich keine Möglichkeit dazu ergab.

Peter wurde groß, und als er fünf war, war ich fast zu dem Glauben gelangt, dass sich die Dinge tatsächlich besserten. Das Leben war normal. Nicht wunderbar, aber erträglich. Wie töricht ich damals war! Bald änderte sich alles wieder zum Schlechteren. Und obwohl er mich nicht wieder missbrauchte oder schlug, war das, was er dann tat, viel, viel schlimmer.« Sie zögert, stockt. Lächelt mich schwach an. »Es tut mir Leid, ich brauche eine Tasse Kaffee, bevor ich weitererzählen kann. Sind Sie sicher, dass niemand von Ihnen Kaffee möchte?«

Ich spüre, dass es sie beruhigen würde. »Ich nehme gern einen«, sage ich zu ihr und lächle.

Jenny und Don Rawlings sagen ebenfalls Ja, während Alan um ein Glas Wasser bittet. Lediglich James enthält sich weiterhin.

»Glaubst du all dieses Zeug?«, flüstert Alan mir zu, während Patricia in der Küche ist.

»Ich denke ja«, antworte ich nach einem Moment des Überlegens. Ich sehe Alan an. »Ja, ich glaube ihr.«

Patricia kehrt mit unseren Getränken auf einem Tablett zurück und verteilt sie. Dann setzt sie sich wieder und sieht Alan an. »Ich habe gehört, was Sie gesagt haben.«

Er sieht überrascht und verlegen aus. Beides ist eine Seltenheit bei Alan. »Es tut mir Leid, Miss Connolly. Ich wollte Ihnen nicht zu nahe treten.«

Sie lächelt ihn an. »Keine Sorge, das sind Sie nicht, Mr. Washington. Eines erwirbt man durch das Zusammenleben mit einem bösen Menschen, und das ist die Fähigkeit, einen guten Menschen zu erkennen. Sie sind ein guter Mensch. Außerdem ist die Frage berechtigt.« Sie dreht sich in ihrem Sessel um, sodass sie uns die Seite zuwendet. »Hätten Sie etwas dagegen, den Reißverschluss hinten an meinem Kleid zu öffnen, Agent Barrett? Nur zur Hälfte, das sollte genügen.«

Mit erhobenen Augenbrauen stehe ich auf. Ich zögere.

»Keine Sorge, es ist in Ordnung. Machen Sie es nur.«

Ich ziehe den Reißverschluss herunter. Bei dem, was ich sehe, muss ich für einen Moment die Augen schließen.

»Ein ziemlicher Anblick, wie?«, fragt Patricia. »Nur zu, ziehen Sie ihn auf. Lassen Sie es die anderen auch sehen.«

Patricias Rücken – das, was von ihm zu sehen ist – besteht aus einer einzigen Masse von altem Narbengewebe. Der Teil von mir, der nicht entsetzt ist, sondern kühl beobachtet, bemerkt, dass die Narben auf verschiedene Weise erzeugt wurden, zu unterschiedlichen Zeiten. Höchstwahrscheinlich über mehrere Jahre verteilt. Einige sind kreisrund, Brandnarben, verursacht von glühenden Zigaretten. Andere sind schmal und lang. Schnitte. Ich schätze, dass auch Narben von Peitschenhieben darunter sind.

Alle sehen hin, keiner zögert. Das ist der Beweis für ihre

Geschichte; er macht sie dreidimensional. Es ist ein furchtbarer Anblick. Ich ziehe den Reißverschluss wieder hoch und kehre zu meinem Platz zurück.

Das sich anschließende Schweigen ist schwer und unbehaglich. Alan durchbricht es schließlich.

»Es tut mir Leid, was Ihnen widerfahren ist, Ma'am«, sagt er. »Und bitte entschuldigen Sie, dass ich Ihre Geschichte in Frage gestellt habe.«

Patricia Connolly lächelt ihn an. Es ist ein Lächeln, in dem das Mädchen durchschimmert, das sie einst war. »Ich weiß Ihre Freundlichkeit zu schätzen, Mr. Washington. Danke sehr.« Sie faltet die Hände im Schoß. Nimmt sich einen Augenblick Zeit, um sich zu sammeln.

»Sie müssen wissen, dass ich keine Ahnung von dem hatte, was er tat. Ich kam erst sehr viel später dahinter. Zu spät.

Keith begann, abends lange Stunden mit Peter zusammen im Keller zu verbringen. Er hielt die Tür immer verschlossen. Anfangs sah Peter, wenn er nach oben kam, so aus, als wenn er geweint hätte. Nach einem Jahr kam er lächelnd nach oben. Ein Jahr darauf hatte er überhaupt keinen Ausdruck mehr im Gesicht. Überhaupt keinen. Nur einen merkwürdigen Blick in den Augen. Er sah arrogant aus. Als er zehn war, verschwand die Arroganz. Er wirkte wie jeder normale Zehnjährige auch. Intelligent, lustig, und er konnte einen zum Lachen bringen.«

Sie schüttelt den Kopf.

»Ich sehe das alles natürlich aus heutiger Sicht. Damals waren mir diese Veränderungen an ihm nicht bewusst. Ich nahm sie nur unterbewusst wahr, und sie blieben in meinem Unterbewusstsein haften.

Während all dieser Jahre hielt Keith sein Wort. Er rührte mich nicht an. Versuchte nicht, mit mir zu schlafen. Es war, als existierte ich überhaupt nicht für ihn. Was mir nur recht war. Aber das war ...«

Die Emotionen, die sie nun übermannen, sind so plötzlich

aufgezogen wie ein Sommergewitter. Tränen rinnen über ihre Wangen.

»Aber das war selbstsüchtig von mir, unglaublich selbstsüchtig. Er ließ mich in Ruhe, sicher. Doch das lag nur daran, dass er mit Peter beschäftigt war. Und ich, ich habe nie Fragen gestellt oder ihm nachspioniert oder versucht, irgendetwas zu tun. Ich habe ihm meinen Sohn ausgeliefert, einfach so.« Ihre Stimme ist voller Selbstvorwürfe. »Was für eine Mutter war ich bloß?«

Das Gewitter zieht ab. Sie wischt sich mit dem Handrücken über die Augen.

»Zurückblickend sah ich die Veränderungen an meinem Sohn. Ich erkannte das Lächeln seines Vaters, jenes Lächeln, mit dem Keith mich in unserer Hochzeitsnacht im Hotelzimmer angesehen hatte, bevor er mich schlug. Ich spürte die gleiche Kälte in ihm.« Sie verstummt, schweigt erneut für längere Zeit. Stößt einen schweren Seufzer aus. »Als er fünfzehn war, geschah es.« Ihre Augen sind einmal mehr in die Ferne gerichtet.

»Es waren so viele Jahre ohne Schläge, ohne Vergewaltigung vergangen. Jahre, in denen ich Zeit hatte, in mich hineinzuhorchen und ohne Ablenkung zu denken. Auf gewisse Weise war es, als wäre ich in einem Turm gefangen. Doch diese Isolation brachte mich wieder zu mir. Also fasste ich einen Entschluss. Und dann fing ich an zu planen. Ich war entschlossen, dass es Zeit für mich und meinen Sohn war, frei zu sein. An irgendeinem Punkt hatte sich die Angst in mir in Wut verwandelt. Ich fing an, Keiths Tod zu planen.«

Ihr Gesicht ist leer. »Ich beschloss etwas ganz Einfaches. Ich würde ihn in mein Bett einladen. Etwas, das er nicht erwartete. Ich würde ihn mit mir tun lassen, was er wollte. Und dabei würde ich das Messer unter meinem Kissen nehmen und ihn töten. Mein Sohn und ich würden dieses Haus verlassen und nach Texas zurückkehren. Ein richtiges, normales Leben führen.« Sie sieht mich an, und ihr Blick ist traurig. »Ich nehme an, es gibt Menschen, die gut sind im Töten, und andere, die es nicht sind. Vielleicht lag es nicht daran, dass ich nicht gut war im Töten. Vielleicht lag es daran, dass er so unglaublich gut darin war. Ich wusste es damals natürlich noch nicht, doch ich sollte es bald erfahren.«

Sie befingert eine kleine goldene Kette um ihren Hals.

»Er war überrascht, das ist wahr. Ich sagte zu ihm, ich würde ihn vermissen in meinem Bett. Ich sah, wie die Lust in ihm auf-loderte wie ein Feuer. Ich war darauf gefasst, dass er grob zu mir sein würde. Das war die einzige Weise, wie er es genießen konnte. Er riss mir die Kleider geradezu vom Leib, als er mich in mein Schlafzimmer führte.« Ihre Finger spielen weiter mit der goldenen Kette. »Ich ließ ihn für eine ganze Weile machen, wozu er Lust hatte. Es war so schlimm wie eh und je, doch was bedeuteten schon ein paar letzte Stunden, wenn ich die Chance hatte, es für immer zu beenden?« Sie nickt. »Ich wollte, dass er richtig müde wurde. Als er fertig war, hatte ich ein blaues Auge, eine aufgeplatzte Lippe und eine blutige Nase. Er rollte seinen verschwitzten Körper von mir herunter, drehte sich auf den Rücken und schloss die Augen, während er zufrieden stöhnte.«

Ihre Augen weiten sich, als sie berichtet, was als Nächs-tes geschah. »Wer hätte gedacht, dass sich ein menschliches Wesen so unglaublich schnell bewegen kann? Andererseits war er eigentlich kein menschliches Wesen. Jedenfalls griff ich in dem Moment, in dem er die Augen schloss, mit der Hand unter das Kissen und packte das Messer. Es kann nicht länger als eine halbe Sekunde gedauert haben, bis ich ausgeholt hatte und die Klinge auf seine Kehle zuraste.« Erneut schüttelt sie ungläu-big den Kopf. »Er packte mein Handgelenk einen Zentimeter, bevor die Spitze seine Haut berührte. Packte es und hielt es fest wie mit einem Schraubstock. Er war schon immer unglaublich stark gewesen, viel stärker als jeder Mann, den ich je gekannt habe.

Er hielt mein Handgelenk gepackt und lächelte mich an. Lächelte dieses Lächeln und schüttelte tadelnd den Kopf. ›Eine schlechte Idee, Patricia. Eine ganz schlechte Idee. Ich fürchte, das war es für dich.«« Ihre Hände zittern ein wenig. »Ich hatte eine unglaubliche Angst. Er nahm mir das Messer weg, und dann verprügelte er mich. Er verprügelte mich lange und ausgiebig und gründlich. Er schlug mir ein paar Zähne aus, brach mir die Nase und den Unterkiefer. Ich war kurz davor, endgültig ohnmächtig zu werden, als er sich vorbeugte und mir ins Ohr flüsterte: ›Mach dich bereit zum Sterben, Gebärmaschine.‹ Dann wurde alles schwarz.«

Sie verstummt. Ich bin fasziniert von der Bewegung der goldenen Kette, die sie in der Hand hin und her schiebt.

»Ich wachte im Krankenhaus auf. Ich hatte unglaubliche Schmerzen. Doch es war mir egal, weil ich eines wusste – wenn ich noch am Leben war, konnte das nur bedeuten, dass er tot war. Ich hob den Kopf, und Peter saß neben mir am Bett. Als er merkte, dass ich wach war, ergriff er meine Hand. Wir saßen eine Stunde lang einfach nur da, und keiner sagte ein Wort.

Der Sheriff kam ein paar Stunden später und erzählte mir, was passiert war.« Tränen steigen ihr in die Augen. »Es war Peter. Er hatte meine Schreie gehört. Er platzte in mein Schlafzimmer, als Keith gerade im Begriff stand, mir die Kehle durchzuschneiden. Er hat ihn getötet. Er hat seinen Vater getötet, um mich zu retten.«

Sie schlingt die Arme um ihren Leib, sieht mich verloren an. »Haben Sie eine Vorstellung von den Empfindungen, die einen übermannen bei diesem Gedanken? Nach all diesen Jahren, nach allem, was ich durchgemacht hatte? Die Erleichterung war beinahe unerträglich. Und herauszufinden, dass mein Sohn immer noch mein Sohn war, dass er sich am Ende für mich und gegen seinen Vater entschieden hatte?« Tränen strömen über ihre Wangen. »Ich war sicher gewesen, ihn für immer verloren zu haben…Bitte entschuldigen Sie mich für einen Moment.«

Sie steht auf und wankt zu einem Regal, wo eine Schachtel

mit Kleenex steht. Sie bringt die Schachtel zum Wohnzimmertisch, nimmt ein Tuch heraus, um sich die Augen zu trocknen,
während sie sich wieder setzt.

»Entschuldigen Sie.«

»Sie brauchen sich nicht zu entschuldigen«, sage ich. Ich
meine es ehrlich. Was diese Frau durchgemacht hat, ist unvorstellbar. Manch einer würde sie mit Verachtung strafen, weil sie
diesen Missbrauch so viele Jahre über sich hat ergehen lassen.
Weil sie nicht stark genug war, sich zu widersetzen. Ich denke,
ich weiß es besser als diese Menschen.

Patricia wischt sich die Augen mit dem Kleenex trocken und
reißt sich zusammen. »Ich wurde wieder gesund, und wir kehrten
nach Hause zurück. Es war eine gute Zeit. Peter liebte mich
abgöttisch. Das Abendessen war nicht länger eine schweigsame
Stunde, in der niemand sprach. Wir waren …« Ihre Stimme
versagt. »Wir waren eine Familie.« Ihr Gesicht wird erneut von
Unglück übermannt, Grimm und Bitterkeit kehren zurück wie
eine schwarze Maske. »Es war nicht von langer Dauer.«

Ihre Hand kehrt zu dem Goldkettchen zurück. Verdreht es,
schiebt es hin und her. »Er ging weiter jeden Abend nach unten
in den Keller. Er verbrachte Stunden dort unten. Ich durfte nie
hinein. Daher wusste ich nicht, was er dort machte, doch ich
hatte Angst. Es war etwas, das er zusammen mit seinem Vater
getan hatte, und irgendwie war mir klar, dass es sich um nichts
Gutes handeln konnte.

Monate vergingen, in denen ich mich sorgte. Aber ich unternahm nichts. Ich … wie sagt man dazu, wenn man eine Wahrheit ignoriert, weil man nicht will, dass sie wahr ist?«

»Ich glaube, Sie meinen Verdrängung«, antwortet James.

»Das ist es. Ich verdrängte es. Kann man es mir verdenken?
Keith, mein langjähriger Alptraum, war endlich tot. Ich hatte
meinen Sohn zurück. Das Leben war gut.« Sie wischt sich
mit einer Hand über die Stirn. »Ich nehme an, irgendetwas in
mir ist in all den Jahren mutiger geworden. Es verging zu viel

Zeit, zu viele Nächte, in denen ich diesen Keller nicht aus dem Kopf kriegen konnte. Eines Tages, als Peter in der Schule war, beschloss ich, dass es an der Zeit war, nach unten zu gehen und nachzusehen.

Keith versteckte seinen Schlüssel zum Keller immer unter einer Lampe in seinem Schlafzimmer. Er dachte, ich wüsste es nicht, doch ich wusste es. Also ging ich an jenem Tag in dieses Schlafzimmer, holte Keiths Schlüssel, ging zur Kellertür und schloss sie auf.

Ich stand lange Zeit oben an der Treppe und starrte hinunter in die Finsternis. Rang mit mir selbst. Dann schaltete ich das Licht an und ging diese Treppe hinunter.«

Sie verstummt. Sie schweigt lange, und ich befürchte bereits, dass sie jedes Gefühl für das Hier und Jetzt verloren hat und in jenem vergangenen Moment gefangen ist. Gerade will ich die Hand nach ihr ausstrecken, um ihren Arm zu berühren, als sie wieder anfängt zu reden.

»Ich wartete auf Peter, wartete darauf, dass er von der Schule nach Hause kam. Als er durch die Tür trat, sagte ich ihm, dass ich im Keller gewesen war und was ich gefunden hatte. Ich sagte ihm, dass er mir das Leben gerettet und mich befreit habe und dass er mein Sohn sei. Also würde ich nichts sagen. Doch ich könne ihn nicht länger unter meinem Dach haben. Könne nicht länger mit ihm unter einem Dach zusammen leben.

Ich war zunächst nicht sicher, ob er mir glaubte. Dass ich nicht erzählen würde, was ich gesehen hatte, meine ich.« Ihr Lächeln ist nachdenklich. »Ich nehme an, dass es einen Teil in ihm gab, irgendeinen Teil, der mich liebte. Ich weiß nicht, ob es daran lag, dass ich seine Mutter war, oder weil er glaubte, etwas zu brauchen, an dem er sich festhalten konnte, etwas, das ihn daran erinnerte, dass er immer noch ein menschliches Wesen war. Jedenfalls sagte er kaum ein Wort. Er packte lediglich seine Sachen, nahm ein paar Dinge aus dem Keller, küsste mich auf die Wange, sagte mir, dass er mich liebe und verstehen könne –

und ging zur Tür hinaus. Ich habe ihn seither nicht wieder gesehen. Das ist jetzt fast dreißig Jahre her.«

Erneut fließen ihr Tränen über die Wangen. Sie blickt zu Don Rawlings auf. »Als ich in der Zeitung von diesem armen Mädchen las und dass Peter verdächtigt wurde, wusste ich, dass er es gewesen sein musste. Es passte, verstehen Sie? Es passte zu dem, was ich im Keller gefunden hatte.« Sie ringt die Hände. »Ich weiß, ich hätte etwas sagen müssen. Ich hätte mich bei der Polizei melden müssen. Aber ich…er hatte mir das Leben gerettet, und er war mein Sohn. Ich weiß, dass nichts davon mein Schweigen rechtfertigt. Damals erschien es mir irgendwie richtig. Heute allerdings…« Sie stößt einen Seufzer aus, der Jahrzehnte der Erschöpfung zu enthalten scheint. »Heute bin ich alt. Und müde. Ich bin all der Schmerzen und Geheimnisse und Alpträume überdrüssig.«

»Was haben Sie im Keller gefunden, Patricia?«, frage ich sie.

Sie sieht mir in die Augen. Spielt mit der Goldkette.

»Gehen Sie und sehen Sie selbst nach. Ich habe diese Tür seit fast dreißig Jahren nicht mehr geöffnet. Es ist Zeit, dass sie geöffnet wird.«

Sie zieht das Goldkettchen, mit dem sie unablässig gespielt hat, über den Kopf. Daran hängt ein großer Schlüssel. Sie reicht ihn mir.

»Gehen Sie. Sperren Sie diese Tür auf. Es ist Zeit, dass die Dinge dort unten ans Licht kommen.«

KAPITEL 54 Ich glaube Patricia, was sie gesagt hat. Dass lange, lange Zeit niemand durch diese Tür gegangen ist. Der Schlüssel lässt sich nicht im Schloss umdrehen. Auch das spricht dafür, dass es fast drei Jahrzehnte nicht mehr benutzt worden ist. Alan versucht, die Tür zu öffnen, ein Bild der Konzentration, durchsetzt mit heftigsten Flüchen.

»Ah …«, sagt er, dann folgt ein lautes Klicken. »Ich hab's.«

Er richtet sich auf und öffnet die Tür. Ich sehe eine Holz-
treppe, die nach unten in die Dunkelheit führt. Zum ersten Mal
schießt mir eine Frage durch den Kopf. »Patricia, wir sind hier
in Kalifornien. Die Häuser werden ohne Keller gebaut. Hat
Keith ihn nachträglich ausschachten lassen?«

»Sein Großvater hat es getan.« Sie deutet zur Seite links von
der Tür. »Sehen Sie die große Verfärbung an der Wand. Keith
hat erzählt, dass er ein falsches Regal auf Angeln benutzt hat,
um die Tür zu verbergen. Ich weiß nicht, warum es entfernt
wurde.« Sie ist ein wenig weiter hinten stehen geblieben, hält
sich von der Öffnung zum Keller fern. Sie hat Angst. »Sie werden feststellen, dass die Treppe vor einem Gang endet. Der Keller befindet sich nicht direkt unter dem Haus. Keith hat gesagt,
sein Großvater hätte es absichtlich so gemacht. Wegen der Erd-
beben.«

»Waren Sie seit dem einundneunziger Beben mal unten?«,
fragt Jenny.

»Ich war seit jenem Tag nicht mehr dort unten. Der Lichtschalter ist rechts an der Wand. Seien Sie vorsichtig.« Sie wendet sich ab und geht mit schnellen Schritten zum Wohnzimmer
zurück. Sie rennt fast.

Jenny sieht mich mit erhobenen Augenbrauen an. »Wir müssen tatsächlich aufpassen, Smoky«, sagt sie. »Es gibt einen Grund,
warum wir in Kalifornien keine Keller haben. Der Grund heißt
›seismische Vorkommnisse‹. Möglicherweise ist der Keller nicht
mehr sicher.«

Ich denke über ihre Worte nach, jedoch nur für eine Sekunde.
»Ich will nicht warten, Jenny. Ich muss sehen, was in diesem
Keller ist.«

Sie sieht mich an und nickt. »Ich auch.« Ein schwaches
Lächeln. »Aber du gehst vor.«

Ich steige die Treppe hinunter, und die anderen folgen mir.
Das Geräusch unserer Schritte klingt dumpfer, je weiter wir

nach unten kommen. Ich nehme an, es ist das Erdreich rings um uns herum, eine natürliche Schalldämmung. Es ist kühl hier unten, kühl, still und einsam.

Es ist, wie Patricia gesagt hat. Am Fuß der Treppe befinden wir uns in einem schmalen, betonierten Gang. Ungefähr sechs Meter vor uns sehe ich den Schatten einer Tür. Es sind nur ein paar Schritte, dann stehen wir davor. Ich bemerke einen Lichtschalter und betätige ihn. Wir öffnen die Tür, und alle gehen hindurch.

»Wow!«, sagt James. »Sieh sich das einer an!«

Wir stehen in einem großen Raum, sicher vierzig oder fünfzig Quadratmeter groß. Er ist weder verputzt noch sonst wie verschönert. Ein Raum aus grauem, nacktem Beton, mit schlechter Beleuchtung und funktionellem Mobiliar.

Was James' Aufmerksamkeit geweckt hat, befindet sich an der gegenüberliegenden Wand.

Ich gehe hin, betrachte es staunend. Die Wand ist gepflastert mit anatomischen Darstellungen des menschlichen Körpers. Alles ist präzise beschriftet, angefangen mit den äußeren Schichten eines nackten Leibes. Auf dem nächsten Bild ist der Leib ohne Haut dargestellt. Man sieht das Muskelsystem, alle Muskeln sind benannt. Weitere Zeichnungen zeigen die inneren Organe in allen Einzelheiten.

Ich nähere mich der Wand weiter, und indem ich dies tue, bemerke ich, dass es keine Wand ist. Die eigentliche Wand befindet sich weiter hinten, war durch die schlechte Beleuchtung nicht zu erkennen. Was ich sehe, lässt mich zusammenzucken.

»Mann!«, sage ich zu den anderen. »Seht euch das an!«

Die Wand ist weiß gestrichen, wahrscheinlich, um die schwarze Schrift darauf besser hervortreten zu lassen. Der Text lautet:

Die Gebote des Rippers:

1. Die meisten Menschen sind nichts als Vieh. Du gehörst zu den alten Raubtieren, den echten Jägern. Lass dich nie durch die Moralvorstellungen des Viehs von deiner Mission abbringen.

2. Es ist niemals eine Sünde, eine Hure zu töten. Huren sind die Brut des Teufels und eine Pestbeule auf der Haut der Gesellschaft.

3. Wenn du eine Hure tötest, nachdem du aus den Schatten getreten bist, töte sie auf die grässlichste nur mögliche Weise, als abschreckendes Beispiel für die anderen Huren da draußen.

4. Du darfst keine Schuldgefühle haben, wenn du angesichts der Ermordung einer Hure triumphierst. Du entstammst einer alten Linie, und du bist ein Fleischfresser. Dein Blutdurst ist etwas Natürliches.

5. Alle Frauen tragen den Keim zur Hure in sich. Nimm dir nur eine Frau, um die Blutlinie fortzusetzen. Erlaube Frauen niemals, deine Sinne oder dein Herz zu verwirren. Sie sind Gebärmaschinen, weiter nichts.

6. Diese Lehren dürfen NIEMALS an eine Tochter weitergegeben werden, immer nur an einen Sohn.

7. Jeder Ripper muss seinen eigenen Abberline finden. Jemand muss dich jagen, damit deine Sinne scharf bleiben, deine Fähigkeiten nicht verkümmern.

8. Bevor du nicht deinen Abberline gefunden hast, darf deine Arbeit nicht ans Licht kommen.

9. Stirb lieber, als dass du dich einsperren lässt.

10. Die Nachfahren des Schattenmanns sind furchtlos. Sie befriedigen ihre Bedürfnisse ohne Zögern und Gewissensbisse. Strebe stets danach, dies vorzuleben und das kalkulierte Risiko zu suchen, das Spiel, das dein Blut zum Kochen bringt.

11. Vergiss niemals, dass du von ihm abstammst – dem Schattenmann.

»Verdammt!«, flüstert Don Rawlings.

Ich nicke.

»Seht euch das hier an!«, ruft Alan und deutet auf drei Reihen von Regalen. »Noch mehr Anatomie. Und alle möglichen Bücher über Jack the Ripper.« Er tritt näher heran und zieht ein Heft aus einem der Regale. Er schlägt es auf. »Dachte ich's mir«, sagt er und sieht mich an. »Tagebücher.« Er blättert in den Seiten, hält inne, liest. Dann reicht er mir das aufgeschlagene Heft hin.

Ich sehe eine Serie von Schwarzweißfotografien, die sich über mehrere Seiten erstreckt. Die Fotos zeigen eine junge Frau, geknebelt und an einen Tisch gefesselt. Die Wände auf den Fotos sehen aus wie die Wände dieses Kellers. Ich halte einen Moment inne, gehe um die Regale herum.

»Alan«, rufe ich. Er kommt zu mir, und ich deute auf den Tisch vor uns und auf die Fotos in dem Heft.

»Verdammt«, flüstert er, und seine Gesichtszüge sind angespannt. »Das war direkt hier!«

Die Bilderserie zeigt die Vergewaltigung, Folterung und das Ausweiden der jungen Frau. Die Fotos wirken wie eine grausige Gebrauchsanweisung. Als hielte der maskierte Mann auf den Fotos ein Seminar über Qual und Perversion.

»Mein Gott!«, stoße ich hervor. »Wie viele sind das?«

»An die hundert, würde ich sagen.«

Ich blättere die Seiten mit den Fotos durch, bis ich zu einer Seite mit handschriftlichen Einträgen gelange.

Peter zeigt deutlich, dass er unserer Linie entspringt, selbst mit seinen acht Jahren. Er hat zugesehen, wie ich die Hure getötet habe, während er Fotos gemacht und unablässig intelligente Fragen gestellt hat. Sein besonderes Interesse galt dem Prozess des Ausweidens. Ich stelle mit Freuden fest, dass sein Problem mit dem Erbrechen, das seit inzwischen einem Jahr nicht mehr aufgetreten ist, endgültig überwunden zu sein scheint.

Ich blättere ein paar Einträge weiter.

Ich habe Peter heute mit auf die Jagd genommen. Er hatte schul-

frei, und ich denke, es ist wichtig, ihn persönlich stärker mit ein-
zubinden. Er ist schließlich bereits zehn Jahre alt. Ich war erfreut.
Peter ist talentiert.

Nebenbemerkung: Er wurde verlegen, als ich die Hure auszog,
und er bemerkte, dass sein Penis hart geworden war. Ich erklärte
ihm den biologischen Hintergrund und zwang die Hure, ihm mit
der Hand Vergnügen zu bereiten. Er war fasziniert und schien es
zu genießen. Hinterher dankte er mir.

Und weiter:

Heute fragte mich Peter, wie alt ich gewesen sei, als ich meine
erste Hure tötete. Ich zögerte, ihm die ganze Wahrheit zu erzählen.
Er ist so voll mit der Kraft unserer Linie, dass ich unwillig war,
ihm die Schwäche meines Vaters zu enthüllen. Ich fürchtete, er
könne anfangen, die edle Herkunft unseres Blutes zu bezweifeln.
Schließlich habe ich ihm dann doch alles erzählt: Wie mein Vater
das Geheimnis unserer Blutlinie vor mir zu verbergen trachtete.
Wie ich die Wahrheit nur durch eigene Nachforschungen unserer
Genealogie herausfand. Von den schwachen Versuchen meines Vaters,
alles zu leugnen, als ich ihn mit der Wahrheit konfrontierte. Wie
er und meine Mutter versuchten, mir einzureden, ich sei verrückt.
Ich hätte mir keine Gedanken wegen Peter machen müssen. Der
Ausdruck von Bewunderung in seinen Augen, als ich ihm von mei-
ner Beharrlichkeit und meiner Suche nach der Wahrheit erzählte
und von der Rache, die ich an meinem Vater übte, ist etwas, das
ich niemals vergessen werde.

»Mein Gott…«, murmelt Alan. »Es ist genau, wie Patricia
gesagt hat. Er hat seinen Sohn von frühester Kindheit an beeinflusst und pervertiert.«

»Er hatte nie eine Chance«, bemerkt James. »Nicht, dass es
heute noch eine Rolle spielte. Es ist zu lange gewesen. Er ist
nicht mehr zu retten.«

Ich antworte nicht. In meinen Ohren höre ich ein lautes
Rauschen, und mir ist schwindlig. Elektrische Schocks tanzen
durch meinen Körper.

Dann schlage ich die letzte Seite des Hefts auf. Dort sehe ich eine Unterschrift, und sie versetzt mich in Angst, rasende Wut, Unglauben und Scham. Das Gefühl von Verrat ist beinahe übermächtig.

»Vielleicht ist es ja nur Zufall«, murmele ich vor mich hin.

Aber ich weiß, dass es nicht so ist.

Ich blicke wieder zu den zehn Geboten an der Wand, lese das siebte erneut:

7. Jeder Ripper muss seinen eigenen Abberline finden. Jemand muss dich jagen, damit deine Sinne scharf bleiben, deine Fähigkeiten nicht verkümmern ...

»Smoky?«, fragt Alan. Seine Stimme klingt alarmiert. Besorgt. »Was ist los?«

Ich sage nichts. Reiche ihm wortlos das Tagebuch, deute auf die Unterschrift, die ich auf der letzten Seite entdeckt habe.

Keith Hillstead, steht dort zu lesen.

Hillstead.

Sohn Peter.

Ich weiß jetzt also, wer Jack Junior ist. Und er kennt mich wie kein anderer.

In- und auswendig.

KAPITEL 55 Monster mit Menschenmasken, die ihre Rolle mit absoluter Perfektion spielen.

Peter Hillstead hat alle genarrt, mich eingeschlossen. Schlimmer noch, er hat mich in meinen Momenten größter Verwundbarkeit erlebt.

Aber es gibt etwas weit Schlimmeres, das Übelkeit in mir aufsteigen lässt, während mir all dies bewusst wird. Peter Hillstead hat mich nicht nur genarrt, missbraucht und verletzt – er hat

mir auch geholfen. Aus egoistischen Motiven zwar, trotzdem…
Der Gedanke, dass es einem Teil von mir besser geht, weil ich
ihm begegnet bin, erweckt in mir den Wunsch zu schreien und
zu kotzen. Ich fühle mich, als müsste ich ein Jahr lang duschen,
um den Schmutz von mir abzuwaschen.

»Ich weiß, wer er ist«, sage ich leise, als Antwort auf Alans
Frage.

Schockierte Stille, gefolgt von einem Gewirr durcheinander
redender Stimmen. Alan bringt sie zum Verstummen.

»Was redest du da?«

Ich deute auf die Unterschrift auf der letzten Seite des Tage-
buchs. »Keith Hillstead. Der Name seines Sohnes lautet Peter.
Peter Hillstead. Das ist der Name meines Therapeuten.«

Alan sieht aus, als würde er daran zweifeln. »Das könnte ein
bloßer Zufall sein, Smoky.«

»Nein. Ich bin natürlich nicht hundertprozentig sicher,
solange ich keine Fotos von Keith und Peter Hillstead gesehen
habe. Das Alter jedenfalls stimmt.«

»Verflucht!«, murmelt James.

Ich wende mich um, renne fast zur Treppe. »Los, kommt.«

Patricia sitzt im Wohnzimmer. »Miss Conolly? Haben Sie
irgendwo ein Foto von Keith Hillstead? Und von Ihrem Sohn?«

Sie neigt den Kopf zur Seite, sieht mir in die Augen. »Sie
haben also etwas gefunden, nicht wahr?«

»Ja, Ma'am. Aber ich kann erst sicher sein, wenn ich ein Foto
von Keith und Peter gesehen habe.«

Sie erhebt sich aus dem Sessel. »Nachdem Peter dieses Haus
verlassen hatte, habe ich festgestellt, dass er alle Fotos, die ich
von ihm besaß, mitgenommen hat. Doch ich habe noch eins
von Keith. Es ist unten in einer Schublade vergraben, und ich
habe es aufbewahrt, um mich daran zu erinnern, wie das Böse
aussieht. Warten Sie bitte, ich hole es.«

Sie geht ins Schlafzimmer und kehrt kurze Zeit darauf mit
einem großformatigen Farbfoto zurück, das sie mir reicht. »Hier

ist es«, sagt sie. »Er war so hübsch wie der Teufel. Ergibt irgendwie Sinn, schätze ich, wo er und der Teufel so gute Freunde waren.«

Als ich das Foto betrachte, durchfährt mich ein Frösteln. Jeder Rest von Zweifeln verfliegt. Ich sehe diese elektrisierenden blauen Augen, genauso wunderschön auf dem Foto wie Peter Hillsteads Augen in der Realität. »Sie sehen sich unglaublich ähnlich.« Ich nicke James zu. »Ich bin sicher. Peter Hillstead ist Keith Hillsteads Sohn.«

»Also wollen Sie damit sagen … dass wir wissen, wer er ist? Der Mann, der Renee ermordet hat?«

Es ist Don Rawlings, der mir diese Frage stellt. Hoffnung keimt in seinen Augen auf, doch er kämpft gegen sie an, versucht sie zu zügeln wie ein Mann, der zu häufig verloren hat. Trotz meines inneren Aufruhrs gelingt es mir, ihm zuzulächeln.

»Das ist richtig.«

Ich sehe, wie zehn Jahre von ihm abfallen. Seine Augen werden noch klarer, sein Gesicht nimmt entschlossene Züge an. »Was soll ich jetzt tun?«

»Untersuchen Sie und Jenny alles in diesem Keller und in diesem Haus. Sichern Sie jede Faser, jeden Fleck, alles.«

Mehr muss ich nicht sagen, Sie begreifen es auch so. Wir wissen zwar jetzt, wer Jack Junior ist, doch etwas zu wissen und es vor Gericht zu beweisen, sind zwei Paar Schuhe.

»Wird erledigt«, sagt Jenny. »Was macht ihr?«

»Wir fliegen nach Los Angeles zurück, um uns diesen Drecksack zu schnappen.«

Ich spüre eine Berührung am Arm. In der ganzen Aufregung habe ich fast vergessen, dass Patricia Connolly auch noch da ist.

»Versprechen Sie mir etwas, Agent Barrett?«

»Wenn ich kann, Miss Connolly.«

»Ich weiß, dass Peter ein böser Mensch geworden ist. Er war wahrscheinlich von dem Augenblick an dazu verdammt, als

440

sein Vater ihn mit in diesen Keller nahm. Aber…wenn Sie ihn töten müssen…Versprechen Sie mir, dass es schnell gehen wird?«

Ich sehe Patricia an und erkenne, was aus mir hätte werden können, wenn ich weiter in meinem Schlafzimmer gesessen und weiter meine Narben im Spiegel angestarrt hätte. Wenn ich mich vorher nicht umgebracht hätte, wäre ich geworden wie sie: ein Geist, ein Wesen aus Rauch und Nebel, gefesselt an die Erinnerung aus Schmerz. Eine Frau, die auf einen kräftigen Windstoß wartet, der sie ins Nichts davonweht.

»Wenn es so weit kommt, Miss Connolly, dann verspreche ich, mein Bestes zu tun.«

Sie berührt mich am Arm, diese Frau aus Grau, und setzt sich wieder in ihren Sessel. Vermutlich wird man sie eines Tages so finden. Eines Tages wird sie in diesem Sessel einschlafen und nicht wieder erwachen.

»Kannst du uns zum Flughafen bringen, Jenny?«

»Klar.«

Ich sehe James und Alan an. »Los, bringen wir die Sache zu einem Ende.«

KAPITEL 56 Wir sind auf halbem Weg nach Los Angeles, und ich telefoniere vom Flugzeug aus mit Leo.

»Im Ernst?«, fragt er.

Ich habe ihn gerade darüber informiert, was wir in jenem Haus in Concord herausgefunden haben.

»Ja, es ist so. Bereite alles für die Beantragung eines Durchsuchungsbefehls für seine Praxis und seine Wohnung vor. Mach alles fertig, und sobald wir angekommen sind, trage ich die Einzelheiten ein.«

»Verstanden.«

»Grab ein Foto von Hillstead aus. Anschließend möchte ich,

dass die Aufnahmen von den Sexpartys, die wir aus dem Netz gezogen haben, damit abgeglichen werden.«

»Wird erledigt.«

»Gut. Lass alle wissen, was passiert. Ich muss noch AD Jones anrufen. Wir werden in gut einer Stunde zurück sein.«

»Bis nachher, Boss.«

Ich lege auf und wähle die Nummer von AD Jones. Shirley meldet sich. »Ich muss sofort mit ihm reden, Shirley. Wo auch immer er gerade sein mag und was auch immer er gerade tut. Es ist dringend.«

Sie fragt nicht und widerspricht nicht. Shirley weiß, dass ich niemand bin, der bei jeder Kleinigkeit angerannt kommt. Kurz darauf ist AD Jones in der Leitung.

»Was ist passiert?«, will er wissen.

Ich erzähle die ganze Geschichte. Concord. Keith Hillstead. Der Keller und was wir dort gefunden haben. Ich beende meinen Bericht mit der Enthüllung über Peter Hillstead.

Betäubtes Schweigen. Dann muss ich das Telefon vom Ohr weghalten, weil er anfängt zu brüllen und zu schimpfen und zu fluchen.

»Also ist der wichtigste Therapeut für unsere Agenten in Los Angeles, der seit zehn Jahren für uns arbeitet..., ein Serienkiller? Ist es das, was Sie mir sagen?«

»Jawohl, Sir. Genau das ist es, was ich Ihnen sage.«

Ein Moment des Schweigens, dann: »Erzählen Sie mir, was Sie jetzt vorhaben.« Sein Ausbruch ist vorbei. Er hat sich wieder gefangen. – Es ist Zeit, sich ums Geschäft zu kümmern.

»Das SFPD übernimmt die Spurensicherung in Concord. Vielleicht finden sie ja sogar Peters Abdrücke in diesem Keller.«

»Fingerabdrücke? Nach fast dreißig Jahren?«

»Sicher. Es gibt einen Fall, bei dem nach mehr als vierzig Jahren Fingerabdrücke von porösem Papier genommen wurden. Außerdem habe ich Leo damit beauftragt, alles für die Beantragung eines Durchsuchungsbefehls vorzubereiten, der Hillsteads

Praxis und seine Wohnung umfasst. Ich werde den Antrag fertig ausfüllen, sobald wir gelandet sind. Haben wir erst den Durchsuchungsbefehl, möchte ich, dass wir ihn förmlich überrollen.«

»Was haben Sie mit Hillstead vor?«

Ich verstehe seine Frage. Wir verfügen noch nicht über die erforderlichen Beweise, um ihn zweifelsfrei zu überführen. »Ich werde ihn vorläufig festnehmen und verhören lassen, während wir seine Praxis und Wohnung durchsuchen.«

»Bringen Sie mir den Durchsuchungsbefehl, sobald Sie hier sind. Ich möchte ihn persönlich durchgehen.«

»Jawohl, Sir.«

Er legt auf. Ich sehe James und Alan an. »Es ist alles veranlasst. Jetzt müssen wir nur noch dieses verdammte Flugzeug dazu bringen, schneller zu fliegen.«

Nachdem die Maschine gelandet ist, rennen wir die Gangway hinunter und über das Rollfeld. Zehn Minuten später rasen wir über den Freeway No. 405. Ich rufe erneut Leo an.

»Wir sind im Wagen und gleich da. Hast du inzwischen alles für den Antrag vorbereitet?«

»Du musst nur noch ein paar Details eintragen.«

»Danke, Leo.«

Als wir vor dem FBI-Gebäude ankommen, klingelt mein Handy.

»Hallo?«, meldete ich mich.

»Ich grüße Sie, Agent Barrett.« Die Stimme ist klar und nicht verfremdet.

Ich bedeute allen mit einer Handbewegung, still zu sein.

»Hallo, Dr. Hillstead.«

»Bravo, Smoky, bravo. Ich muss schon sagen, ich habe mich gefragt, ob Renee Parker jemals zurückkehren würde, um mich zu verfolgen. Ich habe eines der Gebote gebrochen bei ihr – ich hatte Sie noch nicht gefunden und habe meine Arbeit trotzdem für die Öffentlichkeit sichtbar gemacht. Ich konnte einfach nicht anders. Ich dachte, nach fünfundzwanzig Jahren ... na ja. So ist das eben. Und Street das Buch und das Medaillon zu geben, war wohl auch ein Fehler. Aber er hat mich *angebettelt* um etwas. Und er hatte wirklich ein Andenken verdient. Er war ein so gelehriger Schüler. Sehr enthusiastisch bei seiner Arbeit.« Hillstead kichert. »Selbstverständlich habe ich mit dem Gedanken gespielt, ihm den Mord an Renee in die Schuhe zu schieben. So weit ist es leider nicht gekommen. Schade. Auch gut.«

Seine Stimme klingt so, wie ich sie kenne, doch der Tonfall und die Art und Weise, wie er spricht, haben sich verändert. Aus ihm tönt eine widerliche Frivolität, eine Selbstgefälligkeit, wie ich sie in seiner Praxis nie bei ihm erlebt habe.

»Sie wissen es?«, frage ich ihn.

»Selbstverständlich weiß ich es. Schließlich habe ich soeben über Renee gesprochen, oder nicht? Es wäre ein wenig unbedacht von mir gewesen, wenn ich die Zweifel gehegt hätte, ohne mich auf diese Möglichkeit vorzubereiten. Natürlich ändert das die Spielregeln.«

»Wie das?«

»Nun ja, Sie kennen meine Identität jetzt. Sie wissen, wer ich bin. Das bedeutet das Ende für mich. Ich und meinesgleichen haben immer in den Schatten gelebt, Agent Barrett. Wir streben nicht zum Licht, noch gedeihen wir darin. Es ist wirklich schade, außerordentlich schade. Wissen Sie überhaupt, wie viele Jahre ich Zeit hatte, um dazusitzen und Ihren Kollegen beim Jammern zuzuhören, während ich nach meinem Abberline gesucht habe? Die endlosen Stunden, in denen ich tun musste, als wäre mir das Geheul nicht gleichgültig, und schlimmer noch, in denen ich diesen armen, zerbrochenen Würmern tatsächlich *helfen* musste, nur damit ich meine Suche fortsetzen konnte?« Er seufzt. »Und schließlich habe ich *Sie* gefunden. Vielleicht war meine Suche zu erfolgreich.«

»Es muss nicht so enden, Dr. Hillstead. Wir können Sie festnehmen.«

Er kichert. »Ich denke nicht, Smoky. Doch dazu kommen wir gleich. Zuerst muss ich Ihnen ein Geständnis machen. Sie erinnern sich an jene Nacht mit Joseph Sands, meine Liebe?«

Ich bin ganz ruhig. Seine Worte machen mich nicht wütend. »Sie wissen, dass ich mich erinnere, Peter.«

»Haben Sie je die Akte gelesen? Ganz, meine ich? Einschließlich der Anmerkungen darüber, wie er sich Zugang in Ihr Haus verschafft hat?«

»Ich habe sie gelesen. Bis auf den Ballistikbericht, den Sie entfernt haben, heißt das. Warum?«

Schweigen. Ich stelle mir vor, wie er grinst. »Erinnern Sie sich, ob es Hinweise auf ein gewaltsames Eindringen gegeben hat?«

Ich will ihm gerade sagen, dass ich genug habe davon. Dass er mich langweilt. Dass er endlich sagen soll, wo er sich befindet. Irgendetwas lässt mich innehalten. Ich denke über das nach, was er gesagt hat, und versuche mich an das zu erinnern, was ich gelesen habe.

Da fällt es mir wieder ein. »Es gab keine Hinweise auf ein gewaltsames Eindringen.«

»Genauso ist es, Smoky. Möchten Sie den Grund dafür wissen?«

Ich antworte nicht. Ich denke an Ronnie Barnes, an die Daten. Barnes starb am neunzehnten, und Sands hat meine Familie am neunzehnten ermordet.

»Es ist ganz offensichtlich, Smoky. Er hatte einen Schlüssel. Warum sollte er gewaltsam eindringen, wenn er einfach die Tür aufschließen konnte?« Hillstead lacht. »Dreimal dürfen Sie raten, wie Sands in den Besitz dieses Schlüssels gelangt ist.« Er macht eine abwartende Pause, bevor er weiterspricht. »Er hatte ihn von mir, liebste Smoky. *Von mir.*«

Ich sehe meine Reaktion in den Augen von Alan und James. Alan weicht einen Schritt von mir zurück und ist mit einem Mal sehr, sehr vorsichtig. Das überrascht mich nicht. Mein Blut wird durchflutet von einem übermächtigen Bedürfnis zu morden, das mir die Sprache raubt.

Mein Kopf ist erfüllt von einem lauten Brüllen, meine Augen brennen, und die in mir hochsteigende Wut ist die gleiche Wut, die ich ans Bett gefesselt gespürt habe, als Sands meinen Matt verstümmelt und ermordet hat.

Der Verlust von meinem Matt und meiner Alexa, den Lieben meines Lebens. Die Narben, die mein Gesicht und meinen Körper entstellen. Die Erinnerungen, die mein Herz zerreißen und fast meine Seele verkrüppelt hätten. Monate voller Alpträume. Monate des schreienden Erwachens. Ozeane voller Tränen. Begräbnisse, Grabsteine, der Geruch von Friedhofserde. Zigaretten und Verzweiflung und die Freundlichkeit von Fremden.

Dieses Ungeheuer, das am anderen Ende der Leitung vor sich hin grinst, hat eine Spur der Verwüstung und Vernichtung hinter sich hergezogen. Don Rawlings. Ich. Bonnie. Es hat unsere Hoffnung in der Hand zerkrümelt wie Brot, und es hat die Krumen an Kreaturen verfüttert, die durch die Dunkelheit kriechen. Es hat sich an unserem Schmerz gelabt wie ein leichenfressender Dämon an einem Grab.

Er ist nicht alles Böse auf der Welt, das weiß ich. Doch im Augenblick ist er die Quelle alles Bösen in meiner Welt. Er ist meine Vergewaltigung, Matts Schreien, der Ausdruck von Überraschung im Gesicht meiner Tochter, als meine Kugel sie tötete. Er ist die toten Babys in Dan Rawlings Träumen, er ist der grauenvolle Mord an meiner Jugendfreundin, er ist die Ursache, dass Callie im Hospital liegt, der Grund für die graue Erschöpfung seiner Mutter, die einsam verwelkt wie eine alte Rose.

»Wo sind Sie?«, fauche ich.

Ich kann sein Grinsen hören. »Ich schätze, ich hab einen wunden Punkt getroffen, wie? Gut.« Er zögert. »Es war Ihr letzter Test, Smoky. Nur wenn Sie Sands überleben konnten, waren Sie wirklich mein Abberline.« Seine Worte klingen beinahe freundlich.

Melancholisch.

»Wo sind Sie?«, wiederhole ich.

Er lacht auf. »Ich werde Ihnen gleich sagen, wo ich bin. Zuerst jedoch möchte ich Ihnen jemanden vorstellen. Sag guten Tag zu Agent Barrett.«

Ich höre, wie das Telefon am anderen Ende an jemandes Ohr gehalten wird. »S-Smoky?«

Ein Schock durchfährt mich wie ein elektrischer Schlag. Es ist Elaina.

Die Ereignisse haben sich derart überstürzt, dass wir Keenan und Shantz noch nicht ersetzt haben. Ich verfluche mich für diesen Fehler. Wie dumm, wie töricht, wie unendlich töricht!

»Ich habe sie hier bei mir, Smoky. Zusammen mit jemand anderem, noch ein wenig jünger. Jemandem, der nicht am Telefon reden kann, weil … nun ja, weil sie zurzeit überhaupt nicht redet.« Er lacht. »Ist das nicht ein Déjà-vu?«

Ich ertrinke. Ich bin umgeben von Luft, doch ich kann nicht atmen. Die Zeit bewegt sich im Rhythmus meines Herzschlags, ein langes, langsames Bumm-bumm nach dem anderen. Es ist nicht Angst, was ich empfinde, es ist Entsetzen. Ein seelenerdrückendes, eingeweidezerreißendes, hysterisches, hohles Entsetzen. Ich bin überrascht, dass meine Stimme ruhig klingt, als ich spreche.

»Wo sind Sie, Peter? Sagen Sie mir nur, wo Sie sind, und ich komme Sie holen.« Ich bitte ihn nicht, den beiden nichts zu tun. Ich würde ihm sowieso nicht glauben, selbst wenn er es verspräche.

»Hier sind die Regeln, Smoky. Ich bin in meinem Haus. Elaina ist nackt und an mein Bett gefesselt. Die kleine Bonnie kuschelt sich in meine Arme. Klingt das bekannt? Falls Sie nicht in fünfundzwanzig Minuten hier sind, werde ich Elaina töten, und zumindest für Bonnie werden die Dinge dann sehr bekannt ablaufen. Sollte ich irgendjemanden von der Polizei oder von den SWAT-Teams sehen oder auch nur den Verdacht hegen, dass sie da sind, töte ich alle beide. Sie können Ihr Team mitbringen, doch ansonsten ist es eine Sache zwischen Ihnen und mir, Smoky. Haben Sie verstanden?«

»Ja.«

»Gut. Die Uhr fängt an zu ticken – jetzt.«

Er legt auf.

»Was zur Hölle ist los?«, will Alan wissen.

Ich antworte nicht. Sehe Alan nur an. Seine Augen sind ernst, besorgt, bereit. Alan war immer bereit. Insbesondere, wenn es darum ging, sich als Freund zu erweisen. Ich spüre meinen eigenen Atem. Ein und aus. Ein und aus. Ein und aus.

Eine große, distanzierte Ruhe erfasst mich. Ich bin an einem Strand, allein, mit einer Muschel, die ich mir ans Ohr halte. In der Muschel rauscht das Meer. Ist das der Schock?, frage ich mich.

Ich denke nicht. Ich denke ganz und gar nicht, dass dies der Schock ist. Es ist Hillstead. Er bekommt endlich, was er die ganze Zeit wollte.

Mich – so, wie er selbst ist. Bereit, ohne Zögern zu morden, ohne Nachdenken, ohne Bedauern, ohne moralische Bedenken. Bereit zu töten, als wäre es das Einfachste auf der Welt. Wie Unkrautrupfen.

Ich lege Alan die Hände auf die Schultern, sehe zu ihm auf, blicke ihm in die Augen. »Hör zu, Alan. Ich muss dir etwas sagen, etwas sehr Schlimmes. Du musst dich zusammenreißen, hörst du? Ich werde mich darum kümmern.«

Er spricht nicht. Es steht alles in seinen Augen, das einsetzende Erschrecken, das einsetzende Begreifen.

»Er hat Elaina und Bonnie«, sage ich.

Meine Hände liegen immer noch auf seinen Schultern, und ich spüre, wie die mächtigen Muskeln sich verkrampfen, wie sein ganzer Leib einmal erschauert. Ein Ruck geht durch ihn hindurch. Sein Blick weicht dem meinen nicht eine Sekunde lang aus. »Er hat alle beide, und er will mich. Wir fahren jetzt zu ihm. Wenn wir dort sind, werden wir ihn töten, was auch immer es kostet, und sie retten.« Ich halte seine Schultern gepackt, grabe meine Finger geradezu in sie hinein. »Verstehst du, was ich sage, Alan? Ich werde mich darum kümmern.«

Er sieht mir unverwandt in die Augen. James beobachtet uns schweigend.

»Er wird sich das Leben nehmen und dich mit sich reißen«, sagt Alan schließlich.

Ich nicke. »Ich weiß. Ich schätze, ich muss schneller sein als er.«

Er greift nach oben, nimmt meine Hände. Hält sie für eine Sekunde. Mein Gott, er hat so riesige, harte Hände. Trotzdem ist seine Berührung sanft. »Sei schneller, Smoky.« Seine Stimme bricht.

Er lässt meine Hände los, tritt zurück. Zieht seine Waffe, überprüft das Magazin, setzt sich in Richtung Wagen in Bewegung.

»Fahren wir«, sagt er.

Er biegt sich, doch er bricht nicht.

Aber wir brechen ihn?, fragt der Drache in mir. *Wir zerquetschen ihn?*

Es ist eine rhetorische Frage, deswegen antworte ich nicht.

Auf dem Weg zu Hillsteads Haus rufe ich Tommy an.

»Beschattest du mich immer noch?«, frage ich.

»Klar.«

»Es hat sich etwas Neues ergeben.« Ich bringe ihn auf den neuesten Stand.

»Was soll ich tun?«

»Ich möchte, dass du zu seinem Haus fährst und dort wartest. Wenn du ihn allein nach draußen kommen siehst, dann ist er uns entwischt.«

»Und?«

»Und wenn das geschieht, möchte ich, dass du ihn ausschaltest.«

Eine lange Pause. Schließlich antwortet er auf die für ihn übliche Weise. »Wird gemacht.«

»Danke, Tommy.«

»Hey, Smoky. Lass dich nicht erschießen.« Er zögert. »Ich möchte immer noch herausfinden, ob das mit uns zu irgendetwas führt.« Dann legt er auf.

Wir steuern in die Auffahrt. Alles sieht normal aus. Nett und still, der Inbegriff einer Vorstadtidylle. Als ich den Motor abstelle, klingelt mein Mobiltelefon.

»Barrett.«

»Sie sind vor der Zeit eingetroffen, Smoky. Ich bin ja so stolz auf Sie! Nun werde ich Ihnen sagen, wie es funktioniert. Sie werden durch die Vordertür hereinkommen. Ihre Freunde werden draußen bleiben. Sollte irgendetwas anderes passieren, werde ich Elaina und die kleine Bonnie töten. Ist das klar?«

»Klar.«

»Dann kommen Sie jetzt rein!«

Die Verbindung bricht ab. Ich ziehe meine Pistole, überprüfe sie, lasse sie in der Hand. Mein dunkler, glatter, stählerner Todesengel. Ich kann beinahe hören, wie er summt.

»Ich gehe rein, ihr bleibt draußen. Das sind seine Regeln.«

»Ich will diesen Scheiß nicht hören!«, sagt Alan. Verzweiflung macht seine Stimme schrill.

Ich sehe ihn an. Sehe ihn *richtig* an. »Ich werde mich darum kümmern, Alan.« Ich lasse ihn meinen Drachen sehen, hören. Hebe die Waffe. »Ich schieße nicht vorbei.«

Er sieht mich an, betrachtet meine Pistole. Leckt sich die Lippen. Sein Gesicht ist grimmig entschlossen und hilflos, ein vergeblicher Widerstreit, und voll rasender Wut. Schließlich schluckt er und nickt. Ich sehe zu James hin. Auch James nickt.

Was soll ich sonst noch sagen? Ich wende mich von ihnen ab, die Ziehhand an der Seite, und gehe den Weg zu Hillsteads Haustür hinauf. Ich lege die linke Hand auf den Türknauf und drehe. Das Herz hämmert mir bis zum Hals, und das Blut rauscht durch meine Adern. Ich spüre Angst und Vorfreude zugleich. Ich betrete Hillsteads Haus und schließe die Tür hinter mir.

»Kommen Sie nach oben, meine liebe Smoky!«, höre ich Hillstead sagen. Seine Stimme kommt aus dem ersten Stock.

Ich steige langsam die Treppe hinauf. Über meinen Rücken rinnen Schweißperlen. Ich komme oben an.

»Hier herein, Agent Barrett!«

Ich gehe zum Schlafzimmer, die Pistole schussbereit erhoben. Was ich sehe, lässt mich erstarren vor Angst, und genau dazu ist es gedacht.

Elaina ist ans Bett gefesselt. Sie ist nackt, Hände und Füße sind gebunden. Übelkeit steigt in mir auf, als ich sehe, dass er bereits mit dem Messer an ihr zugange gewesen ist. Er hat ein »Vier gewinnt«-Spielbrett in die Haut ihres Bauches geschnitten. Er hat ihr eine weitere Schnittwunde oberhalb der Brüste zugefügt. Ich sehe Elaina in die Augen, und was ich dort erkenne, erfüllt mich mit Erleichterung. Sie hat Todesangst, aber sie ist noch immer trotzig. Was bedeutet, dass Hillstead noch nicht wirklich zur Sache gekommen ist. Er hat Elaina noch nicht gebrochen.

Peter sitzt am Fußende des Bettes, in einem gepolsterten Sessel. Bonnie sitzt auf seinem Schoß. Er hält ihr ein Messer an den Hals. Sie ist ebenfalls nicht gebrochen, doch in ihren Augen ist noch etwas, das ich in Elainas Augen nicht gesehen habe. Hass. Wenn Bonnie diesen Mann töten könnte, der ihre Mutter ermordet hat, so würde sie es tun, ohne mit der Wimper zu zucken.

»Ein Déjà-vu, finden Sie nicht, Agent Barrett? Sie werden bemerkt haben, dass ich Elainas Gesicht bis jetzt noch nicht angerührt habe.« Er kichert. »Ich fand es schön, verschiedene Elemente Ihrer eigenen Erlebnisse und Ihres Traumas hier mit einzubeziehen. Wir haben die Zerstörung von etwas Liebenswertem, Schönem – ein wiederkehrendes Problem, das Sie zu haben scheinen. Wir haben die Narben und die Entstellungen.

Und schließlich haben wir – das Beste von allem – Ihre Tochter Alexa, den menschlichen Schutzschild.«

Ich hebe die Pistole. Sofort zieht er Bonnies Kopf vor sein Gesicht. Die Messerspitze drückt fester zu, und an Bonnies Kehle bildet sich ein kleiner Blutstropfen.

»Wir wollen besser nichts überstürzen«, sagt er. »Hier, ich habe einen Sessel für Sie. Nehmen Sie Platz. Lassen Sie uns reden.« Sein Gesicht taucht hinter Bonnies Kopf auf, und er lächelt. »Es wird sein wie in den alten Zeiten.«

Zerquetsch ihn!, brüllt der Drache in mir.

Sei still, sage ich zu ihm. Ich muss mich konzentrieren.

Ich sehe mich um, erblicke den Sessel, auf den Hillstead deutet. Er ist ihm zugewandt, was sonst. Genau wie er gesagt hat – wie in alten Zeiten. Ich gehe hin und setze mich hinein.

»Möchten Sie mich vielleicht noch ein wenig mehr analysieren, Peter?«, frage ich.

Er lacht und schüttelt den Kopf. »Das haben wir hinter uns, Smoky, wir beide. Ich wüsste nicht, was ich Ihnen noch über Sie selbst erzählen könnte.«

»Was wollen Sie dann?«

Er blinzelt mir zu, spitzbübisch. Es ist ein scheußlicher Anblick angesichts der Umstände. »Ich möchte mit Ihnen reden, Smoky. Und ich möchte sehen, was dann passiert.«

Ich starre auf seine Knie. Ich könnte ihm die Knie zerschießen, alle beide, in einem Sekundenbruchteil. Waffe hoch, *peng-peng*, und ihm dann mit einem Kopfschuss den Rest geben. Nichts weiter als kurz ein- und ausatmen, Luft anhalten, dreimal abdrücken. Bye-bye, Peter.

Ich setze zur Bewegung an, noch während ich diesen Gedanken denke. Der Lauf der Waffe hebt sich, und ich *weiß*, dass sie richtig zielt, weiß es in meinen Eingeweiden. Ich weiß auf einer unbewussten Ebene, wie viel Druck ich auf den Abzug ausüben muss. Ich weiß, wie viele Zentimeter ich den Lauf nach dem ersten Schuss bewegen muss, um auch das zweite Knie zu treffen. All das ist geschieht auf einer unbewussten Ebene, alle Berechnungen, genau wie das Zielen.

Nur, dass es diesmal nicht so ist.

Weil die Hand, die den Kolben der Pistole hält ... *zittert*.

Und sie zittert nicht nur ein wenig, sie schüttelt sich förmlich.

Ich schließe die Augen und senke die Waffe wieder. Peter lacht auf.

»Smoky! Vielleicht habe ich Sie zu früh aus meiner Behandlung entlassen! Vielleicht müssen wir Sie noch ein wenig länger therapieren!«

Ich spüre Panik in mir aufsteigen. Sie reitet in einer langsamen, dunklen Welle heran, wie an einem nächtlichen Strand. Ich sehe in Bonnies Gesicht und merke verblüfft, dass sie mich direkt anstarrt. Ihre Augen sind voller Vertrauen.

Ich blinzle, und ihr Gesicht verschwimmt. Blinzle erneut, und sie wird zu Alexa.

Wütende Augen. Keine Spur von Vertrauen darin.

Alexa weiß es schließlich besser.

Meine Ohren füllen sich mit einem fernen Klingeln.

Klingeln? Nein ... ich neige den Kopf zur Seite, lausche. Es ist eine Stimme. Zu weit entfernt und zu schwach, um zu erkennen, wer da spricht.

»Smoky? Sind sie wach?«

Hillsteads Stimme lässt mich in die Gegenwart und zu Bonnie zurückkehren.

Mit Entsetzen bemerke ich, dass ich im Begriff stehe, den Verstand zu verlieren. Gleich hier an Ort und Stelle. Genau in dem Augenblick, in dem ich am meisten gebraucht werde.

Gütiger Gott.

Ich räuspere mich und zwinge mich zu sprechen. »Sie – Sie haben gesagt, Sie wollten reden. Also bitte – reden Sie.« Es klingt nicht überzeugend, doch wenigstens klingt es vernünftig.

Ich bin schweißgebadet.

Hillstead zögert. »Glauben Sie«, fängt er schließlich an, »glauben Sie, dass ich die Situation bedaure, in der ich mich jetzt befinde? Falls ja, dann irren Sie sich. Mein Vater hat mich gelehrt, an einem Standard festzuhalten. Eines seiner Lieblingssprichworte war: ›Es geht nicht darum, wie lange du lebst. Es geht darum, wie gut du getötet hast, während du am Leben warst.‹« Er blickt mich aus zusammengekniffenen Augen an. »Verstehen Sie? Getreu meinem Erbe, dem Beispiel des Schattenmanns folgend, geht es nicht allein darum, Huren zu töten oder das FBI zu verspotten. Es geht um ein ... ein gewisses *Flair*. Es geht um die Wesensart des Mordes, nicht allein um die Handlung.« Seine Stimme klingt stolz. »Wir schneiden euch mit dem feinsten Silber auf und trinken euer Blut aus Designer-Kristallgläsern. Wir strangulieren euch mit Seide, während wir Anzüge von Armani tragen.« Er späht hinter Bonnie hervor. »Jeder Dummkopf kann morden. Meine Vorfahren und ich hingegen – wir schreiben *Geschichte*. Wir werden unsterblich.«

Schinde Zeit heraus, denke ich. Weil ich diese schwache Stimme erneut in meinem Kopf höre. Und ich weiß – *ich weiß* –, dass, was auch immer sie mir mitteilt, wichtig ist.

»Sie haben keine Kinder«, sage ich. »Also endet es mit Ihnen, Peter. So viel zur Unsterblichkeit.«

Er zuckt die Schultern. »Meine Gene werden erneut auftauchen. Wer sagt denn, dass er seinen Samen nicht auch an anderen Stellen ausgestreut hat? Wer sagt denn, dass ich es nicht getan hätte?« Er lächelt. »Ich war nicht der Erste, und ich bezweifle, dass ich der Letzte sein werde. Unsere Art wird überleben.«

Ein furchtbarer Gedanke durchzuckt mich. Ist es möglich, dass ich Bonnie gar nicht retten *will*? Dass ein Teil von mir denkt, dass dies Alexa gegenüber nicht fair wäre?

Meine Hand zittert in meinem Schoß, verkrampft sich zuckend um den Kolben der Pistole.

Ich starre Hillstead an. »Art? Was für eine Art?«

»Die ursprünglichen Jäger. Die Raubtiere auf zwei Beinen.«

»Ah, richtig. Dieser Schwachsinn.«

Mir stockt der Atem, als seine Knöchel um das Messer an Bonnies Kehle weiß werden. Doch dann entspannt er sich wieder und kichert.

»Das Entscheidende bei alledem, liebste Smoky, ist Folgendes: Es spielt keine Rolle, dass Sie mich geschnappt haben. Am Ende bin ich mir treu geblieben. Das ist alles, was zählt. Ich bin mir sehr viel treuer geblieben als mein Vater sich selbst – er hat seinen Abberline nie gefunden. Und meine Jünger?« Ich sehe einen sich herausputzenden Pfau vor mir. Voller Selbstzufriedenheit. »Das ist definitiv etwas absolut Originelles.« Er späht erneut zu mir. »Außerdem möchte ich Ihnen ein Angebot machen, Smoky. Ein wenig Spaß zum Abschied, sozusagen.«

Zum ersten Mal, seit meine Waffenhand angefangen hat zu zittern, verstummt die Stimme in meinem Kopf. Angstvolle Unruhe beschleicht mich. »Was für ein Angebot?«

»Ein paar Narben für ein Leben, Smoky. Ich möchte mein Zeichen an Ihnen hinterlassen und Ihnen dafür etwas als Gegenleistung geben.«

»Wovon zur Hölle reden Sie?«

»Wenn ich zu Ihnen sagen würde: Nehmen Sie Ihre Waffe, und erschießen Sie sich, dann lasse ich Bonnie und Elaina gehen – würden Sie mir glauben?«

»Selbstverständlich nicht.«

»Selbstverständlich nicht. Aber wenn ich zu Ihnen sagen würde: Nehmen Sie ein Messer, und zerschneiden Sie sich das Gesicht, dann lasse ich Elaina gehen …?«

Meine Unruhe wächst. Ich fange wieder an zu schwitzen.

»Ahhhh … Sehen Sie? Das ist das Lustige bei solchen Dingen, Smoky. Sie *müssen* darüber nachdenken, nicht wahr?« Er lacht auf. »Die vielen Möglichkeiten. Wenn Sie nichts tun, wenn wir so weitermachen wie bisher, dann gelingt es Ihnen vielleicht, die beiden zu befreien, oder vielleicht sterben beide. Wenn Sie mitmachen und sich das Gesicht zerschneiden, dann besteht die Möglichkeit, dass ich lüge und wir trotzdem so weitermachen wie bisher…Andererseits müssten Sie sich ja nur zerschneiden, nicht gleich umbringen. Das ist schließlich nicht gleich tot, stimmt's? Oder Sie zerschneiden sich, und ich lasse Elaina tatsächlich gehen. Allein schon die Chance, dass das geschehen könnte, bedeutet, dass mein zweiter Vorschlag eine Überlegung wert ist. Schlimmer noch – zumindest für Sie – wäre folgende Möglichkeit: Es ist vorstellbar, dass ich die Wahrheit sage und Elaina freilasse, aber nur im Austausch gegen das Vergnügen, Ihnen dabei zuzusehen, wie Sie sich weiter verstümmeln, nicht wahr? Insbesondere, wenn ich dieses hübsche kleine Ding hier als Schutzschild bei mir behalte.«

Ich habe nach wie vor nicht geantwortet. Die Unruhe hat sich in Übelkeit verwandelt, und in meinem Magen brodelt es. Er hat nicht Unrecht. Ich sollte darüber nachdenken.

Hillstead hat ein furchtbares Angebot gemacht, doch es wäre erträglich. Wie bei jedem Spiel, könnte ich verlieren, aber der Preis, wenn ich gewinne…Ist er es wert, die Würfel fallen zu lassen?

Wahrscheinlich, ja.

Nein, nein, nein!, schreit der Drache. *Zerschmettere ihn! Töte ihn!*

Halt den Mund, sage ich.

Die andere Stimme schweigt weiterhin. Sie ist da, wartet ab, schweigt. Schweigt und wartet.

»Ist das ein Angebot, Peter?«, frage ich.

»Selbstverständlich ist es das! Zwischen dem Polster und der Armlehne Ihres Sessels finden Sie ein Messer.«

Ich lege die Pistole in meinen Schoß, taste mit den Fingern in den Spalt zwischen Polster und Lehne. Ich kann es spüren. Kalter Stahl. Ich taste weiter, bis ich den Griff gefunden habe, und ziehe es hervor.

»Sehen Sie es sich an.«

Ich tue es. Es ist ein Jagdmesser. Geschaffen, um Fleisch zu zerschneiden.

»Narben«, murmelt Hillstead. »Erinnerungen…wie Jahresringe an einem Baum. Markierungen, die zeigen, wie die Zeit vergeht.« Er schielt mit einem Auge hinter Bonnies Kopf hervor und fixiert mich. Ich sehe, wie das Auge sich bewegt, kann beinahe seine Berührung auf meinem Gesicht spüren. Wie weiche Hände, die über meine Narben streicheln. Fast liebevoll, wie ich bemerke. »Ich möchte Ihnen mein Zeichen aufprägen, mein Abberline. Ich möchte, dass Sie mich sehen, wenn Sie in den Spiegel blicken. Für immer.«

»Und wenn ich es tue?«

»Dann dürfen Sie dieses Messer benutzen, um Elaina von ihren Fesseln zu befreien. Was auch sonst geschehen mag, sie darf gehen. Sie darf das Haus lebend verlassen.«

Elaina versucht durch ihren Knebel zu reden. Ich sehe sie an. Sie schüttelt den Kopf. *Nein!*, sagen ihre Augen. *Nein, nein, nein…*

Ich betrachte das Messer. Denke an mein Gesicht, an die Landkarte aus Schmerz, zu der es geworden ist. Es erinnert mich an den Verlust von allem. Das ist es, woran mich meine Narben erinnern. Vielleicht wird die Narbe, die er jetzt will, eine Erinnerung daran sein, Elaina gerettet zu haben. Vielleicht wird es nur eine weitere Narbe. Vielleicht werden wir aber auch alle hier sterben, und ich werde mit einer unverheilten Wunde begraben.

Vielleicht sollte ich die Pistole nehmen und sie mir an den Kopf setzen. Den Abzug durchdrücken. Würde meine Hand dann zittern? Wenn ich mich selbst erschieße?

Die Welt dreht sich, Bonnie wird zu Alexa, Alexa wird zu Bonnie, und in meinem Kopf tosen Ozeane. Ich bin zugleich voll innerem Frieden und voller namenlosem Grauen.

Ich verliere den Verstand, das ist es. Kein Zweifel.

Ich wende mich von Elaina ab.

»Wo?«, frage ich Hillstead.

Das spionierende Auge hinter Bonnie weitet sich. Ich sehe, wie sich die Haut ringsum zusammenzieht. Er grinst.

»Eine einfache Bitte, meine liebe Smoky. Wir nehmen die Seite, auf der noch keine Narben sind. Für mich sind Sie auf der einen Seite die Schöne, auf der anderen Seite das Biest. Also nehmen wir die linke Seite. Ein einzelner Schnitt, beginnend unter dem Auge bis hinunter zu Ihrem wunderschönen Mund. Zum Mundwinkel.«

»Und wenn ich es tue, lassen Sie mich Elaina losschneiden?«

»Das habe ich gesagt.« Er zuckt die Schultern. »Ich könnte natürlich lügen.«

Ich zögere, dann nehme ich das Messer hoch. Es stand nie in Frage – warum also zögern?

Was du heute kannst besorgen, das verschiebe nicht auf morgen, kichert das Irre in mir. *Schneid dir jetzt die Fresse auf, und wir legen gratis einen Easy-Bake Backofen dazu. Ganz ohne Extrakosten!*

Ich presse die Spitze der Klinge unter mein linkes Auge, spüre die Kälte des Stahls. Eigenartig, denke ich. Nichts fühlt sich so kalt, so gefühllos an wie ein Messer, dessen Klinge deine Haut berührt. Ein Messer ist der ultimative Soldat. Es befolgt jeden Befehl, und es ist ihm vollkommen egal, wo es angesetzt wird, solange es *schneiden* darf.

»Ich möchte, dass Sie einen tiefen Schnitt machen«, sagt Hillstead. »Ich will den Knochen sehen, wenn Sie fertig sind.«

Joseph Sands wollte, dass ich sein Gesicht berühre. Peter Hillstead will, dass ich mein eigenes Gesicht berühre, und das tue ich in diesem Augenblick. Entschlossen, und schnell. Ein tiefer, langer Schnitt. Der Schmerz ist exquisit. Die Klinge ist rasiermesserscharf, sie schneidet beinahe gelangweilt durch meine Haut, mit einem Gähnen, ohne jede Mühe. Die Linie ist lang, und das Blut quillt hervor, Mengen von Blut, die mir über das Gesicht strömen. Ein Blutschwall ergießt sich über meine Lippen. Ich schmecke es, wie edlen Wein.

Der Drache schreit.

Hillstead ist gefesselt von meinem Anblick. Das eine Auge, das ich sehen kann, ist weit aufgerissen. Er trinkt den Anblick in sich hinein, füttert seine Bedürfnisse.

Ich lasse ihm einen Moment, um es zu genießen.

Dann richte ich das Messer auf ihn. »Und? Kann ich Elaina jetzt losschneiden?«

Sein Auge ist immer noch geweitet. Blut tropft mir über das Kinn, und das Auge folgt seiner Bahn.

»...so wunderschön...«, haucht er.

Tropf, tropf, tropf. Er ist fasziniert von meinem Blut.

»Peter?«, frage ich. Das Auge reißt sich zögernd von dem Anblick los. »Kann ich sie jetzt losschneiden?«

Fältchen. Er grinst wieder. »Nun...«, sagt er, zieht seine Antwort in die Länge. »Nein. Nein, ich denke nicht. Nein.«

In mir kämpfen Verzweiflung und Verachtung um die Oberhand. »Wie nicht anders zu erwarten«, schnaube ich. »Wären Sie der echte Ripper, würden Sie Elaina jetzt gehen lassen. Es nicht zu tun – genau das habe ich von Ihnen erwartet.«

Er zuckt die Schultern. »Ich kann's schließlich nicht jedem recht machen.«

»Sie können es immerhin mir recht machen.«

»Wie?«

»Indem Sie sterben, Peter. Einfach, indem Sie sterben.«

Stolze Worte, denke ich. Doch ich habe noch immer Angst, meine Waffe zu ergreifen.

Er lacht auf. »Sicher, Smoky, sicher. Jetzt kommen wir endlich zur Sache.« Eine Hand packt Bonnie im Nacken. Die andere hält das Messer, presst es an ihre Kehle. »Sie haben mir gegeben, was ich wollte. Es wird Zeit, das hier zu beenden.«

Ich lasse das Messer fallen. Sein Blick folgt der Klinge, die auf den Boden klappert.

Ich folge ihr ebenfalls, fasziniert von dem nassen Glanz meines Blutes an der so unglaublich scharfen Schneide.

Ich blinzle. Neige den Kopf. Lausche der Stimme, die plötzlich wieder zurück ist, viel näher als vorhin.

Ich sehe Hillstead nicht an, als ich antworte. »Wie soll es enden, Peter?«

»Es gibt nur zwei Möglichkeiten, Smoky, wie es enden kann, nicht wahr? Auf die eine oder die andere Weise.«

Ich sehe ihn an. Ich existiere auf zwei Ebenen zugleich. Ein Teil von mir sieht Hillstead an, lauscht seinen Worten, reagiert auf sie. Der andere Teil strengt sich an, strengt sich an, strengt sich an, um die Stimme zu verstehen.

Die Haut um das Auge legt sich in Fältchen.

»Ich werde Bonnie die Kehle durchschneiden, Smoky. Ich zähle bis zehn, und dann werde ich ihr den Hals aufschlitzen, von einem Ohr zum anderen, ihr ein breites, blutiges, weinendes Grinsen schenken. Es sei denn, versteht sich, dass Sie mich vorher töten.« Das Messer winkt. »Was auch immer geschieht, ich bin sicher, dass Sie mich letzten Endes erschießen und ich sterben werde. Also – auf die eine Weise: Sie erschießen mich, bevor ich bis zehn gekommen bin, und Bonnie lebt. Oder die andere...« Er sieht auf meine Schusshand. »Es ist wieder genauso wie bei Alexa. Bonnie stirbt, und Sie haben eine weitere Tochter verloren. Sie töten mich dann zwar immer noch, aber es ist zu spät...viel zu spät.«

Endlich kann ich die Stimme hören.

Mami.

»Sie müssen nichts weiter tun, liebste Smoky...« Sein Kopf erscheint. Er grinst mich an. »...Sie müssen nichts weiter tun, als sich ein letztes Mal von mir helfen zu lassen.«

Hör mir zu, Mami. Du kannst es schaffen. Es ist okay.

Ich werde innerlich ganz leer. Ganz still, still, still.

»Fick dich.«

»Wohl kaum.« Hillsteads Grinsen wird noch breiter. »Glauben Sie nicht, dass ich Spaß mache, Smoky. Sie haben zehn Sekunden, bevor ich sie töte. Ich werde mein Messer nehmen und ihr den hübschen Hals aufschlitzen. Sie hat nur dann eine Chance, wenn Sie vorher schießen. Natürlich könnten Sie vorbeischießen und sie treffen, genau wie Sie es bei Alexa getan haben. Sie könnten ein weiteres Kind mit Ihrer Pistole töten.«

Blut tropft von meinem Gesicht. Bonnies Augen füllen meinen Verstand aus.

Aber es ist Alexa, die meine Seele ausfüllt.

Alles Schöne an ihr steigt in meiner Erinnerung hoch. Alles auf einmal. Jeder Moment, in dem ich ihr Lächeln gesehen, in dem ich sie an mich gedrückt und ihr Haar gerochen habe. Jede Träne, die ich weggewischt habe, jeder Kuss, den sie mir gegeben hat. In letzter Zeit sind viele Erinnerungen an meine Tochter zurückgekehrt, zugegeben, doch diese hier sind zehntausendmal lebendiger. Zehn Millionen mal stärker.

Alles verloren. Für immer.

»Nun *machen Sie schon*, Special Agent Barrett! Ich fange jetzt an zu zählen. Zehn Sekunden!«

Ich schwimme in einem Ozean voll Tränen, und er hat keinen Horizont.

Also lautet die Frage, wieder einmal: Wird meine Hand zittern, wenn ich die Waffe gegen mich selbst richte? Ich könnte es auf diese Weise beenden. Schnell und einfach.

Ein Ende aller Erinnerungen. Das ist es, was ich mehr will als alles andere. Meine Vergangenheit vergessen.

»Sie waren mein Inspector Abberline, Smoky. Sie sollten glücklich sein. Sie sind die Beste der Besten. Niemand hat einen von uns je geschnappt, nicht seit den Tagen unseres großen Vorfahren. Ich muss sagen, Ihr Manöver mit dem Fleisch im Glas war großartig. Eine offensichtliche Lüge, doch ich gestehe ... Sie haben mich wütend gemacht. Dass Sie Robert geschnappt haben – nun ja, er war nachlässig, deswegen war das kein Geniestreich von Ihnen. Aber Sie sind talentiert, liebste Smoky. Unglaublich talentiert.«

Ich verstehe kaum, was er sagt. In meinen Ohren herrscht

ein Tosen, das die Welt zu verschlingen droht. Ich bin es selbst, ich hämmere mit den Fäusten gegen mich, bis sie bluten. Ich schreie, ohne je wieder aufhören zu wollen. Ich heule und fluche und sterbe und …

Mami!

Das Tosen endet.

Stille.

Ich sehe sie aus den Augenwinkeln, doch ich kann sie nicht ansehen. Nein.

Ich schäme mich zu sehr.

Es ist okay, Mami. Es ist okay. Du musst dich nur an etwas Wichtiges erinnern.

Was? Dass ich dich enttäuscht habe? Dass ich dich getötet habe? Dass ich weiterlebe und du nicht? Und dass – am schlimmsten von allem – das Leben weitergeht?

Scham erfüllt mich, ergreift Besitz von jedem Teil von mir. Gräbt sich tief in mein Innerstes. Ein Schmerz, ein absoluter, unendlicher Schmerz.

Da wären wir also, denke ich. Das ist das Ende. Der Ort, an dem ich endgültig verliere. Ins Nichts abtauche.

Ich beginne ohnmächtig zu werden.

Bevor ich ganz weg bin, lächelt Alexa mir zu.

Es ist eine strahlende Sonne. Ein goldener Moloch aus Licht.

Nein, Mami. Erinnere dich. Erinnere dich an die Liebe.

Es ist, als hätte jemand den »Pause«-Knopf gedrückt. All die Scham, all der Schmerz enden. Halten an.

Reglosigkeit.

Ein Stück Zeit vergeht, und ich sehe zu, wie es verstreicht. Bumm, macht mein Herz, und dann Bumm, beendet es den Schlag.

Dort steht sie, direkt vor mir. Alexa. Nicht länger ein undeutlicher, verschwommener Schatten, kein kurzer Moment in einem Traum.

Meine wunderschöne Alexa. Strahlend.

»Hi Mami«, sagt sie.

»Hi Baby«, flüstere ich.

Ich weiß, dass sie nicht wirklich da ist. Ich weiß aber auch, dass sie so präsent ist, wie sie nur sein kann.

»Du musst dich entscheiden, Mami«, sagt sie mit sanfter Stimme. »Ein für alle Mal.«

»Was meinst du damit, Liebes?«

Sie beugt sich vor, nimmt meine Hände in die ihren. Ihre Zärtlichkeit geht auf mich über, schlägt über mir zusammen. Es ist so wunderschön, dass ich mich winde.

»Zu *leben*.«

Die Wahrheit kommt – meiner Erfahrung nach – ohne Fanfaren daher, sie kommt in einem einzigen Moment, und sie ändert alles, für immer. Die Wahrheit ist stets einfach.

Mit dieser Wahrheit verhält es sich nicht anders.

Die Wahl zwischen Leben oder Tod ist die Wahl zwischen Alexa und Hillstead.

Zwischen Matt und Sands.

Alexa lächelt, nickt … und verschwindet.

Und genauso schnell, von einem Herzschlag zum anderen, bin ich wieder klar im Kopf. Mein Wahnsinn fällt von mir ab, und die Wahrheit bleibt.

Die Zeit setzt sich wieder in Bewegung.

Hillstead plappert noch immer vor sich hin, doch ich kann seine Worte nicht verstehen. Ich fühle mich, als wäre ich unter einer Glocke aus Stille. In einer Welt, in der sich alles mit seiner normalen Geschwindigkeit bewegt, während meine eigenen Gedanken dahinträumen. Wie Tai-Chi am Grund eines Swimmingpools.

Bonnie hat mich nicht eine Sekunde aus den Augen gelassen, seit ich das Zimmer betreten habe. Voller Angst, und zugleich voller Vertrauen. Jetzt sehe ich sie an, jetzt, nachdem ich wieder klar im Kopf bin. Jetzt sehe ich sie wirklich.

Sie ist wunderschön, Mami.

»Ja, das ist sie, Liebes«, murmele ich.

Hillsteads Augen ziehen sich zusammen. Diesmal kann ich ihn hören. »Mit wem reden Sie da, liebste Smoky? Verlieren Sie den Verstand? Besser, wenn Sie sich jetzt zusammenreißen. Nur noch drei Sekunden, bis die süße Bonnie anfängt zu grinsen – unter dem Kinn.«

Der Schuss, den ich abgeben muss, um sie zu retten, ist schwierig. Ungefähr ein Viertel von Hillsteads Kopf ist zu sehen. Der Rest versteckt sich hinter Bonnie.

Ich fange an zu berechnen, und Modelle und Möglichkeiten surren durch meinen Kopf. Langsam zuerst, dann schneller, immer schneller.

Der Drache spürt, dass seine Zeit gekommen ist, und er schnurrt vor Behagen.

Erneut höre ich die Stimme von Alexa, und sie schmiegt sich in den Rhythmus des Schnurrens wie Wind in einen schweren Regen. »Keine Angst, Mami. Verlass dich auf dein Gefühl. Es steckt in dir, und du musst auf dich selbst vertrauen.«

»Ich weiß nicht, Alexa«, antworte ich. »Fünf Zentimeter, höchstens. Eher vier. Ich weiß es einfach nicht. Ich könnte sie treffen.«

Ich spüre, wie sie von hinten ihre Geisterarme um mich schlingt. Eine Hand geht nach oben, zu meinem Herzen. »Es ist in dir, Mami. Du hast aufgehört, darauf zu vertrauen, aber Bonnie braucht dich jetzt. Und es ist nicht schlimm für mich, dass du sie brauchst. Du hast mir diese Frage in deinem Traum gestellt, doch du bist aufgewacht, bevor ich dir eine Antwort geben konnte. Liebe sie, Mami. Bitte. Es ist nicht schlimm.« Alexas Gesicht taucht in meinem Kopf auf: Matts braune Augen, sein Schelmenlächeln, seine Grübchen. Ich habe keine Angst, sie anzusehen, diesmal nicht. Sie löst ihre Umarmung, und ich spüre, wie sie sich hinter mir zurückzieht. Bevor sie geht, flüstert sie mir ein letztes Mal zu: »Verstehst du denn nicht, Mami? Du bist nicht vollkommen. Tu, was du fühlst. Das ist das Beste, was du geben kannst. Und dein Bestes ist alles, was je irgendjemand von dir verlangen könnte.«

Der Drache faucht, das Rauschen verwandelt sich in ein

Tosen, das sich in mir aufbäumt, mich immer weiter ausfüllt, und dann…

Meine Hand hört auf zu zittern.

Ich hebe die Waffe und drücke den Abzug, ohne bewusst darüber nachzudenken.

Ich höre das Knallen des Schusses nicht. Es läuft alles vor mir ab wie in einem Stummfilm, rein visuell. Ich sehe, wie Bonnies Gesicht nach hinten ruckt, als Hillsteads Kopf explodiert, wie das Messer aus seiner Hand fällt, und ich weiß, dass ich sie zusammen mit ihm getötet habe.

Ich spüre, wie ein Schrei in meiner Kehle aufsteigt. Meine Hände fahren nach oben zu meinem Kopf.

Und dann – dann kommt Bonnie auf mich zu, hoppelt mir mit ihren gefesselten Füßen entgegen. Sie wendet mir die linke Wange zu, und ich sehe Hillstead am Boden, ein Einschussloch im Auge.

Ich begreife. Der Schuss ist gelungen.

Es war äußerst knapp. Die Kugel hat Bonnie an der Wange gestreift, doch sie hat ihr Ziel getroffen. Bonnie ist gerettet. Hillstead ist tot.

Meine Hand zittert, als ich die Waffe einstecke. James und Alan kommen die Treppe hochgestürmt, gefolgt von Tommy. Alan stürzt zu Elaina und befreit sie von ihren Fesseln, hüllt sie in eine Decke, während James und Tommy auf mich und Bonnie einreden und fragen, ob ich verletzt bin.

Ich antworte nicht. Ich sehe schweigend auf ihn hinab.

Der Mann, der Sands den Zugang zu meinem Haus ermöglicht hat, der verantwortlich ist für den Tod meiner Familie und die Narben in meinem Gesicht, liegt tot am Boden. Ich denke an die Woge aus Zerstörung, die er hinter sich hergezogen hat.

Am Ende hat er bewiesen, was er immer gesagt hat. Der Tod ist nur einen Schritt entfernt.

Andererseits – das Gleiche gilt für das Leben und all seine Verfechter.

KAPITEL 57 Callie hat drei Leute eingeladen für diesen Moment. Marilyn, Elaina und mich. Bonnie ist sowieso dabei, was Callie recht zu sein scheint.

Zwei Tage nach dem Tod von Peter Hillstead ist Callie aus ihrem Koma erwacht. Seither sind zwei weitere Tage vergangen, und der Arzt will testen, ob sie noch ein Gefühl in ihren Beinen und Füßen hat und sie bewegen kann. Callie gibt sich die größte Mühe, es zu verbergen, doch ich sehe ihr an, dass sie entsetzliche Angst hat.

Sie sieht furchtbar aus. Blass. Müde. Aber sie ist am Leben.

Jetzt werden wir herausfinden, ob sie irgendwann wieder laufen kann.

Der Arzt hält ein Instrument aus Edelstahl, das jeder schon einmal gesehen hat und niemand benennen kann, in der Hand. Er macht Anstalten, mit dem Sporn am Ende des Griffs über Callies Fußsohlen zu fahren, und blickt Callie fragend an. »Sind Sie bereit?«

Elaina greift ihre Hand auf einer Seite des Bettes, ich nehme ihre Hand auf der anderen. Marilyn steht links von Elaina. Bonnie sieht den Arzt an, und auf ihrem Gesicht steht Sorge.

»Na los, kitzeln Sie mich, Zuckerschnäuzchen.«

Er fährt mit dem Sporn über ihre linke Fußsohle. Sieht sie fragend an. »Haben Sie das gespürt?«

Ihre Augen weiten sich angstvoll. Ihre Stimme ist ganz leise. »Nein.«

»Keine Panik«, versucht er sie zu beruhigen. Ich spüre, dass es nicht funktioniert, weil ihre Hand die meine zu zerquetschen droht. »Probieren wir den anderen Fuß.« Er fährt mit dem Sporn über die Sohle. Wir warten …

Und dann ein Zucken. Der große Zeh bewegt sich. Callie hält den Atem an.

»Haben Sie das gespürt?«, fragt der Arzt erneut.

»Ich bin mir nicht sicher …«

»Das macht nichts. Dass sich der große Zeh bewegt hat, ist

466

ein sehr gutes Zeichen. Probieren wir es erneut.« Er streicht einmal mehr mit dem Sporn über ihre Fußsohle. Diesmal zuckt der Zeh sofort.

»Ich…ich habe es gespürt!«, ruft Callie. »Nicht viel – aber ich hab's gespürt!«

»Das ist sehr, sehr gut, Callie. Ganz ausgezeichnet«, sagt der Arzt aufmunternd. »Und jetzt möchte ich, dass Sie etwas anderes für mich ausprobieren. Ich möchte, dass Sie versuchen, diesen Zeh zu bewegen – den Zeh, der gezuckt hat.«

Callies Hände schwitzen. Ich spüre ein beinahe unmerkliches Zittern.

»Los, versuch's«, gurrt Elaina. »Probier's aus. Ich weiß, dass du es schaffen kannst.«

Callie starrt auf ihren großen Zeh, und sie konzentriert sich mit einer Intensität, die kaum ein olympischer Springer aufzubringen vermöchte. Ich spüre ihre mentale Anstrengung geradezu körperlich.

Der Zeh bewegt sich.

»Ich hab etwas gespürt!«, schreit Callie aufgeregt. »Ich hab meinen Zeh gespürt!«

Der Arzt lächelt. Es ist ein breites, zufriedenes Lächeln. Keiner von uns hat sich bisher erlaubt, erleichtert durchzuatmen, doch ich spüre, dass die Chancen steigen. Wir müssen die Worte aus seinem Mund hören.

»Ja«, meint er schließlich. »Das ist gut. Das ist sogar ganz ausgezeichnet. Die Wahrscheinlichkeit, dass Sie eine Behinderung zurückbehalten, ist äußerst gering. Und wenn, dann ließe sich das vermutlich mit einer Physiotherapie beheben. Also machen Sie sich keine Sorgen, wenn Sie anfänglich mit Schwierigkeiten zu kämpfen haben. Dann müssten wir lediglich Ihren Körper neu trainieren, damit er die vom Gehirn an die Beine ausgesendeten Signale wieder zu verarbeiten lernt.« Nach einer kurzen Pause setzt er hinzu: »Ich glaube kaum, dass Sie eine Lähmung zurückbehalten werden.«

Callies Kopf sinkt auf das Kissen zurück, und sie schließt die Augen. Der Raum ist erfüllt von laut gemurmelten Stoßseufzern. Es ist ein Hurrikan der Erleichterung.

Dann verstummen wir alle. Weil wir ein Weinen hören.

Es ist das Geräusch von etwas Schrecklichem, Furchtbarem, Verkrüppeltem, das endlich nach draußen dringt, voller Qual. Wir drehen uns alle nach der Quelle dieses Geräusches um.

Es ist die kleine Bonnie.

Sie lehnt an der Tür von Callies Zimmer, das Gesicht hochrot. Tränen schießen ihr aus den Augen, und sie hat die Faust gegen den Mund gepresst in dem Versuch, einen Vulkan aus Trauer zurückzuhalten, der nach Freisetzung verlangt.

Diese Eruption macht mich sprachlos. Ich fühle mich, als hätte jemand mein Herz mit einer Rasierklinge zerteilt.

Von uns allen ist Bonnie diejenige, die am meisten um Callie gefürchtet hat, und diese Tatsache macht ihre Trauer umso überwältigender. Das, und mein Begreifen. Wäre Callie gelähmt geblieben, hätte er in Bonnies Augen doch noch gewonnen. Sie weint um ihre Mutter, um mich, um Elaina, um Callie und um sich selbst.

Callies Stimme durchdringt den Raum, ein sanfter Pfeil. »Komm her, Zuckerschnäuzchen«, sagt sie mit einer Zärtlichkeit, die mir die Knie weich werden lässt.

Bonnie stürzt zu ihr ans Bett. Sie nimmt Callies Hand, schließt die Augen und weint gegen diese Hand, während sie die Wange an den Knöcheln reibt, wieder und immer wieder. Sie ist unendlich froh, dass Callie lebt, und sie weint um den Verlust ihrer eigenen Welt, alles zur gleichen Zeit.

Callie murmelt auf sie ein, flüsternd, während wir anderen betroffen schweigen.

Callie hat mich gebeten zu bleiben, nachdem die anderen gegangen sind, nur für ein paar Minuten.

»Und?«, fragt sie nach einer Weile. »Ich nehme an, dass

inzwischen so ziemlich *jeder* über mich und Marilyn Bescheid weiß?«

Ich grinse. »So ziemlich, ja.«

Sie seufzt, doch es klingt nicht nach einem Seufzer des Bedauerns. »Na ja, meinetwegen.« Sie zögert für einen Moment. »Marilyn liebt mich, wusstest du das?«

»Ich weiß.«

»Aber das ist nicht der Grund, warum ich dich gebeten habe zu bleiben«, sagt sie.

»Nicht? Warum dann?«

»Es gibt etwas, das ich jetzt tun muss, und … na ja, ich bin noch nicht so weit, es bei Marilyn zu tun. Vielleicht niemals.«

Ich sehe sie verwirrt an. »Was denn?«

Sie bedeutet mir, näher zu kommen. Ich setze mich auf ihre Bettkante. »Komm noch ein wenig näher.«

Ich gehorche. Sie streckt die Hände nach mir aus und fasst mich sanft bei den Armen, zieht mich noch näher heran, bis sie mich umarmt.

Ich brauche einen Moment, bis ich begreife, und als ich es tue, schließe ich die Augen und halte sie ganz fest.

Sie schluchzt. Still und ohne Worte, aus ganzem Herzen.

Also halte ich sie fest und lasse sie weinen. Diesmal bin ich nicht traurig. Dies sind keine Tränen der Trauer.

KAPITEL 58 Es ist fünf Uhr, und James und ich sind die beiden Letzten im Büro. Es ist ein seltener Augenblick. All die Monster sind schlafen gegangen, für jetzt. Wir können pünktlich Feierabend machen, und ich habe vor, das auszunutzen.

Ich sehe, wie mein Bericht aus dem Drucker kommt. Die letzte Seite kommt heraus, und dieses Blatt symbolisiert das Ende des Jack-Junior-Falles mit alldem Blut und dem Elend und den Leben, die auf grausame Weise ausgelöscht wurden.

Aber es ist nicht wirklich abgeschlossen. Die Dinge, die er getan hat, und die Art und Weise, wie sie uns und andere berührt haben, werden uns noch jahrelang verfolgen. Er hat mit einer breiten Klinge zugeschlagen, unterschiedslos und tief. Narbengewebe mag verheilen, doch es ist trotzdem sichtbar, und in einer einsamen Nacht kann es manchmal jucken wie ein Phantomglied.

Wie der Tod von Keenan und Shantz. Dieses Gliedmaß juckt nicht nur, es schmerzt.

»Hier sind meine Notizen«, sagt James, und ich schrecke aus meinen Gedanken hoch. Er legt sie mir auf den Schreibtisch.

»Danke. Ich bin fast fertig.«

Er steht da, sieht wie ich zum Drucker. Ein weiterer seltener Augenblick: James und ich in einvernehmlichem Schweigen.

»Ich schätze, wir werden es nie herausfinden«, sagt er.

»Ich schätze nicht, nein.«

Wir fahren auf dem gleichen schwarzen Zug, und deswegen teilen wir die gleichen Fragen, ohne sie in spezifische Worte kleiden zu müssen.

Gab es einen Ripper vor Peter Hillsteads Vater? Gab es einen mordenden Großvater oder Urgroßvater? Wenn wir die Spur zurückverfolgen könnten, bis in die Tage, als es noch keine Forensik und keine Datenverarbeitung gab, würden wir uns dann auf von Gaslaternen erhellten Kopfsteinpflastergassen jenseits des Ozeans wiederfinden? Und könnten wir jenen gesichtslosen Mann mit einem glitzernden Skalpell in der Hand und einem Zylinder auf dem Kopf dort zu fassen bekommen? Könnten wir jenem namenlosen Entsetzen endlich ein Gesicht abringen?

Wahrscheinlich nicht. Doch das werden wir niemals mit Sicherheit wissen.

Es ist die Fähigkeit, Fragen wie diese unbeantwortet zu lassen und davonzugehen, ohne sich noch einmal umzudrehen, die es uns ermöglicht, unseren Verstand zu behalten.

Die letzte Seite kommt aus dem Drucker.

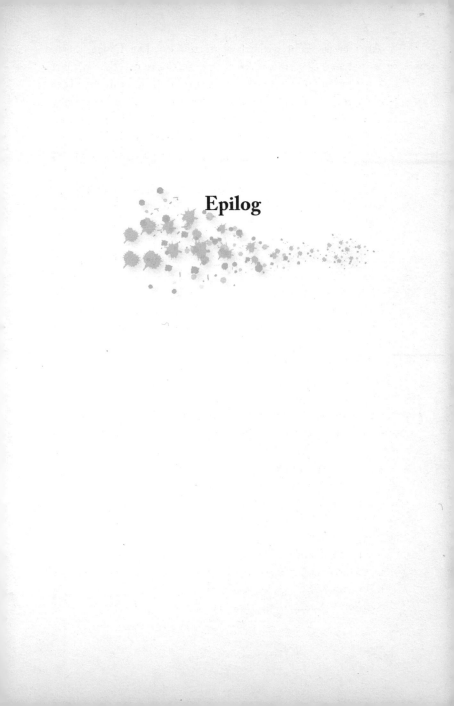

Epilog

Ich habe Annie neben Matt und Alexa begraben. Auf diese Weise können Bonnie und ich unsere Familien gemeinsam besuchen.

Es ist ein wunderschöner Tag. Die kalifornische Sonne, die Art von Sonne, die mein Vater am meisten geliebt hat, scheint in all ihrer Pracht auf uns herab, und eine kühle Brise verhindert, dass uns zu heiß wird.

Das Gras auf dem Friedhof ist diese Woche noch nicht gemäht worden, und es neigt sich im Wind. Ein üppiges, dichtes, wogendes Grün. Ich blicke über den Friedhof, und die Grabsteine erstrecken sich, so weit das Auge reicht. Ich stelle mir den Friedhof als den Grund des Ozeans vor, bedeckt von Seetang und Reihen untergegangener Schiffe.

Ich sehe andere Menschen auf diesem Friedhof, einzeln oder in Gruppen, junge und alte. Sie besuchen ihre Frauen oder Männer, ihre Söhne oder Töchter, ihre Brüder oder Schwestern. Viele von ihnen starben friedlich. Einige starben gewaltsam. Einige wurden getröstet, andere starben allein.

Einige Gräber werden nie besucht. Sie altern und verwahrlosen.

Obwohl der Friedhof voller Erinnerungen ist und von Geistern heimgesucht wird, ist es ein friedlicher Ort. Und es ist ein wundervoller Tag. Bonnie hat eigenhändig Blumen auf Annies Grab gepflanzt. Als sie ihre Arbeit beendet hat, steht sie auf und reibt sich den Schmutz von den Händen.

»Bist du fertig, Liebes?«, frage ich.

Sie sieht mich an, nickt. Lächelt.

Elaina hat mit ihrer Chemotherapie angefangen. Alan kommt trotzdem zur Arbeit. Ich habe akzeptiert, dass ich keinerlei Einfluss auf das Ergebnis ihrer Therapie und auf das habe, was sich daraus für die beiden entwickelt. Ich kann nicht mehr tun als meine Freunde zu lieben und für sie da zu sein.

James hat seine Schwester wieder begraben. Leo hat sich einen neuen Hund gekauft, einen Labradorwelpen, von dem er seit Tagen ununterbrochen erzählt. Callies Genesung macht Fortschritte. Sie wird von Tag zu Tag übellauniger, weil sie noch im Krankenhaus bleiben muss – ein gutes Zeichen. Ihre Tochter besucht sie weiterhin, und Callie scheint zu akzeptieren, dass sie nun den Titel einer Großmutter trägt. Es scheint ihr nicht sonderlich viel auszumachen, im Gegenteil.

Tommy und ich haben uns einige weitere Male getroffen. Bonnie mag ihn. Wir gehen es langsam an, warten ab, wohin es führt.

Wie sich herausgestellt hat, ist Peter Hillstead für den Tod von mindestens zwölf Frauen verantwortlich. Die meisten seiner Morde waren perfekte Verbrechen. Wir haben nur deshalb davon erfahren, weil er alles in seinen Tagebüchern festgehalten hat. Er hat akribische Notizen angefertigt, genau wie sein Vater. Und wie sein Vater hat er seine Opfer versteckt. Er hat sich Frauen ausgesucht, die niemand vermisst, und er hat ihre Leichen beseitigt, wenn er mit ihnen fertig war. Er hat keinerlei Beweise zurückgelassen, nichts außer ... Schatten.

Wir haben immer noch keine Ahnung, mit welchen anderen Ungeheuern er in Kontakt gestanden und welche Jünger er sonst noch herangezogen hat außer jenen, von denen wir bereits wissen – und ob es überhaupt weitere gegeben hat. Ich habe gelernt, das ebenfalls zu akzeptieren, weil ich auch darauf keinen Einfluss habe. Wenn sie irgendwann aus ihren Löchern gekrochen kommen, bin ich da, um sie zu schnappen.

Außerdem haben wir erfahren, dass sich Robert Street und

Peter Hillstead seit fast drei Jahren kannten. Street hat sich nur an den letzten beiden Morden beteiligt. Offen gestanden, es ist mir egal. Hillstead ist tot und erledigt, und Street wird bald seinen Platz in der Todeszelle erhalten.

Hillstead hat seine Stellung als Arzt und autorisierter Therapeut für Agenten missbraucht, um sich Zugang zu persönlichen Akten zu verschaffen, was ihn, wie wir glauben, auch zu Callies Tochter geführt hat. Das FBI hat jeden von uns bei der Einstellung gründlich durchleuchtet, und Marilyn wird den scharfen Augen der Prüfer nicht entgangen sein.

Manchmal erschien er uns allwissend angesichts seiner Fähigkeit, selbst die kleinsten Details über uns herauszufinden. In Wirklichkeit war er nur schlau und verschlagen.

Wir aber waren schlauer, was ich mir in grimmiger Selbstgefälligkeit immer wieder ins Gedächtnis rufe. Ich erkenne die Gefahr dahinter. Der schwarze Zug ist meine eigene Arroganz, die mich eines Tages über eine Klippe tragen könnte, wenn ich nicht aufpasse. Für den Augenblick lasse ich ihn fahren. Drachen sind schließlich stolze Wesen.

Die Hillsteads haben unseren Profilern neue Arbeit verschafft, und sie sind völlig aus dem Häuschen. Ein neuer und bisher unbekannter Typus des Serienmörders, bla-bla-bla-bla.

Ich glaube nicht, dass er sich so sehr von all den anderen Serienkillern unterschied, die ich gejagt und geschnappt habe. Er hat einen Fehler gemacht, genau wie alle anderen. Ganz gleich, wie »perfekt« er gewesen sein mag, es war Renee Parker – sein allererstes Opfer –, die aus dem Grab nach ihm gegriffen und ihn am Ende zu sich hinunter in die Erde gezogen hat. Das erfüllt mich mit einem Gefühl gewaltiger Befriedigung.

Die echten Geister unserer Welt sind, so habe ich seither häufig gedacht, genau das: die Konsequenzen unserer Handlungen. Die Fußspuren der Veränderung, die wir auf unserer Reise durch die Zeit hinterlassen.

Konsequenzen. Sie können uns verfolgen und uns schaden.

Sie können uns aber auch erheben und des Nachts eine Quelle des Trostes sein. Nicht alle Geister heulen und jammern. Manche lächeln einfach nur.

Bonnie redet nach wie vor nicht. Sie schreit nicht mehr jede Nacht im Schlaf, doch ihre Nächte sind längst noch nicht friedlich.

Sie ist ein wunderbares Kind, klug, aufmerksam, voller Liebe. Sie ist außerdem eine Künstlerin, eine Malerin. Sie malt unermüdlich Bilder, wunderschöne und dunkle, und ich erkenne, dass diese Bilder für den Augenblick Bonnies Ersatz für gesprochene Worte sind.

Wir haben uns im Alltag eingerichtet. Nicht ganz Mutter-Tochter, noch nicht ganz. Aber wir machen Fortschritte, und ich habe nicht länger Angst davor. Ich bin glücklich mit dem ersten Gesetz jeder Mutter, bereit, mich von ihm führen zu lassen, wohin es auch will.

Die Geister von Matt und Alexa besuchen mich in meinen Träumen, und sie sind ein Trost. Ich habe nicht länger Alpträume.

»Bist du so weit?«

Als Antwort nimmt Bonnie meine Hand.

Sie ist stumm, und ich bin entstellt, doch der Tag ist wunderbar und die Zukunft nicht länger schrecklich. Ich habe sie, und sie hat mich, und daraus erwächst Liebe.

Und aus Liebe – Leben.

Wir verlassen den Friedhof Hand in Hand, beobachtet von unseren Geistern. Ich kann spüren, wie sie lächeln.

Wer hilft dir, wenn alle glauben, dass dein größter Feind du selbst bist?

Zoë Beck
DAS ALTE KIND
Thriller
304 Seiten
ISBN 978-3-404-16443-1

Als Fiona zu sich kommt, liegt sie in ihrer Badewanne, das Wasser rot von ihrem Blut. Später behauptet sie, jemand hätte versucht, sie umzubringen. Doch niemand glaubt ihr. Wenig später wird die Leiche ihrer Mitbewohnerin gefunden, die Fiona auffällig ähnlich sah. Hat Fiona womöglich doch recht und jemand hat es auf sie abgesehen?

»Spannend, emotional, atmosphärisch dicht.«   SEBASTIAN FITZEK

»Val McDermid hat eine ernstzunemende Konkurrentin bekommen.«
LEONARD LANSINK, ZDF-Detektiv »Wilsberg«

Bastei Lübbe Taschenbuch

Yeshua HaMeshiah … Jesus, der Messias.

Glenn Meade
DER ZWEITE MESSIAS
Thriller
Aus dem irischen Englisch
von Karin Meddekis
544 Seiten
ISBN 978-3-404-16432-5

Als der Archäologe Jack Cane diese Zeilen in einem alten
Papyrus liest, glaubt er an eine Sensation. Ist dies die wirkliche
Lebensgeschichte Jesu Christi? Doch der Text ist unvollstän-
dig. Die fehlenden Passagen sind im Besitz eines mächtigen
Mannes. Und dieser wird alles tun, damit die Wahrheit über das
Leben Jesu nie ans Licht kommt. Denn er ist der neue Papst.

»Glenn Meade ist eine Klasse für sich« BILD AM SONNTAG

Bastei Lübbe Taschenbuch

*11:00 Uhr: Ein Passagierflugzeug stürzt ab. 212 Menschen
sterben ... 18:00 Uhr: Deine Frau wird ermordet.
Sie kannte die Absturzursache ... 22:00 Uhr: Was wäre,
wenn du alles ungeschehen machen könntest?*

Richard Doetsch
DIE 13. STUNDE
Thriller
Aus dem amerikanischen
Englisch von
Dietmar Schmidt
416 Seiten
ISBN 978-3-7857-6036-9

Nicholas Quinn sitzt im Verhörraum der Polizei. Seine Frau wurde ermordet, und man hält ihn für den Täter. Doch er ist unschuldig. Ihr Tod ist mit dem Schicksal von 212 Menschen verbunden,
die bei einem Flugzeugabsturz ums Leben gekommen sind –
denn eigentlich sollte Nicholas' Frau an Bord dieser Maschine
sein. Doch aus irgendeinem Grund hat sie die Maschine in letzter
Minute verlassen. Dieser Grund ist für den Absturz verantwortlich. Und für ihren Tod.
Ein Fremder betritt das Verhörzimmer. »hre Frau lebt noch«, sagt
er.»Sie können sie retten und die 212 Passagiere des Flugzeugs.«
Er überreicht Nicholas eine goldene Uhr, auf der die Zeit rückwärts zu laufen scheint. »Sie haben dreizehn Stunden.«

Lübbe Paperback